le cas Boileau

DU MEME AUTEUR

Le Nazisme et l'Enseignement secondaire en Autriche, Secrétariat Général du Haut-Commissariat en Autriche, 1946.

L'Université populaire du Tyrol, id.

Aspects de la Tchécoslovaquie, Editions du Temps Présent, 1947.

Romain Rolland, id., 1948 (traduit en japonais).

Le Drame romantique et ses grands créateurs, P.U.F., 1955 (Prix Paris-Lyon).

L'Acteur Joanny et son Journal inédit, id., 1955.

Les Grands Rôles du théâtre de Racine, id., 1957.

Les Grands Rôles du théâtre de Molière, id., 1960.

Les Grands Rôles du théâtre de Corneille, id., 1962.

Les Grands Rôles du théâtre de Marivaux, id., 1972.

Les Grands Rôles du théâtre de Beaumarchais, id., 1974.

Le Public de théâtre et son histoire, id., 1964.

Henri Becque et son théâtre, Editions des Lettres Modernes, 1962.

La Légende de Napoléon et les écrivains français du XIXe siècle, id., 1967.

L'Obsession de Napoléon dans le « Cromwell » de Victor Hugo, id., 1967.

Le Personnage de Napoléon III dans les « Rougon-Macquart », id., 1970.

Victor Hugo et Waterloo, id., 1983.

Racine, collection « Tels qu'en eux-mêmes », Bordeaux, Ducros, 1969.

Molière et sa fortune littéraire, id., 1970.

Histoire de la critique dramatique en France, Editions Narr-Place, Tübingen-Paris, 1981.

Dix Promenades dans le Cimetière cornélien, la Pensée Universelle, Paris, 1983.

maurice descotes

le cas Boileau

la pensée universelle
4, rue Charlemagne - 75004 Paris

315117

Si cet essai procède de la même intention première que les *Dix Promenades dans le Cimetière cornélien*, sa mise en forme ne pouvait pas être analogue.

Il ne s'agit plus, en effet, d'évoquer, en ordre dispersé et un peu au hasard, de vieilles tragédies injustement tombées dans l'oubli. Mais, cette fois, de reconstituer et de rapprocher de nous l'évolution d'une personnalité, de sa carrière et de l'ensemble de son œuvre. Ce qui interdit le libre laisser-aller de « promenades » et impose d'emblée le respect de la chronologie.

Au surplus, cette personnalité, cette œuvre et cette carrière sont, naturellement, en grande partie déterminées par les mentalités et les structures d'un monde vieux de trois siècles. Pour ne pas commettre de contresens à base d'anachronismes caractérisés, il s'avère donc indispensable d'abord de faire une large place à l'analyse de situations, de mentalités qui semblent fort éloignées des nôtres. Mais aussi de mettre en évidence que cet « environnement » archaïque et dépassé pose — en termes différents, certes — des problèmes qui ne nous sont, en leur fond, nullement étrangers.

Bref, tout en tenant compte des plus récentes recherches sur l'auteur de *l'Art Poétique*, on s'est efforcé de rendre moins austère une œuvre qui passe aujourd'hui pour rébarbative et périmée et plus souriant le visage d'un homme que la tradition a fini par figer dans l'attitude peu engageante d'une figure de musée de cire.

Notre XXᵉ siècle a, en fait, pris congé de Nicolas Boileau, et cela en des termes d'une désinvolture qui est à la fois cavalière et hargneuse :

Ces sages préceptes de Boileau, que l'on nous faisait apprendre par cœur, où venait se cristalliser en alexandrins la tradition classique, il ne serait pas sans intérêt de les reprendre l'un après l'autre, les saisissant par la peau du cou, pour les faire passer en justice. De les tenir pour excellents, c'est par quoi je me démode le plus; car aujourd'hui, je voudrais qu'on me dise lequel de nos jeunes auteurs en tient compte encore. On passe outre (André Gide, *Journal*, 24 janvier 1946).

Le procès est désormais terminé et le verdict rendu avec les attendus les plus rigoureux pour l'accusé. Et l'on n'est pas près de voir se former un Comité de soutien en faveur de celui qui a été condamné pour crime d'imposture et de lèse-poésie.

L'année 1986 correspond au 350ᵉ anniversaire de la naissance de Nicolas Boileau. Au profit du très progressiste Diderot, les pouvoirs publics se sont bien gardés, en 1984, de commémorer la mort de Corneille, le Vieux Classique, sans doute présumé coupable de tendances par trop réactionnaires. Il est donc fort peu vraisemblable qu'ils engagent, au profit de Despréaux, une procédure de révision.

Les pages qui suivent ont pour but de démontrer qu'il y a là présomption d'erreur judiciaire et que l'on peut, aujourd'hui encore, apprécier l'œuvre et même — pourquoi pas ? — aimer l'homme.

I

DU CAPITOLE A LA ROCHE TARPEIENNE

Plus dure sera la chute...

Passer de Corneille à Boileau, ce n'est pas seulement faire
succéder un vieux pèlerinage à un autre. C'est quitter une oasis
aux pousses, rares sans doute, mais encore verdoyantes, pour
s'engager à travers un désert qui n'offre plus à la vue que de
rugueuses rocailles.

Tant il est vrai que, sacré naguère « législateur du Parnasse »,
vénéré comme l'incarnation la plus pure du génie français, celui
qui fut le Mentor incontesté des chères Humanités de naguère
n'est plus aujourd'hui que le Roi Lear de notre littérature, découronné, ridiculisé, bafoué, misérable errant perdu dans la lande
où il recherche en vain une introuvable Cordélia.

Et ce n'est plus que sur la pointe des pieds, comme s'ils
s'aventuraient dans un fangeux marécage, que ceux dont il fut si
longtemps l'ange tutélaire — les auteurs de Manuels de Littérature — se hasardent encore à lui consacrer quelques pages
embarrassées et vite expédiées. Tant est grande la hâte d'aborder
au plus tôt aux riants rivages de l'œuvre de Boris Vian ou de
Philippe Sollers.

Dans sa tombe de l'abbaye de Saint-Germain-des-Prés où le
transféra la Restauration (la Révolution l'avait déjà — ô sym-

bole — entreposé au *Museum* des Monuments français), Nicolas Boileau, dit Despréaux, n'a plus aujourd'hui qu'à sombrement méditer sur le « vanitas vanitatum » du cher Bossuet, l'ami de ses vieux jours, qui prononça de si fortes paroles sur la grandeur et la décadence des empires. Moins fortuné que le César Birotteau de Balzac qui, avant de rendre l'âme, réussit à redorer son blason, Nicolas n'a même pas pour ultime ressource l'espérance d'une réhabilitation.

Il était pourtant bien persuadé, le bon Nicolas, qu'après plus de deux cent cinquante ans de règne olympien, forgée dans le bronze, sa statue était indéboulonnable, que l'alternance, le changement, ce n'était pas pour lui.

Lorsque, en ses dernières années, il peaufinait son image à l'intention des futures générations, dans la petite maison d'Auteuil, il avait bien cru avoir définitivement gagné la partie. Et, miraculeusement arrivé intact au seuil de notre xxᵉ siècle, il avait toutes les raisons de s'appliquer à lui-même, en jubilant, cette rassurante remarque :

> Lorsque des écrivains ont été admirés un fort grand
> nombre de siècles (...), alors il y a folie à vouloir douter
> du mérite de ces écrivains (*Réflexion* VII).

Et il était en droit d'estimer que cette permanence dans l'apothéose, il l'avait bien méritée. Car, à la vérité, tout au long de sa vie, le chemin parcouru n'a pas été parsemé de roses et, pour parvenir à la sérénité au sommet du Parnasse, l'empoignade a été impitoyable.

Il y a eu, par exemple, le petit abbé Cotin — aumônier du Roi, s'il vous plaît. Tout frétillant auprès de ces dames des ruelles qu'il égaie au jeu de ses « énigmes », celui-là n'a pas hésité à clamer que Nicolas, « ce malheureux sans nom, sans mérite et sans grâce », n'est rien d'autre qu'un plagiaire, un « traducteur » honteux (*Despréaux ou la satire des satires*, 1666).

Il y a eu l'illustre Chapelain, un gros, un très gros bonnet celui-là. Son influence est considérable ; elle ne tient pas à la qualité des milliers de vers de sa déplorable *Pucelle,* mais à la position-clé qu'il occupe dans les allées du Pouvoir, en tant que « chargé de mission » pour les affaires culturelles auprès du tout-puissant Colbert : c'est lui qui prépare la liste des bénéficiaires de la manne ministérielle — subventions, gratifications, aide à la première pièce, fonds culturel. Autant dire qu'il est l'objet de tous les petits soins de la part des Intellocrates de tout poil et de toute plume. Or ce pontife, qui aurait pu trôner au sommet de l'équipe directrice du *Nouvel Obs,* a clamé son mépris de fer pour Nicolas et pour ses « bouffonneries infâmes » de « basse canaille » (Lettre à M. de Grentesmenil, 13 mars 1665).

Il y a eu, bétail plus menu mais à la dent corrosive, Desma-rets de Saint-Sorlin. Un fou certes qui, après avoir fait la pluie et le beau temps à l'Académie Française au temps où il était le chouchou du grand Cardinal Armand de Richelieu, est tombé dans la dévotion la plus frénétique, pourfendeur impitoyable des Jan-sénistes qu'il n'hésite pas à dénoncer à la police : un exalté qu'il ne fait pas bon rencontrer sur sa route. Celui-là a traité Nicolas d'« étourneau », d'ignare avide d'apprendre « le chant aux rossignols et le grand vol aux aigles », « Docteur-écolier qui voudrait enseigner à faire ce qu'il n'a jamais fait » (*La Défense du poème héroïque,* 1674).

Il y a eu encore Pradon. Pradon, le piteux rival de l'ami Racine à l'époque de *Phèdre ;* mais qui, solidement appuyé sur les Grands de l'Hôtel de Nevers et de l'Hôtel de Bouillon, est tout à fait capable de ruiner une réputation et une carrière. Pour lui, Nicolas est un « farouche hibou » qui « infecta le public des vapeurs de sa bile », un « corbeau déniché des Mont-faucons du Pinde » (*Epître à Alcandre,* 1684). Et pour faire bonne mesure en ces temps où l'on ne badine pas avec l'orthodoxie et avec la révérence due à Notre Sainte-Mère l'Eglise, ce Pradon l'a encore accusé de « De la Religion profaner les mystères ».

Il y a eu enfin, le plus dangereux peut-être, ce Charles Perrault, qui n'est pas toujours le bénin narrateur des *Contes de Ma Mère l'Oye,* mais qui, avec toute son autorité de très haut fonctionnaire du Roi-Soleil, a comparé Nicolas à un « corbeau qui va de charogne en charogne » (Préface de *l'Apologie des Femmes,* 1694) ;

qui l'a dépeint « crasseux, maladroit et sauvage », le pédant « le plus immonde de tous les animaux qui rampent dans le monde ».

Et il y en a eu tant et tant d'autres, qui n'ont jamais hésité à utiliser les plus sales moyens pour ménager à Nicolas la grande culbute !

Les chiens ont aboyé ; la caravane a fini par passer.

Et, au terme de sa Longue Marche, Nicolas a pu jeter un regard plein de satisfaction sur la manière dont, au milieu de tant d'embûches, il a réussi à déjouer les trames des vermisseaux.

Car le vrai est que, peu à peu, les encens les plus finement aromatisés sont venus flatter les narines de Nicolas.

N'est-ce pas François de Pons de Salignac de la Motthe Fénelon, le doux « cygne de Cambrai » lui-même, qui a proclamé qu'il connaît « le fond de la poésie » (*Premier Dialogue*, 1684) ?

N'est-ce pas le très considérable Baillet, auteur de *Jugements des Savants* qui font autorité, qui affirme solennellement que Nicolas est « l'homme du bon sens par excellence », qu'il a pleine connaissance « du génie de la poésie moderne » ?

N'est-ce pas une consécration suprême lorsque le docte Rollin, le modèle des Maîtres, recteur de l'Université, s'applique à traduire, *en latin* ! (1693), *l'Ode sur la prise de Namur* de Nicolas ? lorsqu'il n'hésite pas à désigner Nicolas comme « l'arbitre du Pinde français » ? Et n'est-ce pas Louis Racine, le sage (« Sagesse d'un Louis Racine, je t'envie... » dira beaucoup plus tard Verlaine l'anticonformiste), le pondéré, le lucide ennemi des extravagances, qui considère *l'Art Poétique* comme « l'ouvrage le plus parfait que nous ayons dans la poésie française » (*Réflexions sur la poésie*, VII, 1747) ?

Et peut-on imaginer apothéose plus flamboyante que cette journée de 1701 au cours de laquelle Nicolas a été invité au Collège de Beauvais ? Là il n'a pas été accueilli par des cuistres rances et rétrogrades, par des croulants enkystés dans les vieilles doctrines — mais par des élèves : des *jeunes* ! Or quand on est déjà fermement engagé dans les pénombres du Troisième Age, quelle consolation plus roborative (n'est-ce pas, Aragon ?) que de découvrir que l'on a toujours pour soi « la généreuse jeu-

nesse des Ecoles » » ? Or Nicolas a été reçu là avec « des accla-
mations », des « cris de joie », des « vivats redoublés ». Si bien
que, bon prince mais aussi juste observateur des aspirations
estudiantines, il a fait accorder à toute cette exubérante jeunesse
« des vacances pour répondre aux empressements qu'ils témoignaient pour lui » (Brossette, *Notes*).

Nicolas pourrait bien, de nos jours, se présenter devant les
étudiants de Paris VIII-Saint-Denis, ce bastion de la pédagogie
de pointe, il y a peu à gager que, même en leur promettant un
congé supplémentaire, il susciterait l'enthousiasme des amphithéâtres. En supposant, d'ailleurs, que son nom y serait simplement connu.

En somme, lorsque, le 13 mars 1711, à l'âge de soixante-quinze
ans, Nicolas Boileau succombe à sa pleurésie, le fils du modeste
commis au greffe de la Cour du Parlement de Paris est en droit
d'estimer qu'il ne pouvait guère avoir fait plus pour l'illustration
d'un nom qui, à première vue, porte davantage à la plaisanterie
facile qu'à la consécration suprême.

Il peut se rendre cette justice qu'il ne s'est pas seulement
donné la peine de naître.

Si bien que, tout compte fait, il a été beaucoup plus malaisé
de s'imposer sous le règne du Roi-Soleil que de traverser le
siècle dit des Lumières, une fois enterré à la Sainte-Chapelle.

Les choses pourtant se sont mal présentées. Avide de nouveautés en tous genres, plus enclin à la contestation qu'au respect
des hiérarchies établies, bientôt générateur d'une de ces gran-
dioses révolutions appelées à « bouleverser le monde », le
XVIIIe siècle semble bien armé pour renvoyer aux oubliettes de
l'Histoire le tout récent « maître du Parnasse ». Le phénomène
est bien connu : notre XXe siècle a eu tôt fait, par la bouche
d'André Gide, de découronner ce XIXe siècle que la bande à
Hugo avait prétendu imposer à la mémoire universelle ; il y a
suffi d'un adjectif : le « stupide » XIXe siècle. Et il n'a même pas

fallu une décade pour que Sartre, maître à penser dont l'empire
rayonnait naguère, à partir du Café de Flore et de Saint-Germain-
des-Prés, sur les têtes d'œuf des deux hémisphères, fût ravalé au
niveau des idéologues dont les vaticinations n'ont jamais cessé
d'être démenties par les réalités.

Sans doute... sans doute, sous Louis XV, le Bien-Aimé, sous
Louis XVI l'expert-serrurier, les détracteurs ont continué à
vibrionner çà et là et repris les antiennes du dénigrement.
Mais qu'a donc à craindre sérieusement de ces coassements
un Nicolas qui bénéficie du patronage tutélaire de Voltaire,
Seigneur de Ferney, intouchable caution du progressisme éclairé,
ardent pourfendeur de despotes et de tyrans, de tout ce qui
porte rabat et soutanelle ? Voltaire n'a-t-il pas prononcé le mot
définitif : « Ne disons pas de mal de Boileau, cela porte
malheur » ? Et n'est-ce pas avec toute la solennité souhaitable
qu'il place au centre du *Temple du Goût* ce Despréaux qui,
entouré des gens de lettres les plus illustres, « règne » sur eux,
lui, « leur maître en l'art d'écrire » ; lui qui a su « instruire »
la postérité, surtout par son irremplaçable *Art Poétique* (*Le Siècle
de Louis XIV, Beaux-Arts*) ? Et si Helvétius, ce lourdaud qui,
certes, milite avec efficacité pour la cause des Lumières (il
joue fort convenablement son rôle de mécène pour Philosophes
désargentés), élève quelques réserves sur la prééminence de Nicolas, M. de Voltaire le tance comme un potache mal embouché :
« pour être au-dessus de lui, il faut commencer par écrire aussi
bien et aussi correctement que lui » (Lettre du 20 juin 1741) ; or
De l'Esprit du sieur Helvétius, n'est-ce pas rien d'autre qu'un
« fatras » ? Si Diderot, un membre éminent de la « secte » lui
aussi, mais fou fantasque, ose avancer que Nicolas n'est, au total,
qu'un « versificateur », M. de Voltaire se hâte de redresser les
perspectives : Nicolas ? *l'Art Poétique* ? « admirable » (*Dictionnaire Philosophique*).
Et le chœur des enthousiastes ne cesse de s'élargir : « il a
éclairé tout le siècle », décrète Luc de Clapiers, marquis de
Vauvenargues (*Réflexions critiques sur quelques poètes*, 1746) ;
d'Alembert s'attache fort consciencieusement à multiplier les

superlatifs dans son *Eloge de Despréaux* : « vérité la plus frappante... précision la plus heureuse ». En son *Cours de Littérature* (1799), La Harpe, oracle des Nouveaux Temps, critique littéraire du *Mercure* qui appartient à Panckoucke, le Gallimard de l'époque, n'a pas une seconde d'hésitation : que « ceux qui veulent écrire en vers méditent *l'Art Poétique* ». Et Marie-Joseph Chénier qui, lui aussi, s'applique, dans le *Cours* magistral qu'il professe à l'Athénée, à ouvrir les yeux du bon public sur les vraies valeurs de notre littérature, rend un hommage sans réserve à celui qu'il considère comme le premier et le plus grand dans la longue succession des dispensateurs patentés de diplômes : « modèle (...) et législateur en tout », « le seul poète que Racine n'ait jamais surpassé dans l'art d'écrire ».

Dès lors, devant ce plébiscite permanent, que pèsent les pitreries incongrues d'un Sébastien Mercier qui, auteur d'un immortel chef-d'œuvre dramatique intitulé *la Brouette du Vinaigrier* (1775) niaisement moralisant, se donne l'originalité de recommander « à tout jeune homme qui se sentira quelque génie pour la composition de rejeter au feu toutes les Poétiques, à commencer par celle de Boileau » ? L'appel aux « jeunes », toujours, auxquels on serine qu'ils sont les plus beaux, les plus forts, les plus intelligents — éternelle démagogie de ceux qui, déjà blets, redoutent comme une mort prématurée de ne jamais paraître assez « branchés ». Eh bien ! le génial auteur de *la Brouette du Vinaigrier* en a été pour ses frais : quand, en 1802, l'Institut propose au concours un *Eloge de Boileau*, c'est Viennet (Alexandre) qui remporte la palme. Et ce Viennet n'est pas un podagre : il a vingt-cinq ans. Alors ?

Sans la moindre complaisance envers soi-même, Nicolas peut, au terme de ce XVIIIᵉ siècle, reprendre à son compte la célèbre formule de Michelet : « le Grand Siècle, je veux dire le XVIIIᵉ siècle... ». Certes ! puisque ce siècle-là a fait davantage pour la consécration du « législateur du Parnasse » que les contemporains mêmes du XVIIᵉ siècle — et cela en dépit des bouleversements idéologiques des Lumières, en dépit du grand branle-bas révolutionnaire, en dépit de toutes les acrobaties intellectuelles des esprits avides de nouveautés.

Nicolas ? du solide, de l'inébranlable, un placement sûr — la preuve en est faite désormais.

Boileau superstar, *in aeternum*.

Et l'ère nouvelle s'ouvre sous les plus riants auspices.

Geoffroy, un augure d'une si considérable autorité sur l'opinion publique (l'immense Napoléon lui-même fait surveiller par la police ses chroniques dramatiques), Geoffroy s'adresse, lui aussi, aux jeunes, en des termes d'une éloquence si catégorique qu'ils n'ont aucune peine à couvrir la chétive voix de l'expert en brouettes pour vinaigriers : Nicolas sera

> dans tous les âges un guide fidèle et sûr pour tous les jeunes gens entraînés par une noble ardeur dans la carrière des Lettres. C'est le Mentor universel, c'est la loi (*Le Spectateur français du XIXᵉ siècle*, VII).

Cependant que Dusseault, autre homme du goût le plus exquis et de l'audience la plus choisie, n'hésite pas, lui non plus, devant les mots : Nicolas, à coup sûr, restera

> toujours victorieux des lourds assauts que lui livre l'anarchie, s'élève plus haut que ces monceaux d'ouvrages ridicules (*Annales Littéraires*, avril 1817).

Précieux témoignages. Témoignages pleinement rassurants, à l'heure où s'annoncent tout de même d'assez fortes turbulences. Car, avec ces agités, ces fous de Romantiques, avec ces *jeunes* qui ont fini par prendre au sérieux toutes les flatteries dont on ne cesse de les envaseliner, il devrait y avoir quelques mauvais moments à passer, même si l'on a connu naguère des rafales infiniment plus tourbillonnantes.

Le petit Hugo (Victor) par exemple. Un gamin qui, en ses débuts, a fort convenablement prodigué son encens au champion des saines doctrines. Dans la préface à ses *Odes et Ballades* (1826), il a payé sans hésiter le tribut réglementaire à Nicolas, qu'il pare d'un « mérite unique », de « génie créateur » ; il a professé que nul ne pousserait jamais plus loin que lui-même

« l'estime pour cet excellent esprit ». Un bon point pour le
débutant. Et puis l'enfant sage a commencé à se dévergonder :
en fait, il a eu très tôt la tête tournée et enflée par ce mot que
l'on attribue à M. le Vicomte de Chateaubriand — un fameux
flagorneur des *jeunes*, celui-là encore : le gamin est un « enfant
sublime ». Un morveux de dix-huit ans, « sublime » ! à croire que
l'on ne sait pas ce que veulent dire les mots : et c'est avec une
telle inflation des superlatifs que l'on pervertit toute une génération. Et de fait, dès 1829, ce Hugo-là a cru faire la preuve de
sa « sublimité » en déplorant que les peuples puissent, en matière
de poésie, citer les noms d'Homère, de Dante, de Shakespeare,
alors que nous, pauvres Français, nous ne pouvons dire que
« Boileau » (préface des *Orientales*). Comme l'énonce si fortement
en ses *Maximes* François VII de la Rochefoucauld : « La plupart
des jeunes gens croient être naturels, lorsqu'ils ne sont que mal
polis et grossiers ». Et, bien entendu, engagé sur cette glorieuse
voie, le « sublime » en a ensuite rajouté encore : après avoir
proclamé que « sur le Racine mort le Campistron pullule », il a
été tout faraud d'imaginer que Nicolas avait « grincé des dents »
devant ce propos d'iconoclaste ; ce qui a permis au petit malap-
pris de se retourner, de plus en plus sublime, vers Nicolas pour
lui décocher un vengeur « Ci-devant, silence ! » (*Contemplations ;
Aurore*). Une muflerie qui ne met en évidence que son manque
d'éducation (forcément, ces enfants de couples désunis ! — car
on en sait de belles sur les fredaines du général Hugo, ex-« Brutus » Hugo, avec la fille Catherine Thomas qui suivit jusqu'en
Espagne son amant, habillée en homme, avant de se pavaner
au Prado sous le titre de « comtesse de Salcano » ; et aussi sur
les « escampativos », comme dit George Dandin, de la maman
avec le beau général Lahorie). Et le « sublime » a persévéré,
joué les gros bras, se flattant d'avoir pris *l'Art Poétique* « au
collet dans la rue » ; il a ensuite donné une preuve décisive de
la finesse de son humour en ironisant sur « Boileau perruque
indéfrisable ». Il a eu bonne mine, l'ex-enfant sublime, quand,
arrivé au seuil de la soixantaine, se demandant sans doute quel
jeunot viendrait à son tour le traiter de vieille perruque, il a
pontifié :

> Les femmes regardaient Booz plus qu'un jeune homme,
> Car le jeune homme est beau, mais le vieillard est grand.
Un peu tard, mon garçon.

Tout comme le citoyen Henri Beyle, dit Stendhal, qui, d'abord, n'a pas cessé de recommander à la petite sœur Pauline la lecture de *l'Art Poétique*, qui a prôné *le Lutrin* aux anglomanes fieffés pour leur éviter l'erreur de s'enthousiasmer pour « un petit mauvais poème de Pope ». Celui-là aussi a fini par donner dans les nouvelles lunes du moment, par se proclamer « romantique furieux » et par se déclarer « pour lord Byron contre Boileau ».

Le jeune Musset, ce noceur éhonté, a, lui, mal commencé ; et il a été persuadé d'avoir décoché la flèche décisive en comparant Nicolas à une « tisane à la glace » — où vont-ils chercher leurs métaphores, je vous le demande ! Et puis il a bien dû percevoir que le morceau était trop dur à emporter pour un minet de sa mince envergure ; et il a fini par réconcilier Racine, Boileau et Shakespeare :

> Racine, rencontrant Shakespeare sur ma table,
> S'endort près de Boileau qui leur a pardonné.

On a pris bonne note de l'aveu, même tardif. Mais enfin, à la vérité, il n'a strictement aucun sens, ce distique : Boileau pardonnant à Racine ? lui pardonnant quoi ? Parler, et parler pour ne rien dire !

Les turbulences ont duré une quinzaine d'années — un néant dans l'infini de l'éternité. Dès 1843, le « sublime », dépité, lève son pâle visage de Mage vers la nue et se demande pourquoi les comètes ont une queue, alors que *les Burgraves* n'en ont pas. Il pourrait aussi se demander pourquoi, dans les années 1840, l'on vénère toujours *l'Art Poétique* alors que sa très caracolante *Préface* de *Cromwell* a amplement démontré qu'elle n'était que pétard mouillé et poudre aux yeux.

A partir de là, on entre de nouveau en eaux calmes et l'on peut décrocher les ceintures.

On a souri de satisfaction et conclu que, décidément, Dieu fait bien ce qu'il fait quand on a vu que le morne Sainte-Beuve, celui-là même qui, en 1829, houspillait Nicolas dans l'article qu'il lui consacrait (il faut bien que jeunesse se passe !), prend bientôt un peu de plomb dans la tête ; qu'il s'engage à ne plus parler de Nicolas qu'« avec respect suprême » (*La fontaine de Boileau*, 1843) ; qu'il lui reconnaît « probité », « équité souveraine » (*Lundis*, 27 septembre 1852) ; et que, pour finir, « sa figure est restée debout, intacte, de plus en plus honorable et honorée » (*Port-Royal*, IV, 1860).

Oui, c'en est bien fini des petites mesquineries, de la contestation hargneuse à force de médiocre jalousie, des facéties de potache en goguette. On a bien pu, dans un génial mouvement d'inspiration créatrice, mettre des moustaches à la Joconde, la Joconde est toujours là, sourire inaltérable.

Et l'embellie s'est développée en une nouvelle apothéose. La gerbe des hommages suprêmes s'est épanouie en une si luxuriante efflorescence que Nicolas a renoncé à classer les fiches que lui adresse *l'Argus de la Presse*. « Trop de fleurs ! trop de fleurs ! », comme le fait dire au grand augure Calchas le livret de *La Belle Hélène*.

Massivement, l'Université de France, la Sorbonne, la longue procession des chers professeurs portant jaunes épitoges, se sont mises en mouvement pour venir déposer lauriers après lauriers aux pieds de l'inébranlable statue.

Le considérable Nisard (Désiré), professeur au Collège de France, l'énonce avec une communicative force de persuasion : Nicolas personnifie « la grandeur de l'esprit français » ; « on n'est pas libre en France de ne pas lire Boileau » (*Littérature Française*, tome II). Et il ajoute : « Depuis près de deux siècles, aucun gouvernement, aucun système d'enseignement n'a retranché (Boileau) des études nécessaires. »

Optime, mi fili, optime.

Autre redoutable docte, Faguet (Emile) reconnaît publiquement que Nicolas a eu l'immense mérite de « hausser les épaules aux turlupinades » (*XVIIe siècle*, 1885), d'avoir fait rutiler « une inspiration morale très élevée », ce qui lui a très justement conféré une « salutaire et imposante autorité ».

Bene, bene, bene, bene respondere...

Quant à Lanson (Gustave), initiateur incontesté de l'histoire littéraire, qui souverainement règne sur des générations de jeunes cerveaux avides d'acquérir un parchemin universitaire, il décrète solennellement que Nicolas a élaboré « la doctrine littéraire la plus appropriée aux qualités et aux besoins de notre esprit » (*Littérature Française*, 1894).

Ce que confirme, un peu plus tard, André Bellesort, maître sans doute moins notable, mais qui possède fauteuil en notre Académie Française : « un des plus probes esprits et un des plus sûrs artistes de notre passé infiniment glorieux » (*Sur les grands chemins de la poésie classique*, 1914).

Et, en 1922 encore, les abbés de Parvillez et Moncarrey, modestes artisans de la science pédagogique appliquée « à tous les futurs bacheliers » issus de familles catholiques, louent très haut, en leur *Manuel*, outre « la vie privée irréprochable », « la foi chrétienne », « la réelle bonté » de Nicolas, la pertinence des hautes leçons qu'il a données, traçant « d'une main ferme les règles essentielles de l'art littéraire ».

Ad majorem Dei Gloriam. Ave, mes Pères.

Sans doute, si les abbés de Parvillez et Moncarrey avaient eu droit à la parole en la sainte Rote vaticane, le nom de Nicolas eût été porté sur les autels, et cela bien avant que l'on envisageât d'y édifier une petite niche pour Grace de Monaco.

Avec un tel palmarès s'étendant sur près de trois siècles, comment Nicolas aurait-il pu s'étonner en lisant, en 1947, sous la plume du Maître Albert Thibaudet (*Tableau de la Littérature Française de Corneille à Chénier*), que, aux yeux des étrangers, « le Français est un monsieur décoré, ignore la géographie, redemande du pain, *prend Boileau pour un poète* » ?

La dégringolade a été vertigineuse et brutale. Et Nicolas, au

Panthéon des vieilles gloires démonétisées, en est encore à se demander quels crimes il a bien pu commettre pour être ainsi relégué au plus profond des oubliettes, pendant que, autour de lui, dansent la sarabande macabre de la Revanche les abbés Cotin, les Ménage, les Scudéry et autres Turlupins. Et cela au moment même où les mots « culture » et « culturel » bourgeonnent et fleurissent sur les lèvres du plus obscur ministricule, quand bien même il n'a « en charge » que l'avenir de la race porcine « au plan de l'Europe ». Nicolas a simplement oublié qu'il ne fait que partager là le sort commun aux Anciens Combattants qui ne cessent de radoter en se demandant au service de quelles billevesées ils sont devenus des « Gueules Cassées ». Nicolas ne s'est pas préoccupé assez tôt d'« évacuer » le problème des grandes « mutations ».

Car il est bien vrai que, en l'an de grâces 1986, si un critique, ou un érudit, un docte s'avisait de rappeler que, peut-être, il y aurait encore quelques bonnes leçons à recueillir de la bouche de Nicolas, celui-là s'exposerait au jaillissement d'imprécations auprès desquelles les vociférations romantiques paraîtraient zéphyrs inoffensifs.

Est-ce même bien sûr ? Car enfin, se faire huer manifeste encore que l'on continue à compter, pour si peu que ce soit.

Il convient, à ce point de l'enquête, de se tourner vers la toujours généreuse jeunesse des Écoles. Elle a découvert, elle, les merveilles créatrices de l'écriture automatique. Elle a passionnément suivi les méandres de l'analyse structurale ou psychocritique. Rien ne lui est étranger du « signifiant » des poèmes en forme de page blanche. Elle a éprouvé les efficaces vertus de l'improvisation et de la création collective. Elle a perçu que la notion même d'« auteur » est désormais périmée. Elle a vécu l'exaltante expérience du happening ; et elle sait que si, dans telle mise en scène, le Néron de *Britannicus* se pelotonne désormais en scène entre les cuisses ouvertes d'Agrippine, c'est que Racine entendait « signifier » par là l'inachèvement du fœtus (mise en scène de Michel Hermon, Théâtre du VIIIᵉ, 1969).

Elle en a tant vu et tant ouï, la généreuse jeunesse des

Ecoles, qu'elle ne s'en laisse plus aussi aisément conter que celle qui se faisait sottement docile aux enseignements des Nisard, des Faguet et des Lanson. Dans ces conditions, Nicolas...

En réalité, elle ne se gendarmerait même pas si un sinistre bonnet de nuit, à coup sûr vaguement « facho », l'incitait, avec tous les ménagements qu'exigerait une entreprise si hardie, à sortir la momie-Nicolas de son sarcophage. Elle se contenterait d'un simple haussement d'épaules, et elle passerait.

Car enfin, ce dont il s'agirait, ce serait de s'interroger sur la validité d'un précepte aussi nauséabond que « Cent fois sur le métier remettez votre ouvrage », alors que la règle maîtresse de l'*écriture* (tout le monde le sait désormais) est celle de la spontanéité la plus pure, la plus viscérale, la plus nue ?

Il s'agirait de méditer sur la règle des trois unités (une *règle*, dieux puissants ! alors qu'il a été démonstrativement prouvé qu'il est interdit d'interdire), à l'époque de la fulgurante « distanciation » brechtienne ?

On devrait discutailler pour déterminer s'il est exact ou non que « Ce qui se conçoit bien s'énonce clairement », alors que l'hermétisme constitue le plus efficace et le plus solennel para-vent contre la confusion et le vide de la pensée ?

Il faudrait aussi, alors que — comme chacun l'a éprouvé — l'imagination est désormais au pouvoir, il faudrait donc tout peser en terme de « Raison » ?

Il faudrait sans doute, après l'illumination de Vatican II, se laisser *interpeller* par ce si bon chrétien qui s'est fait bassement le flagorneur du plus ignoble des despotes (c'est du Roi-Soleil qu'il s'agit là, et non, comme pourraient le croire de mauvais esprits, de Joseph Vissarionovitch Staline ou de Mao Zedong) ?

Et même, ignoble besogne, se pencher sur la *Satire des Femmes*, pesante versification que Nicolas a déposée comme une grosse ordure aux pieds d'un sexe qu'il est sans doute désormais inconvenant de nommer le « beau sexe », mais qu'il convient au moins de considérer à travers les lunettes correctrices de Kate Millet et du M.L.F. ?

Et, pendant que l'on y serait, c'est-à-dire à l'époque de la canonisation de Jean Genêt et autres truands reconvertis dans la littérature, méditer sur l'axiome : « Le vers se sent toujours des bassesses du cœur » ?

Au surplus, la cause est entendue. On n'irait tout de même pas s'échiner à sonder la psychologie profonde d'un Nicolas dont chacun sait, ou devrait savoir, qu'il ne fut jamais *un homme*, un homme complet, nanti de tous les attributs qui permettent de rendre hommage aux dames, à la suite de Dieu sait quelle opération de la pierre, peut-être même, disent certains, à la suite de la morsure d'un dindon (1). Bienfaisant dindon qui vengeait par avance tous ceux qui, jeunes et moins jeunes, ont été, trois longs siècles durant, contraints de s'incliner bien bas devant cet empêcheur de tourner en rond, cet apologiste des valeurs établies (à coup sûr, il eût prôné bien fort la devise chère au très vieux Maréchal Pétain : Travail, Famille, Patrie).

Non. En admettant qu'il existe encore, au tréfonds d'une grotte retirée du Quercy ou de l'Aveyron, chers aux écolos, un dinosaure qui prétendrait convertir aux leçons de Nicolas la généreuse jeunesse des Ecoles, ce dinosaure-là ne paraîtrait même pas digne, tant la ficelle serait grosse, d'être considéré comme un provocateur à la solde de Le Pen. Il ne retiendrait pas une seconde l'attention des Jeunes Giscardiens, champions d'une souple modernité. Il ne susciterait pas non plus la méfiance, pourtant sourcilleuse, des deux U.N.E.F. On le laisserait paisiblement dormir au fond de sa grotte, auprès de la momie.

Et ce ne serait pas les chers professeurs, pourtant séculaires apologistes et séides de Nicolas, qui, toutes banderoles déployées et toutes tendances syndicales confondues (S.N.E.Sup., S.G.E.N.-C.F.D.T., Autonomes), prendraient la tête d'un cortège qui se formerait pour vérifier s'il y a vraiment des morts qu'il faut tuer deux fois.

Requiescat in pace.

---

(1) La version du dindon qui aurait donné au jeune Boileau « plusieurs coups de bec sur une partie très délicate » remonte au XVIIIe siècle : cf. Helvétius, *De l'Esprit*, III, 1 ; Sainte-Beuve, *Portraits Littéraires*, Boileau.

Car la Sorbonne elle-même a lâché pied.

Ou plutôt, après trois siècles d'aveuglement, elle a tout de même fini par ouvrir les yeux sur sa longue aberration, tout étonnée qu'ait été si durable l'hallucination collective dont elle a été victime.

Et, face à cette tardive révélation, la Sorbonne a eu honte d'elle-même.

L'entreprise de dénonciation de l'imposture a été parachevée avec une rigueur universitaire sans faille par le plus prestigieux et le plus érudit des dix-septièmistes français, le professeur Antoine Adam qui, disséquant le cadavre encore tiède de Nicolas, n'en a plus laissé, épars sur le billard, que *membra disjecta*.

L'opération s'est déroulée en trois temps : parution de l'étude sur *Les premières Satires de Boileau* (1941) ; parution du tome III (1952) et du tome V (1956) de sa magistrale *Histoire de la Littérature française au XVIIᵉ siècle* ; parution, dans la collection de la Pléiade, des *Œuvres Complètes* de Nicolas (1966).

Il ne s'agit plus ici de badiner, mais d'aborder avec le plus grand sérieux la séance d'autocritique publique au cours de laquelle il fut enfin mis un terme à la mystification.

Le volume de la Pléiade s'ouvre sur une phrase-clé, qui est catégorique :

> Nous ne songerions plus à voir en Boileau l'un des très grands noms de notre littérature.

La vénération dont a été entouré l'auteur de *l'Art Poétique* repose sur une « légende ». Une légende dont l'intéressé lui-même a été le principal et rusé artisan, puisque, en ses ultimes années, il a réussi à persuader certains de ses contemporains (« des ignorants » qui « recueillaient comme paroles d'Evangile les propos du vieillard d'Auteuil ») que son *Art Poétique* avait constitué une « révélation », alors que ce traité ne faisait que reprendre des théories depuis longtemps communément admises : « imposture continue (...) qui remonte aux commentaires d'un vieillard vaniteux » (*Histoire de la Littérature française*, III, 134). Et ces théories, il n'est même « pas certain » que le plagiaire ait été « capable » d'en « comprendre » les « grandes vues » (id., 135) : « En fait, Boileau ne fait que noyer en des maximes insignifiantes la belle doctrine » que d'autres avaient conçue (id., 138). Mieux encore : en exposant ses thèses, Boileau « ne dit pas tout ce qu'il pense ». On laisse ici à chacun le libre choix pour l'interprétation de ce douteux comportement : « manque de rigueur et d'étendue dans la pensée » ? « faiblesse de caractère » ? « concessions faites à l'humeur des contemporains » ? Dans tous les cas, l'honnêteté intellectuelle de Nicolas en prend un sérieux coup : « Il devient difficile de célébrer la fermeté de son enseignement » (id., 140).

Nicolas n'est pas davantage un lucide analyste de son temps. A la Querelle des Anciens et des Modernes, pour laquelle il se dépensa tant, il ne comprend rigoureusement rien, « incapable » qu'il est « de discerner les rapports entre l'œuvre d'art et le moment de l'histoire qui constitue son climat ». « Déplorable doctrine » (id., 143). « Manque de rigueur » (Pléiade, XX).

Bref, c'est une « vieille légende » qui « fait croire que Boileau ait apporté une doctrine nouvelle sur laquelle le classicisme serait fondé. C'est le contraire qui est vrai » (Pléiade, XIII). Conclusion que, certes, avaient déjà tirée bien d'autres exégètes, et même les modestes abbés de Parvillez et Moncarrey, mais que nul n'avait encore osé exprimer en termes aussi catégoriques. Par la seule violence du réquisitoire, ne tenterait-on pas là d'établir une autre « légende » : celle du procureur pur et dur qui est le tout premier à dévoiler enfin la vérité si longtemps « occultée » sur Nicolas ?

Peut-on, au moins, porter au crédit de l'accusé l'œuvre de salubrité publique entreprise pour dénoncer les fausses valeurs du temps, l'inanité des médiocres, les gloires usurpées ? Légende encore : ses coups de boutoir, il les porte contre des écrivains déjà largement discrédités : Nicolas étrille-t-il Chapelain et sa *Pucelle ?* « Tout le monde savait, depuis 1656, que Chapelain était un déplorable versificateur » (Pléiade, XI). Autrement dit, Nicolas s'applique à se faire une réputation en enfonçant les portes ouvertes.

A quoi s'ajoute encore que ce législateur du Parnasse pontifie

bien souvent sur ce qu'il ne connaît même pas : « il sait mal
l'histoire de notre littérature, plus mal sans doute que beaucoup
de ses contemporains » (*H.L.F.*, 132).

Quant au *poète*, à quoi bon en parler ? des « rimes déplo-
rables » (id., 155) ; une insigne « faiblesse de l'inspiration » (id.,
154) ; un « retour épuisant des mêmes procédés, des mêmes
formules » (id., 154). Et il n'y a pas lieu de s'en étonner : puisque,
paraît-il, « le vers se sent toujours des bassesses du cœur », quelle
poésie peut-on attendre d'un rimeur vaniteux qui se plaît à
« vanter l'originalité inouïe » de son *Lutrin*, comme si chacun ne
connaissait pas ceux qui lui ont servi de « modèles » (Pléiade,
XXII) ? qui, après avoir osé une allusion capable de blesser
de hauts personnages, se hâte, par « prudence », de la supprimer
dans une seconde édition (*H.L.F.*, 152) ?

La péroraison s'établit d'elle-même : si « qualités » il y a chez
Nicolas,

> elles n'ont rien à voir avec le génie et ne permettent
> pas de confondre Boileau avec les grands écrivains de
> son temps (*H.L.F.*, 156).
>
> Celui qui regarde son œuvre sans parti pris s'étonne
> de sa gloire. Quel moyen de le placer au même rang que
> les grands écrivains de l'époque ? (*H.L.F.*, 154).

Dieu nous pardonne ! Mais n'y aurait-il pas là, à deux pages
de distance, « retour épuisant » aux « mêmes formules » ?

Mais il faut être beau joueur et savoir équitablement partager
les responsabilités. Dans l'immense et pernicieuse équivoque qui
s'est établie autour du rang qu'il convient d'assigner à Nicolas,
Nicolas n'est pas le seul coupable. Et ses complices, il faut
les chercher au sein même de cette « Université française » qui,
par exemple, était « enchantée » du *Lutrin* ; qui, à travers les
siècles, « maintint au programme des études » ce qu'elle considérait — la pauvre ! — comme « un chef-d'œuvre de plaisanterie
innocente et de bon ton » (Pléiade, XXII).

« *Le Lutrin* ne nous fait plus rire » (Pléiade, IX).

Dieu merci, l'*Alma Mater* a fait, elle aussi, grâce au sombre
procureur, son aggiornamento.

Dieu merci ? Ou bien : Dommage, peut-être ?

II

« DYNASTY »
(1636-1657)

C'est en 1636, l'année même où le futur Vieux Classique réussit son coup de maître du *Cid*, que naît le petit Nicolas dans la maison familiale de l'Enclos du Palais, sur le Quai des Orfèvres cher au commissaire Maigret.

Et son histoire est d'abord celle d'une Dynasty, toute pareille à celle des Ewing ou des Carrington, dont la saga est hebdomadairement présentée au bon public français pour son édification.

Mais cette Dynasty-là n'aurait vraiment rien pour allécher les producteurs yankees de télévision, même lorsque, à force de scotches on the rocks et de galipettes érotiques, seront arrivés à l'épuisement total l'affreux J.R., la capiteuse Sue Ellen et Bobby, le sage boy-scout égaré dans les turpitudes du pétrole.

C'est que Gilles Ier Boileau, le paterfamilias, riche de seize rejetons très légitimement issus de ses embrassements conjugaux (avec deux épouses successives toutefois), ne porte pas, comme Jock Ewing, vaste stetson ; il n'appartient pas, comme Blake Carrington, au gratin du Colorado et ce n'est pas lui qui ferait trembler les Grands de ce monde à coups de millions de billets verts ou en réduisant cyniquement le débit de ses multiples raffineries.

La Dynasty Boileau est en effet de très roturière extrace. On s'y contente, petits bourgeois crottés, de grappiller, depuis des générations et semaine après semaine, doublons et esterlins à destination du bas de laine.

Obscure opération de fourmi qui devrait tout de même bien finir, un jour ou l'autre, par envoyer au placard, à défaut de la place de Grève, tous ces beaux messieurs dont les titres de noblesse remontent aux Croisades.

A l'origine, le rejeton Nicolas est ainsi un pur représentant de ces *20 Millions de Français* si chers à l'érudit Gaubert (1), humbles vers de terre que n'atteignit jamais le rayonnement du Roi-Soleil : ceux-là mêmes que l'orgueilleuse Histoire événementielle a si longuement et superbement « occultés » jusqu'à la bienfaisante époque où Emmanuel Le Roy-Ladurie et ses épigones s'en sont allés fouinasser du côté de Montaillou dans les archives de l'Inquisition pour découvrir en pleine lumière les comportements du menu peuple.

Les membres de la Dynasty ne peuvent évidemment pas prévoir qu'ils seraient beaucoup plus présentables aux yeux des chroniqueurs des *Temps Modernes* ou du *Nouvel Obs* s'ils se contentaient d'assumer en toute fierté prolétarienne leur appartenance aux admirables classes laborieuses de la France profonde.

Or, fatale erreur sur le sens de l'Histoire, la Dynasty croit, pour son malheur, qu'il lui revient de pouvoir se flatter d'être, elle aussi, sortie de très noble cuisse. Et elle s'est mise en quête de documents notariés capables de lui conférer de plus reluisantes origines.

Et c'est là que les pourfendeurs de légendes et autres champions de cette « transparence » si fort prônée de nos jours éprouvent le délicat plaisir de prendre en flagrant délit d'« imposture » ce bon chrétien de Nicolas, et les siens.

A bien chercher, on finit toujours par trouver.

_____
(1) Fayard, 1966.

C'est ainsi que la Dynasty a réussi à dénicher pour ancêtre un sieur Jean Boileau, notaire royal et secrétaire du Roy, anobli par Charles V, dit le Sage. Trois siècles de sang bleu, lorsque l'on s'appelle tout platement Boileau, voilà qui facilite les choses pour figurer en bonne place dans le *Who's Who* ou pour se faire patronner à l'inaccessible Jockey-Club. Et, d'ordinaire, on a la bonne grâce de n'y pas regarder de trop près.

Le malheur, pour Nicolas et les siens, est qu'il n'a pas été besoin de courir jusqu'à Montaillou pour établir que les pièces justificatives présentées n'étaient que faux grossiers réalisés, pour vingt louis, par un truand spécialiste de ce genre de magouilles et qui fut condamné, en 1701, à tirer sur la rame des royales galères.

« Imposture » donc, à coup sûr infiniment plus scandaleuse que l'acquisition (fort légale celle-là) du patronyme de feu l'Amiral d'Estaing pour colorer un peu une Dynasty Bardoux de discrète illustration, du moins jusqu'à l'avènement de Valéry Ier.

Reste à se demander si, dans cette douteuse opération de passe-passe, Nicolas, pipé par un généalogiste marron, n'a pas été de bonne foi et s'il n'a pas été sincèrement persuadé que, en effet, son lointain aïeul avait bien bénéficié, « pour mérites exceptionnels », de cette haute distinction.

Reste surtout à ne pas perdre de vue que, en ces lointaines années, il n'existe pas beaucoup d'autres moyens, pour se décrasser d'un nom qui pue trop la roture, que cette manipulation de papier timbré. Car enfin, à moins de se résigner très évangéliquement à l'exercice des Béatitudes, à la pratique exclusive de l'humilité et du mépris des richesses, comment sortir du ghetto de la non-naissance ? Pour jeter les bases d'une Nouvelle Société, le siècle du Roi-Soleil, « société bloquée » s'il en fût jamais, n'a pas encore trouvé son Chaban, audacieux promoteur auquel, d'ailleurs, Georges Ier Pompidou de Montboudif a eu tôt fait de démontrer qu'il se nourrissait là de délires de songe-creux.

Car, en ces temps d'obscurantisme social, le rejeton qui fleure mauvais la basse extraction se trouve fort dépourvu. Devant lui ne s'ouvre aucun de ces multiples concours de recrutement qui se proposent, en principe du moins, de sanctionner le « mérite personnel » cher à La Bruyère (cet autre mal-né). Ni Ecole Nationale d'Administration, large pourvoyeuse de grands commis de l'Etat et désormais accessible à la Nomenklatura prolétarienne. Ni formation continue ou permanente. Ni cette bienfaisante « promotion interne » qui permet de contourner l'obstacle, trop ardu vraiment, de l'acquisition des diplômes. Ni syndicats « fortement structurés » pour veiller avec diligence sur l'avancement « au grand choix », « au petit choix », voire même, miettes pour déshérités, « à l'ancienneté ». Le désert des débouchés, vraiment.

Alors, dame, afin de permettre le décollage, rendu impraticable pour pénurie de sang bleu, on s'en va volontiers solliciter le truand, pour vingt louis.

En 1699, jaunes de jalousie, des malveillants auront la bassesse d'interroger très officiellement la justice royale sur la réalité de la prestigieuse filiation de Nicolas. Comme si l'on ne pouvait pas laisser en paix ce vieux Monsieur de soixante-trois ans ! Dieu merci, Sa Majesté Louis le Quatorzième, « prince ennemi de la fraude », comme il est dit dans *Tartuffe*, aura l'élégance d'enjoindre au magistrat instructeur de sévir contre les vils calomniateurs d'un homme qui est désormais de son étroite familiarité. Tout pareillement, le « naïf » La Fontaine lui-même doit aussi recourir aux bons offices du duc de Bouillon pour être lavé de l'accusation d'avoir un tantinet ornementé de festons un arbre généalogique par trop indigent.

La Dynasty Boileau n'est assurément pas la seule à compter en son sein des émules de M. Jourdain.

On imagine sans peine ce que sera la jubilation de Nicolas lorsqu'il entendra le haut magistrat vertement tancer les infâmes détracteurs, qui étaient sommés de n'avoir plus à « inquiéter des gens d'une noblesse aussi avérée que ceux dont nous venons d'examiner les titres » (A Brossette, 9 mai 1699).

Ainsi Nicolas pourra-t-il continuer à jouir dans toute la quiétude de ses vieux jours de ce considérable avantage que constitue l'exemption de l'impôt de la taille : diabolique taxe sur le revenu auprès duquel impôt-Solidarité, vignette auto, 1 %

fonctionnaires, dus à la créativité imaginative de la rue de Rivoli, apparaissent ponctions aussi légères que zéphyrs. Tant il est vrai que, sous le Roi-Soleil, le foisonnement des « privilèges » était tel qu'il eût découragé François de Closets lui-même d'en opérer le recensement.

Et pourtant Nicolas n'est pas au bout de ses peines et il lui faut se résigner à traficoter encore l'âpre vérité. Certes, grâce à l'intervention de la royale Majesté, il est maintenant bien établi que la Dynasty remonte en ligne directe, quant au pedigree, jusqu'au XIV⁰ siècle. Mais puisque désormais Noblesse il y a, Noblesse oblige ; et il importe aussi de prouver que l'heureux père des seize chères têtes blondes n'a pas honteusement dérogé du prestigieux ancêtre contemporain de Charles V le Sage. On est donc tenu de fournir, pour le présent, une carte de visite présentable.

Or, attestée par de sûrs documents, l'impitoyable réalité est que, en 1618, l'heureux père (il a alors trente-quatre ans) occupe les fonctions, à coup sûr estimables mais absolument subalternes, de « commis au greffe de la Cour du Parlement ». En d'autres termes, que le descendant de l'illustre sieur Jean Boileau n'est rien d'autre qu'un de ces innombrables gratte-papiers qui, plume d'oie en main en guise d'épée, passent leurs journées à naviguer entre de poussiéreux dossiers.

Certes, Gilles I⁰ʳ, patriarche de la Dynasty, a tout de même fait son petit bonhomme de chemin, réussissant même, en fin de carrière, à décrocher la charge de greffier de la Grande Chambre. Mais, bien franchement, quand on peut se flatter de descendre d'un aïeul qui a été secrétaire de Charles V le Sage, va-t-on se résoudre à avouer que l'on a ainsi piétiné en bas de l'échelle des salaires, très loin des « Echelles-lettres », hors indice ? L'illustre sieur Jean Boileau renierait ces piteux arrière-petits-enfants, à coup sûr.

Il a donc fallu une nouvelle fois se faire violence et faire taire les scrupules de la rectitude morale : et l'on a produit un autre document attestant que le papa promu « noble homme Gilles Boileau » compte, dès 1612, sous le règne du bon roi Henri le Béarnais, parmi les « cent gentilshommes de la maison du Roy ». Titre assez ronflant pour donner à penser que le plumitif du greffe a très tôt porté hauts-de-chausse enrubannés et flamberge au côté.

Nouvelle « imposture », donc.

Mais à qui en appeler du cruel témoignage des documents authentiques ? Quand les malveillants s'avisent de lui chercher cette mesquine querelle, Nicolas était parvenu à s'introduire dans la rare intimité de Mmes de Montespan et de Thianges qui, quoique nées *de* Mortemart, disposent, pour faire carrière, d'atouts décisifs dont est dépourvu Nicolas. Il faudrait vraiment à notre homme une exceptionnelle force d'âme pour se présenter dans des salons aussi choisis comme le fils d'un obscur gratte-papier. Trop de portes qui débouchent sur des lambris dorés s'en seraient aussitôt fermées. Outre que mieux vaut, à coup sûr, être putativement né des œuvres d'un des Cent Gentilshommes de Sa Majesté si l'on ne veut pas s'exposer à de fâcheuses et cuisantes mésaventures. Car chacun sait bien que le grand seigneur, *né*, est toujours friand de faire impunément bastonner le petit bourgeois par « mes gens » — laquais et argousins : menue facétie dont a bien failli être victime Jean Racine lui-même qui, tout génial qu'il soit, s'est trouvé à deux doigts de devoir humblement tendre l'échine aux illustres gourdins, au moment de l'affaire de *Phèdre*.

Au surplus, pourquoi tant chicaner ? Car même les détecteurs de légendes les plus rogneux n'ont jamais réussi à établir que Nicolas a joué encore les imposteurs lorsqu'il affirme (*Epître* X) qu'il est « allié d'assez hauts magistrats, né d'aïeux avocats ». Car, de fait, il est avéré qu'il y a bien, ici et là, du beau linge dans les branches collatérales de la Dynasty.

On doit tout de même concéder que les « impostures » évoquées plus haut justifient peu une ultérieure propension à se faire le dénonciateur des faux nobles qui empestent la Cour du Roi-Soleil.

Mais il faut bien vivre avec son temps.

Et les temps sont rudes pour le menu peuple qui gravite dans la mouvance subalterne de MM. les Parlementaires.

Digne de ces prix Cognacq-Jay dont il est de si bon ton de se gausser au nom de la dignité du corps féminin (aussi longtemps du moins que l'on ne s'inquiète pas d'une dénatalité galopante qui finira bien par compromettre le solde des pensions aux retraités de l'an 2000), cette prolifique Dynasty présente pour notre propos un autre intérêt.

Car il va maintenant s'agir de s'orienter sans trop de risques de confusion au milieu de tous ces Boileau qui n'ont cessé de grouiller autour des chausses du Gentilhomme de la Maison du Roy. Et qui, bien entendu, passent leur temps à se chamailler après s'être serré les coudes et avant de se réconcilier : spectacle familier aux fidèles des familles Ewing et Carrington (mais, dans ce dernier cas, il ne sont que deux, race indigente).

Donc, seize babies entre 1612 et 1638 : dix du premier lit, avec Charlotte de Brochard ; six avec Anne de Niellé, laquelle ne peut, hélas, donner le meilleur d'elle-même puisque sa carrière génésique est interrompue par une mort prématurée, alors qu'elle ne compte que vingt-neuf printemps, déjà très prometteurs. Dans cette Dynasty-là, la cigogne chôme peu.

Bien entendu, compte tenu du degré de rigueur dans le diagnostic des apothicaires, médicastres et autres Diafoirus, on enregistre un fort déchet : un petit Nicolas (déjà) est enlevé par la Parque rapace en sa dix-huitième année ; une petite fille, Elisabeth, à dix ans ; une petite Charlotte à six ans ; une autre petite Elisabeth (*bis repetita placent*) à un an ; et enfin, la benjamine de la Dynasty, Anne, à trois ans. De quoi désespérer Pierre Chaunu et Michel Debré.

D'autre part, on n'a pas à tenir compte, dans cette comptabilité, des différentes demoiselles Boileau qui ont survécu, car ce sexe compte pour zéro dans les affaires de l'époque, qui se traitent entre phallocrates. Une Anne, heureuse mère de sept enfants ; une Marguerite (deux enfants — déplorable score) ; une Geneviève (cinq enfants) ; une Catherine et une Marie qui, ayant pris le voile l'une et l'autre, doublent très largement le cap des soixante ans, démontrant une fois de plus que l'état de nonnain l'emporte en efficacité sur l'élixir de longue vie.

Si bien que, pour la commodité du lecteur, il importe de ne prendre ici « en charge », outre notre Nicolas, que l'aîné de la Dynasty, Jérôme (sept enfants), Pierre (célibataire), Gilles (célibataire) et Jacques (sans enfant connu, puisque chanoine).

A l'origine, donc, le paterfamilias, Gilles Ier, le greffier à plume d'oie qui décède, à soixante-treize ans, en laissant à notre Nicolas (alors âgé de vingt ans) un coquet magot de 12 000 écus, qui rapportent une rente de 1 500 livres (2).

Il y a ensuite *Jérôme*, aîné de la Dynasty, qui succède à Gilles Ier dans sa charge et qui prend possession de la maison familiale où il consent à continuer de fraternellement héberger Nicolas, lequel semble n'avoir guère porté en son cœur sa belle-sœur, ex-demoiselle Loyse Bayen. Chacun sait bien qu'entre J.R. Ewing et Paméla... Ce Jérôme, nous dit-on, « était sage en toutes choses hors du jeu où il était fou jusqu'à la fureur » (Le Verrier). Un tantinet Jourdain, lui aussi, puisqu'il cherche ses partenaires de préférence parmi « les grands seigneurs » (Tallemant). Précision non négligeable : « il perdait ». Déplorable exemple pour ses sept enfants.

Il y a *Pierre* (du premier lit toujours), sieur de Puymorin, gibier de plus notable importance. Il a d'abord été valet de la garde-robe de Gaston d'Orléans, le propre frère de Sa Majesté Louis XIII le Chaste. Il s'est retrouvé ensuite intendant et contrôleur des Menus (?) Plaisirs et Affaires du Roy. Il finit contrôleur général de l'Argenterie, juteuse charge qui lui rapporte,

(2) Une équivalence avec la monnaie moderne est à peu près impossible à établir, tant en raison des variations de la livre d'Ancien Régime que de la différence des modes de vie (donc du « pouvoir d'achat ») et du prix des denrées. Une approximation très sommaire donnerait probablement, pour une rente de 1 500 livres, quelques millions de nos centimes actuels.

quand il se décide à la vendre, 180 000 livres : fructueuse opération
qu'eût approuvée le vénérable Jock Ewing. En ses folles années,
il a quelque peu fréquenté le truand, et notamment un certain
Saint-Ange, que ce nom séraphique n'a pas empêché d'être roué
à mort en place publique. Il est, lui, le rigolard de la Dynasty,
« le réjouissant Puymoren » (Linière), bénéficiant en société d'une
flatteuse réputation grâce à son don de « contrefaire les orgues
en se serrant le nez » : il fait « l'orgue du naseau ». Au surplus,
fort porté sur les jeunes beautés bourgeoises « chez lesquelles
il faisait l'agréable et était le héros ».

   Il y a encore *Jacques*, qui est d'Eglise, docteur de Sorbonne
(redoutable autorité) et quelque temps doyen de la Faculté de
Théologie. Homme de plume lui aussi, mais prudent, puisqu'il
publie sous les pseudonymes les plus divers : Jacques Barnabé,
Marcellus, Ancyranus, etc. Les Belles-Lettres lui sont redevables
de doctes traités, comme une *Historia confessionis auricularis*
(1683), une *Historia flagellantium* (1700). Et l'on voudrait pouvoir avec certitude lui attribuer un *De l'abus des nudités de
gorge* (1675) qu'à coup sûr eût approuvé Tartuffe — un imposteur
encore. Très belle fin de carrière : chanoine et éminent doyen
de la cathédrale de Sens, chanoine en la Sainte Chapelle.

                                     *
                                   * *

   Il y a enfin — *last but not least* — *Gilles III* (Gilles II est
mort à huit ans), né du second lit, de six ans l'aîné de notre
Nicolas, et qui va jouer un rôle fort important dans la mise
sur orbite de son cadet.

   Celui-là a d'abord, comme tant d'autres, opté pour la basoche.
Mais il a compris la leçon donnée par la médiocre carrière de
son père Gilles Ier qui, dit-il, n'a laissé aux siens, au terme
de soixante ans de rudes travaux, que « beaucoup d'honneur, peu
d'héritage ». Il est donc fort peu enclin à se contenter des
honoraires que peuvent verser, en un siècle pourtant procédurier
à l'extrême, les comtesses de Pimbêche et les Chicanneau. Ainsi
exerce-t-il encore les fonctions de payeur des rentes à l'Hôtel
de Ville. Mais sa véritable passion le porte avant tout vers les
joutes de la plumitive Intellocratie du Grand Siècle. Et Dieu sait
que, là, on se bouscule en masse au portillon, et avec une

exceptionnelle âpreté. On peut gager que Bernard Pivot lui-même n'aurait pas réussi à couvrir l'ensemble du secteur avec tout l'appareil des media mis à sa disposition en dépit des anathèmes lancés par Régis Debray, heureusement corrigés par l'intervention de notre actuelle Majesté à laquelle, nul ne l'ignore, rien de ce qui est culturel n'est étranger.

On rencontrera fréquemment ce Gilles III aux chapitres suivants. On se contentera donc ici de préciser que son domaine de prédilection est l'intrigue. Que son culot est phénoménal. Qu'il est fort peu regardant sur le choix des moyens. Qu'il connaît l'art d'être bien reçu des dames. Qu'il s'en va de ruelles en salons colporter les racontars d'alcôve ; au point qu'un jour, le grave M. l'Aisné, « conseiller de la Grande Chambre » et « homme d'honneur », lui, a dû tancer le « petit avocat » en ces termes : « Monsieur, prenez un autre train que celui-là ; il n'y a rien de plus vilain » (Tallemant).

Un « perfide » donc, un « Iscariote » (Scarron) même, mais dont la dent est dure, les éreintements aussi efficaces que peu justifiés, et avec lequel, par conséquent, il convient de compter.

Une sorte de Jean-Edern Hallier, pour ainsi dire.

Il resterait maintenant à déterminer ce qu'ont été l'enfance et l'adolescence de Nicolas. Et cela autrement que par le simple rappel de quelques dates ; mais bien *au niveau du vécu*, suivant le néologisme qui aurait âprement irrité l'épiderme de notre puriste, mais dont l'utilisation permanente fournit, à très peu de frais, la rassurante garantie que l'on appartient bien au gratin du snobisme intellectuel.

Mais il faut ici, en l'absence de documents et de témoignages sûrs, se résigner à la plus profonde humilité.

Sinon, pour reconstituer ces jeunes années, on serait contraint de s'en remettre à la fertile imagination de quelque demoiselle Chandernagor (brillante Dynasty, là aussi) qui n'a pas été le moins du monde embarrassée pour restituer ses lettres de créances au genre de la biographie romancée en faisant dire *je* à la future Mme de Maintenon, tout au long de son cheminement dans *l'Allée du Roi*. Ainsi, certes, pourrait-on combler les silences gardés par Nicolas et se substituer à lui en écrivant : « Moi, Despréaux... »

Car il faut bien encore porter au passif de ce prétendu Grand Siècle que, engluée dans les tabous d'un pudeur archaïque, l'époque en était encore aux pitoyables maximes sur le *moi* qui est « haïssable » et abhorrait l'étalage public de tripes, cher à l'immortel pélican d'Alfred de Musset. Il n'est que trop vrai que, en ces temps d'aliénation de l'individu, on goûtait peu le strip-tease intégral. Point de ces *Confessions* où Jean-Jacques Rousseau évoque sa découverte de la pratique de la masturbation. Point de *Confession d'un enfant du Grand Siècle*. Point de *Mémoires* surgissant d'Outre-Tombe pour étaler à la face de l'univers que l'on peut, comme Jéhovah, se retourner vers sa tâche accomplie, et reconnaître alors que son œuvre « est bonne » (*Genèse*, I, 1). Point de ces confidences intimes qui, trompettées aux Etranges Lucarnes, découvrent aux téléspectateurs ahuris les secrets sulfureux des amours contre nature.

Il faut en prendre son parti : sur Gilles Ier, sur Gilles III, sur la Dynasty, et surtout sur lui-même, Nicolas est toujours resté d'une déplorable discrétion. Discrétion suspecte, qui donne à penser aux pourfendeurs de légendes que l'on avait à cacher d'inavouables turpitudes.

Et pourtant, pour décaper la vétuste statue du Régent du Parnasse, il serait urgent d'imaginer Nicolas autrement que sous la lourde perruque et la mine compassée du trop célèbre portrait de Rigaud (château de Versailles), inévitable illustration de toute édition de ses œuvres. Puisque Françoise Dolto et autres sondeurs d'abîmes nous ont persuadés qu'à dix ans tout est joué, il faudrait pouvoir évoquer sans risque d'erreur le jeune Colin galopant dans les sombres couloirs du Parlement ou musant dans les ruelles du Vieux-Marais.

Mais est-il vrai qu'il est brutalisé par une servante acariâtre qui ignore tout des préceptes bienfaisants de notre pédagogie permissive et du dogme de l'Enfant-Roi ? Est-il vrai que le

patriarche Gilles Ier est de complexion avenante et bénigne ?
Est-il vrai que frères et sœurs se soucient peu de ce tardif
gamin ? Est-il vrai (c'est pourtant bien lui qui le raconte) qu'il
tombe, au collège, sous la férule d'un « Maître de Rhétorique »
(Claude La Place) qui, après avoir bataillé avec ses disciples
sur le sens d'un rébarbatif *percalluerat*, leur impose de traduire
non pas « la République était devenue comme insensible », mais
bien :« la République avait contracté un durillon », pour la
décisive raison que « *percallere* vient du cal et du durillon que
les hommes contractent aux pieds » ?

Ce qui est sûr, c'est que, de ces premières années, il garde
un souvenir amer. A la fin de sa vie, alors que la tête chenue
a plutôt tendance à embellir les souvenirs de sa jeunesse évanouie,
il répète souvent à Louis Racine qu'il « n'accepterait pas une
nouvelle vie, s'il fallait la commencer par une jeunesse aussi
pénible ». Peut-être bien que cette jeunesse ne fut pas, dans la
réalité, aussi sombre qu'il le dit ainsi ; mais ce qui importe,
c'est que Nicolas l'a vécue comme telle. Stendhal n'a-t-il pas toujours cru qu'il avait été un enfant martyr ? Et pourtant, quand
on y regarde de près, il devient évident que le père Beyle n'était
pas ce « jésuite », ce « bâtard » que voue à l'exécration des
générations à venir *la Vie d'Henri Brulard*.

Ce qui est sûr, c'est que Nicolas perd sa mère alors qu'il n'a
que dix-huit mois. Elle n'est âgée que de vingt-neuf ans et
Gilles Ier est alors plus que quinquagénaire : un grand-père.
Nicolas a tout de même un peu plus de chance que le petit
Racine, orphelin de père et de mère à trois ans.

Ce qui est sûr encore, c'est qu'il n'est pas de ces enfants
dont l'éclatante santé fait la légitime fierté des parents au cours
de ces réunions de famille où il se trouve bien toujours, pour
permettre les comparaisons flatteuses, quelque malingre bambin.
Il a subi, à douze ans, une opération de la taille (extraction des
calculs formés dans la vessie) qui se révèle assez désastreuse
pour que le garçon se voie contraint d'être désormais « fort
sédentaire ». Nicolas est ainsi affligé d'une « difficulté parti-

culière » — admirable litote, très XVIIe siècle, pour gazer cette lugubre réalité : Nicolas est impuissant.

Certes, l'on sait bien que la bégueulerie est le dernier défaut dont on puisse faire grief aux salons : on s'y entiche même volontiers de tout ce qui n'est pas conforme à la normalité et le pédophile, l'inverti ou le zoophile y font recette. Mais cette déviation sexuelle-là, au pays de la gauloiserie rabelaisienne : infâmant !

Au malheureux qui est affligé de cette « difficulté particulière », il ne reste donc plus qu'à la taire honteusement comme un inavouable secret : contrainte permanente. Nicolas y réussit sans doute assez bien (au prix de quels efforts ?), puisque c'est à la fin du siècle seulement que la meute des détracteurs s'avise, pour achever de le ridiculiser, de faire état de cette tare inexpiable. L'aubaine est trop croustillante : on peut désormais clamer dans les ruelles peuplées de Célimènes et de petits marquis si fiers de leurs exploits auprès de ces dames que, non seulement Nicolas, « ictérique », a « visage de blaireau », « épaule de chameau » et « jambes de fuseau », mais encore qu'il est « privé des dons de la nature... », incapable d'« exploits » auprès des femmes :

> Si les autres mortels étaient faits comme toi,
> Bien loin de décrier des belles les faiblesses,
> Tu ne pourrais citer que de chastes Lucrèces (Pradon)

Louis Racine le pudibond lui-même confirme en son chaste langage :

> Tous ceux qui l'ont connu un peu familièrement
> savent qu'il n'a jamais songé au mariage, et n'en ignorent
> pas la raison.

Un secret de Polichinelle, en somme. Et il faut bien tout de même vivre avec ce grotesque grelot attaché au pourpoint.

Ce qui est sûr, enfin, c'est que, « fils d'un père greffier, né d'aïeux avocats », Nicolas passe toute sa jeunesse au sein de ce petit monde bruyant, remuant, revendicateur, batailleur : le Parlement. Et, dans les années 1650, le Parlement, c'est une force qui a peu de points communs avec la Force Tranquille. Le Parlement joue très exactement le rôle d'un Contre-Pouvoir, et d'un contre-pouvoir qui ne s'exerce pas avec le délicat doigté propre à l'opposition de Sa Gracieuse Majesté britannique. Contre-Pouvoir que la Monarchie s'escrime vainement à enfermer dans les étroites limites de ses attributions juridiques, mais qui entend bien, lui, mettre son nez — qui n'est pas camard — dans les grandes décisions politiques dont ces Messieurs de la Cour ont l'impudence de vouloir se réserver le monopole. Un véritable scandale : comme si l'on poussait l'indécence jusqu'à contraindre les camarades Maire et Krazucki à ne se préoccuper très étroitement que de l'organisation des cantines d'entreprises et des arbres de Noël pour les petits prolétaires.

Or, sitôt disparu le Cardinal Armand de Richelieu (1642) à la vigoureuse trique, on en entend de sonores dans la bouche de ces Messieurs du Parlement, qui brandissent la palme du martyre puisqu'ils ont, eux, « tout fraîchement gémi sous (la) tyrannie » de M. de Luçon (Retz), et qui se croient désormais tout permis : « On a gagné ! on a gagné ! » C'est, par exemple, en janvier 1648 (Nicolas a douze ans), le sieur Omer Talon, avocat général, qui se permet de semoncer la jeune Majesté — où allons-nous, ma chère ! — sur le ton de l'incongruité : « Il importe à la gloire du roi que nous soyons des hommes libres, et non pas des esclaves... » Et tous ces Brid'Oison se mettent aussi en tête de réformer l'Etat (quel soulagement quand on entendra, mais beaucoup plus tard, s'exprimer la souveraine volonté : « l'Etat, c'est moi ! »). Et, sur leur lancée, pendant qu'ils y sont, ces serins s'avisent de faire renvoyer les intendants naguère établis par le Cardinal-Duc, de remettre au peuple un quart des tailles, de s'opposer à la levée de tout impôt qui n'aurait pas été préalablement discuté, d'exiger que nul ne soit plus emprisonné sans avoir été remis entre les mains des juges. Bref, la porte ouverte à l'anarchie, la carmagnole de la pègre et Cohn-Bendit à Matignon.

Et quand le Pouvoir se décide enfin à sévir, le 26 août, en envoyant une compagnie de C.R.S. pour faire cortège au panier à salade qui embarque les plus braillards de ces parlementaires, c'est, à n'en plus douter, le commencement de la fin : « les enfants qui disent des injures et qui jettent des pierres aux soldats » (Nicolas parmi eux ?), les échoppes qui se ferment en toute hâte, une « foule de peuple qui hurle plutôt qu'il ne crie », le lieutenant civil, chargé du maintien de l'ordre, qui, « une pâleur mortelle sur le visage » (Retz), en appelle au secours du Très-Haut pour sauver le régime — et, pour finir, les bonnes vieilles Barricades, jusqu'au Palais-Royal même ! Et voilà ! grâce à la manie contestataire de ces Messieurs du Parlement, du Premier Président au plus obscur des greffiers, c'est reparti — comme en 68.

Quand on a respiré cet air-là, quand on a vu ensuite, quatre interminables années durant, hauts seigneurs et puissantes dames saccager le pays et en venir à canonner Paris, on ne s'en va peut-être pas, comme l'Enfant grec, réclamer de la poudre et des balles ; mais il y a peu de chances pour que l'on oublie de si tôt qu'il doit bien y avoir quelque chose de pourri dans le royaume des Lys. Et la tentation doit se faire forte de tremper sa plume dans le vitriol pour dire leurs quatre vérités aux trublions et aux profiteurs de la pagaille.

En attendant que se taisent arquebuses et espingoles, il faut bien songer à se faire une place au soleil, puisque, n'étant pas *né*, on ne peut compter que sur son « mérite personnel ».

Nicolas fréquente donc le collège d'Harcourt, puis le collège Beauvais, au cœur du Quartier Latin. Très bientôt, en des temps où nul ne songe à faire de l'*orientation* la tarte à la crème de la pédagogie, va sonner pour lui l'heure d'affronter l'éternel problème des « débouchés », qui ne sauraient être bien glorieux.

Gilles Ier n'est pas bourgeois pour rien (il doit y avoir en lui du Gorgibus et du Chrysale) et, à défaut d'imagination, il a suffisamment les pieds sur terre pour prendre les devants. Ce qu'il faut pour le petit dernier, c'est du solide et du sûr. Or quoi de plus solide et de plus sûr alors que Notre Sainte-Mère l'Eglise, cet inébranlable soutien du Trône ? Notre Sainte-Mère l'Eglise qui, à ceux qu'elle accueille en son sein, n'offre pas seulement la perspective d'une éternité bienheureuse, quoique lointaine, mais aussi l'assurance d'une matérielle convenable, aussi longtemps que durera le cheminement en la Vallée de

larmes. Car nous sommes encore très, très loin de la désastreuse
époque où le recrutement sacerdotal sera voisin de l'étiage. Nos
Seigneurs les Evêques des années 1650 ne peuvent même pas
imaginer que pourrait venir un jour où l'on en sera réduit à
rappeler aux fidèles, par voie de presse et de radio, que le
Denier du Culte fait aussi partie de leurs obligations — les serviteurs du culte étant ramenés au barème des smicards, dont
nulle centrale syndicale ne songerait à faire valoir les trop justes
revendications.

Comme Jean de La Fontaine, comme Jean Racine, comme le
frère Jacques (futur chanoine), comme tant d'autres, Nicolas
sera donc d'Eglise. Et comme il ne faut point tarder à prendre
rang parmi les nombreux candidats aux « bénéfices » ecclésiastiques, le plus tôt ne peut être que le mieux : dès 1647, Nicolas
(il a onze ans) a été proprement tonsuré. Investissement à longue
échéance, dont Gilles Ier a tout lieu de se frotter les mains.

Jubilation prématurée. Car, au bout d'une seule année de
théologie, à dix-sept ans, le jeune homme prend le large, très
probablement saturé de discussions sorbonnardes. Tout au moins
a-t-il eu l'occasion de voir fonctionner de près ce petit monde
de la soutane qu'il évoquera un jour avec ses mesquineries et
ses ridicules dans le Lutrin. Il n'y a que les anciens élèves des
Bons Pères pour être vraiment bien au fait des secrets de
sacristie : quand l'enseignement libre aura été définitivement
supprimé, où donc l'anticléricalisme militant ira-t-il recruter ses
plus fougueux polémistes ?

Tout n'est pas complètement perdu pourtant, car tonsuré a été
Nicolas et tonsuré il demeure. En vertu de quoi, en 1662, il
pourra se parer du titre de prieur de Saint-Paterne (un saint au
nom privilégié), dans l'évêché de Beauvais : bénéfice de 800 livres
à la clé. Menue obole, mais les petits ruisseaux finissent bien
tout de même par former les grandes rivières.

On ne sait ce que Gilles Ier a bien pu penser de ce froc si
allègrement jeté aux orties. Toujours est-il qu'il ne reste plus
qu'à explorer, via la Faculté de Droit, la voie plus hasardeuse

de la basoche, où se sont déjà engagés et le grand frère aîné Jérôme et Gilles III. Voie douce au demeurant, et qui fera rêver l'étudiant des années 1980. Car il est avéré que, en fin de course, le parchemin libérateur est obtenu sans que le postulant ait eu à faire la preuve de son assiduité à suivre les cours des Maîtres, et sans même qu'il soit jamais question de contrôles continus et autres épreuves partielles. Bienheureuse situation qui va se prolonger fort longtemps, puisque le Rastignac de Balzac, deux cents ans plus tard, réussit encore à décrocher le diplôme sans avoir fait le moins du monde acte de présence dans les amphithéâtres. Les temps, certes, sont bien changés ; mais c'est aussi cela, le progrès.

Beaucoup plus tard, à l'époque de son destin déclinant, Nicolas, désormais consacré Régent du Parnasse, justifiera cette évidente infraction à son précepte de l'ouvrage sur lequel il est impératif de cent et cent fois revenir par cette contestable confidence : il n'éprouvait que « peu d'inclination pour la science du droit civil » ; « la raison qu'on y cultivait » lui paraissait être fort différente de « celle qu'on appelle le bon sens » (A Brossette, 15 juin 1704). Douteuse justification. Mais enfin Nicolas se reconnaîtrait là sans peine dans nos bons petits d'aujourd'hui qui prennent leurs inscriptions universitaires dans le seul but de bénéficier du Restau-U, des prestations de la «« Sécu » et de la M.G.E.N., voire d'un sursis pour l'accomplissement des obligations militaires.

Quelque tiède que soit son « inclination » pour le droit civil, Nicolas doit tout de même bien en passer par cette porte étroite et s'en aller à son tour faire ses mornes apprentissages chez le sieur Jean Dongois, époux de sa sœur Anne, greffier de la Chambre de l'Edit — un barbon : trente-deux ans de plus que le jeune stagiaire ! En décembre 1656, Nicolas est donc reçu avocat au barreau de Paris — consécration qu'il accueille sans doute avec plus de résignation que d'enthousiasme, car il se nourrit de rêves que n'inspire pas la soigneuse conservation des grimoires du greffe. Mais, comme l'a dit si fortement le maître Pascal : « La chose la plus importante à toute la vie est le choix d'un métier : le hasard en dispose. »

C'est alors, très précisément, que se vérifient, pour le jeune Nicolas, les profondes leçons sur les voies de la Providence qui sont impénétrables et sur les petits des oiseaux à qui Dieu donne leur pâture. Car la Providence fait les choses avec une rare munificence : deux mois après le brillant succès du nouvel avocat, Elle a l'élégance de rappeler à Elle Gilles Ier, afin de le récompenser par la béatitude éternelle pour tant d'années laborieuses consacrées à l'harmonieux fonctionnement du greffe du Parlement de Paris.

Pour Nicolas, cette perte douloureuse est compensée par l'octroi d'un capital de 12 000 écus.

Il n'y a donc pas lieu de s'étonner si, comme l'affirme la tradition, Nicolas ne plaide qu'une seule et unique fois dans sa vie. La noire robe de l'avocat s'en va tout aussitôt rejoindre le froc au milieu des orties.

III

ENTREE DANS LA JUNGLE
(1657)

Il y a plaisir, vraiment, à avoir vingt ans en l'an de grâces 1657. On dispose désormais d'un revenu modeste, mais régulier et décent.

On a gîte et couvert assurés dans la vieille demeure paternelle dévolue au grand frère Jérôme (sept enfants). On y a, au sommet d'une tourelle, à même le toit, une sorte de guérite, en attendant le jour où le départ de Gilles III libérera le « grenier » du quatrième étage. Ce n'est pas le Louvre, assurément ; mais on y est chez soi.

Et puis, surtout, on est libre de mener sa barque à sa guise et de folâtrer à son aise.

L'hésitation ne saurait être longue. Au cours des années de collège, les Bons Pères ont plongé Nicolas jusqu'au cou dans la lecture de Virgile, d'Horace, de Juvénal, inimitables Anciens proposés à l'émerveillement des jeunes esprits. On ne rêve donc que de manier à son tour la plume, non pas certes pour transcrire laborieusement les dossiers de ces MM. du Parlement, mais pour « être Chateaubriand ou rien », comme devait le dire plus tard le jeune Hugo, le fameux enfant prodige — un irrévérencieux, comme on l'a vu. En 1657, « être Chateaubriand ou rien », cela

signifie à peu près : « être Chapelain ou rien ». Eh oui ! Chapelain
lui-même, ce Chapelain qui, quelques années plus tard, deviendra
la tête de Turc privilégiée de l'auteur des *Satires*. Pour l'instant,
on est fasciné par la prodigieuse fécondité de M. Chapelain,
par l'éminente autorité qu'il exerce sur les Intellocrates depuis
son repaire du Café de Flore. A toutes les époques, on a de ces
emballements de jeunesse...

Du temps qu'on était encore sous la férule des Bons Pères,
on taquinait déjà la rime et l'on faisait joujou avec les cadences,
mais sans avoir le mauvais goût de se demander si, par hasard,
l'on n'était pas un enfant prodige. Dans les années 1657, personne n'est assez gogo pour croire à l'existence des enfants
prodiges.

Un demi-siècle plus tard, le vieux Nicolas sera tout ému quand
il retrouvera, en triant ses grimoires, le premier poème qu'il
a griffonné à dix-sept ans, « pour ainsi dire mon premier
ouvrage » (A Brossette, 29 septembre 1703), sous la forme d'une
« énigme », ce jeu de société qui faisait alors fureur dans les
ruelles des belles dames :

> Du repos des humains implacable ennemie,
> J'ai rendu mille amants envieux de mon sort.
> Je me repais de sang, et je trouve ma vie
> Dans les bras de celui qui recherche ma mort.

Ce n'est certes pas là du Rimbaud, ni même du Saint-John
Perse. Mais quand on a l'indiscrétion de fouiller dans les *Cahiers*
du sublime Victor, et quand on lit sous la plume de la pieuse
fille du mage de Guernesey que les deux premiers vers du papa
furent cette exemplaire platitude :

> Le grand Napoléon
> Combat comme un lion

on ne trouve aucune raison, vraiment, de rougir de son propre
quatrain.

Encore faut-il préciser que le « mot » de l'énigme (l'enfant
prodige eût-il même seulement découvert la solution ?) est :
la Puce.

A tout prendre, il est plutôt rassurant de découvrir que le
futur Régent du Parnasse a eu, potache non génial, de ces amu-

sements badins. On n'a pas toujours porté perruque empesée.

En prenant congé des Bons Pères (« au sortir de mon cours de philosophie »), on a aussi commis quelques couplets un tantinet olé-olé, histoire, assurément, de faire un peu la nique aux pédagogues usagés qui ne savent pas trop comment traduire *percalluerat*.

> Philosophes rêveurs, qui pensez tout savoir,
> Ennemis de Bacchus, rentrez dans le devoir :
> Vos esprits s'en font trop accroire.
> Allez, vieux fous, allez apprendre à boire.
> On est savant, quand on boit bien.
> Qui ne sait boire ne sait rien.

On ne se *shoote* pas encore à la marie-jeanne ou à la colle. Mais on a bien dû boire, en cachette, quelques pichets du fameux vin de Messe des Bons Pères.

On a encore, à peu près à la même époque sans doute, fignolé, comme n'importe quel Trissotin, un sonnet *A Iris*. Les continuateurs des pédagogues usagés se sont empressés d'affirmer que, comme il convenait à un jeune homme de si respectable éducation, il s'agissait assurément là d'une Iris imaginaire et livresque, fantasme d'adolescent boutonneux.

Et pourtant, il est à peu près sûr désormais que ce sonnet n'est pas aussi impersonnel que l'ont décrété les régents de collèges, soucieux de veiller à ce que ne s'envolent pas les imaginations des élèves à leurs soins confiés — et sur un texte de Boileau, encore... un comble ! On n'en doute plus guère aujourd'hui, cette Iris, « mon aimable parente », avait un visage : celui de la petite Anne Dongois, sa nièce, comme lui adolescente, « objet de (ses) chastes amours », qui lui fut enlevée par « une fièvre cruelle » et qui, dira-t-il dans un autre sonnet, « mourut toute jeune entre les mains d'un charlatan », « faux Esculape à cervelle ignorante ».

Eh oui ! là encore. Nicolas amoureux... Pourquoi pas ? Ce n'est pas parce qu'on est affligé de la détestable « difficulté particulière » due à l'opération de la taille — et à l'intervention

d'un autre « charlatan » sans doute — que l'on est condamné à
être de marbre. Stendhal l'a bien compris, qui a consacré toute
son *Armance* à évoquer le drame vécu par Octave de Malivert
qui n'avoue jamais à Mlle de Zohiloff qu'il ne peut être qu'un
amant très platonique. Il est vrai que cet Octave-là finit par se
suicider. C'est pourquoi on n'ira tout de même pas jusqu'à en
croire Nicolas sur parole quand il affirme que « ce barbare
homicide » de la petite nièce fut « le premier démon qui (lui)
inspira des vers ». Il est vrai que Nicolas n'avait pas pu lire
Werther.

Mais on est capable aussi de se hausser sur le cothurne
et sur « les jambes de fuseau ». Bacchus et Iris, soit. Mais
scotch et petites pépées ne sauraient, à eux seuls, faire le poète.
Et, bien que l'on ne soit pas un enfant prodige, on tient tout de
même à faire la preuve que l'on est armé pour tenir la distance
et travailler dans le grandiose. On n'hésite pas à tâter de la
solennelle *ode* : l'*Ode* dont on célébrera plus tard, au chant II
de l'*Art Poétique*, le « vol ambitieux » et qui « entretient de ses
vers commerce avec les dieux » — mazette ! Et l'on ne se
contente pas, comme le petit Victor en ses *Cahiers*, d'archi-
tecturer une banale *Ode à l'Amitié* : thème éculé et d'une
exceptionnelle indigence. On a assez de souffle pour s'élever à la
grande actualité internationale ; et, à l'aune des dimensions du
titre, on bat de plusieurs longueurs l'exaspérant Victor, avec
lequel on n'en finit pas de régler ses comptes (il faut passer à
Nicolas cette douce manie : il est des sarcasmes que l'on n'oublie
pas) : *Ode sur un bruit qui courut que Cromwell et les Anglois
allaient faire la guerre à la France.* Les enfants de la perfide
Albion n'ont qu'à bien se tenir, car on leur en dit de rudes
à ce « peuple aveugle » qui a commis le « crime » de prendre
« son roi pour victime », qui a « l'audace » d'aspirer à « l'empire
des mers ». Ont-ils donc oublié, ces Anglois, « l'humble bergère »
de Domrémy qui sut « renverser les bataillons » venus d'au-delà
du Channel ? Ont-ils oublié, ces Anglois — et là on croirait
entendre déjà notre Rouget de Lisle lançant à l'assaut des Tyrans

les inoubliables troupes de l'Armée du Rhin —, ont-ils oublié que

> ... leurs corps pourris dans nos plaines
> N'ont fait qu'engraisser nos sillons.

Dans l'édition de 1671, Nicolas fait figurer dans l'Ode un quatrain supplémentaire. Et, dans ce nouveau quatrain, n'entend-on pas déjà gronder la voix même de celui qui apostrophe les barbares venus « jusque dans nos bras égorger nos femmes et nos enfants » ? Car ces Anglois ne rêvent, eux aussi, que

> De sang inonder nos guérets,
> Faire des déserts de nos villes,
> Et dans nos campagnes fertiles
> Brûler jusqu'aux joncs des marais.

Mais Nicolas (dix-sept ans) n'a pas eu la chance de disposer du tremplin d'une Révolution pour porter aux quatre coins de l'Europe, et jusqu'aux remparts du Kremlin, ses vers de mirliton. Gageons même que notre Rouget, au nom pourtant évocateur des joies de la pisciculture, n'aurait pas eu l'imagination assez chaude pour évoquer, comme Nicolas, la sombre masse des cétacés polaires se ruant en direction des cadavres anglois flottant sur les ondes :

> Déjà Neptune plein de joie
> Regarde en foule à cette proie
> Courir les baleines du Nord.

Mais enfin, en 1657, qu'elles soient bachiques, élégiaques ou épiques, ces rimailleries ne peuvent plus compter que comme exercices d'école.

C'est qu'il s'agit désormais, comme dirait encore notre Rouget, d'« entrer dans la carrière » pour de bon, « quand nos aînés n'y seront plus ». Ou plutôt alors que « nos aînés » sont toujours là, bien accrochés à leurs (douteuses) réputations, et que l'heure a sonné de se faire une place au soleil au milieu d'eux — malgré et contre eux.

Il est ici indispensable de prendre une juste vue de la situation et du profil de cette « carrière », si l'on entend interpréter sans erreur ni anachronisme le développement de la stratégie adoptée par Nicolas, vingt ans en l'an de grâces 1657.

Et, avant tout, de se bien persuader du fait qu'un apprenti-« homme de lettres » n'est alors rien d'autre qu'un clochard en puissance. Pas les moindres « droits d'auteur » (âpre au gain, Corneille, le Vieux Classique, a provoqué un énorme scandale en monneyant au plus haut prix ses alexandrins). Nulle Société des Auteurs pour veiller sur les droits des laborieux de la plume (quand on pense qu'il faudra attendre Beaumarchais pour que quelqu'un finisse par songer à la création de cette bienfaisante institution !). Point de ces prix littéraires qui, en dépit de tout le mal qu'on en dit (lorsque l'on passe à côté du magot), mettent tout de même bien quelque douceur dans les épinards.

Bref, pour le laborieux de la plume qui prétendrait, au nom du droit des créateurs à l'autonomie, jouer les artistes indé-pendants et se consacrer exclusivement au polissage de ses rimes, il n'est qu'une seule voie sûrement ouverte : celle des Restau-rants du cœur et des bonnes œuvres de M. Vincent de Paul, lequel va, hélas, disparaître prématurément trois ans plus tard (1660).

Une génération plus tôt, Mathurin Régnier a déjà évoqué le déplorable cortège de tous ces rimeurs faméliques, perpétuels solliciteurs, « tiercelets de poètes »

Qui par les carrefours vont leurs vers grimaçant,
Qui par leurs actions font rire les passants.

Qui s'en vont déplorant que « l'ingrat siècle où nous sommes/ Au prix de la vertu n'estime point les hommes », chacun, bien entendu, pensant « être une lumière en France ».

C'est en longues colonnes qu'ils défileraient sur les Champs-Elysées, tous ceux qui, en 1657, pourraient donner la main à ce « poète » qui « méditant un sonnet médite un évêché ».

Il n'y a donc aucune raison de mettre en doute le témoignage de Nicolas lorsque celui-ci affirme (*Epître* V) que, et cela en dépit du (mauvais) exemple déjà donné par Gilles III, il y a grand émoi au sein de la Dynasty quand on voit « en frémissant/Dans la poudre du greffe un poète naissant » : « la famille en pâlit ».

Car il est bien vrai que « Dès lors à la richesse il fallut renoncer ».

En l'an de grâces 1657, la loi est d'airain et ne connaît aucune exception : il n'est pas de « poète » qui puisse faire carrière, ni même survivre, s'il ne réussit pas à se placer sous l'égide d'un Grand, ou d'un moins grand. Il en devient alors le « domestique », terme qu'on aurait tort de croire péjoratif (on est « de la maison »), mais qui recouvre les activités les plus diverses, voire saugrenues. Promu factotum, maître Jacques appointé, le « domestique » doit rendre mille petits services : travaux de secrétariat ou de bibliothèque, instruction des marmots récalcitrants, rédaction de madrigaux à l'intention des belles pour qui soupire le seigneur et maître. Mais ce qu'exige avant tout le fastueux « Mécène », c'est que son féal célèbre, sans cesse et sur les rythmes poétiques les plus divers, les inestimables mérites de celui qu'il a l'honneur de servir. C'est que, en un temps où l'on ne connaît pas encore France Roche ou Léon Zitrone, où n'existent ni *Paris-Match*, ni *Jours de France*, ni Etranges Lucarnes toujours complaisantes aux Puissants, il est absolument indispensable d'organiser sa propre publicité en vue de démontrer au bon peuple que l'on tient le haut du pavé, et aussi de faire endêver les rivaux.

Ils ont tous dû en passer par ce *mécénat*, les forçats de la plume, les Cotin comme les La Fontaine, les Saint-Amant comme les Jean Racine.

Et quand le « poète » est enfin parvenu à dénicher l'oiseau rare — de plus en plus rare tant est ardente la presse qui s'agglutine autour des prébendiers potentiels —, il est impératif de respecter en tout le code non-écrit : s'accrocher ferme au groupe qui vous a si bénignement accueilli, se serrer étroitement les coudes, ne jamais hésiter à renvoyer l'ascenseur en matière d'admiration mutuelle ou à éreinter systématiquement le petit voisin d'en face qui, lui, ne fait pas partie de l'« écurie » Gallimard ou de l'« écurie » Grasset. On n'est jamais mieux loué que par les siens : les chroniqueurs littéraires du *Monde*, du *Figaro* ou du *Nouvel Obs* savent toujours discerner avec une extrême acuité de vue ceux qui sont les leurs, « de la maison ».

Ce qui n'empêche pas d'ailleurs de passer dans la « maison » d'en face avec armes, bagages et stylo, si le prébendier vient à faire défaut ou si se font jour de plus alléchantes propositions.

On comprendra donc, je pense, qu'il importe ici de déterminer avec précision la configuration du terrain, fangeux, sur lequel, en l'an 1657, décide de s'aventurer notre Nicolas.

Trente ans plus tôt, alors que sur le pays s'étend l'ombre musclée du Cardinal Armand de Richelieu, évêque de Luçon, la divine Providence a manifesté avec éclat sa prédilection pour les chevaliers de la rime.

Car, outre le goût personnel très prononcé qu'Elle porte aux choses de l'esprit, l'Eminence a fort bien et très tôt perçu tout le parti qu'Elle peut tirer, pour la célébration de sa politique, de la plume des François-Régis Bastide, des Max Gallo et autres polygraphes, sans parler de la voix à la raucité usagée des Dalida : opération *His Master's Voice*, tous azimuths. Une telle mobilisation n'est pas de trop pour répondre aux infâmes calomnies répandues sur Son Eminence par une opposition qui s'obstine à ne pas désarmer et par la venimeuse propagande étrangère.

Aussi l'Eminence a-t-Elle chargé quelques-uns de ses fidèles, à commencer par l'ineffable Boisrobert — une sorte de Jack Lang sans les roses chemises, puisqu'il portait rabat —, d'organiser un service de *public relations* dont les agents les plus actifs seraient recrutés dans le vivier toujours grouillant des laborieux de la plume. Car, bien avant que Maurice Druon, du temps qu'il était Ministre de la Culture, l'ait formulé avec un scandaleux manque de tact qui suscita en son temps les stridents anathèmes du Landerneau littéraire, l'Eminence a remarqué que le gribouilleur de papier est toujours prêt à tendre « la sébile ». Ainsi se fait-on, à peu de frais après tout, une réputation de Mécène appelée à traverser les siècles.

Tout pareillement, il faudrait être bien béjaune pour accroire que la glorieuse initiative prise de fonder une « Académie Française » procède de la seule préoccupation de la sauvegarde de notre admirable langue française. Quand, dans les années 1630, l'Eminence apprend que neuf à dix grands bourgeois (qui, eux, ne sont pas des crottés) se réunissent, hebdomadairement et discrètement, pour bavarder en toute familiarité Arts et Belles-Lettres, Elle dresse d'abord l'oreille : conciliabules de mal-pensants ? Puis Elle s'avise qu'il serait assurément de plus fine politique d'officialiser solennellement de si agréables réunions. En couvrant d'honneurs et de privilèges ces aimables bavards, en truffant leur petit groupe d'une trentaine de gens qu'Elle connaîtrait pour être de « ses serviteurs » (Chapelain), l'Eminence disposerait avec cette « assemblée » d'un « petit noyau », comme eût dit Mme Verdurin, qui pourrait rendre bien des services. En prime, on promet à ces 40 qu'il deviendront Immortels.

A dire vrai, ce n'est pas d'abord la joie chez les intéressés, qui sont fort peu chauds de voir se tendre vers eux la lourde patte munificente de l'Eminence. On est si bien entre soi, en confidentielle et douillette intimité ! Mais les oukazes de l'Eminence prêtent peu à la pratique de la concertation démocratique et généralisée. Et il faut bien finir par accepter que la naïve société reconnue « d'utilité publique » (loi de 1901) soit dotée d'un solide « Protecteur » portant pourpre cardinalice.

Ainsi donc, dans les années 1640, « le culturel » est bien devenu une « affaire d'Etat » qu'anime avec une extrême vigilance la plus haute personnalité du Royaume, elle-même fort encline à faire grincer la plume d'oie sur le vélin pour révéler au bon peuple les bienfaits de la *Démocratie française* ou les secrets de la *Paille et le Grain*.

Et, sauf pour ceux — trop nombreux, hélas ! — qui ne sont pas bénéficiaires de la sollicitude ministérielle, c'est une bien grande époque que celle où les « créateurs » voient consacrer annuellement 40 000 livres à la ligne budgétaire leur réservant pensions et gratifications. Que l'on ne vienne pas nous exalter le titanesque effort consenti par la Ve République pour hisser au taux de 1 % (une misère !) la part dévolue à la Culture dans l'immense effort national.

*
**

Et puis c'est, brusquement, la panique.

Car, l'Eminence une fois disparue (1642), on ne rencontre plus, sur les pentes du Parnasse, que rares troupeaux de vaches maigres. On plutôt, on n'y débusque même plus la moindre bête à cornes, tant il est vrai que les chapeaux cardinalices se suivent et ne se ressemblent pas.

Car il se révèle très vite que le successeur, Cardinal Giulio Mazarini (ces immigrés, déjà !) n'entend pas soustraire de sa colossale fortune le moindre doublon en vue de se concilier les bonnes grâces des porteurs de sébiles, par lui assimilés à des porteurs de vent. Vision de myope, assurément. Car ces porteurs de vent sont tout à fait capables d'ameuter l'opinion publique (ignore-t-on le considérable « impact » d'un éditorial de Raymond Aron ? ou de Gilles Martinet, avant qu'il ne fût nommé ambassadeur au Quirinal, bien entendu ?) : ils ne tardent pas à en faire la preuve, avec leurs incendiaires Mazarinades. Mais enfin, la sinistre réalité est là, que le citoyen Ménage, en son *Eglogue à Christine*, résume élégiaquement en cette désolante formule : « Jules fuit nos concerts. »

Il est vrai que le Cardinal Jules est alors accaparé par de bien plus âpres soucis avec ces Frondes successives et parfois concomitantes, celle des Parlementaires puis celle des Princes, qui vont, au bout de cinq ans, laisser le pays dévasté après l'avoir affamé et conduit au bord de l'anarchie totale. En même temps qu'il faut aussi financer l'interminable guerre contre le fier Hidalgo envahisseur ; et qu'il faut encore acheter à coups de milliards le ralliement des rebelles dont les folles exigences en matière de sébile tendue n'ont rien de commun avec celles des pèlerins du Parnasse.

Des caisses d'un vide abyssal. Des impôts qui ne rentrent pas (c'est avec alacrité et sans l'ombre d'un scrupule que le bon peuple, en province, prend l'habitude d'assommer le percepteur). Des recettes à peu près inexistantes que l'on engage avec deux ou trois exercices d'avance. Un Etat dépouillé de tout crédit

et auquel, même en veine d'indulgence, le F.M.I. ne consentirait
pas à prêter le moindre écu.

Dans ces conditions, n'est-il pas vrai ?, il est d'autre priorité
des priorités que celle de se pencher sur le sort d'un Ménage
éploré et sur les hauts mérites de l'*Eglogue à Christine* qu'il
vient de polir pour tendre l'escarcelle en direction de l'Eminence.
Alors ?

Alors, il ne reste plus au Cardinal Jules qu'à emprunter, et à
emprunter encore, à tendre à son tour la sébile, puisque ces
grands niais de Yankees ne sont pas encore là pour financer,
à fonds perdus, leur Plan Marshall au profit d'Européens dont
on sait le gré qu'ils leur en ont eu.

Et le Cardinal Jules en est réduit à se tourner humblement
vers les Vautours, vers les profiteurs de la grande « crise », qui
s'engraissent de la sueur des peuples, vers les précurseurs de ces
multinationales d'où procèdent tous nos maux : les gens de la
haute finance, les « traitants », les « partisans », ces Rotschild,
ces Worms, qu'il serait pourtant si simple de nationaliser en un
tournemain et qu'il faut caresser dans le sens du poil, car ils ont,
eux, du crédit — un crédit que nul ne songerait à accorder à la
royale Majesté ou au Cardinal Jules.

Des exemples ?

En 1654 (notre Nicolas est dans sa verte dix-huitième année),
les revenus fiscaux des exercices 1655 et 1656 se sont déjà vola-
tilisés. Et c'est le vampire Hervart qui, dans l'heure, fournit
100 000 livres de numéraire en juin, et autant en septembre. Ce
même vampire a déjà, un peu plus tôt, avancé à Jules 2 millions
de livres pour lui permettre de monnayer au plus haut prix le
ralliement des derniers excités de la Fronde. A noter au passage
que, sur ces « prêts », le Cardinal Jules et la jeune Majesté
prélèvent ponctuellement leur dîme personnelle.

Quand, en 1656, au lendemain de la déroute de Valenciennes
devant l'Hidalgo, il faut encore obtenir, de toute urgence,
900 000 livres afin de faire face à la situation, c'est au vampire
des vampires, Nicolas Fouquet, que l'on demande de jouer les
saints-bernards et, en quatre jours, le vampire des vampires pré-

lève sur ses coffres personnels et ceux de sa famille les fonds demandés.

Il est naturellement superflu de préciser que cet admirable empressement apporté à renflouer les affaires du Cardinal Jules se solde, pour les généreux donateurs, par des prises d'intérêts qui sont à la hauteur des sacrifices consentis. Car ces Messieurs se seraient sentis fort peu concernés par la généreuse et attendrissante éloquence d'un Pierre Mauroy se refusant, la main sur le cœur, à croire qu'il est, sur la vieille terre de France, des êtres assez bas pour ne travailler qu'en vue du « profit ».

Comment s'étonner, dès lors, que ces Messieurs de la Finance tiennent désormais le haut du pavé ? Comment s'étonner que de si bons et loyaux services vaillent, dès 1653, à un Fouquet le portefeuille de la rue de Rivoli ? à un Hervart le fauteuil d'adjoint au Surintendant des Finances ?

Comment s'étonner si, du côté du bon peuple qui est pressuré, piétiné, éclaboussé, le niveau du ras-le-bol intégral ait été bientôt largement dépassé ? si se sont rassemblés, dans une exécration pour une fois commune, et les camionneurs du Mont-Blanc et les rigides Messieurs du Parlement, et Nos Seigneurs les Evêques, et Leurs Altesses les Ducs et Marquis ? Tous ulcérés de se voir toisés de si haut par des spéculateurs qui ne sont que des tripoteurs, mais qui sont devenus, en fait, les vrais maîtres du pays ? Trop, c'est trop, décidément.

Or, qui trouve-t-on parmi les plus huppés de ceux que révolte cet accaparement de la chose publique par la Haute Banque ? parmi les Messieurs du Parlement qui rêvent d'une monarchie qui ne serait pas ainsi honteusement gangrenée (et qui, il faut le dire, enragent aussi d'être considérés comme quantités négligeables) ?

Non pas Gilles Ier Boileau, bien sûr, vermisseau de greffe. Mais M. le Premier Président Pomponne de Bellièvre. Celui-là même qui, d'année en année, a veillé avec sollicitude sur la modeste promotion sociale de la minuscule Dynasty Boileau.

C'est dire que, de la bouche de M. le Premier Président et de tous ceux qui, grands et petits, sont de sa mouvance, Nicolas doit en entendre de vertes et de corsées sur le compte des vampires et des affameurs et, plus particulièrement, du plus rutilant d'entre eux, le sieur Fouquet. Propos vengeurs qui, à coup sûr, suscitent bien des échos dans une âme de vingt printemps, tant il est vrai que la généreuse jeunesse des Ecoles vibre toujours à cordes tendues quand se font entendre les grandes voix qui fustigent l'injustice et la rapacité des Puissants.

Et c'est là que, en 1657, pour le poète « dans la poudre du greffe naissant », il va y avoir problème.

Comme, d'ailleurs, pour l'ensemble de la populeuse congrégation des laborieux de la plume.

Car il se révèle très tôt que, non content de jouer les vampires, M. Fouquet est encore sincèrement animé par le plus grand goût pour le beau sexe et la galanterie, pour le faste pré-versaillais, pour les Arts et les Lettres. Il se révèle surtout qu'il a compris, lui, ce que le Cardinal Jules, dans son indécrottable ladrerie, ne veut pas admettre : à savoir que, si les empressés de la sébile peuvent être agréables dans le futile, ils peuvent tout aussi bien être utiles dans le solide en constituant une puissante chorale toute vouée à la célébration des éminentes vertus du nouveau maître.

Dès lors, les coffres étant pleins à ras bord du côté de celui-là, et le Cardinal Jules étant porté défaillant, les orphelins de la veille n'ont guère attendu pour se ruer en masses compactes sous les lambris dorés de M. le Surintendant des Finances. Et, divine surprise, ils ont été accueillis avec beaucoup plus d'aménité compréhensive qu'ils ne l'auraient été par le Grand Argentier Raymond Barre, chez qui rien n'indique, jusqu'ici, qu'il ait été jamais séduit par d'autres écrits que ceux qu'il destine à ses auditeurs de Sciences Po. On retrouve donc là, entre mille, Scarron le stropiat, les Corneille-brothers (Pierre et Thomas), et Poquelin dit Molière (*Les Fâcheux*), et encore La Fontaine le « naïf » qui fait le va-et-vient avec Château-Thierry où il arbitre sans joie des querelles de bouseux et de poseurs de collets. Et aussi les deux Scudéry (Georges et Madeleine), auteurs à succès d'interminables télé-films du style *Louisiane*. On y voit même paraître (retenons bien ce nom-là) le besogneux Gilles Ménage qui, après avoir appartenu à l'écurie de M. le Premier Président Pomponne de Bellièvre si cher à la Dynasty Boileau, finit par s'en aller goûter, lui aussi, à une soupe plus suavement aromatisée. Il n'est pas jusqu'au très sévère Gombault, pourtant paladin des austères mœurs antiques, « homme de grande vertu » (Costar), qui ne se résigne, au bout du compte, à tendre à son tour l'escarcelle : pour cet ouvrier de la dernière heure — les brebis égarées étant les plus chères au cœur du Bon Pasteur — une gratification de 100 louis, assortie d'une pension de 400 écus.

Il n'y a pas là que du sordide. Car enfin tous les témoignages confirment (et ils ne sont pas tous de commande) que le vampire n'est pas seulement un inépuisable bailleur de fonds, mais aussi un charmeur, un enjôleur, auquel la très sage Sévigné elle-même a, semble-t-il, bien de la peine à résister.

La Fontaine, un des rares esprits libres du temps, La Fontaine même s'engage, pour une somme de nous inconnue mais payable en quatre termes par an, à débiter régulièrement odes, ballades, épîtres et autres « bagatelles ». Moyennant quoi, aux rares moments de répit que lui laissent ses écrasantes activités, dignes d'Aristote Onassis, M. Fouquet peut (fin 1659) savourer les douceurs de ce délectable encens, distillé par l'immortel auteur des *Fables* :

> Le Roi, l'Etat, votre Patrie,
> Partagent votre vie.
> Rien n'est pour vous ; tout est pour eux.
> A jouir pourtant de vous-même
> Vous auriez un plaisir extrême.

Finement tourné, non ?

Et les laborieuses populations ne seront-elles pas consolées des rudes efforts que leur impose la cure d'« austérité » en apprenant que, en très haut lieu, on s'échine aussi à longueur de journées ?

Et comment Mme la Surintendante pourrait-elle à son tour

résister aux charmes d'une « ode anacréontique » due à la même plume, *Sur ce qu'elle est accouchée avant terme, dans le carrosse, en revenant de Toulouse* ? Dans les chaumières, on est toujours ému jusqu'aux larmes par l'évocation de l'heureux événement qui vient égayer le foyer des Grands de ce monde. Ne sera-t-elle pas touchée au plus profond de sa tendresse conjugale par ces cinq sizains d'heptasyllabes où le « naïf » La Fontaine célèbre le vertueux Surintendant pour ce qu'il a fait venir depuis peu « les nièces de feu M. du Gripon de peur que, ces filles étant riches et orphelines, il ne se fît quelque entreprise pour les enlever » ? N'y a-t-il pas là de quoi clouer le bec de façon décisive aux vils calomniateurs qui s'en vont partout répétant que le grand Vampire ne peut pas voir passer à son côté un cotillon sans que... ?

Ainsi, sur les rythmes et les tons les plus variés, la chorale aux mille voix rend-elle publiquement aux victimes des Basiles le juste hommage qu'elles méritent.

Qu'importe dès lors que quelques grognons s'entêtent à résister à tant de charme et de vertu ? Des fossiles qui s'obstinent à remâcher rancœurs et déceptions. Des jaloux mal intentionnés.

Ces grognons aux rances humeurs se regroupent précisément volontiers autour de M. le Premier Président Pomponne de Bellièvre

Certes la cour est là moins rutilante. On y recense pourtant, entre autres, un Antoine Furetière, auteur d'un *Dictionnaire* très apprécié, qui, sans doute, a été naguère pris en flagrant délit de vendre la justice, mais qui, reconverti aux doctrines de la rectitude, s'applique désormais à clouer au pilori tous les « vicieux », les rats visqueux de la haute finance. On y côtoie encore un Antoine Godeau, Géronte ayant passé la soixantaine, fidèle au souvenir du Cardinal de Retz — ce trublion vibrionnant des années de la Fronde — qui se refuse obstinément à versifier pour le compte des nouveaux maîtres. Et encore un Valentin Conrart, plus très jeune lui non plus, qui a été l'un des chouchous du grand Cardinal (Richelieu, pas le nain Jules), lequel l'a institué secrétaire de l'Académie Française. Et ce Valentin-là ne s'en remet pas de constater, jour après jour, que la littérature nouvelle s'élabore maintenant très loin de la docte Assemblée.

Mais le fer de lance de ce groupe aux rugueuses maximes, qui ne peut pas supporter le spectacle de tous ces auteurs de la Nouvelle Vague se bousculant du côté de Vaux-le-Vicomte, c'est très évidemment François Hédelin, abbé d'Aubignac. Lui non plus ne porte pas vertes feuilles puisque, en 1657, il a passé le cap de la cinquantaine. Mais un solide, un homme à principes, un puits de science, non un saltimbanque pour godelureaux et minettes. Un frustré, cependant. D'abord parce qu'il ne figure pas parmi les fameux et immortels Quarante. Ensuite parce que ses tragédies (en prose, dieux du ciel!), une *Pucelle d'Orléans* et une *Zénobie* notamment, n'ont pas fait courir les grandes foules du dimanche : elles n'ont même pas été accueillies par Pierre Sabbagh au programme de *Au Théâtre, ce soir*. Enfin parce que, dans les années troubles où il était malaisé d'opérer « le bon choix », il a, comme le camarade Godeau, misé sur la mauvaise carte : celle de Retz, le cardinal entiché de Fronde — carte de visite qui, en 1657, ouvre peu de portes. Aussi s'applique-t-il à constituer autour de lui et de ses saines doctrines un « petit noyau » qui ne serait pas cardinaliste celui-là, ni fouquetiste, mais bel et bien aubignacien.

Mme la Surintendante peut bien accoucher dix fois dans une calèche ou même sur la paille d'une crèche, ces intraitables rejetons des Muses et quelques autres de moindre notoriété ne consentiront jamais à consacrer ne fût-ce qu'un hémistiche à l'événement. Et ils ne cessent de tirer à boulets rouges sur les pensionnés de la Haute Finance. Et d'abord sur ces poètes aux vers douceâtres et alambiqués, des Précieux pour tout dire, qui empestent de leurs mièvreries le monde des Belles-Lettres et font se pâmer d'aise tous les inutiles qui gravitent autour de M. le Surintendant.

La troupe des hargneux ne compte pourtant pas, Dieu merci, que des Gérontes. On y rencontre aussi, tout de même, quelques brillants *espoirs*, quelques chevau-légers du style Roger Nimier qui, par conviction ou par volonté de se singulariser, s'engagent résolument à contre-courant dans le parti rétro et ricanent ouvertement du nouveau conformisme officiel.

Des petits malins, au fond. Car qu'on y réfléchisse bien : à hurler avec la meute des loups, on est à peu près sûr de voir sa voix noyée dans le vaste ensemble de la chorale. Chanter les louanges de M. le Surintendant, ce serait se fondre dans un ensemble fâcheusement anonyme, alors que l'on se croit tout à fait apte à tenir la partie du soliste. Par exemple, dans les années 1960, que gagnerait-on à rallier la longue cohorte des sectateurs du Nouveau Roman ? Alors que, en prenant l'étroit sentier où cheminent les très rares qui dénoncent la sottise de ce snobisme, on est assuré, par voie de scandale, de se faire entendre *a capella*. Et là est bien l'essentiel.

Aussi bien ces quelques francs-tireurs, qui n'ont pas encore l'artère sclérosée ni la plume pontifiante, pétaradent-ils allègrement dans le jardin des Muses, appliqués à y semer la plus confuse zizanie en dénonçant l'imposture des poètes à la solde de Vaux-le-Vicomte.

Parmi eux, largement en tête du peloton, Gilles III Boileau, avocat pour la devanture, et maître ès intrigues.

En 1657, au moment où le petit frère Nicolas se trouve à la croisée des chemins, Gilles III, qui n'a pourtant que vingt-six ans, s'est déjà taillé, à défaut d'une réputation d'honnête homme, du moins une solide renommée de puncheur toutes catégories et d'expert en coups bas.

Rejeton d'une Dynasty qui doit tout à M. le Premier Président, il s'est tout naturellement agrégé au clan de ceux qui bavent à épaisse salive sur M. Fouquet et ses rimeurs mercenaires. Quoiqu'il ne soit pas de tempérament académique ni très porté sur la pompeuse dissertation, il fréquente assidûment l'abbé d'Aubignac, le frustré de l'Académie : vieille gloire sans doute, mais qui est un nom tout de même et qu'il est opportun de ménager, voire de flatter, en le prenant par ses petites manies : par exemple en traduisant pour lui, du grec — délicate attention — un *Tableau de Cébès* (l'abbé adore ce genre d'allégories ; on lui donnera donc de l'allégorie), ou en rédigeant une *Vie d'Epictète* (l'abbé se dit volontiers stoïcien ; va donc pour un Epictète). Productions un peu mornes tout de même et qui, en dépit de leurs mérites, ne risquent guère de faire pousser le *holà* parmi le bon public.

Alors, après ces coups d'essai qui restent de peu d'audience, on va porter le coup de maître, suivant la recette éprouvée : en prenant pour tête de Turc un de ces pontifes consacrés qu'il y a toujours plaisir et profit à déboulonner.

Ici encore, que l'on pèse bien la situation : à la glorieuse époque de l'universelle renommée du Café de Flore, ce n'est tout de même pas en se ralliant aux innombrables cohortes qui font la haie d'honneur au pape de l'Existentialisme que l'on aura accès aux Etranges Lucarnes. Par contre, un bon éreintement bien poivré et même, atout complémentaire, bien injuste et perfide, voilà qui peut tirer de sa somnolence le téléspectateur blasé et qui, peut-être, en dépit de tout ce qu'on lui serine, n'est pas absolument convaincu que Jean-Paul Sartre est le Descartes du siècle.

La tête de Turc élue par Gilles III est un autre Gilles, le citoyen Ménage, déjà nommé. Un homme de science, tête pensante de cabinet, spécialiste du vocabulaire et de l'étymologie, qui se régalera à relever, un peu plus tard, que l'illustre Vaugelas, prince des philologues, écrit *étymologie* avec *th*. Mais aussi un homme auquel n'est pas étranger le beau monde, qui trousse volontiers pour ces dames madrigaux et impromptus : « pédant coquet » aux yeux de l'abbé Cotin qui ne peut pas le voir en peinture parce qu'il piétine ses propres plates-bandes.

Le jour où cet illustre Ménage va commettre un impair, Gilles III ne va pas le rater. Il est de notoriété publique que l'expert en étymologie a longtemps bénéficié des munificences du cardinal de Retz, dont il a été « une espèce de petit favori ». Mais, comme on sait, le cardinal a mal humé l'air du temps ; il a même dû passer la frontière pour crime de lèse-Jules. Alors Ménage s'est mis à « pester » et à répéter partout que la mésaventure « lui ôtait 3 000 livres de rente en bénéfices qu'il aurait sans doute si M. le Coadjuteur ne s'était point avisé de fronder ».

Nécessité faisant loi, il a donc fallu, le cœur navré sans doute, s'en aller picorer d'autres grains ; du côté des vampires évidemment, d'Abel Servient d'abord, adjoint du Surintendant, puis du Surintendant lui-même.

Mais ce gros malin a tenu à jouer sur les deux tableaux. En même temps qu'il rejoignait les zélateurs de M. le Surintendant, il a cru finaud de ne point se mettre à dos M. le Premier Président et ses amis. Et il a solennellement célébré, en vers, tout à la fois « et Pomponne et Abel (Servient) ». Comme de juste, M. le Premier Président a été outré de ce rapprochement incongru et l'a fait vertement savoir à l'intéressé. Car enfin, il faudrait admettre que l'on peut impunément porter au pinacle tout à la fois et le nœud papillon de Georges Fillioux et la paupière tombante d'Alain Peyrefitte ? Une providentielle balourdise : on va lui faire sa fête, à ce renégat.

D'autant plus que Gilles III cultive une dent toute personnelle à l'égard de ce Ménage. En 1654 (Gilles III a vingt-trois ans, notre Nicolas dix-huit), il a cru judicieux de consulter l'oracle pour lui soumettre une élégie latine de sa composition. Or ne voilà-t-il pas que ce grand augure l'a pris de haut et que, en présence d'un témoin, il a sermonné le « petit garçon » (!) et, au lieu de prendre connaissance du texte qu'on lui proposait, il a plastronné : « Nous lirons cela une autre fois ; mais lisez mon élégie latine à la reine de Suède ; vous en apprendrez plus là que chez tous les Anciens. »

Ce culot ! cette suffisance !

On n'est peut-être pas Rodrigue mais, pour le « cœur », on ne se trouve pas démuni. Et, tout aussitôt, Gilles III a dégainé et fourbi un incendiaire *Avis à M. Ménage pour son églogue intitulée Christine*, qui ne s'empêtre pas dans les périphrases : le renégat y est traité de « joli mignon », accusé de double jeu entre Pomponne et Abel, classé parmi les « Ménalques menteurs ». Et M. le Premier Président ravi pousse encore à la roue en incitant son champion à « ajouter quelque chose sur (la) pédanterie » de ce pitoyable. Quant à la valeur du « poète », elle est en dessous du dérisoire : épithètes incolores, vocabulaire d'une écœurante platitude. Parlera-t-on de son fin esprit qui fait si

fort frétiller nos dames ? Voici un exemple bien convaincant de
l'atticisme de ses bons mots : « A cause qu'il s'appelle Ménage,
il dit ordinairement qu'il se connaît en pommes de reinette,
en œufs frais et en amitié. »

Ce bel et bon éreintement circule d'abord en douce, anony-
mement. Et Gilles III continue, patelin, à fréquenter les soirées
du « joli mignon », enchanté de voir que sa victime se demande
désespérément qui peut bien être l'auteur de cette ordure.

Mais tout finit par se savoir un jour ou l'autre. Et l'oracle
s'en étouffe, en apprenant enfin de quelle plume est sorti
l'indécent pamphlet. On a beau lui seriner qu'il ne doit pas
répliquer « à un garçon qu'on ne connaissait point encore »,
l'oracle n'y peut résister et, sans songer qu'ainsi il fait lui-même
la publicité du « petit garçon », il commet la bourde de riposter,
de clamer que la fameuse *Vie d'Epictète*, c'est lui, Gilles Ménage,
qui l'a faite, et non pas « le petit Boileau ». Ce petit Boileau
n'est qu'un escroc, un aigrefin.

Cette fois, comme il fallait s'y attendre, le petit Boileau voit
rouge et il entre en lice à visage découvert : sans plus hésiter,
il publie très officiellement, sous son nom cette fois, son *Avis*,
le 20 janvier 1656. Succès immédiat, foudroyant, au point qu'il
faut procéder à une réédition dès l'année suivante. A partir de
là, l'empoignade devient générale : ceux qui, comme Ménage,
portent haut la bannière de M. le Surintendant volent au secours
du cher confrère ; les Pellisson, les Scarron multiplient les
ripostes, les démentis, ne faisant ainsi que mettre plus haut
sur orbite ce jeunot de vingt-cinq ans qui se moque bien d'être
traité plus tard d'« Iscariote » par Scarron le stropiat dans sa
Lettre — à Fouquet, comme de juste.

Opération *Joli Mignon* réussie cinq sur cinq. Gilles III n'est
plus du tout, maintenant, le « petit Boileau ». Il est consacré
porte-drapeau de la Nouvelle Critique : on peut désormais le
voir vaticiner quotidiennement au troisième pilier du Palais,
rendant ses arrêts de bel esprit, tout faraud de pouvoir enfin
se proclamer « une personne un peu entendue en la science des
points et des virgules » (Scarron). Tant il est vrai qu'il n'est
meilleure propagande que celle que l'on se fait à soi-même.

Toutes ces péripéties, tout ce tohu-bohu qui débouche sur l'apothéose du grand frère, notre Nicolas les a suivis jour après jour avec passion, qui pourrait en douter ? De quoi rêver, non ? Et peut-on hésiter longtemps sur la voie à suivre quand, après avoir célébré Bacchus et Iris, et voué aux gémonies les perfides Anglois, on se trouve soi-même à la croisée des chemins ?

Choisir le bon adversaire et le bien cibler. Assener ferme et riposter plus ferme encore. Ce sont là leçons du plus grand fruit ; la recette est à retenir. Elle resservira bien des fois encore, et jusqu'aux glorieux débuts du Surréalisme lorsque, afin de sortir d'une pesante obscurité, on lance une *Lettre ouverte à M. Paul Claudel, ambassadeur de France au Japon* que Gilles III eût assurément contresignée : « Nous réclamons le déshonneur de vous avoir traité une fois pour toutes de cuistre et de canaille » (1ᵉʳ juillet 1925) ; ou lorsque l'on décrète, après la disparition — deuil national — d'Anatole France, patriarche vénéré de la Gauche éclairée : « Il ne faut plus que, mort, cet homme fasse de la poussière » (Breton, *Un Cadavre*, 1924) ; « Avez-vous déjà giflé un mort ? » (Aragon).

Il reste tout de même que prendre ainsi à la gorge un des protégés les plus notoires de M. le Surintendant ne va pas sans risques de désagréments et de déceptions.

Car enfin, en 1657, M. Fouquet est vraiment au zénith. Il vient de marier sa fille aînée à un authentique Marquis, neveu de Sully qui plus est (600 000 livres de dot). A ses domaines, il vient d'ajouter Vaux-le-Vicomte (180 hectares, 68 000 livres) où il commence à édifier l'incomparable château. En sa datcha de Saint-Mandé, entouré de tous les choristes de sa cour personnelle, il a reçu Gaston d'Orléans, Mazarin, la jeune Majesté Elle-même sur laquelle il dispose, pour lui-même ou pour ses prêteurs, d'une énorme créance de 5 millions de livres. « *Quo non ascendam ?* »

Si bien que, en 1657, enfiler tout à trac les bottes du grand frère, c'est quand même jouer une partie de Quitte ou Double où les chances sont loin d'être 50-50.

Comme il serait rassuré, le jeune Nicolas, s'il savait !... S'il savait que, en ce moment même, dans les allées du Pouvoir, une silencieuse taupe a déjà entrepris son travail de sape pour ménager la grande culbute à celui qu'il jalouse et dont il considère comme éhontées les manipulations financières. Colbert, le glacial Colbert, Colbert le rafouin, végète encore dans les modestes fonctions d'« Intendant » du Cardinal Jules. Mais il voit loin, très loin, et il a déjà attiré l'attention de son patron sur les scandales d'une « profusion qui n'a point d'exemple » ; et il accumule les dossiers qui lui permettront de nourrir le long mémoire qu'il étalera en octobre 1659 pour dénoncer, chiffres à l'appui, les « gains épouvantables et l'insolence » de cette clique de vampires.

Mais le Rafouin a l'obsession du secret et rien, absolument rien ne transpire de ses menées souterraines. Et, moins encore qu'un Gilles III, ce n'est pas un Nicolas qui peut soupçonner que le vampire et ses escadrons de maffiosi vont connaître bientôt de rudes réveils.

Et pourtant, en 1657, malgré le haut risque que ne couvre aucune prime d'assurance, Nicolas passe le Rubicon. Et il fonce.

D'abord parce qu'il appartient à la Dynasty Boileau, si étroitement liée au parti de M. le Premier Président (qui décède cette année même, d'ailleurs ; Dieu ait son âme).

Ensuite parce que le grand frère a déjà opéré la percée.

Et, très certainement aussi parce que, lui, le petit bourgeois, il ne peut qu'être horrifié par l'impudence de ces nouveaux riches qui narguent le pauvre monde.

Il trempe sa plume d'oie dans le fiel. Et écrit une première *Satire* pour cravacher le gang des Financiers.

Il a vingt ans, et toute la vie devant lui.

1657.

Nicolas fait son entrée dans la jungle.

Le futur Roi-Soleil a dix-neuf ans. Pour le moment, il laisse encore les rênes lâches au Cardinal Jules.

Le Cardinal Jules, lui, dispose encore de quatre ans pour parachever sa grandissime razzia.

M. le Surintendant, en son éclatante maturité (quarante-deux ans), n'imagine pas une seconde que le jour n'est plus très éloigné où un petit capitaine de rien du tout, un nommé d'Artagnan, s'en viendra lui mettre rudement la main au collet comme à un vulgaire malandrin.

Colbert, la Taupe, trente-huit ans, en est encore à ses débuts, que nul ne soupçonne devoir être prometteurs.

Pour les uns comme pour les autres, toutes les voies restent ouvertes, les précipices aussi. Les jeux ne sont pas faits et personne n'a partie gagnée.

Quant à Nicolas, il a choisi. Et il ne saurait absolument pas supposer que, s'engageant tête baissée sur un sentier plein d'embûches, il entre dans la voie qui le conduira un jour à porter lourde perruque empesée et à bougonner contre ces petits jeunes gens qui ne respectent rien et surtout pas les gloires nationales et l'Ordre établi.

« Curieux, non ? », cet an de grâces 1657, comme disait Pierre Desproges, l'homme de l'inévitable « Minute de Monsieur Cyclopède ».

IV

DU RIFIFI SUR LE PARNASSE

(1658-1666)

Coup d'essai aventureux, cette première *Satire*, la plus juvénile et la plus pétaradante de toute la série, est chargée d'une lourde et bien confuse histoire (1).

Car elle est intimement liée au développement d'une actualité en perpétuel changement, qui contraint Nicolas à être sans cesse à l'affût du *Journal de 20 heures* et à jouer les paparazzi virevoltant pour ne pas manquer l'événement ou le scandale du jour.

Car, lorsqu'il trousse une tirade, Nicolas ne sait pas si, le lendemain, à la suite d'un renversement de situation, les pointes affûtées la veille ne tomberont pas dans le vide. Il faut toujours être prêt à remodeler le couplet, à changer de cible, à prendre dans le collimateur de nouveaux noms.

L'affaire est, en réalité, hautement croustillante.

Les données premières en sont très simples : selon un témoignage irréfutable, la genèse de la Satire remonte, on l'a vu, à *1657* ; or elle n'a été publiée qu'en *1666*.

Neuf ans pour venir à bout d'un poème qui ne pèse que

_____

(1) La chronologie en a été établie avec minutie (en dépit des inévitables lacunes et incertitudes) par A. Adam (*Les premières Satires de Boileau*, éd. de Lille, 1941 ; réimpression Slatkine, 1970).

164 vers (c'est-à-dire une moyenne d'à peine 20 vers par an),
voilà de quoi confirmer dans leur allergie tous ceux qui sont
persuadés que ce « poète » (!) ne fut jamais qu'un poussif
rimailleur. Parlez-nous plutôt, en fait de poésie, d'un Lamartine
qui, robinet à haute pression, est capable de pondre en deux
ans les 12 000 vers de son immortelle épopée la Chute d'un Ange.

Objection, Votre Honneur. Car s'il est bien attesté que Nicolas
a « commencé » (Le Verrier) sa Satire à vingt ans, en 1657, nul
ne sait quelle forme exacte elle prenait alors, puisque le texte ne
nous en est pas parvenu. L'acharnement des archéologues littéraires, frères des paléontologues qui, par l'intercession d'un
fémur, reconstituent un gigantesque dinosaure, permet tout de
même d'affirmer quel en était le thème central : l'exécration des
mœurs de Paris la Grand'Ville et la dénonciation de l'insolente
malfaisance des vampires qui se gorgent du sang de la nation.
Il est certain encore que la mise en scène de ce premier jet
prenait pour protagoniste un auteur « fameux », un anonyme
Damon, dont la « muse fertile » avait d'abord « charmé tant de
fois et la Cour et la Ville », et qui, écœuré, quittait la Ville-
Lumière, vouant aux Gémonies une société pourrie qui le réduisait
à s'en aller trouver pitance à la soupe populaire de l'Abbé Pierre.

Avec son nom incolore, ce Damon ne risque assurément pas
de beaucoup exciter l'imagination du lecteur de 1986. Tout au
plus amènera-t-il le désormais rarissime amateur de Lettres
latines à conclure que, bon élève, Nicolas connaît ses classiques
sur le bout des doigts. Car cette mise en scène vient de très,
très loin. Qu'on en juge : ce doit être dans les années 100 après
Jésus-Christ que le virulent Juvénal a imaginé, en sa troisième
Satire, son personnage d'Umbricius qui, poussant devant lui son
maigre bagage entassé dans une carriole, abandonne une Rome
dégénérée et fétide où nul ne reconnaît plus les vrais talents.
Précision érudite qui laisse de glace le Français d'aujourd'hui.

Ici encore, Objection, Votre Honneur.

Car, s'il est bien vrai que ce Damon n'a plus rien pour allécher,
il n'en va pas de même en 1657. Car, lorsque Nicolas lit la version
initiale de cette Satire à ses petits camarades du cabaret A la

Croix Blanche (on reviendra sur ce haut-lieu de la bohème qui
a peu de points communs avec le cercle choisi de l'Académie),
cet incolore *Damon* prend aussitôt nom et visage. Celui du
pitoyable Tristan l'Hermite qui, après avoir en effet obtenu les
plus vifs succès poétiques et dramatiques, vient de mourir deux
ans plus tôt dans la plus crasse des indigences. Un indépendant
qui a commis la grossière erreur de se tenir à l'écart des coteries
qui font la renommée et engraissent le gousset. Prenant la parole
sous la plume de Nicolas, *Damon*-Tristan clame son dégoût :
il est

> Las de perdre, en rimant, et sa peine et son bien,
> D'emprunter en tous lieux et de ne gagner rien...

et, pour finir, il constate amèrement

> Que d'être fourbe et lâche, en ce siècle maudit,
> Est l'unique secret pour s'y mettre en crédit,
> Et que la muse, enfin confuse et méprisée,
> Meurt de faim, et n'est plus qu'un objet de risée.

Et les petits camarades de *la Croix Blanche* comprennent tout
aussitôt, eux, que ce n'est pas là simple lieu commun emprunté
au vieux Juvénal. L'allusion leur est tout à fait transparente et ils
en tombent d'accord : on ne peut plus appeler « muse » la versi-
ficaillerie musquée et rentée qui est si fort prisée dans les salons
de ces Messieurs de la Haute Finance.

D'ailleurs, pourquoi *Damon* ne s'appellerait-il pas, en 1986,
Louis-Ferdinand Destouches, dit Céline ? Un Céline qui s'est
trouvé, dans les années 1930, projeté au zénith avec son *Voyage
au bout de la Nuit* (1932). Et qui, vingt ans plus tard, est bien
devenu, à peu près, un mendigot, honni par les cercles branchés
du temps, lui que le *Dictionnaire des Littératures* (tome I) consacre, post mortem, comme « un des plus grands stylistes français
de la première moitié du xxe siècle » (1968).

Dans ce premier état de la Satire, les amateurs de littérature
épicée découvrent encore bien d'autres passages au vitriol et
qui ne mettent pas en cause de minces personnages. Car, pourvu
qu'on lise *le Canard enchaîné* ou *Minute*, gazettes aux toujours
croustillantes révélations, chacun sait bien, en 1657, que « Mon-

sieur », le propre frère du Roy, Philippe d'Orléans, dix-sept ans, passe pour « la plus jolie créature du royaume », que l'on peut communément le voir parfumé, enrubanné, habillé en fille. Et que cette Altesse-là vit au milieu d'un escadron de minets qui auraient évité à un Roger Peyrefitte ou à un Montherlant d'avoir à écumer les édicules parisiens pour trouver gibier à leur convenance.

On rencontre en particulier, dans l'entourage intime de l'Altesse, Armand de Gramont, comte de Guiche (grande, très grande famille), vingt et un ans, dont Primi Visconti, le perspicace ambassadeur de la Sérénissime République de Venise, rapporte les exploits : ce Gramont a « compromis sa santé par la pratique du vice italien et particulièrement au service de Monsieur » (*Mémoires*). Le même Gramont brûle aussi pour son « mignon », l'adorable Manicamp. Et les deux aristocratiques tapettes se font une joie d'enseigner au princier jeune homme « le blasphème et d'autres vices alors plus florentins que français » (2). De la même fine équipe font aussi partie l'illustre duc de Brissac et son inséparable Jarzé que leur crapuleuse débauche finira tout de même, en 1658, par faire chasser de Paris. Quant à Très Haute et Noble Dame de Brissac, elle est bien connue pour préférer « son propre sexe ». Du très joli monde, en somme, qui est ainsi tout désigné, n'est-ce pas ? pour tenir le haut du pavé parisien.

Sans être pour autant un Père-la-Pudeur, Nicolas-*Damon* n'est pas d'humeur à jeter le manteau de Noé sur ces graveleuses bacchanales pour satisfaire à l'exigence de révérence due aux Grands de ce monde :

... je ne puis sans horreur et sans peine
Voir le Tibre à grands flots se mêler dans la Seine (...)
Et chacun avec joie en ce temps plein de vice,
Des crimes d'Italie enrichir sa malice ;
Car un vice admirable, en ce siècle tortu,
N'est pas vice, ains plutôt est la même vertu (= la vertu même).
Il en faut de nouveaux et que leur âme impure
Dans ces sales horreurs outrage la nature...

_____

(2) Cf. P. Erlanger, *Monsieur, frère de Louis XIV*, Hachette, 1953, chapitre III.

Voilà déjà qui, sans litote ni métaphore discrètement allusive, n'est pas mal envoyé.

Et puisque l'on est en train d'étriller les Princes qui nous gouvernent (ou qui nous ont gouvernés), pourquoi ne pas régler son compte aussi à la Longueville, Anne duchesse de, cavalcadante amazone de la Fronde ?

Depuis 1650, on ne cesse de rappeler, du côté de chez M. le Premier Président, que cette illustrissime a volontiers accueilli en sa couche ducale ses deux frères : Armand de Bourbon, prince de Conti, et Louis II de Bourbon, prince de Condé, immortel vainqueur de Rocroi pour la célébration duquel résonneront plus tard les sonores périodes de Bossuet. Car c'est bien de ces trois vedettes-là qu'il s'agit dans ce distique sous lequel il est si facile, en 1657, de mettre des noms :

L'inceste me fait peur, et je hais l'homicide.
L'adultère et le vol alarment mes esprits.

Décidément, l'apprenti-satirique ne se contente pas de démarquer le très vieux Juvénal et de dénoncer les vices des favoris d'un empereur très lointainement romain : il travaille en pleine pâte, et sans filet, comme s'il ignorait qu'il existe des culs-de-basse fosse pour accueillir les auteurs de pareils torchons.

Si moralisatrices qu'elles soient, il n'est pas question, bien entendu, en 1657, de publier de telles diatribes d'un sectarisme aussi primaire. Il faudrait obtenir là l'indispensable *nihil obstat :* le « Privilège du Roy ». Et, dame, avec cette littérature qui sent si âcrement le soufre... On se contente donc, pour l'instant, d'en donner lecture plus ou moins clandestinement, ici ou là, entre gens de sûre compagnie. Et on attendra des temps meilleurs.

Jusqu'aux environs de 1661.

Or c'est merveille de voir à quel point, entre 1657 et 1661, le paysage devient changeant. S'il veut ne pas se laisser déborder par l'actualité, le paparazzo ne va pas tarder à être contraint de réviser les perspectives et de recharger les accus.

On commence en effet à subodorer, du côté des Messieurs

de la Haute Finance, que les doux alizés se font moins caressants.

Dès octobre 1659, Colbert le Rafouin, qui a de la suite dans les idées, tente le grand coup : il remet au Cardinal Jules le mémoire incendiaire qu'il peaufine depuis des mois. Vingt pages d'argumentation serrée, documents à l'appui, pour dénoncer « les gains épouvantables et l'insolence » des vampires, leur odieuse propension à faire bénéficier de leurs rapines tous « les parents et amis ».

Bref, un mémoire qu'eût été bien inspiré de relire M. Bloch-Lainé lorsqu'il fut très officiellement chargé par les élus du Peuple de Gauche de faire rapport sur les rapines et malversations du régime d'avant le Changement. Car, comme l'on sait, M. Bloch-Lainé fut, en ses analyses et conclusions, d'une modération et d'un souci des nuances qui ne permettaient certes pas de convoquer la Haute Cour. M. Bloch-Lainé déplut.

La Dynasty n'a sans doute pas connaissance de ce rapport secret. Mais ce qu'elle ne peut ignorer, c'est que l'empoignade a dû être de la plus extrême âpreté puisque le Cardinal Jules, empêtré dans ses négociations avec le coriace Hidalgo, et peu soucieux de faire des vagues, a été contraint d'intervenir personnellement pour mettre le holà à ces chamailleries interministérielles.

Ce que la Dynasty apprend, à coup sûr, c'est que la vague anti-vampires ne cesse de grossir. Elle s'enrichit même de très, très gros bonnets. Par exemple, du considérable Hugues de Lionne, le Cheysson du moment. Et aussi de Michel le Tellier qui a « en charge » les affaires militaires. Et encore de l'imposant chancelier Séguier, Garde des Sceaux, champion toutes catégories de la brosse à reluire. Et même de Henri de la Tour d'Auvergne, vicomte de Turenne — cette idole du général Weygand — qui, expert en vestes retournées, a d'abord guerroyé contre le Cardinal Jules avant de se rallier à la Cour ; qui a abandonné la cause des Parpaillots pour embrasser celle des Papistes (la Grâce de Polyeucte, bien entendu) : un homme sûr, comme on voit, et qui n'hésite jamais à prendre le sens du vent — une sorte de Zitrone à feuilles de chêne.

Voilà qui fait beaucoup de monde, vraiment. Et, au sein de la Dynasty, on frétille ferme et l'on commence à penser que l'on ne tardera peut-être plus guère à préparer les lampions : le Changement, enfin ? En tout cas, Nicolas va devoir songer sans plus tarder à actualiser la Satire sur « les mœurs de la Ville de Paris ».

Dans l'intervalle, le grand frère Gilles III a réussi un coup vraiment fumant ; et qui est riche de leçons pour les petits débutants qui en sont encore à pénétrer dans la jungle.

On s'en souvient, Gilles III a effectué une percée triomphante en pourfendant l'autre Gilles, sieur Ménage, renégat qui s'en est allé honteusement lapper la soupe des vampires. Mais enfin cette affaire de *l'Avis* est vieillotte déjà ; les media oublient si vite ! Et pour tenir en haleine Bernard Pivot et Christine Ockrent, il faut à tout prix se distinguer à nouveau du peloton des laborieux de la plume qu'on a laissés derrière soi avec deux longueurs d'avance.

Aussi Gilles III s'est-il avisé d'aller naviguer du côté des vieilles gloires, usagées jusqu'à l'os certes, mais qui, tout de même, épatent encore le bon public parce qu'ils portent bicorne et habit vert et parce que, dans les provinces où fleurissent les Cathos et les Magdelons, on lit toujours le vieux *Koenigsmarck* du vieux Pierre Benoit. Or Pierre Benoit — qui l'ignorerait ? —, Pierre Benoit fait la loi sous la Coupole.

La moins fanée de ces vieilles gloires se nomme Jean Chapelain, soixante-quatre automnes en 1659. Celui-là même que le grand Cardinal de Luçon a naguère distingué et auquel il a imposé la redoutable tâche de décréter si, oui ou non, tout Paris avait raison d'avoir pour Rodrigue les yeux de Chimène — et qui s'est tiré de la corvée sans encourir trop de ridicule.

Depuis cette inoubliable époque, hélas révolue, Jean Chapelain a survécu ; il s'est consolé en jouant les grands sachems parmi les 40 Immortels. Avec toute l'autorité d'un pontife, il a — bien avant Nicolas ! — codifié les règles de la doctrine dite « clas-

sique ». Il a été fêté dans les salons des Philamintes et embrassé
« pour l'amour du grec » — car il est aussi helléniste. Evidem-
ment, à cette heure, il ne présente plus très fringante allure.
Les vieux jours sont durs en un temps où nul ne se préoccupe,
en toute priorité, des bas salaires et du sort des retraités de
la plume d'oie. Alors, âpre nécessité faisant loi, Jean Chapelain
est devenu une sorte de préfiguration d'Harpagon. Les petits
jeunes gens se poussent du coude quand ils le voient passer
coiffé de sa perruque crasseuse, chaussé de ses bottes « les plus
ridicules du monde », « bavant comme une vieille putain », tirant
« des mouchoirs si noirs que cela faisait mal au cœur ».

Il n'en reste pas moins que ce peu ragoûtant barbon compte
encore. Quand on a un roman qui est dans la course pour le
Goncourt, on ne va tout de même pas faire le délicat et hésiter
à aller présenter des hommages très respectueux au juré très
décati et très influent, sous prétexte que l'on renifle en son
bureau de trop écœurantes pharmacopées.

Certes, on ne se fait pas la moindre illusion sur ses dons de
« poète ». Que ne nous a-t-on pas seriné sur cette merveille des
merveilles que devait être sa grandiose épopée consacrée à la
Pucelle ! Vingt-cinq ans qu'on l'a attendue, cette Pucelle-là (de
1630 à 1655, très exactement), annoncée à cor et à cris comme
devant enfoncer et *l'Iliade* et *l'Enéide*. On a tout de même fini
par le tenir en main, cet énorme pavé. Bien sûr, les trompettes
officielles ont résonné de tous leurs cuivres, et le duc de Longueville y a été de ses 2 000 livres — la sébile toujours.

La piteuse réalité est que ce monument de l'esprit humain,
avec ses pâteuses allégories, son prêchi-prêcha de sermonneur à
bout de souffle, ses alexandrins rocailleux, est une pitié. Un
échantillon ? On n'a que l'embarras du choix. Ce quatrain, par
exemple, où Dieu envoie ses Anges (des anges !) inspirer la
Pucelle en question :

> De son trône d'azur la majesté divine
> En cet auguste état contemplant l'héroïne,
> D'une œillade parlante, où c'est ouïr que voir,
> Au chef des Séraphins expliqua son vouloir.
>
> (Chant II.)

Ne voilà-t-il pas de quoi « se pâmer » devant des alexandrins aussi suggestifs ? devant cette audacieuse « œillade » du Bon Dieu ? et devant la suave harmonie de cet hémistiche : « où c'est ouïr que voir » ?

Gilles III s'en est tapé sur les cuisses, au cabaret de *la Croix Blanche*, avec l'ami Furetière, avec le jeune Nicolas et quelques autres polissons.

Il n'empêche que lorsque Gilles III a décoché à Ménage le fulgurant *Avis*, ce vieux malodorant, qui a aussi le bon goût d'exécrer les Messieurs de la Haute Finance, a pris le parti de Gilles III. Alors, quelle que soit la noire crasse de ses mouchoirs, la vieille gloire à voix de stentor au sein de la noble Académie peut encore servir à quelque chose.

Or voici que, en 1659, Guillaume Colletet, l'un des « Immortels », a bien dû finir par se résigner au rendez-vous que lui fixait la Camarde. Alors, pourquoi pas Gilles III au fauteuil de ce Guillaume-là ? Certes, on n'a que vingt-huit ans, et c'est tout de même un peu bien prématuré pour prétendre ceindre au côté la Durandal en carton pâte. Certes, on jouit d'une détestable réputation de douteux intrigant (mais que peut-on contre les envieux ?). Et n'est-ce pas le Vieux Classique qui l'a magistralement proclamé : « La valeur n'attend pas le nombre des années. » Donc, va pour la candidature au fauteuil de Guillaume et pour les courbettes aux pieds du malodorant vieillard.

Par chance, la momie succombe volontiers à une petite faiblesse, oh ! bien excusable : il adore les *jeunes*, il veut être sûr que les jeunes le suivent, que les jeunes le vénèrent, qu'ils voient en lui le modèle, le Maître. Donc, *welcome* à ce Gilles III, qui n'a que vingt-huit ans et qui a su se faire un nom.

La momie ignore naturellement que, quand on se retrouve entre *jeunes*, on n'en finit pas de déblatérer sur le compte de ce « tyran des Belles Lettres ».

Et c'est ainsi que, au cours d'une des plus houleuses séances qu'ait connues la noble assemblée, Gilles III se mue en Académicien.

On s'en doute, le sieur Ménage s'étrangle en apprenant que

l'Académie s'apprête à couronner le grimaud qui a commis *l'Avis*. Or, dans la jungle, le sieur Ménage n'est pas dépourvu d'atouts puisqu'il émarge aux registres des bonnes œuvres de M. le Surintendant. Et M. le Surintendant s'empresse de faire donner Pellisson, son homme à tout faire qui, une heure durant, au cours de la mémorable séance, déclame contre l'infâme Gilles III. Baroud d'honneur inefficace. Le manager Jean Chapelain impose sa loi : Gilles III est désormais sacré Immortel.

Il ne manque naturellement pas de malveillants pour chuchoter que cette scandaleuse élection doit beaucoup à l'intervention occulte de Colbert le Rafouin qui ne perd jamais une occasion de tailler des croupières aux protégés des vampires.

Notre Nicolas observe. Et enregistre. Exemple à suivre, assurément.

Mais que longue est la route ! et incertain le sentier de la Gloire...

Et puis (9 mars 1661) — « ô nuit désastreuse, ô nuit effroyable ! » comme se lamentera un peu plus tard l'Aigle de Meaux Bossuet — le Très-Haut se décide à rappeler en son sein le Cardinal Jules afin, sans doute, de lui demander quelques comptes sur sa grandissime razzia. Evénement considérable dont chacun, au sein de la Dynasty, mesure la portée : immense. Qui va donc désormais siéger à Matignon ? Paparazzi et tendeurs de perches radiophoniques guettent la confidence et s'efforcent de provoquer la « petite phrase » qui entrouvrirait la porte aux pronostics. En vain. Ces cachotteries du Pouvoir sont décidément fort désobligeantes pour le menu peuple, qu'il soit de gauche ou de droite. Que fait-on, à cette heure, de la « transparence » ?

Et puis, tout à coup, le *scoop*, l'incroyable nouvelle, qui dément toutes les analyses gravement prospectives du *Monde* et des babillards de Radio-Luxembourg : la royale Majesté entend désormais régner seule, sans nul Premier Ministre pendu à ses basques. L'Etat, c'est moi.

Mais, au *Monde*, on a l'analyse trop affinée pour se laisser piper par ces déclarations de prince avide de cavalcader sans entraves. Au *Monde*, on hoche la tête : louable intention peut-être ;

mais bien plutôt foucade, présomption de jeune homme qui n'a
pas encore mesuré ses forces. Car, quand on a vingt-trois ans
et que l'on se trouve à la tête de la plus glorieuse nation d'Europe,
on doit avoir à l'esprit d'autres perspectives plus affriolantes
que celle des longues heures passées à s'échiner sur les dossiers
à la lumière de la chandelle. Un feu de paille, à n'en pas douter.

D'ailleurs quand, à Sciences Po, on se penche sur la composition du nouveau ministère, on a toutes les raisons de conclure
que, au vrai, on est encore bien loin de l'« alternance ». Certes,
on supprime le poste de l'Hôtel Matignon : un budgétivore (de
taille !) en moins. Et après ? Après, on reprend les mêmes et on
recommence. M. Fouquet est maintenu rue de Rivoli ; aux
Affaires Extérieures, Lionne-Cheysson, l'inévitable, vu les étonnants succès diplomatiques qu'il remporte au Liban comme au
Tchad ou dans le dialogue Nord-Sud ; à la Guerre, le non moins
inévitable Le Tellier qui, se prenant pour Charles Hernu, s'est
déjà mis à la tâche pour faire de l'armée française une armée
du XXIᵉ siècle. Donc, la « continuité » la plus plate. Un détail
pourtant — mais au modeste niveau des Sous-Secrétaires d'Etat :
un strapontin pour Colbert le Rafouin. Simple satisfecit pour
ce bon serviteur, qui pourra désormais se faire donner du
« M. le Ministre ». Ce sont là menus hochets avec lesquels on
amuse le parterre.

Bref, pas de gros titres en lettres grasses à la une des gazettes.
Inutile de procéder à ces recherches éperdues qu'il faut mener
en toute hâte pour établir le pedigree des nouvelles Excellences
quand M. le Président de la République sort de sa hotte à minis-
trables un obscur qui n'était même pas, la veille, un outsider.

Nicolas n'a plus qu'à se résigner : les vampires et leurs rimeurs
à gages continuent à occuper le terrain. Il va falloir se contenter
de reprendre la Satire et d'y ajouter quelques vers, pour l'actua-
lisation. On griffonne donc, à la mémoire de l'auguste disparu :

> ... ce grand homme
> Dont le génie heureux, par un secret ressort,
> Fait mouvoir tout l'Etat encore après sa mort.

Il y a de ces amères déceptions au lendemain d'un remanie-
ment ministériel.

Ce qu'ignore le bon peuple, tout comme les éditorialistes à manchettes du *Monde,* tout comme les Gilles III et les Nicolas, c'est que, avant de rendre son âme au Très-Haut, le Cardinal Jules a joué son dernier tour en forme de *combinazione* très italienne. A l'oreille de la jeune Majesté, il a chuchoté, pour le service du Bien Public naturellement, de « prendre de grandes précautions » contre M. le Surintendant en raison de sa « mauvaise conduite » et de ses « crimes ». Et il lui a expressément recommandé de n'accorder sa confiance qu'à un seul homme : le petit Secrétaire d'Etat qui paie si peu de mine.

Ultime scrupule d'une âme inquiète au moment de comparaître devant le tribunal de Celui dont le perçant regard fouille jusqu'au plus profond des coffres à rapines ? On ne manquera pas, un peu plus tard, de murmurer que c'est le petit Secrétaire d'Etat qui a pris l'heureuse et discrète initiative d'intervenir auprès du confesseur du Cardinal Jules et de lui souffler ces édifiantes suggestions. Tant il est vrai qu'il entre dans les devoirs de Notre Sainte-Mère l'Eglise de veiller aussi bien sur les alcôves que sur le lit des agonisants.

On va très vite comprendre que le strapontin concédé à M. Colbert ressemble beaucoup à un tremplin.

En quelques mois l'affaire est dans le sac : M. le Surintendant traîné devant la Cour de Sûreté de l'Etat, M. Colbert au pinacle. La jeune Majesté prend la décision du grand chambardement le 4 mai 1661. Le temps encore d'assister à la scandaleuse fête au cours de laquelle, en son tout neuf château de Vaux, l'impudent parvenu écrase de son faste son hôte royal (17 août) ; et, le 4 septembre, le capitaine d'Artagnan reçoit ses instructions, qui ne sont pas inspirées par le souci, cher à Mᵉ Badinter, de rendre douillet le sort du détenu : le capitaine devra « ne le point quitter de vue dès l'instant qu'il sera arrêté, ne point permettre qu'il mette la main dans ses poches, afin qu'il ne puisse détourner aucun papier... ». La garde à vue vingt-quatre heures sur vingt-quatre, et pas seulement pour quarante-huit heures.

Au passage du cortège qui ramène à Paris celui qui n'est plus que Nicolas Fouquet, tout au long du trajet le bon peuple « lui chante mille pouilles et mille injures » : « Si nous l'avions en nos mains, nous le pendrions ! » Le bon peuple devrait être plus circonspect. Car il ne sait pas encore ce que sera, en matière fiscale et sous le signe de la « rigueur », la médication de choc qu'on lui infligera, très bientôt — pour éponger la catastrophique gestion du régime précédent, naturellement.

A la joie manifestée par le bon peuple, on peut mesurer ce que put être la jubilation au sein de la Dynasty, qui n'a pas cessé de poursuivre de son exécration le « meilleur économiste de France » désormais déchu. Des têtes vont tomber, à coup sûr, car le petit Secrétaire d'Etat a la rancune solide, et mordante la vindicte. Or ces têtes, il faudra bien les remplacer, n'est-ce pas ? Enivrantes perspectives : on s'en va festivement gambiller à la Bastille. Et on attend. Bienheureuse année 1661, décidément.

Comme par enchantement, les vocations tardives se multiplient à un rythme accéléré : celle, par exemple, de Jean Chapelain, le vieil oracle qui, certes, ne rima pas un seul distique en faveur de M. Fouquet à l'époque de ses splendeurs, mais qui, prudentissime, s'est contenté de se draper dans un silence ombrageux et se découvre tout à coup une vocation d'implacable procureur ; et il écrit (9 décembre) à son ami Heinsius :

> On ne doute point que le prisonnier soit condamné à mort. Il n'y eut jamais de plus impudent voleur, de dissipateur plus aveugle ni d'ambitieux plus insensé...

Du côté de la Dynasty, on a tout de même de plus réels mérites à faire valoir. Car on ne s'en est pas tenu, là, au silence ombrageux. Il y a, en particulier, cette *Satire* au vitriol que Nicolas a corsée, depuis la mort du Cardinal Jules, de nouvelles flèches au curare, en désignant carrément M. Fouquet sous le pseudonyme que celui-ci utilise, au su de tous, dans sa correspondance amoureuse (et multiple) et dans ses billets doux rimés : *Oronte*.

Le seigneur *Oronte* est houspillé de la plus verte façon. Et, justifiant sa décision de fuir désormais la Grand'Ville, *Damon* se déchaîne :

Qu'Oronte vive ici, puisqu'Oronte y sait (= peut) vivre,
Puisqu'ici la fortune, égale à ses souhaits,
Sert d'un indigne prix à ses lâches forfaits (...)
Je ne sais point placer au-dessus de la Lune
Celui dont l'impudence a causé la fortune...

Quant aux belles manières d'*Oronte* à l'égard des gens de plume, on peut clamer enfin ce qu'en valait l'aune : mauvais goût, flagornerie d'hypocrite qui s'appliquait à « louer un mauvais livre avec déguisement », à « le demander à lire avec empressement ».

En voici maintenant pour le bras droit, le confident d'*Oronte*, ce Pellisson qui se chargeait hier encore de distribuer la manne aux laborieux de la plume qui acceptaient de jouer les chiens couchants. Belle, très belle carrière que celle, accomplie sous l'aile d'Oronte, de cet *Acante* (sont-ils grotesques, tous, avec cette manie du pseudonyme galant !). Mais, pour se laisser piper par les apparences, il faudrait ignorer par quels infâmes moyens *Acante* est devenu l'Eminence grise d'*Oronte*. Par le chantage tout simplement, en se faisant l'agent officieux des forfaits du Maître, et en le menaçant ensuite de révéler les secrets honteux dont il a été le confident.

... avant que pour vous il (*Oronte*) parle ou qu'il agisse,
Il faut de ses forfaits devenir le complice,
Et sachant de sa vie et l'horreur et le cours,
Le tenir en état de vous craindre toujours,
De trembler qu'à toute heure un remords légitime
Ne vous force à le perdre en découvrant son crime ;
Car n'en attendez rien, si son esprit discret
Ne vous a confié qu'un honnête secret.

La maffia, vous dit-on. Dieu merci, *Acante* a été, lui aussi, embastillé.

Il est pourtant équitable de préciser ici que, du fond de sa prison, *Acante* ne va pas cesser, au cours de l'interminable procès, de se solidariser avec son protecteur (naturellement, pensera-

t-on : Oronte est le patron, « le Parrain ») ; qu'il va prendre le
risque de composer un *Discours au Roi par un de ses fidèles
sujets sur le procès de M. Fouquet* dans lequel il met en évidence
ce qui est en fait le fond même du procès (inavouable) : à savoir
que toutes les malversations du Parrain sont inséparables de la
grandissime razzia du Cardinal Jules.

Et puisque l'on en est maintenant à régler les comptes, on
se préoccupe aussi des vampires de moins voyant plumage, car
il ne serait pas supportable que ces autres maffiosi se cachent
frileusement derrière le Parrain devenu bouc émissaire. Ils doivent payer aussi, tous ces Gros, tous ces P.-D.G. de la Haute
Finance, experts en transferts clandestins vers la Suisse.
Ceux-là, on les nomme, sans qu'il soit besoin du pseudonyme
galant :

> C'est par mille forfaits qu'en ce temps on s'élève,
> Le chemin d'être riche est celui de la Grève,
> Et *Monnereau* ne doit qu'à ses crimes divers
> Ses superbes lambris, ses jardins toujours verts.
> Par là, *Bidal* en vogue à *Bâtonneau* s'allie,
> Et quoi que tout Paris à sa honte publie,
> Malgré sa banqueroute, on sait qu'un de ses fils
> N'a quitté le comptoir que pour être Marquis.

Monnereau ? un grossium si lourd d'écus qu'il a fini par marier
sa fille au fils d'un duc. Au Quartier de Haute Sécurité, le Monnereau, avec 700 000 livres d'amende pour une sale affaire de rentes
rachetées.

Et *Bidal !* le gendre de la femme *Bâtonneau !* cet épais soyeux
qui a sombré dans une scandaleuse banqueroute ! Celui-là, il a
réussi à passer à temps la frontière (suisse, à n'en pas douter).

Il y a aussi un *Jacquier* dont « l'adresse funeste/A plus causé
de maux que la guerre et la peste ». Jacquier la sangsue qui,
commissaire des vivres, fournisseur des armées, s'est assez
engraissé de la misère du pauvre troupier. Dire qu'il faudra
attendre 1662 pour qu'on réussisse à lui faire rendre gorge !
Voilà le vilain bétail qui se cachait derrière les aimables et
champêtres pseudonymes d'*Oronte* et d'*Acante*. Voilà le vrai

visage du somptueux régime d'avant le Changement. Et ce n'est pas pour de menus grappillages, pour une histoire de poignée de diamants centre-africains ou une affaire de trafic de grâces médicales que l'on sonne l'hallali.

Soit, avant Nicolas, d'autres avaient déjà pris dans le collimateur toute cette pestilente canaille. Soit, Nicolas et sa Dynasty sont dans le sens du vent désormais, et l'on a derrière soi « Colbert et le chancelier Séguier ». En conclura-t-on pour autant que Nicolas et ceux de son bord ne sont nécessairement que « l'écho » des directives du nouveau ministère, que les « haines » de Nicolas sont « empruntées » (A. Adam) ? Et pourquoi pas sincères ? Obéit-on nécessairement aux consignes du Pouvoir parce que le cœur vous lève au spectacle des « scandales » ? Il est douteux que ceux qui envoient des lettres indignées au « Courrier des Lecteurs » du *Nouvel Obs* ou de *Libération* émargent systématiquement aux fonds secrets.

Ainsi s'écoule l'année 1661, si riche en péripéties.

Mais l'an de grâces 1662 s'annonce tout aussi succulent pour les paparazzi.

Car on perçoit très vite que l'exemplaire procès de Riom, intenté par le très vieux Maréchal aux maîtres de la IIIe République déconfite, s'enlise péniblement. D'abord parce que, après le coup qui les a mis K.O., les maffiosi plus modestes ou moins compromis reprennent leurs esprits et préparent des coupe-feu. D'autant plus que beaucoup de ceux-là sont liés, pour des intérêts d'argent ou par des mariages, à de très, très hautes familles qu'il convient tout de même de traiter avec ménagements.

Ensuite parce que, si triés sur le volet qu'ils l'aient été, certains magistrats commencent à s'alarmer devant les trop visibles irrégularités de procédure : dossiers détournés, inventaires effectués « hors la règle », refus opposé à l'accusé de se faire assister d'un avocat. Quelle que soit la révérence due aux oukazes de Sa Majesté, il est des scrupules que l'on a peine à étouffer.

Et puis il se révèle que la mirifique opération menée au nom

de l'assainissement des finances publiques pour en finir avec les
néfastes pratiques antérieures se traduit par une purge de
première grandeur. En un tournemain, on voit supprimés un
million de rentes sur les tailles, 600 000 livres sur les gabelles
et toutes les rentes sur l'Hôtel de Ville de 1655 à 1661, le CODEVI
de l'époque. Alors le bon peuple, qui n'est pas seulement composé
de gros capitalistes à comptes numérotés à Genève, trouve fort
amère la pilule purificatrice.

Et tout cela fait que, dans les différents sondages, la cote
de popularité du ministère se prend à ramper en dessous de
l'étiage. Et l'on commence à se demander si l'abominable *Oronte*
est vraiment l'unique responsable de tous les maux du siècle.

Fâcheux, très fâcheux renversement de tendance. Aussi ne
tarde-t-on pas à faire donner de l'argousin et du C.R.S. à l'encontre de ces gazetiers, de ces rimailleurs qui, sous le manteau,
s'obstinent à faire circuler des tracts incendiaires qui mettent
en cause l'indiscutable objectivité de la haute Justice de Sa
Majesté.

Pire que tout : alors que, jusque-là, les défenseurs de l'accusé
se contentaient fort convenablement d'en appeler à la royale
miséricorde, de très mauvais esprits poussent l'indécence jusqu'à
s'en prendre à Louis lui-même. Ainsi un vermisseau du nom
de Marigny qui, en un sonnet, a l'impudence d'assimiler le
nouveau règne à ceux de Tibère et de Néron. Et encore cet autre,
anonyme grâce au Ciel, qui s'adresse en ces termes à l'Oint du
Seigneur :

> Cependant tous vos soins vont à perdre la France,
> Et mettre au désespoir vos malheureux sujets.

Voilà, certes, qui dépasse les limites du supportable et qui
appelle une vigoureuse intervention de ceux qui, eux, ne tiennent
pas à revoir parader sur le devant de la scène ces Messieurs de
la Haute Banque, des holdings et des multinationales.

Incontinent, Gilles III prend la plume et trousse un sonnet
vengeur :

> On a beau murmurer contre le ministère,
> Rien n'ébranle, Colbert, ton esprit et ton cœur ;

Tu démasques le vice et dévoiles l'erreur
Et de tous les abus tu perces le mystère.

Et, très vraisemblablement, c'est à notre Nicolas qu'il faut attribuer un texte (*A ceux qui ont fait des vers contre le Roy*) où sont violemment pris à partie ceux qui — « lâcheté », « imposture », « témérité » — osent

... sans craindre les lois
Ecrire sans respect des Princes et des Rois.

Une centaine de vers où l'on en découd avec de tels faiseurs de « satires » :

Quoi, tandis que le Roy fait punir l'attentat
De ceux dont l'avarice a saccagé l'Etat,
Qu'il travaille sans cesse à rétablir en France
Les douceurs de la paix, le calme et l'abondance,
Et que de jour en jour il soulage nos maux,
Il sera becqueté par d'infâmes corbeaux !

Fasse le Ciel que, le jour où « l'état de grâce » aura épuisé ses effets, la bande à Jospin trouve, pour dénoncer l'infamie des corbeaux de Robert Hersant, des avocats aussi fermes de la plume.

Cette année 1662 se colore tout de même de nuances plus riantes pour les chevaliers de la rime de toutes « sensibilités ».

Le bruit court, en effet, de plus en plus instamment, que le bienfaisant Pouvoir de « ce Prince généreux, ferme, sage, équitable » (*scripsit* Nicolas) s'apprête à étendre sur le petit monde grouillant des « poètes » une droite largement munificente.

Il est grand temps. Car depuis qu'*Oronte* croupit en son cachot de Vincennes il n'est plus personne pour distribuer, à fonds perdus, pensions et rétributions aux quatre coins du Parnasse.

M. Colbert l'a parfaitement perçu : il convient d'éviter l'erreur commise par le Cardinal Jules en repoussant obstinément la sébile vers lui tendue. Il urge maintenant de convier tous les acharnés du stylo ou de la chansonnette — chers au cœur de

Michel Drucker — à célébrer avec enthousiasme la grandeur du nouveau septennat. Il ferait beau voir que l'on n'entendît plus, aux Etranges Lucarnes, que les mal-pensants du *Figaro* ou de *Minute*. L'épouse même de M. le Premier Ministre Colbert a été fortement incitée à faire salon et à y accorder la place belle aux rimeurs. Aussi trouve-t-on désormais là des Benserade, des abbés Cotin et autres Testu de moindre envergure. Ce n'est malheureusement pas avec ce menu bétail que l'on constituera une solide cohorte de chanteurs à voix qui célébreront avec l'audience nécessaire les hauts mérites du tout récent régime : car chacun peut constater que, à l'éventaire des libraires, nul ne s'attarde à feuilleter les piles entassées du tout récent ouvrage de l'inimitable Max Gallo.

Il faut décidément voir plus grand, plus massif et plus allé-chant : un vaste programme de subventions qui permettra de rameuter, de quelque horizon qu'ils viennent, des thuriféraires qui sauront manier avec toute la vigueur souhaitable l'encensoir sous les narines d'une jeune Majesté avide avant tout de Gloire. Certes, beaucoup des nouveaux appelés ont été longtemps sus-pendus aux basques d'*Oronte*. Mais nul n'ignore que, selon la parabole, les ouvriers de la dernière heure sont les plus chéris et les mieux rétribués.

A la fin de l'année 1662, on apprend que Matignon a déjà fait choix d'un chef d'Etat-Major pour cette nouvelle version de l'Opération Sébile. Tout aussitôt, au sein de la Dynasty, on entonne un *Te Deum*, puisque l'heureux élu est cette gloire consommée, ce monument des Belles-Lettres qui a nom Jean Chapelain, l'immortel chantre de notre immortelle *Pucelle*.

La Dynasty a vraiment toutes les raisons d'estimer qu'elle est désormais fort bien placée. Car ce n'est pas d'hier qu'elle figure en tête de ceux qui ont dénoncé la malfaisance des oppresseurs du peuple. D'autre part, quand bien même on ricane, entre soi, de la rocaillerie des vers de *la Pucelle*, on est dans les petits papiers du peu ragoûtant vieillard : n'est-ce pas lui qui a patronné le coup de force qui a porté Gilles III au fauteuil de l'Académie ? Et Nicolas lui-même ne vient-il pas justement de rimer avec flamme son réquisitoire contre ceux qui ont écrit des vers offensants pour le Roy ? Tous les espoirs sont permis, vraiment.

C'est donc le cœur enflé d'espoir que l'on attend, cependant que l'honorable vieillard se penche studieusement sur son *Mémoire sur quelques gens de lettres vivant en 1662,* suite de quelque 90 notices individuelles qui doivent orienter les choix de Jack Lang.

Sur cette liste, on peut le gager, vont figurer en très bonne place les Corneille-brothers, gloires toujours vertes. Et Poquelin-Molière, qui a eu l'heur de provoquer l'hilarité de Sa Majesté avec son *Docteur Amoureux.* Et aussi Quinault, dont la douceâtrerie plaît tant à ces Dames. Tous ceux-là se sont certes compromis jusqu'au cou avec *Oronte.* Il importe peu : pourvu que la plume d'oie soit notoire et prête aux panégyriques les plus hyperboliques, on n'ira pas y regarder de si près. Puisque, déjà, on entend « rassembler » les Français.

Par contre, aucune chance pour un La Fontaine qui, retournant à ses vomissements, s'obstine à prendre la défense d'*Oronte* dans sa toute récente *Ode aux Nymphes de Vaux* — une véritable provocation. Ce prétendu « naïf » est tout de même un peu trop voyant : non récupérable.

On sait encore que de petits débutants à la plume encore vierge s'agitent ferme dans le secteur. Par exemple, un certain Racine, vingt-trois ans, qui, à l'occasion du mariage de la Majesté, s'est empressé de rimer une ode, *La Nymphe de la Seine à la Reine.* Ode qu'il a fort habilement soumise au suprême jugement du malodorant vieillard. Et le jeunâtre s'en étouffe de suffisance : M. Chapelain a « retenu trois jours durant » l'ode ; M. Chapelain « en a fait des remarques que j'ai fort bien suivies » (à Le Vasseur, 13 septembre 1660). Il en est vraiment qui ne doutent de rien.

Pour échapper à tous ces lourds soucis, en cette fin d'année 1662, une éclaircie tout de même. Une bonne soirée : revenu deux ans plus tôt de sa longue errance en province, Poquelin-Molière fait représenter, le mardi 26 décembre, son *Ecole des Femmes*.

A cette date, Nicolas n'a pas encore rencontré personnellement Poquelin, qui accueille pourtant dans sa familiarité le frère Pierre, le « gay » Puymorin. Nicolas reconnaîtra plus tard qu'il n'était pas, alors, « très assidu aux comédies de Molière » (Le Verrier).

Mais, cette fois, la satisfaction est complète : de la belle ouvrage, du franc comique que cette *Ecole*. Et tout aussitôt, Nicolas rédige ses célèbres *Stances*, si souvent citées, à la gloire de Molière.

On a certes plaisir à voir notre Nicolas si lucidement percevoir les mérites du poète comique, qui n'en est encore qu'à ses débuts parisiens. Mais, quelle que soit la sympathie que l'on porte à Nicolas, il faut tout de même bien convenir que ces quatre strophes d'octosyllabes ne brillent ni par l'originalité des vues ni par le bonheur de l'expression.

> Que tu ris agréablement !
> Que tu badines savamment !
> Celui qui sut vaincre Numance,
> Qui mit Carthage sous sa loi,
> Jadis sous le nom de Térence
> Sut-il mieux badiner que toi ?

Faire rimer « agréablement » et « savamment » ne relève pas d'une exceptionnelle dextérité à jongler avec les vers. « *Bel* ouvrage », « *charmante* naïveté », « *docte* sermon », ne témoignent pas non plus d'une particulière audace dans le choix des adjectifs (Dieu nous pardonne ! ces adjectifs sont ceux-là même qui fleurissent sous la plume de M. Chapelain). Comparer Molière à Térence constitue la plus banale des références. Quant à ce jugement sur l'*Ecole* : « Tout en est beau, tout en est bon », il appellerait, de la part d'un correcteur de dissertations, une remarque peu amène en marge de la copie.

En fait, tout se passe comme si Nicolas suait sang et eau lorsqu'il s'applique à prodiguer l'éloge : on le vérifiera largement lorsqu'il maniera à son tour l'encensoir. Pour ce qui est de ridiculiser une bête noire, c'est une autre affaire.

D'ailleurs, à y regarder de près, ces *Stances* sont bien moins inspirées par l'intention de rendre hommage à Molière que par celle de laisser une nouvelle fois s'échauffer la bile. Elles ont avant tout pour but d'administrer une volée de bois vert aux « mille jaloux esprits » qui « osent avec mépris censurer » *l'Ecole* : la cabale des pudibonds qui ont crié à l'indécence, celle des bigots qui ont affecté de croire que les *Maximes du mariage* parodiaient les dix Commandements de Notre Sainte-Mère l'Eglise, celle des Grands Comédiens de l'Hôtel de Bourgogne qui, forts de l'appui du Vieux Classique, ont tout fait pour saboter le succès de la nouvelle comédie. Succulent gibier à pourchasser que ces tenants du conformisme le plus éculé, que ces vieilles gloires empêtrées dans leurs privilèges. Nicolas se retrouve là en terrain familier.

Quant à Molière, ces *Stances* ne sauraient constituer pour lui un atout d'un bien grand poids. Nicolas n'a encore rien publié, il se contente de lire ses diatribes entre amis. Il n'est pas encore de ceux qui peuvent prétendre faire l'opinion. Un témoignage de sympathie, appréciable certes, mais sans portée réelle sur le public, dans cette querelle autour de *l'Ecole*, qui va déboucher sur *Tartuffe*.

Dieu merci, on ne va pas tarder à trouver l'occasion de ferrailler en de plus spectaculaires débats.

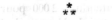

Car nous voici parvenus au verdoyant printemps de l'an de grâces 1663.

La fameuse Commission culturelle que préside le malodorant vieillard achève ses travaux de sélection. On dispose de 77 500 livres à distribuer (un chiffre qui fait rêver). La liste établie comporte 98 noms mais, hélas, M. Colbert se contentera de désigner 46 « nominés », parmi lesquels 36 ont été expressément choisis par M. Chapelain. Délicate attention, les primes seront remises aux bénéficiaires dans des bourses de soie (en 1664, les bourses ne sont plus que de cuir ; et, à partir de l'année suivante, les chevaliers de la sébile devront se déranger en personne pour passer à la caisse).

La sébile la plus richement pourvue est celle de Mézeray : 4 000 livres. Rien à dire, c'était joué d'avance : celui-là est l'historiographe officiel de Sa Majesté. On ne pouvait faire à moins.

Mais voici qui est beaucoup plus croustillant. Car qui donc Mézeray dépasse-t-il d'une courte tête... mais, voyons, le malodorant vieillard lui-même, bien entendu. Comme on n'est jamais mieux servi que par soi-même, M. Chapelain a pris la précaution de rappeler, dans la notice qui le concerne, qu'il est « illustre dans la poésie et les belles-lettres ». Et il en donne incontinent la preuve la plus éclatante en composant un sonnet dans lequel il compare Sa Majesté à Mars, à Jupiter, au Soleil — où s'arrêtera-t-il ? De ce sonnet chacun peut goûter l'élévation de pensée et l'exceptionnelle harmonie ; qu'on en juge :

Quel astre flamboyant sur nos provinces erre
(prononcez bien : provinces-z-erre)
N'est-ce point Mars...
N'est-ce point Jupiter...
N'est-ce point le Soleil...
Non, l'astre dont l'éclat tient nos yeux éblouis
Est un astre plus grand qui tous les trois embrasse,
C'est le fort, c'est le bon, c'est le sage Louis.

Dans le communiqué du Ministère, on relève les noms des Corneille-brothers, bien entendu : 2 000 pour Pierre, 1 000 pour Thomas. Celui de Ménage, oui, le Ménage de *l'Avis* de Gilles III : 2 000. Celui de Poquelin, mal payé : 1 000. Celui de Quinault le fade, le douceâtre : 800. Et même, même ! celui du petit Racine, pour ses quelques pièces de vers de rimeur débutant : 600 !

Dès le début de juin, M. Chapelain fait la tournée des bienheureux élus et, le 9 juin, il rend compte à Son Excellence M. le Ministre de la diligence avec laquelle il a incité tous les heureux bénéficiaires à célébrer au plus tôt le providentiel événement du rétablissement de la santé de Sa Majesté. Il précise : la tournée s'est déroulée « sans peine ». Il ferait beau voir que les munificences royales fussent reçues avec hauteur par ceux qu'il nomme les « trompettes des vertus du Roy ». Il a tout de même fallu secouer un peu « ceux qui s'endorment sur leur bonne fortune » ou ceux qui — un comble ! — « croient que les faveurs du Roy ne sont que le paiement de leurs mérites ».

**

Le palmarès est maintenant dressé.
La liste est close.

Côté Dynasty, bilan : zéro. Le désert.

Une Dynasty qui a pourtant œuvré de toute son âme pour la bonne cause, qui a traîné dans la boue *Oronte* et ses poétastres, qui s'est dépensée sans compter pour dénoncer l'infâme malfaisance de *Ceux qui ont écrit des vers contre le Roy*... Et Gilles III, Académicien, l'escarcelle vide, tandis qu'un Ménage... et alors que l'on disposait, dans la place, de tout le crédit de M. Chapelain...

Doit-on penser que M. Chapelain s'est bien gardé de pousser en avant une Dynasty que sa propension à la « satire » prépare assurément fort mal à une entreprise où il est exclusivement question de manier l'hyperbole flatteuse ?

Dans ces conditions, on comprend aisément que les membres de la Dynasty s'empressent de se joindre au chœur des imprécateurs déçus qui, sous la houlette de Jean-Edern Hallier (lequel enrage de n'avoir pas obtenu de François III son émission de télévision), accablent de sarcasmes M. Colbert et son porte-coton à roses chemises.

Il se trouve même un goujat pour oser cette réflexion (rimée) sur le fameux sonnet de M. Chapelain :

> Jamais Fouquet dans ses folles dépenses
> N'a prodigué tant de finances.

Nicolas n'y tient plus. Il reprend sa déjà vieille satire (mais toujours non publiée) sur les horreurs de Paris et il la truffe d'une tirade vengeresse contre ces pensionnés de la dernière heure :

> On a beau se flatter d'un mérite inutile,
> Le plus heureux l'emporte, et non le plus habile,
> Et parmi cet amas de tant de grands esprits,
> Un Racine, un Ménage auront le premier prix.

Même le petit **Racine** ! Comment peut-on imaginer que celui-là a le moindre avenir devant lui !

Mais la désastreuse mésaventure mérite mieux qu'un quatrain. Et Nicolas tient là enfin un bon sujet : celui d'une nouvelle Satire, qu'il rédige dans les derniers mois de cette décidément néfaste année 1663 (elle constitue, dans l'édition définitive, la Satire VII : *A ma Muse*). On va leur faire la fête à tous ces mendigots tout à coup devenus, par la grâce de M. Chapelain, les glorieux du gousset.

L'indispensable petite mise en scène est vite trouvée : non plus, cette fois, le monologue vengeur de *Damon*, mais un dialogue de Nicolas lui-même avec sa *Muse*, pour constater amèrement que la veine satirique ne ménage à qui la pratique que désagréments et déceptions. Nicolas s'exhorte donc instamment à « changer de style », à opter, comme tant d'autres, pour le « panégyrique » en faveur de quelque « héros ». Vains efforts. Au bout du compte, Nicolas doit en convenir :

Je ne puis pour louer rencontrer une rime ;
Dès que j'y veux rêver, ma Muse est aux abois,
J'ai beau frotter mon front, j'ai beau mordre mes doigts...
Tandis que, s'il s'agit de « railler », ah ! s'il s'agit de railler,
   Alors, certes alors, je me connais poète (...).
   Mes mots viennent sans peine, et courent se placer...
En conséquence, Nicolas persiste, et signe :
   ... tout fat me déplaît et me blesse les yeux,
   Je le poursuis partout, comme un chien fait la proie,
   Et ne le sens jamais qu'aussitôt je n'aboie.
Aussi quelle satisfaction de pouvoir proclamer :
   C'est par là que je vaux, si je vaux quelque chose.
   Enfin, c'est mon plaisir, je veux me satisfaire (...)
   Et dès qu'un mot plaisant vient luire à mon esprit,
   Je n'ai point de repos qu'il ne soit en écrit.
Celui-là a dû lire et savourer les fières tirades du *Cyrano* d'Edmond Rostand : on appartient à la même famille de ceux qui refusent de se laisser museler.

Pour finir, une pirouette : assez pour aujourd'hui, Nicolas

prend congé de sa Muse. Mais pour une nuit seulement : après
quoi on reprendra la chasse aux « fats » :

  Finissons ; mais demain, Muse, à recommencer.

Ce schéma, ou, si l'on veut, cette vieille ficelle poétique du
dialogue avec la Muse, ne constitue, bien entendu, qu'un prétexte.
Et l'on va s'ébattre allègrement en pleine actualité et mettre les
points sur les *i*. Car désormais on les connaît, tous ceux qui,
sans vergogne, viennent de se désigner comme étant les champions de la courbette, ceux dont les visages satisfaits s'étalent
maintenant à la une de toutes les gazettes.

La palme, d'abord, au premier d'entre eux, l'ami de la veille
devenu faux frère, à « Monsieur » Chapelain et à ses « vers forcés ». Un accessit pour l'éditeur Sommaville, un « fripon fameux
dans cette ville », qui fait tant de misères au cher abbé d'Aubignac et refuse de lui verser un écu pour son inoubliable
Pratique du Théâtre (pourquoi en effet ne pas crier tout haut
que l'illustre Gallimard exploite ses auteurs ?). Des mentions
honorables pour tous ceux qui répandent à profusion l'eau bénite
de cour devant l'auteur de *la Pucelle*, promu oracle ministériel :
les Bardou, les Francheville, Testu, Sauval et consorts. Tous
« froids rimeurs », « sots parfaits »... : « Ma plume aurait regret
d'en épargner aucun. »

Assurément, ici encore, tous ces noms illustres laissent de
glace le lecteur de 1986 qui préférerait cent fois voir asticoter
un peu Messieurs les plumitifs attitrés de la Rose ou de la
Croix de Lorraine. Mais, après tout, serait-il si malaisé de lire
d'autres noms derrière ceux des Testu, Francheville et autres
Sauval ? de décrypter les visages de tous ceux qui, avides d'être
distingués par les puissants du jour, s'empressent d'accourir
au sublime « Congrès de la Culture » organisé à coups de trompes
par un Président qui ne cache pas que les œuvres de Lamartine
ne quittent pas le chevet de son lit ? Et, quoi qu'il y paraisse en
1986, ce n'est jamais là une entreprise à petits risques que de
brocarder les thuriféraires et les porte-parole attitrés. N'est-ce
pas, Thierry le **Luron** ?

La Muse doit donc se résigner : Nicolas continuera ce qu'il

considère comme une œuvre de salubrité publique : dégonfler les baudruches. « L'esprit de contradiction », comme dirait Michel Polac. Mais Michel Polac ne court aucun risque de se retrouver à la Bastille : il est du bon côté du manche.

*
**

Ce qui est sûr, en tout cas, c'est que les lectures, entre amis toujours, de cette vigoureuse mise au pilori au nom de la dignité de l'écrivain obtiennent le plus franc succès. Et c'est cette nouvelle Satire qui, à n'en pas douter, met l'étrier au pied de Nicolas. Mais tout est là : est-ce le bon pied ? Car, aux Etranges Lucarnes, on invite fort peu le correspondant de *Minute* ou le journaliste Montaldo qui, après avoir écumé les poubelles de la *Banque des Pays du Nord,* s'avise de publier les comptes secrets de la grande Fraternité des pays de l'Est.

Mais, quel que soit l'universel enthousiasme qui, à en croire la propagande officielle, soulève les foules dans l'exaltation du régime, il demeure toujours, ici ou là, quelques mauvais esprits qui s'obstinent à très mal penser et à considérer comme miroirs aux alouettes les slogans sur la « Révolution Nationale » chère au cœur du très vieux Maréchal-nous-voilà, ou sur l'« Horizon 2 000 », pâteuse élucubration sortie des têtes d'œuf de Valéry Ier.

Inutile de préciser que, aux yeux de ces esprits forts, la Dynasty, que l'on sait si ardente à célébrer les infinis mérites de la nouvelle équipe gouvernementale, n'est pas en odeur de sainteté : on respire tout de même trop, de ce côté-là, un air du plus épais conformisme.

Or voici que les mal-pensants apprennent que, tout à trac, serait éclos de la couvée un oison, un merle blanc qui s'en viendrait détoner de la plus inconvenante façon. Il y a là, sans doute, quelque chose, et qui mérite examen.

C'est un sieur du Tot, « homme de beaucoup d'esprit mais fort débauché » (sur lequel on déplore de ne pouvoir fournir d'autres précisions) qui, ayant assisté à une lecture de la satire sur les lauréats ministériels, s'avise qu'on entend là un son nouveau. Et qu'il y aurait lieu de présenter l'oiseau rare à la joyeuse bande des « Débauchés de *la Croix Blanche* ».

La Croix Blanche. Un cabaret, sis rue de Bercy, que ne hantent ni ces Messieurs du Parlement, ni les protégés de M. Chapelain. On s'y retrouve pour s'y restaurer très festivement, pour ricaner des communiqués officiels et de tous les importants du moment.

Ces Débauchés, qui fréquentent aussi *la Croix de Fer, la Bonne Eau* et autres hauts lieux de la godaille, portent des noms que, naturellement, la Postérité — attachée aux seules valeurs confirmées — n'a pas retenus. A l'intention de ceux qui, en 1986, se piquent d'anticonformisme, il convient donc de citer, en tête de liste, deux frères : l'abbé du Broussin (si peu abbé !) et du Rancher, l'un et l'autre érudits en gastronomie raffinée — le premier particulièrement affecté à la surveillance du « seau de glace » qui « rafraîchit (le) vin » et acharné à mettre « de la muscade en toutes sortes de sauces et de ragoûts ». Il y a là encore Furetière, à la veille d'écrire son *Roman Bourgeois ;* Chapelle qu'on soupçonnera fort d'être l'auteur de l'incendiaire *Livre abominable* où est dénoncée la malfaisance des bigots, des Jésuites, du nouveau Premier Ministre, et qui aurait aussi commis les *Mémoires pour servir à l'histoire D.M.R.* (du Maquereau Royal). Maquereau royal : M. Colbert lui-même.

Il y a surtout, expert en l'art de déterminer « la nature des bons morceaux », des Barreaux, « illustre et grand maître des Débauchés » (Chapelle), soiffard notoire, qui s'enivre systématiquement sous prétexte d'endormir sa « raison..., l'ennemie capitale de (son) repos ». Un marginal peu fréquentable que l'on voit passer de la plus crasse débauche à la dévotion la plus ostentatoire quand il est malade : alors, il « baise bien des reliques ».

Une des plaisanteries les plus goûtées de ce cercle des « modernes Epulons » (prêtres qui, à Rome, présidaient aux repas sacrés) consiste à tirer des Barreaux « de son profond sommeil » d'ivrogne pour le plaisir de l'entendre « débiter des blasphèmes nouveaux » (Boursault).

On rencontre aussi, à *la Croix Blanche*, le jeune Racine,

appliqué à jeter aux orties les austères leçons de ces Messieurs de Port-Royal. Et même Poquelin-Molière, « grand personnage » qui « buvait assez/Pour, vers le soir, être en goguette ».

Tel est le beau monde qui fait maintenant fête à Nicolas et à son pamphlet :

> On lut plusieurs fois la satire, et de plus elle fut fort applaudie, bien que les Débauchés de *la Croix Blanche* fussent gens assez chiches de louanges. (Le Verrier.)

La Gloire, en somme.

Et même, ne voilà-t-il pas que le jeune Racine, qui figure pourtant en bonne place dans la Satire sur la liste des poètes mercenaires, subodore que ce Despréaux ne manque pas d'étoffe et qu'il serait préférable de ne pas se mettre à dos pareil gaillard ? Toujours fin calculateur, le jeune Racine s'empresse donc de soumettre à la bienveillante attention de Nicolas sa toute nouvelle *Thébaïde* ; et, dans sa correspondance (décembre 1663), il évoque avec satisfaction les observations qu'on a bien voulu lui présenter (J.-B. Racine).

Une Gloire toutefois qu'il sera malaisé de renier quand tous ceux qui en auront assez d'être mis à mal par la verve du « satirique » jugeront le moment venu de riposter de la belle façon.

Cette triomphale entrée dans le club des *Débauchés* a de quoi mettre en verve. Et elle s'assortit d'un renouveau de l'inspiration jaillissante. Et c'est dans cette ambiance euphorisante que Nicolas rédige une troisième satire (*Satire II* dans l'édition définitive), à la gloire de Poquelin, ce si délectable compagnon.

> Toi dont le rare esprit, et la fertile veine,
> Ignore, en écrivant, le travail et la peine (...)
> Dans les combats d'esprit savant maître d'escrime,
> Enseigne-moi, Molière, où tu trouves la rime.

Il s'est trouvé d'aigres esprits pour faire valoir que, dans ce second hommage rendu à Molière, Nicolas ne fait rien d'autre que tenir un rôle de perroquet, celui de porte-voix de l'abbé d'Aubignac, le frustré de l'Académie. Et que, s'il houspille à nouveau les Ménage, les Quinault, les Scudéry, ce n'est (ici, il faut citer) ni sous l'effet d'une « sensibilité artistique très vive qui s'indigne de certaines médiocrités », ni par « un jugement sûr et précoce qui discerne les mauvais auteurs de façon infaillible » :

> Boileau obéit aux partis pris de la cabale aubignacienne. Pas un instant il n'obéit aux évidences de son goût personnel. Sa pensée est tout entière commandée par le groupe littéraire auquel il appartient. (A. Adam.)

Le sombre procureur est décidément bien catégorique. Car s'il est vrai que Nicolas (et Gilles III) partage alors certains points de vue soutenus par l'abbé, pourquoi en conclure qu'il ne fait jamais que marcher au sifflet ? que sa capacité de « jugement personnel » est nulle ? Et si son admiration pour Molière, son exécration pour les écrivains à succès procédaient, non pas de la langue de bois, mais de la simple sincérité ? Cette obstination à ramener à tout prix une personnalité au niveau de celle d'un écolier ânonnant la leçon bien apprise est, à la longue, irritante. Après tout, se rattacher à un mouvement d'idées ou à une école littéraire n'implique pas forcément que, renonçant à toute indépendance d'esprit, on ne fasse que rabâcher les slogans du parti, quels qu'ils soient.

Au surplus, à relire ce texte, on s'avise bientôt que si, certes, il y a bien là hommage, et hommage appuyé, rendu à Molière, le panégyrique ne constitue en réalité qu'un prétexte, tout comme déjà l'intervention de *Damon* ou le dialogue avec la *Muse*. De Molière, il n'est en fait question que dans les dix premiers vers de la satire et dans les quatre derniers (sur un total de 100). Quant à l'éloge de l'auteur de *l'Ecole des Femmes*, il se réduit à un seul compliment, dont nul n'oserait affirmer qu'il caractérise avec pertinence le génie de Molière : sa facilité à trouver la rime au bout du vers. Le candidat au D.E.U.G. qui, dans sa dissertation d'examen, s'en tiendrait à cette discutable affirmation pourrait à très juste titre se demander s'il figurera bien dans la liste des admissibles.

De qui donc, au fait, Nicolas parle-t-il dans cette Satire que l'on présente trop vite comme consacrée à Molière ?

Mais de lui, tout simplement. De son travail, de ses peines d'écrivain, de cette incoercible propension à rimer qu'il a déjà évoquée dans la pièce précédente : confidences d'un homme de lettres. Mais d'un homme de lettres qui, pour son malheur, n'a pas jugé convenant de vaticiner sur le trépied pythique et qui a préféré adopter le ton de l'humour vis-à-vis de lui-même :

Pour moi qu'un vain caprice, une bizarre humeur,
Pour mes péchés sans doute, a fait naître rimeur,
Dans ce rude métier où mon esprit se tue,
En vain, pour la (la rime) chercher, je travaille, je sue.
(...) Et maudissant vingt fois le démon qui m'inspire,
Je fais mille serments de ne jamais écrire ;
Mais quand j'ai bien maudit et Muses et Phébus,
Je la vois qui paraît quand je n'y pense plus.
Aussitôt, malgré moi, tout mon sang se rallume,
Je reprends sur-le-champ mon papier et ma plume...

Et Nicolas évoque ses empoignades avec la rime récalcitrante :

... mon esprit tremblant sur le choix de ses mots
N'en dira jamais un, s'il ne tombe à propos (...)
Ainsi recommençant un ouvrage vingt fois,
Si j'écris quatre mots, j'en effacerai trois (...)
Tout le jour, malgré moi, cloué sur un ouvrage,
Effaçant un endroit, récrivant un passage...

Si c'est Flaubert qui se confie sur les affres de la conception, sur l'épreuve du passage au « gueuloir », sur les déceptions éprouvées devant l'œuvre relue, il suscite aussitôt les gloses les plus solennelles sur les tortures de l'acte créateur. Que Stéphane Mallarmé évoque à son tour le sentiment d'« impuissance », de « stérilité curieuse » qui le saisit en face de la feuille blanche, nul commentateur ne songe à sourire. Mais avec Nicolas, ce « rimeur » si platement « classique », on peut, n'est-ce pas, le prendre de très haut.

En contrepoint, et toujours avec le même sourire, il en convient : sans cette « frénésie » de rimer, l'existence ne serait que dolce vita, à la mode de *la Croix Blanche* :

Je n'aurais qu'à chanter, rire, boire d'autant,
Et comme un gros chanoine, à mon aise et content,
Passer tranquillement, sans souci, sans affaire,
La nuit à bien dormir et le jour à rien faire.

Assurément, la rime ne brille pas ici par une richesse parnassienne, mais le rythme est plein d'alacrité et le souffle aimablement soutenu.

Mais Nicolas est si peu moderne qu'il ne saurait prendre la plume pour le seul vaniteux étalage de son moi et de ses états d'âme. Et il ne serait pas lui-même si la démangeaison de la pique ne venait pas le taquiner. C'est donc par le biais des foucades de sa Rime qu'il retrouve avec jubilation ses chères Têtes de Turc. Car, s'il faut l'en croire, la Rime récalcitrante ne lui fournirait jamais, en fin de vers, que des mots ou des noms qui disent exactement « le contraire » de ce que réclame « la Raison » :

Si je veux exprimer un auteur sans défaut,
La Raison dit Virgile, et la Rime Quinault (...)
Si je pense parler d'un galant de notre âge,
Ma plume, pour rimer, rencontrera Ménage (...)

Il ne manque pas non plus de rimeurs choyés des salons pour lui fournir le facile exemple des formules les plus éculées :

Si je louais Philis en miracles féconde
Je trouverais bientôt à nulle autre seconde

Et ces mêmes modèles lui enseigneraient encore l'art d'accumuler les hyperboles les plus plates : il suffirait de parler toujours « et d'astre et de merveille », « de chef-d'œuvre des cieux », « de beauté sans pareille ». Et c'est ainsi que, dans le beau monde, on se taille, aux moindres frais, une réputation de fin poète. N'est-ce pas là dérision de l'art ? De qui se moque-t-on ?

Convenons-en, tout cela n'est pas bien méchant.

D'autant plus que bien d'autres, avant Nicolas, ont ridiculisé l'indigence d'inspiration des Quinault, des Ménage, ou « la fertile plume » d'un Scudéry, capable, « tous les mois, sans peine », d'« enfanter un volume ». Faut-il en conclure que Nicolas ne fait là qu'enfoncer des portes ouvertes ? Ce serait oublier que la

règle d'or du polémiste est de ne jamais disperser ses coups,
de les concentrer sur deux ou trois souffre-douleurs convenablement choisis, qui deviennent autant de symboles que le lecteur,
ravi de se trouver complice, s'égaie à saluer au passage en
terrain bien connu.

Le chansonnier de Montmartre qui entend mettre en évidence
les éclatants mérites du gouvernement de la Rose ne va pas
tomber dans l'erreur d'égarer ses flèches en direction de la
quarantaine de « hautes personnalités » qui le composent : pour
illustrer son propos, il élira avec la plus efficace constance et
Cheysson-la-Gaffe, et Gastounet-le-Bafouilleur, et Yvette Roudy
grande pourchasseuse de machos. Et tout le monde sera bien
content. Il n'en faut pas douter : Nicolas ferait un triomphe
à la Lune Rousse ou aux Deux-Anes.

Pour finir, on boucle la boucle et l'on revient au point de
départ, à Molière l'inégalable :

> De grâce, enseigne-moi l'art de trouver la rime ;
> Ou, puisqu'enfin tes soins y seraient superflus,
> Molière, enseigne-moi l'art de ne rimer plus.

Selon Le Verrier, Molière « fut extrêmement frappé de ces
quatre vers la première fois qu'il les entendit » :

> Mais un esprit sublime en vain veut s'élever
> A ce degré parfait qu'il tâche de trouver :
> Et toujours mécontent de ce qu'il vient de faire,
> Il plaît à tout le monde et ne saurait se plaire.

Molière n'avait pas tort de s'arrêter à ce quatrain : l'exigence
d'un auteur vis-à-vis de lui-même est fort rare qualité.

Cette année 1663 aura été décidément riche en expériences et
l'horizon de Nicolas s'est considérablement élargi. Et l'on commence à voir clair sur le paysage environnant, qui est moins
ragoûtant encore que ne le clamait Damon.

Il y a eu le scandale des gratifications hautement sélectives
distribuées aux plus médiocres et aux plus habiles.

Il y a eu la montée en flèche de ce Premier Ministre, qui est en passe de faire oublier les vilenies des Vampires.

Il y a ce procès intenté à Fouquet, un procès qui sent de moins en moins bon.

Il y a eu la pitoyable consécration de « Monsieur » Chapelain, promu grand augure des Arts et Lettres.

Il y a eu la découverte du club des *Débauchés*, au sein duquel, au moins, on peut se faire entendre, et applaudir sans avoir à redouter d'être accusé du crime de lèse-Puissants.

Sans parler de la rencontre avec Molière, avec le petit Racine.

On n'a plus vingt ans.

Cette ambiance est suprêmement excitante : tant de fausses valeurs ! tant de baudruches gonflées de vent ! tant de credos obligés et menteurs ! On ne prétend sans doute pas renouveler les exploits de Don Quichotte contre les modernes moulins, mais il reste encore tant de vérités qui sont bonnes à dire !

On est fin prêt pour une nouvelle Satire. Ce sera la future *Satire IV*.

Et cette Satire réserve une surprise de taille au lecteur de 1986 qui, de ses incertains souvenirs scolaires, garde de Nicolas l'image, en vérité fort peu attrayante, d'une sorte de grand ayatollah d'une despotique déesse Raison, ennemie de tout désordre et de toute fantaisie.

Or voici que le moderne lecteur tombe sur cette scandaleuse affirmation : « Souvent de tous nos maux la raison est le pire. »

On pense aussitôt que cet alexandrin blasphématoire ne peut guère avoir été conçu que dans les fumées d'une beuverie à *la Croix Blanche*. Conclusion trop hâtive : car cet alexandrin fait bel et bien partie d'un ensemble tout à fait cohérent de 128 vers, de ces vers dont Nicolas a évoqué un peu plus tôt la lente et torturante élaboration : ce ne peut donc être là propos de pochard qui s'abandonne à la provocation.

L'évidence ne saurait se discuter : la nouvelle Satire constitue un réquisitoire en règle contre la très cartésienne Raison. Et elle est adressée au meilleur ami de Molière, l'abbé François de la Mothe le Vayer, fils du vieux philosophe bourru qui n'a cessé, sa vie durant, de batailler, au nom de la tradition sceptique, contre les tenants de la primauté de l'intellectualisme. L'abbé étant mort en septembre 1664, la Satire peut être datée avec une relative précision : elle a été composée au cours des premiers mois de cette année 1664, alors que Nicolas siège désormais confortablement au club des *Débauchés* de *la Croix Blanche*. Or, on s'en doute, ces indépendants-là n'appartiennent pas au puissant groupe qui, l'abbé d'Aubignac en tête, proclame que la Raison est la « Divinité des belles âmes ».

Bienheureuse occasion pour le sombre procureur de prendre à nouveau pour cible Nicolas, girouette tournant à tout vent et incapable de concevoir une idée (à plus forte raison une conviction) personnelle : cette nouvelle Satire atteste que Nicolas n'a même pas « une personnalité marquée » : « il recueille, il partage, il exprime avec feu les opinions de ses amis successifs » (A. Adam). Quelques mois plus tôt, Nicolas était encore docile sectateur de l'abbé d'Aubignac. Et voici qu'il se retourne tout à coup contre son vieux maître et se fait l'écho d'autres sirènes : les Dehénault (« notre raison n'est rien, ou n'est rien de solide »), les des Barreaux (« ... par la raison je bute/A devenir bête brute ») et autres libertins de mauvais aloi. Comment, dès lors, prendre ses leçons au sérieux ?

Que la fréquentation du club des *Débauchés* ait ouvert les yeux d'un Nicolas depuis longtemps pétri des austères doctrines sur un tout autre mode d'existence est tout à fait vraisemblable. Mais pourquoi, ici encore, en conclure que, tête vide, il ne fait rien d'autre que réciter une leçon apprise ? Pourquoi ne pas admettre que, cinq ans après être entré si allègrement dans la jungle, il a assisté à beaucoup de spectacles qui l'ont fait revenir de ses illusions de jeunesse et que sa vision personnelle du monde s'en est trouvée changée ? Il a vu la bande à Fouquet victime d'accusateurs qui, à l'usage, se révèlent pires encore

que les accusés ; il a vu les grands pontifes de la plume se muer
en opportunistes avant tout soucieux de leurs sébiles ; il a vu
prôner une très officielle doctrine qui recommande la maîtrise
de la raison sur les passions, et par ceux-là même qui donnent
le consternant spectacle de la soumission à leurs intérêts ou à
leurs instincts. Et, de ces édifiantes expériences, pourquoi ne
tirerait-il pas lui-même, comme un grand, cette leçon :

En ce monde il n'est point de parfaite sagesse ;
Tous les hommes sont fous, et malgré tous leurs soins,
Ne diffèrent entre eux que du plus ou du moins.

On va hausser les épaules sans doute et faire observer que
Nicolas ne fait là qu'enfoncer une porte depuis longtemps grande
ouverte : lieu commun vieux comme le monde que celui de
l'universelle folie humaine.

Certes. Mais on doit bien garder à l'esprit qu'une telle prise
de position n'est pas, en 1664, simple développement théorique.
C'est que, dans les cercles d'Intellocrates comme dans les salons
et les antichambres du Pouvoir, on prône très haut l'éminente
valeur de la Raison ; et l'on est très fier de s'en remettre à
cette doctrine si flatteuse pour l'amour-propre : « on ne peut vivre
en sage que par la droite raison ». Postulat consacré article de
foi que, en 1664, ne peut mettre en doute qu'un esprit faux,
ou vicieux.

Que l'on imagine, par analogie, l'hérétique qui, en 1986, s'avi-
serait de ridiculiser l'article premier du credo contemporain qui
pose le principe de l'égalité raciale entre les hommes. De quels
anathèmes ce tenant de la Nouvelle Droite ne serait-il pas
poursuivi par la meute des gazetiers et des roses instituteurs ?

Porte ouverte que cette mise en question de la Raison, peut-
être. Mais derrière cette porte sont embusquées de vaillantes
cohortes toujours prêtes à crier au loup, sur fond de bûcher.

Ce que l'on doit concéder, c'est que la mise en forme de
cette thèse qui sent le fagot ne brille pas par une éclatante
originalité : elle se réduit à une suite de rapides croquis illustrant
divers aspects de l'universelle folie humaine : le Pédant, « tout

hérissé de grec, tout bouffi d'arrogance » ; le Galant qui court
« de quartier en quartier... à l'abri d'une perruque blonde » ; le
Bigot, qui « croit duper jusqu'à Dieu par son zèle affecté » ; le
Libertin qui « sans âme et sans foi,/Se fait de son plaisir une
suprême loi » ; l'Avare qui, « fou de son argent », « Appelle sa
folie une rare prudence ». Chacun s'égarant « L'un à droite, l'autre
à gauche, et courant vainement », « la même erreur » les faisant
« errer diversement ». Autant d'esquisses qui prennent assurément
une autre envergure dans les comédies de Molière (Vadius ; le
Dorante du *Bourgeois Gentilhomme* ; Tartuffe ; Dom Juan ; Harpagon). Sans doute les contemporains de Nicolas peuvent-ils
aisément mettre des noms bien connus sous ces embryons de
portraits — maigre consolation pour le Français d'aujourd'hui
qui, même avec toute la science déployée par les exégètes, ne
peut que pressentir, sans réussir à leur donner des visages, que
ces noms avaient un fort parfum de scandale. Mieux vaut sans
doute observer que l'appartenance au club des *Débauchés* n'empêche pas Nicolas de faire figurer en bonne place parmi les
fous, et à côté du Bigot, le Libertin dont il a sous les yeux, et
au club même, bien des exemplaires. On garde son franc-parler,
même à l'égard des joyeux compagnons. Et c'est peut-être cela
la liberté d'esprit.

On relèvera aussi que Nicolas ne se gêne pas pour présenter
certains prototypes de folie humaine sous leurs noms mêmes :
Guénaut, médecin de la Reine (le Macroton de *l'Amour médecin*
qui parle « en allongeant les mots : « Mon-si-eur, dans, ces,
ma-ti-è-res-là, »), acharné à considérer l'antimoine comme un
remède et non comme un poison, grand pourvoyeur de la
Camarde ; la Neveu (« infâme débordée, connue de tout le
monde ») qui « devant son mariage » a tant « de fois au public
vendu son pucelage » (variante : « la nud-cul ») ; le curé Joly qui
« perd son temps à prêcher ». Cette dernière citation au palmarès
vaut tout aussitôt à Nicolas d'être classé par certains parmi les
« athées » (Mlle des Jardins) (3). Il y a là matière à dix procès

---

(3) La nomination du curé Joly s'explique sans doute par le fait que
l'intéressé passait aux yeux de certains pour se livrer au fructueux trafic
des sacrements.

en diffamation.

Bien entendu, ne saurait manquer de figurer au tableau d'honneur de la Folie — *bis, ter repetita placent* — le cher Chapelain, crédité non plus d'une rapide allusion, mais d'un développement en forme :

> Chapelain veut rimer, et c'est là sa folie ;
> Mais, bien que ses durs vers d'épithètes enflés,
> Soient des moindres grimauds chez Ménage sifflés,
> Lui-même il s'applaudit, et d'un esprit tranquille,
> Prend le pas, au Parnasse, au-dessus de Virgile.
> Que ferait-il, hélas ! si quelque audacieux
> Allait, pour son malheur, lui dessiller les yeux,
> Lui faisant voir ses vers et sans force et sans grâce,
> Montés sur de grands mots, comme sur des échasses,
> Ses termes sans raison, l'un de l'autre écartés,
> Ses faibles ornements et ses jeux affectés...

Une telle tirade ne saurait assurément emporter l'adhésion des inconditionnels d'Henri Michaux ou d'Antonin Artaud. Mais il en faut bien pour tous les goûts ; et il y a là de quoi satisfaire le lecteur qui se voit soulagé quand il entend appeler un chat un chat et Philippe Sollers un baladin.

Au bout du compte et au-delà de ces piques plus ou moins vertes, quelle leçon ?

Celle de la lucidité sur soi-même. Ne pas « en sagesse ériger sa folie », ni « de ses propres défauts » se faire « une vertu » ; se regarder « soi-même en sévère censeur » et toujours se montrer « pour un autre enclin à la douceur ». Sagesse bourgeoise sans nul doute ; mais sagesse dont il serait osé d'affirmer que les recommandations sont valables pour d'autres époques que la nôtre.

Et, finalement, ce couplet que l'on louerait très fort s'il était sorti de la plume de La Fontaine :

> Jouissez des douceurs que demande votre âge ;
> Et ne vous plaignez point ces innocents plaisirs,
> Dont l'argent, tous les jours, peut combler vos désirs.

Cette philosophie ne vole pas à la hauteur du Sermon des

Béatitudes ou des préceptes du Mahatma Gandhi. Mais, après tout, peut-être rendrait-elle moins riche d'amertumes la vie au XXᵉ siècle.

On aurait grand tort de croire que *la Croix Blanche* n'ouvre ses portes qu'aux fieffés Débauchés et aux anticonformistes des mœurs ou de la pensée. De tout temps, attirée par le fumet de la canaille, la Haute Société a jugé de bon ton de frayer avec le monde des marginaux. C'est ainsi qu'il serait hasardeux d'affirmer que les Gainsbourg ou les Genet doivent à leur seul « immense talent » d'être choyés par les Grands des régimes successifs.

On ne sera donc pas étonné de voir apparaître au club Louis-Victor de Rochechouart, duc de Vivonne, frère de Mme de Montespan promise à un si fulgurant avenir. Il est exactement le contemporain de Nicolas (né en 1636). Et, à vingt-huit ans, il est à la recherche de divertissements un peu plus épicés que ceux des Ballets de Cour : un certain Vendredi Saint, en compagnie d'autres esprits forts de très haut plumage, les Guiche et les Manicamp, il a solennellement mangé un cochon de lait, préalablement baptisé selon les rites de Notre Sainte-Mère l'Eglise.

Au club, on côtoie aussi le petit Philippe de Courcillon, marquis de Dangeau, vingt-six ans, qui compense l'extrême modestie de sa noblesse par d'exceptionnelles aptitudes de joueur : « tête naturellement algébrique » (Fontenelle), le petit Marquis s'est appliqué à « approfondir toutes les combinaisons des jeux et celles des cartes » au point qu'il y est « à peu près infaillible ». Le partenaire idéal pour le grand frère Jérôme qui, on s'en souvient peut-être, n'est habité que par une seule passion, mais chevillée au corps : celle des tripots.

Entre Nicolas et ce champion des casinos, la familiarité s'établit très vite et cela avant même que le royal regard de Sa Majesté (vingt-six ans en 1664) ait distingué les rares mérites du petit Marquis en le nommant colonel-lieutenant d'un régiment d'infanterie qui est composé uniquement de nobles et dont Elle est Elle-même colonel. Miraculeuse promotion qui, naturellement,

fait fort jaser les aristocrates plus brillamment titrés qui s'inter-
rogent avec ironie sur les mérites de ce godelureau.

Précieuse ouverture pour Nicolas : outre que M. de Dangeau
est fort bon compagnon, il dispose d'entrées très personnelles
auprès de la Majesté puisque, en compagnie de M. de Saint-Aignan,
il Lui apprend « comment il faut s'y prendre » pour trousser
l'alexandrin (Mme de Sévigné).

C'est donc à ce brillant et tout neuf colonel-lieutenant que
Nicolas va dédier sa *Satire sur la Noblesse* (satire V) : 144 vers
pour dénoncer les scandales d'une aristocratie qui se laisse gangrener par la dégénérescence. Les érudits ont réussi à démêler
la genèse, fort complexe, de cette Satire, qui semble devoir son
inspiration première à la décision prise par le Roi, en août 1664,
de procéder à une enquête sur la validité des titres de noblesse
— on imagine le pavé dans la mare. Elle est sans doute aussi
en rapport avec une sombre histoire intervenue au sein d'une
grande famille — les Condé, pas moins — où l'on a vu le propre
fils de la Longueville refuser, par lâcheté, d'embrasser la carrière
des armes. En rapport aussi avec un nouveau scandale provoqué,
autour d'Henriette d'Angleterre, par Guiche et Vardes, débauchés
de haut vol, déjà épinglés par la bouche de *Damon*, qui, en
matière d'infamies, laissent très loin derrière eux les menues
provocations du club de *la Croix Blanche*.

Bien entendu, il s'agit aussi — compagnonnage oblige — de
rendre hommage au cher colonel-lieutenant et de tenter de lui
faire oublier les sarcasmes que lui vaut son admirable promotion.

Ceci étant dit — et qui éclaire d'un jour fort peu versaillais
les coulisses du Grand Siècle — par quoi ce réquisitoire contre
la Noblesse peut-il encore nous concerner ?

A coup sûr pas par l'originalité du sujet. On l'a dit et répété,
il n'est pas de lieu commun plus éculé que cette diatribe contre
l'indignité de certains Grands : l'inévitable Juvénal (satire VIII)
et tous les satiriques après lui ont, un jour ou l'autre, entonné
ce refrain-là, au nom du « mérite » ; Figaro aura, à son tour,
de convaincants accents sur ce thème.

Mais, comme l'a énoncé La Bruyère, un autre champion du

« mérite », tout est dit et l'on vient trop tard. L'essentiel étant de dire autrement.

La Satire démarre en flèche par une violente sortie contre tout ce qui est privilège acquis du seul fait que l'on a seulement pris la peine de naître :

> ... je ne puis souffrir qu'un fat dont la mollesse
> N'a rien pour s'appuyer qu'une vaine noblesse
> Se pare insolemment du mérite d'autrui
> Et me vante un honneur qui ne vient pas de lui.

Cela en direction de tous les fils à papa qui se retrouvent P.-D.G. d'une grande entreprise par voie d'héritage et qui, pour s'être endormis du côté de Cannes ou de l'hippodrome d'Auteuil, « dans une lâche et molle oisiveté », finissent par jeter sur le pavé des centaines d'ouvriers. Aux scribes qui préparent les discours dominicaux à l'intention du Peuple de Gauche, on ne saurait trop recommander la lecture de ce texte dont ils pourraient utilement s'inspirer pour renouveler un peu les formules usées que l'on puise sempiternellement dans les mêmes manuels : Nicolas avec nous ! Nicolas, même combat !

Les mêmes scribes pourraient aussi reprendre l'image filée par Nicolas : qu'importe que le cheval de course soit postérité de l'illustre vainqueur de tant de Grands Steeples s'il n'est qu'une « rosse » : que cette rosse s'en aille donc, « sans respect des aïeux dont elle est descendue », « porter la malle ou tirer la charrue ». Aux champs, la pioche en main, les fils à papa.

Au moment même où l'ami Poquelin écrit son *Dom Juan* et la célèbre scène des remontrances du père indigné à son fils dévoyé, Nicolas (ce ne saurait être là simple coïncidence) hausse le ton qui devient à peu près celui des *Châtiments* :

> Ce long amas d'aïeux que vous diffamez tous,
> Sont autant de témoins qui parlent contre vous ;
> Et tout ce grand éclat de leur gloire ternie
> Ne sert plus que de jour à votre ignominie.

Le don Ruy Gomez d'*Hernani* aura, à son tour, de tels accents pour apostropher un don Carlos qui déshonore l'Espagne du Cid. Nicolas serait-il flatté, ou choqué, de cette double assimilation de sa *Muse* à celle de Victor ?

Pour en finir sur ce thème, cette envolée — qui, sans doute,
en 1664, vise l'infâme Vardes :

En vain, vous vous couvrez des vertus de vos pères,
Ce ne sont à mes yeux que de vaines chimères.
Je ne vois rien en vous qu'un lâche, un imposteur,
Un traître, un scélérat, un perfide, un menteur,
Un fou dont les accès vont jusqu'à la furie,
Et d'un tronc fort illustre une branche pourrie.

Cela encore, c'est du Victor Hugo, celui de *Ruy Blas*. Et voici
même qui pourrait être, à travers le vieux rêve utopiste de l'âge
d'or, du Victor Hugo démocrate ou du Rousseau égalitaire :

Dans les temps bienheureux du monde en son enfance,
Chacun mettait sa gloire en sa seule innocence,
Chacun vivait content et sous d'égales lois,
Le mérite faisait la noblesse et les rois.

M. le Premier Président Pomponne de Bellièvre eût fort
approuvé ce quatrain-là.

Mais comme il ne faut point trop s'attarder à enfourcher les
grands chevaux — et puisque l'on est membre actif du club —,
une gaillardise un peu corsée ne messièra pas. On va ricaner,
à la manière du Triboulet de Victor (on finira bien par réconcilier
Nicolas avec celui-là) jetant à la face de nos Grands que leurs
hautes Dames « à des laquais se sont prostituées » (couplet
censuré par ordre de S.M. Louis-Philippe Ier). Ce sang si pur,
d'une si exceptionnelle essence, qui en garantit la pureté ? au
cours de « ce long cercle d'ans » — puisque l'on remonte à
l'ancêtre Capet ou, pour le moins, aux Croisades —, comment
être sûr qu'

A leurs fameux époux vos aïeules fidèles
Aux douceurs des galants furent toujours rebelles ?
Et comment savez-vous si quelque audacieux
N'a point interrompu le cours de vos aïeux ?

La vérité contemporaine, selon Nicolas, c'est que la Noblesse
ne se mesure plus désormais qu'en termes de « blason », d'« ar-
moiries », langage soigneusement truffé de « termes obscurs »,
pour éblouir le badaud ; qu'on l'évalue au poids du « luxe », de

la « dépense », des « couleurs » qui font « distinguer les valets », au nombre des « pages », à l'art d'emprunter en laissant le créancier « se morfondre à la porte » (Molière encore : la succulente scène de *Dom Juan* en face de M. Dimanche). Sang bleu mis à part, qui donc se hasarderait à jurer que nos modernes Seigneurs doivent tout à leur inestimable « mérite » ?

Pour finir, un couplet, très *George Dandin*, sur les mésalliances auxquelles s'abaisse un si précieux sang :

Le Noble du faquin rechercha l'alliance
Et, trafiquant d'un nom jadis si précieux,
Par un lâche contrat vendit tous ses aïeux.

Lieux communs ? pure rhétorique ? ou leçons qui n'ont rien perdu de leur actualité ? En tout cas, le souffle est là ; et il est ici recommandé de ne pas parcourir seulement des yeux ces couplets, mais de les lire à haute voix, en sachant que, selon tous les témoignages conservés, Nicolas était un très remarquable diseur qui fascinait ses auditeurs par le jeu de sa voix et de sa conviction.

La première version de la *Satire* s'achevait par un éloge fort outré du destinataire, le petit Marquis de Dangeau. On ne sait si le bon camarade a jugé que la pommade, décidément trop onctueuse, l'exposait à l'éclosion de nouveaux brocards sur sa médiocre extrace. Ou s'il a voulu tendre une perche charitable à son cher Nicolas. Ce qui est sûr, c'est qu'il a incité son apologiste à enrober ce panégyrique en déposant quelques grains d'encens à l'intention de Sa Majesté. Précieux conseil qui est suivi, on s'en doute, avec empressement. Comment Nicolas s'imaginerait-il qu'il donne là des verges pour se faire fouetter par une postérité qui, comme chacun sait, surabonde en parangons de vertu pure et dure, et jamais ne s'abaisse à la moindre concession ? L'occasion est trop belle de saisir en flagrant délit de flagornerie ce satirique qui se pique avec tant d'âpreté d'avoir l'échine trop raide pour se plier aux courbettes. Disons-le crûment : « le vertueux Boileau » (Adam), quand l'occasion s'en présente, rejoint le troupeau de tous ceux dont il a dénoncé les complaisances.

Voire.

Voire, car, tout d'abord, le couplet exaltant la royale Majesté ne compte qu'une dizaine de vers — maigre appendice. De plus, habilement rattaché au thème général de la Satire, il ne donne pas, au moins, l'impression d'être artificiellement plaqué sur l'ensemble : ce dont est louée la Majesté, simplement, ce n'est pas d'être, « merveille à nulle autre seconde », l'égal et de Mars et de Jupiter, mais de ne pas déroger, de ne pas devoir son éclat à ses seuls prestigieux ancêtres « des Lys », mais bien à ses mérites propres : le grand Roi ne doit « rien qu'à soi ». La courbette se limite à une inclinaison.

Mais, enfin et surtout, en ce mois d'août 1664, il est clair que Nicolas prend conscience du fait que, à jouer, en pleine jungle, les affranchis anticonformistes, il met sans doute les rieurs de son côté et clame à haute voix ce que d'autres, prudentissimes, pensent tout bas ; mais aussi qu'il est devenu, peu à peu, un isolé. Et ce ne sont pas les petits camarades du club qui, en cas de *clash*, feront le poids.

Si clandestines qu'elles soient encore, les nasardes portées à l'important et malodorant vieillard ont dû faire le tour de bien des salons. Or, on le sait, M. Chapelain, c'est M. Colbert lui-même, lequel a la vindicte brutale. Pourtant, c'est l'époque même où, revenant une fois de plus à la Satire sur les mœurs de Paris, Nicolas s'avise de s'en prendre à un autre grossium de la nouvelle équipe gouvernementale : le très puissant et très insolent Chancelier Séguier que chacun peut voir se pavaner chaque jour, quand il se rend au Palais, accueillant avec componction les hommages des solliciteurs — un homme à tout faire du régime — ne citons pas de nom. C'est lui qui, par exemple, fait la grosse voix en direction des juges de Fouquet pour les appeler à un peu plus de célérité dans la conduite de l'interminable procès. A l'intention de celui-là qui, en effet, a été naguère petit valet de chambre auprès du grand-père de la Dynasty, ce quatrain :

> ... ce riche insolent, cette âme mercenaire,
>
> Qui fut jadis valet des valets de mon père,

Ne va plus qu'en carrosse ou qu'en chaise au Palais,
Et se fait suivre au cours d'un peuple de valets.

Mieux encore, c'est à peu près dans ces temps que Nicolas rajoute à la même Satire la charge incendiaire contre cet ancien « simple drapier », plus soucieux de « son bien » que de « son honneur », « faquin sans renom, sans mérite », que l'on voit désormais

Marcher, gras et refait des dépouilles d'autrui,
Et se rire du ciel irrité contre lui.

Nul ne peut s'y tromper : l'anonymat est transparent pour quiconque est un peu au fait du passé des Nouveaux Messieurs : le faquin sans renom n'est autre que M. Colbert, qui passe pour avoir vendu du drap, et ces « dépouilles d'autrui » sont celles du malheureux que l'on s'acharne à poursuivre, très officiellement, pour la cause du bien public. Le bien public, grands dieux !

Toutes ces imprudences finissent par constituer un bien gros dossier. Et l'heure est peut-être venue de bien regarder où l'on pose les pieds, et pas seulement ceux des alexandrins. Et, à moins d'être délibérément candidat au suicide, ou à la rame des galères royales, à quelle autre branche s'accrocher désormais qu'à celle qu'offrirait la bienveillance de Sa Majesté ? Alors, quand le petit Marquis suggère qu'il serait tout de même opportun de cesser de jouer les chiens fous et de donner quelque gage d'allégeance, Nicolas se rend à ce précieux conseil : va pour le dizain à la gloire de Louis-le-Quatorzième.

Béni soit cet officieux petit Marquis qui, jouant les Saint-Bernard, pousse la complaisance jusqu'à donner connaissance à Louis de ce nouveau texte. Et le bruit court que « le roi en fut frappé et quitta le jeu pour l'entendre avec plus d'attention. Il le loua extrêmement » (Le Verrier).

*
**

Dès lors, comment ne pas battre le fer tant qu'il est chaud ?

Au début de septembre 1664, Nicolas rédige un *Discours au Roi* (il figurera en tête de l'édition de 1666).

Un exercice de très haute voltige, en vérité. Car enfin, même si l'on a, il y a peu, rimé pour dénoncer les impudents qui osent critiquer le pouvoir suprême, il s'agit maintenant de passer à la célébration de celui qui, en fin de compte, inspire toute la politique gouvernementale, alors que, depuis deux ans, on voue à la risée publique les agents directs de cette politique : les Colbert, les Séguier, les Chapelain.

Avant tout, s'ingénier à ne pas paraître opérer un tardif ralliement. Et si possible même, se faire un mérite de n'avoir pas figuré parmi les empressés de l'encensoir ; justifier un silence trop longtemps gardé sur la si évidente « gloire » d'un aussi « jeune et vaillant héros ».

On pose donc comme postulat de base que, très tôt, « d'un sain zèle enflammé », on a parfaitement perçu la « haute sagesse » de Sa Majesté.

Mais... — et l'on retrouve là un thème largement connu — mais, hélas ! satirique on est né et satirique on demeure :

    ... je sais peu louer, et ma muse tremblante
    Fuit d'un si grand fardeau la charge trop pesante.

Pour tremblante qu'elle soit, la dite Muse ne manque pas d'astuce. Car — nul ne doit s'y tromper — ce long silence, il est dû à un trop immense « respect », et aussi — ici, acrobatique virage en épingle à cheveux pour déboucher sur une piste dès longtemps balisée — à la crainte de se voir compter parmi les flagorneurs patentés

    ... qui vont, tous les jours, d'une importune voix,
    T'ennuyer du récit de tes propres exploits.

Et ainsi, l'hommage une fois rendu, on en revient tout de même à la chère veine satirique en dénonçant tous ces poétastres qui, sous prétexte de louer la Majesté, ne songent qu'à eux-mêmes et ne se soucient que de donner « un lustre éclatant à leur veine grossière ». Que la Majesté daigne seulement suivre mon regard, et Elle décryptera sans peine quels noms illustrent cette référence aux rimeurs à la « louange aride ».

S'étant ainsi dédouané pour son apparent manque d'empressement, Nicolas passe au plaidoyer pro domo. Il ne le sait

que trop, sa réputation n'est pas fameuse : il passe pour un
médisant qui « nomme tout par son nom et ne saurait rien taire » ;
parce qu'il ose « rire », on le dénonce comme une sorte d'anarchiste, avide d'« offenser les lois » et de « s'attaquer aux cieux ».
Alors que, Grand Roi, Nicolas ne s'adonne là qu'à une entreprise
de salubrité publique. Peut-on être meilleur serviteur de l'Etat
qu'en s'appliquant à démasquer ces esprits « Qui tout blancs au-
dehors, sont tout noirs au-dedans » ? qui trompent tout le
monde, et Sa Majesté Elle-même, en se couvrant « du manteau
d'une austère vertu » ? Tolérera-t-on longtemps que la renommée
d'une si éclatante Majesté soit compromise par la « trompeuse
grimace » de pareils Tartuffes ?

Et pour finir, développement obligé, le panégyrique : hommage
rendu à la « sagesse » du Prince, à ses vastes expéditions militaires et maritimes, à son souci de l'« abondance » qui enrichit
ses sujets. On doit s'efforcer de se persuader que Nicolas est,
sur ce point, sincère.

Ultime pirouette : voici que, devenu laudateur, Nicolas feint
de s'épouvanter : la « Raison » tout à coup vient lui ouvrir les
yeux et lui rappeler qu'il n'a « ni la voix ni l'haleine assez forte »
pour mener à bien une telle célébration — modeste avec cela !
Et Nicolas « laisse là le fardeau dont il est accablé ».

Nicolas thuriféraire. Eh oui ! la vie a de ces exigences... Reste
à déterminer lequel se trouvera justifié pour jeter la première
pierre. Reste à reconnaître aussi que le placet évite l'aplatis-
sement absolu et qu'il est, ma foi, fort alertement tourné.

La Royale Majesté passe outre et garde le silence.

A n'en pas douter, Elle a de fort bonnes raisons. Car, en même
temps que, en cette fin d'année 1664, Nicolas s'efforce de se donner
un visage présentable — bon chic, bon genre — voilà que, incorrigible vraiment, il prête la main à une nouvelle rigolade sur le
dos du malodorant vieillard.

Le 22 août 1664, sort une nouvelle fournée de gratifiés. Nul ne s'étonne de ne voir figurer dans la liste ni Gilles III ni Nicolas. Mais on a plaisir à relever que, parmi ceux qui restent sur le carreau, on compte le sieur Jean Puget de la Serre, honorable septuagénaire, plume exceptionnellement féconde qui s'est illustrée en une soixantaine de volumes (Tallemant). Tout historiographe du Roi qu'il ait été, le sieur la Serre se retrouve, par la grâce de M. Chapelain, quinaud comme un vulgaire grimaud. Le sieur la Serre manifeste une légitime indignation. Jubilation au club, où l'on en fait des gorges chaudes.

La mésaventure paraît digne d'être immortalisée ; et, tout aussitôt, on s'attelle à la besogne. Travail collectif où il est impossible de définir la part de chacun : Chapelle, Racine, Furetière, Gilles III, Nicolas, d'autres encore ? On ne sait trop ; car, le coup une fois fait, on ne se bousculera pas pour s'attribuer la paternité du très irrévérencieux chef-d'œuvre : *Chapelain décoiffé*.

Une parodie véritablement exemplaire, dont on possède deux textes sensiblement différents ; mais c'est le plus long qui se révèle le plus riche de suc et de malice.

Beaucoup plus tard, en ses vieux jours, Nicolas consentira à reconnaître qu'il a bel et bien prêté la main à l'opération. Mais l'on ne saurait lui attribuer tout le mérite de ce démarquage du Ier acte du *Cid*. Il serait pourtant dommage de laisser de côté cette nouvelle et succulente satire, si l'on veut prendre une juste mesure de l'esprit qui animait les compères du club, en regrettant qu'ils ne soient pas nos contemporains pour nous fournir d'aussi précieuses occasions de nous esbaudir aux dépens des invités de Bernard Pivot.

Il devrait être superflu de rappeler que Chapelain tient là le rôle de Don Diègue, le sieur la Serre celui de Don Gormas, et Cassaigne « écolier de Chapelain », tout dévoué à son Maître, celui de Rodrigue. L'âpre conflit qui oppose Chapelain et la Serre tourne autour de « la faveur du Roi » qui vient d'accorder au premier, non pas le préceptorat de son fils, mais une nouvelle et juteuse pension (ou une Ambassade ? un poste de Conseiller Culturel ?), alors que le second en est réduit à contempler sa sébile vide. Excédé, la Serre finit par arracher à Chapelain sa

fameuse perruque. Après un monologue calqué sur celui de Don
Diègue (« O rage ! ô désespoir ! ô perruque m'amie »), Chapelain
fait appel, pour le venger, à son fidèle Cassaigne, lequel, après
avoir exprimé son irrésolution en *Stances* (« Percé jusqu'au profond du cœur... »), s'en va provoquer l'insulteur : « A moi, La
Serre, un mot... ».

Ce pâle résumé, hélas, est tout à fait incapable de rendre
compte de la réjouissante verdeur de la parodie : il faudrait la
reproduire tout entière. Non seulement le texte de Corneille y est
repris avec une rare fidélité, mais tout y est : l'âpreté du débat
autour du magot ministériel, la crasse de la célèbre perruque,
la sotte vanité des rimeurs tout enflés d'eux-mêmes, l'ineptie
de *la Pucelle* et autres « bons gros ouvrages » devant lesquels
s'extasie la bêtise des provinciaux, le caractère sordide des rivalités entre chers confrères... On imagine l'alacrité avec laquelle
chaque membre du club a apporté sa pierre à l'édifice commun.

On doit ici se résigner à ne reproduire qu'un mince extrait,
le monologue de Don Diègue-Chapelain :

> O rage ! ô désespoir ! ô perruque m'amie !
> N'as-tu donc tant duré que pour cette infamie ?
> N'as-tu trompé l'espoir de tant de perruquiers
> Que pour voir en un jour flétrir tant de lauriers ?
> Nouvelle pension fatale à ma calotte !
> Précipice élevé qui te jette en la crotte ! (...)
> Faut-il de ton vieux poil voir triompher la Serre ?
> Ou te mettre crottée, ou te laisser à terre ?
> La Serre, sois d'un roi maintenant régalé,
> Ce haut rang n'admet point un poète pelé (...)
> Et toi, de mes travaux glorieux instrument,
> Mais d'un esprit de glace inutile ornement,
> Plume jadis vantée et qui dans cette offense
> M'a servi de parade et non pas de défense,
> Va, quitte désormais le dernier des humains,
> Passe pour me venger en de meilleures mains.
> Si Cassaigne a du cœur, et s'il est mon ouvrage,
> Voici l'occasion de montrer son courage...

Quant aux *Stances* du Cid, elles sont scandées par le retour de ce distique :

> En cet affront, La Serre est le tondeur,
> Et le tondu, père de *la Pucelle*.

En des temps où le « Culturel » a vocation de résoudre tous les « problèmes de Société », on est assurément en droit d'estimer que ces pirouettes de Muse en goguette sont du goût le plus détestable. On peut tout aussi bien juger que le canular est là fort réjouissant.

Quoi qu'il en soit, lorsqu'il prend connaissance de cette mascarade, M. Chapelain, pseudo-Don Diègue, n'en croit pas ses yeux et il cherche désespérément qui peut bien être l'auteur de pareilles incongruités. Il ne peut en soupçonner Gilles III, puisque Gilles III est « de l'Académie » et que précisément c'est à lui, Chapelain, que Gilles III doit son prestigieux fauteuil. Et puisque l'on ne prête qu'aux riches, M. Chapelain conclut, au terme de son enquête, que c'est l'autre Boileau, Nicolas, qui « a travaillé » à ces « bouffonneries infâmes » (13 mai 1665).

Voilà, à n'en pas douter, qui n'est guère propice à faire remonter la cote de Nicolas dans la course à l'attribution de la Médaille des Arts et Lettres.

Mais voici mieux, ou plutôt pire.

Le 20 décembre 1664, s'achève l'interminable procès de Fouquet. Il y a beau temps que l'opinion publique a compris que le vampire Fouquet se trouve entre les griffes de vampires plus malfaisants que lui : trop de partis pris étalés, trop de procédures douteuses, trop d'acharnement systématique contre l'accusé. Et puis, parmi les magistrats, quelques consciences honnêtes qui n'entendent pas marcher au sifflet. Aussi — merveille ? scandale ? — ce n'est que le bannissement. Ici, tous les témoignages concordent : tout comme le Grand Charles qui attendait un verdict de mort pour le général Challe, Colbert le Rafouin s'en étrangle de dépit.

Et quand, peu après le coup du *Chapelain décoiffé*, commence à circuler un exercice du même style, s'inspirant cette fois des seules *Stances* du *Cid* (« Percé jusques au fond du cœur... »), n'a-t-on pas à enquêter bien longtemps pour déterminer quels peuvent bien être les auteurs de cette nouvelle indécence.

Or, ce *Percé* (ainsi désigne-t-on la pièce) n'a plus rien du canular, après tout innocent, qui a pris pour cible le malodorant vieillard. Cette fois, c'est à la tête que l'on vise, le grand patron lui-même, et pas seulement pour revenir sur l'affaire des gratifications. Le titre déjà est sans ambiguïté : *Colbert enragé*. Enragé de n'avoir pas obtenu la tête de son accusé. Et dans le long monologue qui lui est prêté (et qui, très vite, s'éloigne du texte de Corneille), le noir ministre dresse le plan de sa prochaine et sinistre revanche : l'humiliant bannissement sera transformé en captivité pure et simple ; et grâce aux bons offices des magistrats à gages (il s'agit ici, naturellement, de magistrats du seul XVIIᵉ siècle), et particulièrement du lugubre Berryer, la captivité du prisonnier de Pignerolles sera de courte durée. M. Colbert parle :

> Je suis avare et dur. N'importe, cher Berryer,
> Je veux y consacrer trois ou quatre pistoles
> Et trouver un cuisinier
> Qui l'empoisonne à Pignerolles.

On ne s'ébat plus, cette fois, sur les pentes du Parnasse. On se retrouve dans le monde des spadassins et des tueurs à gages et M. Colbert est proprement assimilé à un chef de gang.

Sur l'identification des véritables auteurs de ce *Percé*, les exégètes n'ont pas réussi à tomber d'accord : les frères de la Dynasty, ou d'autres ? Il importe assez peu, au fond. Car ce qui est sûr, c'est que, à tort ou à raison, c'est Gilles III et Nicolas qui sont aussitôt désignés comme ayant lancé ce scandaleux brûlot.

Et si l'on s'en rapporte à une autre parodie de la même époque, *la Clémence de Colbert*, qui, cette fois, fait référence au *Cinna* de Corneille et est due sans doute à la plume de l'abbé de Pure, Colbert, hors de lui, « enragé », convoque bientôt Gilles III, lui met sous les yeux le manuscrit du *Percé* écrit de sa main et confond l'« Académicien » et son frère, autre « médisant autant ou plus que toi ».

Sur le déroulement de cette tumultueuse entrevue, on ne sait à peu près rien. *La Clémence de Colbert* suggère seulement que l'« Académicien », atterré, se met à plat ventre devant le ministre furibond et finit par donner à entendre qu'il s'assagira désormais moyennant quelques subsides. Ce qui est indiscutable, en tout cas, c'est que Gilles III figure très officiellement dans la nouvelle fournée de 1665, pour 1 200 livres. En d'autres termes, Gilles III s'est tiré d'affaire en faisant porter le chapeau à Nicolas.

Lequel, le souffle coupé, revient tout aussitôt à sa vieille *Satire I*, pour placer dans la bouche de *Damon* ces vers transparents :

> Enfin, je ne saurais pour faire un juste gain,
> Aller bas et rampant fléchir sous C. (= Chapelain).
> Cependant, pour flatter ce rimeur tutélaire,
> *Le frère en un besoin va renier son frère...*

Le moment est capital, et feu Gilles Ier doit s'en retourner dans sa tombe : la Dynasty, dont la solidarité était jusque-là sans faille, est désormais une Dynasty « éclatée ». Et Nicolas reste seul en première ligne.

On comprend dès lors pourquoi reste sans écho le *Discours au Roy* qui était riche de tant d'espérances.

En cette fin d'année 1664, la situation est donc rien moins que brillante. On a voulu de la renommée, et de la plus pétaradante ; on l'a trouvée sans aucun doute. Mais cette « gloire » est de celles qui sentent trop fort le roussi. On possède bien quelques solides amis, mais ils sont tous du mauvais côté. On ne peut même plus compter sur la Dynasty, le frère étant devenu renégat. Quant à l'entregent du petit Marquis Dangeau, il s'est révélé parfaitement inefficace et, en la personne de son membre le plus éminent, le gouvernement a désormais l'œil bien fixé sur cet aboyeur étourdi.

L'heure est peut-être venue de mettre un bémol à toutes ces excentricités.

Dieu merci, on se trouve mêlé à des affaires moins sulfureuses, et il est encore loisible de s'amuser plus innocemment.

Quelles que soient les incertitudes qui pèsent sur le déroul-
lement exact du nouvel épisode, il vaut sans doute la peine de
l'évoquer, ne serait-ce que pour reconstituer avec un peu plus
de précision de quoi est faite la vie littéraire dans l'entourage
immédiat de Nicolas.

Toujours méfiant à l'égard des snobismes littéraires, Nicolas
ne partage en aucune façon l'engouement du Tout-Paris pour
l'Arioste, pour son *Roland furieux* et ses personnages de Médor,
Sacripant, Rodomont (qui passeront pourtant à la postérité sous
forme de noms communs). Or, il se trouve qu'en 1663, un obscur
sieur de Bouillon s'est appliqué à versifier en français l'histoire
des mésaventures de *Joconde*, « mari commode (= complaisant) ».
Appâté par ce sujet un tantinet polisson, La Fontaine en donne
à son tour une adaptation en vers irréguliers.

Belle occasion de controverses pour ces Messieurs du Parnasse,
toujours avides de rompre des lances en débats contradictoires.
Pour les uns, la traduction du sieur de Bouillon se recommande
par la sécheresse de sa fidélité ; pour les autres, celle de La Fontaine par l'agrément et la fantaisie d'une libre transposition.
On échange des arguments ; on prend parti ; on dispute, on
querelle. Et finalement, pour égayer un peu la chicane, on
engage des paris, avant de s'en remettre à un jury. De belles
sommes : le champion du sieur de Bouillon s'engage pour
1 000 livres contre un membre de la Dynasty, le grand frère
Jérôme que l'on ne s'étonne pas de retrouver en pareille occasion
puisque son péché mignon est de jouer si gros à la roulette.
Jérôme, lui, mise sur La Fontaine. C'est Molière qui est désigné
comme rapporteur. Innocent divertissement : on ne va tout de
même pas se crêper les perruques pour ces deux *Joconde* et
la contestation se règle à l'amiable ; on rend son argent au
sieur de Bouillon, mais à condition qu'il accepte de payer l'écot
du repas de conciliation. La beuverie ne perd pas ses droits.

Pour une fois au moins, il n'y a vraiment pas là de quoi
alarmer les autorités. Et l'on s'est fort diverti.

Parmi les pièces de cet important débat, figure une *Disser-tation sur Joconde* que l'on a pris l'habitude d'insérer dans les éditions des *Œuvres complètes* de Nicolas, bien que la paternité de l'œuvre demeure discutée.

Ce qui est sûr, et réconfortant, c'est que cette *Dissertation* n'a rien du pavé pontifiant et que l'esprit dans lequel elle est menée illustre bien ce que devaient être les aimables conver-sations des membres du cercle. Pas de pédantes démonstrations, pas d'accablante érudition : du bon ton, le sourire aux lèvres, même lorsque l'on argumente avec conviction. Et l'auteur, quel qu'il soit, fait preuve du sens littéraire le plus aigu : le pané-gyrique de La Fontaine constitue une très remarquable analyse du génie propre à l'auteur des *Fables* : la « naïveté de langage qui fait tout l'agrément du discours », la « badinerie » qui triomphe en particulier dans les épisodes où interviennent des femmes. Et de citer : La Fontaine présente son Joconde :

> Marié depuis peu ; content je n'en sais rien.
> Sa femme avait de la jeunesse,
> De la beauté, de la délicatesse,
> Il ne tenait qu'à lui qu'il ne s'en trouvât bien.

Le commentaire est à la hauteur du quatrain :

> S'il eût dit simplement que Joconde vivait content avec sa femme, son discours aurait été assez froid ; mais par ce doute où il s'embarrasse lui-même, et qui ne veut pourtant dire que la même chose, il enjoue sa narration et occupe agréablement le lecteur.

Fermons la parenthèse sur cette *Dissertation* qui, après tout, n'appartient peut-être pas à notre Nicolas. Mais convenons qu'il y a là bien de l'esprit et que ces débatteurs devaient être, *inter pocula*, d'une fort agréable compagnie.

Donc, l'année 1664 s'achève de bien préoccupante façon. Une fiche de consolation pourtant : voici que Nicolas fréquente main-tenant chez les **Duplessis-Guénégaud**, vieille famille dont nul n'ignore les liens étroits qui l'unissent aux Jansénistes.

On va, ici encore, s'étonner : que vient faire ce pilier du club des *Débauchés* dans un aussi austère milieu ? Serait-ce hypocrisie ? souci de se découvrir à tout prix un protecteur ?

On observera d'abord que fréquenter un cercle qui vénère Mgr Lefèvre n'implique pas nécessairement une adhésion totale aux thèses du Séminaire d'Ecône. On relèvera surtout que ces Duplessis ont bien des idées communes avec celles de la Dynasty : le chef de famille, qui occupe une importante fonction de Secrétaire d'Etat, a été naguère farouchement hostile au Cardinal Jules ; que, une fois devenue évidente l'iniquité du procès intenté au Surintendant découronné, il a pris nettement parti pour la victime ; quant au nouveau ministère, il le considère comme détestable. Bref, un centre très actif d'opposition, où l'on accueille volontiers les mal-pensants.

Sans doute Nicolas a-t-il, ici et là, décoché quelques brocards aux gens d'Eglise. Sans doute a-t-il adopté un mode de vie un tantinet libertin. Il n'empêche qu'il reste attiré par une religion qui ne serait pas celle, trop complaisante, aplatie devant les puissants, des Jésuites ; mais une religion qui serait sévère, vraiment fidèle à l'esprit évangélique, celle qu'incarne, par exemple, ce Père de l'Eglise janséniste, Arnauld d'Andigny. On n'en est pas bigot pour autant.

D'ailleurs, s'il cherche là un protecteur, Nicolas mise une fois de plus sur le mauvais cheval. Car le Secrétaire d'Etat Duplessis ne va pas tarder à payer fort cher son attachement à certains principes. Dans quelques mois, en 1665, il sera condamné par la Cour de Justice à payer une somme énorme et, finalement, obligé de se démettre de sa charge. Le ministère ne badine pas avec les francs-tireurs.

C'est sans doute le moment où, reprenant une fois encore la vieille satire sur les mœurs de Paris, Nicolas la truffe d'une apostrophe vengeresse contre celui-là même qui représente très officiellement la plus haute autorité de l'Eglise de France, l'archevêque de Paris, Hardoin de Péréfixe. Et *Damon* ne mâche pas ses mots : s'il s'éloigne de Paris, c'est pour quitter une ville odieuse

Où le vice orgueilleux s'érige en souverain,
Et va la mitre en tête et la crosse à la main.

Qui donc, alors, ignore que l'archevêque vient, en août 1664, de procéder, « mitre en tête et la crosse à la main », à la vigoureuse expulsion des religieuses de Port-Royal ? Et, parmi ces saintes femmes, figurent trois filles du vénérable Arnauld.

Décidément, à quelque groupe qu'il appartienne, Nicolas ne sera jamais capable d'user de la prudente litote et de s'en tenir à la plus élémentaire réserve. Ce qui est plutôt sympathique, non ?

*
**

On approche tout de même maintenant de la trentaine, et l'on commence à se demander si l'on pourra longtemps encore continuer impunément à aboyer aux chausses de tous les déplaisants que l'on rencontre sur son passage. C'est un fait, en tout cas, que les deux nouvelles Satires, composées en 1664-1665, sont, dans la virulence, de portée beaucoup plus bénigne.

L'idée première d'une Satire qui serait consacrée aux *Embarras de Paris* (future *Satire* VI) remonte sans doute aux lointaines années 1656. Mais sa mise au point définitive doit être fixée aux derniers mois de 1664.

Pauvre *Satire* VI, qui fut naguère si populaire (« Qui frappe l'air, bon Dieu, de ces lugubres cris ? »), et qui ne suscite plus que la moue chez les exégètes modernes : inspiration dénuée de « verve » (Clarac), description « merveilleusement dépourvue de portée » (Adam).

En somme, si Nicolas aborde des sujets graves, pleins de « portée », on s'empresse d'affirmer que ses convictions sont « empruntées » et ses indignations factices. Mais si sa « Muse » l'oriente vers des sujets plus badins, on lui fait aussitôt grief de n'être qu'un esprit à très courtes vues.

Au lecteur dépourvu de préjugé, il est pourtant tout à fait évident que, cette fois, Nicolas ne se soucie que de dresser un tableau de genre pittoresque et vivant, et non plus de moraliser,

moins encore de jouer les sociologues de la vie urbaine. Il est
trop facile vraiment de lui reprocher de rester superficiel, de
n'être qu'un simple observateur, alors que l'on attendrait une
analyse des causes profondes du tohu-bohu de la vie parisienne.
Gageons que, s'il avait tenté de répondre à cette intention, on
se hâterait aujourd'hui de dénoncer en lui un plat imitateur de
ce Sorbière qui, en 1660, avait publié un *Discours sceptique de
la beauté de Paris et de ce qu'il a d'incommode* où, en effet,
étaient mis en évidence l'anarchie qui avait présidé à l'architec-
turation de la capitale, le sans-gêne effronté de ses habitants,
l'impuissance des pouvoirs publics. Nicolas ne songe aucunement
à faire œuvre de réformateur. Il s'essaie à un morceau de
bravoure, et il s'amuse. Et il peut être loisible de s'amuser
avec lui.

Il suffit, pour s'en persuader, de s'en rapporter au ton adopté,
qui est très exactement celui de l'amplification épique appliquée
à des événements du quotidien le plus menu, qui sont traités
comme une monstrueuse suite d'épouvantables catastrophes. Mais
le pense-profond est peu accessible à certaines formes d'humour.

Aussi, en dépit des moues de dédain, peut-on encore très
largement s'égayer de cette apocalyptique évocation d'un Paris
qui, aux variantes près, demeure tout à fait familier à l'habitant
des bords de Seine.

Car tout y est, dans ces 110 vers, auxquels on doit, hélas, se
contenter de renvoyer le lecteur.

Si le concert nocturne des « chats de toutes les gouttières »
n'est plus le fléau majeur du sommeil des Parisiens (« L'un miaule
en grondant comme un tigre en furie,/L'autre en tons langoureux
comme un enfant qui crie »), celui des sirènes de police, des
ambulances ou des klaxons déchaînés le remplace très efficacement.

Si l'on n'entend plus, à l'aurore, l'« affreux serrurier », « avec
un fer maudit », « de cent coups de marteau », « fendre la tête »
du dormeur, le Parisien moderne doit faire face au non moins
assourdissant fracas des camions de boueux et des voitures de
livraison :

> J'entends en mille endroits les charrettes courir,
> Les maçons travailler, les boutiques s'ouvrir...

Si, vers les huit heures, dans les quartiers proches des marchés et des grandes gares, on se hasarde à mettre le nez dehors :

> C'est encore plus vingt fois en quittant la maison ;
> En quelque part que j'aille, et que le sort m'adresse,
> D'un peuple qui fourmille il faut fendre la presse (...)
> Là, d'un ton glapissant, cette rogue fruitière
> Mêle ses cris à ceux de cette aigre laitière
> Et plus loin, des laquais l'un l'autre s'agaçant,
> Font aboyer les chiens, et huer les passants...

Dira-t-on que le Parisien ignore la perpétuelle reprise des travaux de voirie sur la voie publique, avec tous ces « paveurs (qui) bouchent le passage » ?

Et les embouteillages ? les interminables séances de sur-place ? les camions de vingt tonnes (la « charrette » tirée par « six chevaux », qui ne sont pas encore chevaux-vapeur), les « carrosses » qui se télescopent :

> Vingt carrosses, bientôt, arrivant à la file,
> Y sont, en moins de rien, suivis de plus de mille.

Et les toujours si courtoises explications entre automobilistes enragés :

> Chacun prétend passer, l'un querelle, l'un jure,
> Ce n'est que voix en l'air et qu'un affreux murmure.

Et les caniveaux gorgés d'eau où l'on patauge en attendant qu'un bolide ou « un cheval m'éclabousse » ?

Quant à la nuit, c'est Chicago : car on ne connaît peut-être plus de nos jours les exploits des truands, la « petite délinquance » qui compte pour si peu dans la comptabilité officielle de la criminalité, mais qui fait tout de même « (s')enfoncer en (son) lit » le Français moyen ?

Et, assurément, le Parisien de base rêve aujourd'hui encore des beaux quartiers, Auteuil ou Neuilly, VIIIe ou XVIe, où il fait si bon reposer :

> Paris est, pour un riche, un pays de cocagne,
> Sans sortir de la ville, il trouve la campagne ;

Il peut, dans son jardin, tout peuplé d'arbres verts,
Rencontrer le printemps au milieu des hivers...

Soit, ce texte-là n'est pas d'une élévation de vues qui pourrait inspirer un nouveau Le Corbusier, ni même M. le Préfet et M. le Maire de Paris dans leur volonté maintes fois affirmée de mettre définitivement fin aux agressions de l'« environnement ». Mais le Parisien de base qui, lui, ne voit pas si loin ni si haut, félicitera chaudement Nicolas d'avoir d'aussi alerte et fidèle façon exprimé son ras-le-bol.

Molière qui, lui, était proche du Parisien de base, ne s'y est pas trompé puisque, dit-on, la Satire lui plût assez pour qu'il en recommandât vivement la lecture à sa femme.

La Satire consacrée au *Repas Ridicule* (*Satire* III) est de la même époque et de la même veine. Elle est, quant au thème, tout aussi peu originale : Horace succède là au maître Juvénal et les tenants de la créativité permanente ont assurément de quoi ricaner sur l'indigence d'invention de ce *poète*.

Il faut ici en appeler au témoignage des Anciens Combattants de 1968 qui, naguère, s'en furent piller l'incomparable maison Fauchon de la Place de la Madeleine. Lequel d'entre eux ne se sentirait solidaire de cette protestation effarée contre les scandales de « la Grande Bouffe » ? Certes, Nicolas ne va pas jusqu'à évoquer, à la manière du cinéaste Marco Ferreri, de la façon la plus visuelle, les effets physiologiques et scatologiques des excès d'une gastronomie si chère aux P.-D.G. avides d'alléger les frais généraux de la bienfaisante note de frais.

On peut gager que, au sein de la modeste Dynasty, sans être particulièrement indigente, la chère n'avait pas de quoi appâter les fines gueules louis-quatorziennes. On imagine donc l'ampleur de la surprise qui saisit Nicolas lorsque les membres les plus éminents du club l'initient aux subtiles raffinements de cuisine et de cellier où ils sont passés experts. Il le dira un peu plus

tard : sa veine s'est échauffée au spectacle de « ces délicats de
profession qui s'affligent d'un mauvais repas qu'ils ont fait
comme d'un grand malheur » (Le Verrier). Saine réaction en face
des galimafrées de ces frères Broussin et autres « Epulons » qui
se flattent très haut de leur réputation de gourmets et qui font
de leur cave le but suprême de leur existence.

L'indispensable petite mise en scène est, comme pour les
précédentes Satires, constituée par une esquisse de comédie :
ce n'est plus à la Muse ou à la Raison que s'adresse Nicolas,
mais à un ami dont l'« air sombre et sévère » tout à coup l'inquiète :

> D'où vous vient aujourd'hui (...)
> ... ce visage enfin plus pâle qu'un rentier
> A l'aspect d'un arrêt qui retranche un quartier ?

En d'autres termes : serait-ce que l'ami vient d'éprouver la
malfaisance de la rue de Rivoli jouant sauvagement du croc à
phynances ? C'est que, en effet, au moment même où Nicolas
s'interroge sur les raffinements à la Curnonsky, M. Colbert,
plus néfaste encore que le vampire Fouquet, vient de sabrer un
quart des rentes de l'Hôtel de Ville. Il y a, comme cela, à trois
siècles de distance, de ces coïncidences.

L'« humeur chagrine » de l'ami procède d'une toute autre
mésaventure. Et, ici, une scène de genre dont les habitués de
certains milieux parisiens ne démentiraient pas l'éternelle authenticité. L'ami a rencontré un « fat » — disons : un snob prétentieux — qui ne rêve que de régaler à sa table les personnalités les
plus en vue, celles que l'on appelle les « locomotives » du gratin
parisien, et qui font les belles pages de *Jours de France* : on
« aura », par exemple, Mgr Lustiger, ou Jacques Attali, ou Serge
Gainsbourg. L'amphitryon de 1665, lui, annonce triomphalement
Molière, qui fera lecture de son *Tartuffe* interdit, et Lambert,
le fameux musicien, idole des salons, une sorte d'Alexi Weissen-
berg ou de Rostropovitch. Le menu qui sera préparé par l'illustre
Boucingo, traiteur de haut vol (*La Tour d'Argent*, si l'on veut),
serait à coup sûr apprécié par « le commandeur », gourmet entre
les gourmets, qui rendrait des points à Gault et Millau eux-mêmes

Le moyen de ne pas se laisser séduire par une si brillante affiche ?

Première déconvenue — classique : les prestigieux invités font défaut : « Nous n'avons, m'a-t-il dit, ni Lambert, ni Molière. » De l'art d'appâter les gogos. Pour tout potage (c'est le cas de le dire !) : « Deux nobles campagnards, grands lecteurs de romans » ; autrement dit des bouseux, des raseurs, entichés des chefs-d'œuvre de la littérature de gare sur lesquels on va devoir disserter à perte de vue.

On passe à la fameuse table. Epreuve bien connue : on se trouve là à peu près aussi à l'aise que dans le métro à l'heure de pointe, si étroitement serrés que

> ... chacun, malgré soi, l'un sur l'autre porté,
> Faisait un tour à gauche et mangeait de côté.

Enfin commence le festival gastronomique, tableau traité à la charge sur un mode à la fois épique et réaliste, et qui n'est pas indigne du fameux développement de Zola, dans *le Ventre de Paris*, sur la symphonie des fromages : un « coq en pompeux équipage » qui n'est rien d'autre qu'un « chapon »,

> ... un godiveau tout brûlé par dehors,
> Dont un beurre gluant inondait tous les bords...
> ... un lièvre flanqué de six poulets étiques...
> (...) trois lapins, animaux domestiques
> Qui, dès leur tendre enfance élevés dans Paris,
> Sentaient encore le chou dont ils furent nourris
> ... six pigeons étalés
> Présentaient pour renfort leurs squelettes brûlés.

Se rabattra-t-on, au moins, sur la cave ? Autre catastrophe : le célèbre cru « de l'Ermitage » n'est qu'un « Auvergnat fumeux », « fade et doucereux », laissant dans la bouche un arrière-goût « affreux ».

Le maître de maison, quant à lui, tout faraud, joue les hôtes empressés et comblés :

> Que vous semble, a-t-il dit, du goût de cette soupe ? (...)
> Ma foi, vive Mignot et tout ce qu'il apprête !

Ce Mignot, traiteur de la Cour même, ulcéré de se voir ainsi brocardé, entreprendra de traîner Nicolas en justice, pour publicité mensongère sans doute. Les convives font chorus, en particulier le parasite de service qui s'est invité de sa propre initiative, « hâbleur à la gueule affamée », qui « fait en bien mangeant l'éloge des morceaux », promouvant au rang de « ramiers » les vulgaires pigeons.

Pendant que l'amphitryon s'étonne du mince appétit de « l'ami » :

Qu'avez-vous donc, dit-il, que vous ne mangez point ?
Je vous trouve aujourd'hui l'âme tout inquiète.

L'« ami », lui, observe le service et il en éprouve des hauts-le-cœur. Qu'on en juge :

On a porté partout des verres à la ronde,
Où les doigts des laquais, dans la crasse tracés,
Témoignaient par écrit qu'on les avait rincés.

Le festin culmine enfin :

... un jambon d'assez maigre apparence
Arrive sous le nom de jambon de Mayence.
Un valet le portait, marchant à pas comptés,
Comme un recteur suivi des quatre facultés.
Deux marmitons crasseux, revêtus de serviettes,
Lui servaient de massiers...

Chacun sait qu'il n'est pas de bonne chère ni de festive atmosphère sans que soit poussée la chansonnette. Las ! Le compère qui se croit obligé d'entonner une « chanson bachique » a le vin outrageusement triste et c'est sur le ton de la lamentation qu'il égrène ses couplets.

Autre inévitable péripétie : montant tout autant au cerveau qu'aux joues, le vin finit par fournir « des paroles au plus muet ». Et l'on se retrouve tout à coup au *Café du Commerce* :

Chacun a débité ses maximes frivoles,
Réglé les intérêts de chaque potentat,
Corrigé la police et réformé l'Etat,
Puis, de là s'embarquant dans la nouvelle guerre,
A vaincu la Hollande ou battu l'Angleterre.

Tant il est aisé de jongler avec « il n'y a qu'à » et de refaire la carte du monde.

A ce point arrivé, le lecteur est en droit de s'inquiéter :
Nicolas est-il donc désormais si assagi, si rangé que, dans cette
grandiose parade des ridicules, il ne soit pas fait la moindre
place à ces Messieurs de la plume ? songerait-il déjà à postuler
fauteuil en l'Académie en s'appliquant à ménager ceux qui pourront être, demain, les « chers confrères » ?

Ce serait le mal connaître et l'apothéose est réservée pour
la bonne bouche.

> Là, tous mes sots, enflés d'une nouvelle audace,
> Ont jugé des auteurs en maîtres du Parnasse.

On assiste alors à un festival de jugements à l'emporte-pièce
et d'absurdités : la Serre (celui-là même du *Chapelain décoiffé*)
« charmant auteur » ; *la Pucelle* « une œuvre bien galante » ; « le
Corneille » « joli quelquefois » ; Racine dédaigné pour ne savoir
dire « rien de tendre » alors que chez Quinault « jusqu'à je vous
hais, tout s'y dit tendrement ». Rien sans doute qui n'ait été
déjà, d'une façon ou d'une autre, dit dans les Satires précédentes ; mais, sous réserve de ne pas faire la fine bouche, on a
plaisir à entendre ce caquet imbécile qui voltige de la bouche
du rustre « campagnard » à celle d'un poète « au maintien
jaloux ».

Et il faut sans doute ici, devant cette jonglerie de répliques
des disputeurs, insister sur le fait que Nicolas donnant lui-même
lecture de ses vers a dû être éblouissant :

> Notre auteur possédait dans un degré de perfection le
> talent de contrefaire toutes sortes de gens. Il savait si
> bien prendre le ton de vieux, l'air, le geste, et toutes
> les manières des personnes qu'il voulait copier, qu'on
> imaginait les voir et les entendre. Etant jeune avocat,
> il n'allait au Palais que pour observer les manières de
> plaider des autres avocats et pour les contrefaire quand
> il était avec ses amis. Il en faisait autant à l'égard des
> prédicateurs et des comédiens (Brossette).

Or l'on sait que les disputeurs ridicules du *Repas* ont pour
modèles des parents plus ou moins proches de Nicolas, assurément connus des « amis ».

Pour finir, le festin s'achève en une bagarre qui figurerait fort bien dans un film du type *Helzapoppin* ou des frères Marx.

Il ne reste plus qu'à souhaiter que, quelque jour, un homme de théâtre s'avise de monter à la scène ce sketch du *Repas Ridicule*.

Près de dix années se sont maintenant écoulées depuis l'entrée dans la Jungle. Nicolas va avoir trente ans. Il a beaucoup vu et, à coup sûr, beaucoup retenu. Sans trop se soucier des risques encourus, il a aboyé aux chausses des importants, ceux de la plume comme ceux de la politique et de la Jet Society du moment. Il a mis les rieurs de son côté et fait les délices des familiers du théâtre de chansonniers. Autant dire que les bonzes et les vaches sacrées ne le portent pas dans leur cœur et qu'ils l'attendent au tournant, l'escopette au bras.

Ne serait-il pas temps de prendre un peu de plomb dans la cervelle ?

V

LA LONGUE MARCHE

(1666-1674)

Si agréables compagnons que soient les petits camarades du club, ils peuvent tout aussi bien se révéler fort nuisibles. Car il ne fait pas de doute que c'est de leur côté qu'il faut chercher l'origine de la mésaventure qui va orienter de façon décisive la destinée de Nicolas.

Pour obscur qu'il demeure sur certains points, l'épisode est bien connu dans ses grandes lignes. C'est très probablement le capitaine du Rancher, frère de cet abbé du Broussin (qui veille si attentivement sur le seau de glace à rafraîchir le vin) qui, dans le courant de l'année 1665, s'avise de communiquer en douce à un libraire (de Rouen ?) le manuscrit des *Satires* qui circulent sous le manteau. Plaisante facétie qui est fréquente en un temps où il n'existe aucune Société des Auteurs pour veiller à la sauvegarde des productions des Messieurs de la plume. Cinq ans plus tôt, l'ami Poquelin en a fait la déplorable expérience avec ses *Précieuses Ridicules* qu'un éditeur plus ou mois marron a publiées sans son autorisation. Poquelin n'a eu d'autre ressource que de soupirer : « C'est une chose étrange qu'on imprime les gens malgré eux. »

Pour Nicolas, la mésaventure est beaucoup plus que « chose étrange ». C'est chose hautement préoccupante que de voir livrées ainsi au public six de ses satires. Des satires qu'il a certes

déjà bien des fois récitées ici et là — mais enfin « verba volant ».
Et c'est une autre affaire que de se voir imprimé noir sur blanc,
en version non édulcorée, à une époque où les argousins de
M. de La Reynie, lieutenant général de police, traquent allègrement le mal-pensant. M. de Talleyrand n'a sans doute pas encore
émis le profond axiome suivant lequel trois lignes manuscrites
suffisent amplement à conduire l'imprudent à la potence ; mais
la réalité préexiste à la formulation.

D'autant plus que les lectures de cabaret ne touchent, en fin
de compte, que des cercles restreints. Tandis qu'un livre dont
le bon public sait seulement qu'il passe pour farci de propositions
scandaleuses et de petites calomnies sur les personnes... Gogo
comme on le connaît, le Parisien va se jeter sur l'aubaine. Et il
n'est même plus possible de faire appel à la solidarité de la
Dynasty, puisque Gilles III est désormais solidement installé du
bon côté : celui du manche.

Il ne reste donc plus qu'à désavouer en catastrophe et à
grands cris cette édition « monstrueuse » qui « défigure » un
ouvrage pour lequel son auteur affirme éprouver une « tendresse
de père ». D'autant plus que l'éditeur-escroc, le « galant homme
qui a pris le soin de la première édition, y a mêlé les noms
de quelques personnes que l'auteur honore ». Comme si Nicolas
avait jamais songé à médire d'écrivains qu'entoure l'admiration
générale ! Car il faut vraiment beaucoup de mauvaise foi pour
donner à croire que, par exemple, le *Scutari* qui est pris à parti
dans la seconde Satire est Scudéry : puisque Nicolas le considère — c'est juré — comme « un des plus fameux poètes de
notre siècle ». Nicolas est ainsi bien aise de faire savoir hautement que « le nom de Scutari (...) ne veut dire que Scutari ». Le
bon apôtre.

Donc, en toute hâte, rétablir la vérité en présentant aux
« honnêtes gens », à l'estime desquels on tient par-dessus tout,
la version authentique de ces inoffensives Satires.

Mais puisque l'on s'apprête à faire une entrée officielle dans
le monde, qui est aussi le beau monde, un toilettage s'avère
indispensable. Surtout pour la première de ces pièces, celle où

Damon dit si vertement son fait à cette haute société parisienne à laquelle on prétend maintenant offrir présentable visage.

On commence donc par faire disparaître certains noms : ainsi celui de Monnerot, l'ignoble profiteur, qui devient *Moléron*. Et puisque l'on nous assure que *Scutari* ne désigne que Scutari, *Moléron*, c'est Moléron, que cela soit entendu une bonne fois pour toutes. Peut-on se montrer davantage soucieux de ménager toutes les susceptibilités ?

Soit, on a quelque peu brocardé M. Chapelain. Mais, dans la prochaine — et seule authentique — édition, on aura à cœur de le désigner sous le pseudonyme d'*Ariste* — « le Meilleur » ! —, superlatif qui constitue tout de même une appréciable compensation aux quelques piques dont le peu ragoûtant vieillard a été lardé de si mutine plume. Quant au citoyen Ménage, mieux vaut que son nom n'apparaisse plus du tout dans la satire consacrée à Molière : outre que Ménage a la réplique cinglante, le devoir de solidarité avec Gilles III ne joue plus depuis que celui-ci est allé s'aplatir devant M. Colbert : deux vers supprimés.

Silence maintenant sur le vampire *Oronte*-Fouquet (qui croupit toujours dans sa prison, le malheureux), et aussi sur *Acante*-Pellisson, son âme damnée, naguère dénoncé comme un ignominieux maître-chanteur. La compassion pour les victimes de l'infortune, à n'en pas douter...

Paix encore aux cendres de feu Gaston d'Orléans, le minet de royale extraction, et motus sur les fantaisies « italiennes » de ses illustres compagnons de jeu.

Plus le moindre hémistiche de la tirade qui dénonçait la bassesse d'une justice vénale et aux ordres. Et si un autre développement pouvait donner à penser que le « satirique » penchait du côté de l'« impiété », il n'est pas tellement malaisé de le fignoler de manière à ce que le passage blasphématoire soit clairement placé dans la bouche d'un véritable mécréant — un des Barreaux, par exemple, dont jamais, au grand jamais, on n'a partagé les infâmes convictions.

Par contre, on conserve le couplet qui peut s'appliquer à M. Colbert, « faquin orgueilleux ». On conserve aussi la nasarde portée à celui qui est devenu l'ennemi n° 1, Gilles III, le « frère »

qui n'a pas hésité à « renier son frère ». Et encore la référence
à Mgr l'Archevêque de Paris qui, « mitre en tête et crosse à la
main », s'en est allé expulser de Port-Royal les chères et saintes
filles de M. Arnaud d'Andilly. D'abord parce que, né satirique, on
entend bien démontrer que l'on a toujours la verve aussi acide.
Et aussi parce que ces estocades-là ne sauraient déplaire à la très
honorable compagnie qui fréquente le salon de M. le Secrétaire
d'Etat Duplessis, dont chacun sait que, pour lui, les Colbert, les
Gilles III, les Cardinaux-Archevêques sont créatures d'enfer.

Cette petite mise à jour des Satires ressemble sans doute
beaucoup à un tripotage inspiré par le souci de mettre une
sourdine aux pétarades les plus compromettantes. Et les
consciences de bronze trouvent aisément là matière à se voiler
la face devant tant de pusillanimité. Mais enfin, Henri Guillemin
n'a pas eu trop de peine à relever que, après 1945, la réédition
du *Journal* de Gide gommait fort pudiquement certains passages
de l'édition originale, un peu trop teintés de sympathie pour la
Révolution Nationale. Et pourtant qui, davantage que Gide, s'est
présenté comme l'homme de Vérité ?

Quoi qu'il en soit, après cette opération de polissage, Nicolas
se retourne (*Au Lecteur*) vers ceux qui, peut-être, seraient tentés
de s'émouvoir de certaines chiquenaudes un peu appuyées. Que
ces chatouilleux-là veuillent bien considérer que « le Parnasse
fut de tout temps un pays de liberté » ; « que le plus habile
y est tous les jours exposé à la censure du plus ignorant » — donc
de Nicolas lui-même ; qu'ils ont toute licence de « se venger »
sur les œuvres de Nicolas — généreusement, on leur « abandonne
jusqu'aux points et aux virgules ».

Et comme on est de tempérament libéral et tolérant, on en
donne l'assurance formelle : les esprits chatouilleux, s'il leur
prend envie de répliquer, Nicolas « ne les citera point devant
d'autre tribunal que celui des Muses ». On ne saurait faire
preuve de plus large ouverture d'esprit.

*
**

Le *bon à tirer* de l'édition très véridique est donné.

Le volume paraît chez l'éditeur Barbin, aussitôt obtenu, le 6 mars 1666, l'indispensable privilège.

La gravure du frontispice représente la Muse de Nicolas mettant vertueusement en fuite un horrible monstre, le Vice, auquel sont arrachés masque et perruque (sans allusion à l'illustre perruque d'*Ariste*, bien entendu), cependant que quatre petits satyres raillent le Vice enfin dévoilé et lacèrent les mauvais livres.

Et vogue la galère.

Nicolas attend désormais le verdict des « honnêtes gens ». Et il tend le dos, en guettant l'arrivée des enveloppes à en-tête de l'*Argus de la Presse*.

Il a raison de tendre le dos. Car l'avalanche est aussitôt d'ampleur himalayenne.

Sans doute le succès du livre est-il d'emblée percutant. Mais, comme en France, à l'étranger, en Hollande en particulier, les libraires, enchantés de l'aubaine, s'empressent de multiplier les contrefaçons. Nicolas voulait de la « gloire », il est servi. Mais gloire douteuse, à lourde senteur de scandale.

Car, puisque le coquin vient d'avoir le front de publier les alexandrins qu'il réservait jusqu'ici aux mauvais lieux, puisqu'il en revendique ainsi hautement la paternité, on va enfin pouvoir lui rendre la monnaie de sa pièce et le clouer au pilori — et cela textes en main. Il y a longtemps que l'on guettait le moment béni où ce grotesque malfaisant commettrait l'imprudence de se présenter à visage découvert.

En quelques mois, le « Parnasse » se voit inondé d'un flot de brochures, dont les auteurs ne peuvent pas toujours être identifiés de façon sûre, mais où ne prévalent ni la litote ni l'euphémisme.

Le tir de barrage est ouvert, immédiatement après la publication du livre, par un protégé de très haut Seigneur Mgr le duc de Montausier, Pierre Perrin, qui a naguère commis une *Enéide de Virgile fidèlement traduite en vers* (1650) et que Nicolas a épinglé comme « froid rimeur » (*Satire* VII). Pierre Perrin lance un « virelai », la *Bastonnade*, dont le titre évocateur précise bien quel sort on entend réserver à l'insolent. La forme en est d'un rare piquant : une longue suite de sautillants heptasyllabes, tous construits sur des rimes en *-ique* et en *-eau* :

> Il n'entend rien en logique,
> Physique, métaphysique,
> Histoire ni politique...
> Pour un grand poème épique
> Il n'a ni sens ni cerveau.

On voit le degré d'atticité du sel.

Aussitôt après, tonne la grosse artillerie. Cette fois, c'est le petit abbé Cotin qui entre dans l'arène en décochant un imposant *Discours Satyrique au cynique Despréaux*, en prose celui-là. Quelques semaines plus tard, Boursault, qui déjà s'est recommandé au grand public en dénonçant l'immoralité de *l'Ecole des Femmes*, prend le relais, en vers : *Despréaux ou la Satire des Satires*, dédié à une autre personnalité de haut vol, le duc de Saint-Aignan.

Puis, le carquois une fois vidé, on voit le petit abbé repartir en campagne avec une *Critique désintéressée* (!) *des satires du temps*, soutenu par des champions qui ne sont pas, eux, des rimeurs, comme Claude Perrault (membre de l'Académie des Sciences et pensionné de M. Colbert) et le Maréchal de Gramont qui n'hésite pas, devant le Roi même, à prédire que Despréaux finira « le cou cassé ». Nicolas est, cette fois, désigné sous le sobriquet de M. des Vipéreaux : on ne sort pas, comme on le voit, du ton plaisant.

Ce pendant que Gilles III, de plus en plus inféodé à M. Chapelain, mène la danse dans les salons et orchestre le tintamarre : « Tous les poètes irrités des traits satiriques qu'il avait lancés contre eux se déchaînaient contre lui de toutes les manières et son frère l'académicien encore plus que tout autre » (Le Verrier).

Les lecteurs de tous ces libelles ont largement de quoi être édifiés sur le compte de ce patelin qui, dans son adresse *Au Lecteur*, se fait tout bénin en affirmant qu'il présente ses « excuses aux auteurs qui pourront être choqués de la liberté qu'il s'est donnée de parler de leurs ouvrages ».

LE CAS BOILEAU

138

Dans ce tonitruant déchaînement des Messieurs du Parnasse, les griefs proprement littéraires comptent, en définitive, pour fort peu. Il y a longtemps que la recette est connue pour son efficacité : le bon, le décisif éreintement est celui qui fera valoir que Jean Anouilh ne peut être qu'un pâle auteur de boulevard puisque l'on respire, dans son théâtre, tous les miasmes d'un fascisme renaissant.

Pour ce qui concerne Nicolas, il y a d'abord que, tout pareil à un Jacques Attali accusé par les calomniateurs de recopier, sans citer ses sources, les pages des bons ouvrages, celui-là n'est qu'un vulgaire compilateur qui a « copié Juvénal » et « pillé dans les auteurs » : « J'appelle Horace Horace et Boileau traducteur » :
        Ce qu'il dit en français, il le doit au latin
        Et ne fait pas un vers qui ne soit un larcin.

Chacun doit encore savoir que ce prétendu poète ne sait même pas « en quoi consiste la nature de la Poésie » qu'il réduit « à la seule versification » (Discours satyrique). Il ignore tout autant les véritables lois du genre qu'il prétend pratiquer puisque, dans son frénétique désir de se singulariser à tout prix, il se mêle de distribuer aux écrivains couronnes et bonnets d'âne, alors que la satire a pour unique objet de critiquer les mœurs. Et il innove encore en tenant ce rôle usurpé avec une violence qui passe largement les bornes de la mesure et de l'« urbanité » qui sont de règle entre gens de bonne compagnie.

C'est que (et dès lors on change de registre et l'on abandonne la querelle « littéraire »), c'est que cette prétentieuse nullité, « ce malheureux sans nom, sans mérite et sans grâce », « que l'on ne connaît qu'à cause de son frère » (Gilles III, bien sûr, ce parangon de modération et de délicatesse), ne cherche qu'à brasser de l'air, à se faire une réputation par tous les moyens, et d'abord par la médisance (Satire des Satires). Discuter doctement n'est point de son fait : il ne s'agit pour lui que de ridiculiser, et cela à tort et à travers ; peu lui importe de s'en prendre aux sermons de Cotin alors que, depuis longtemps, l'abbé ne prêche plus ; de remplacer sans nulle justification le nom d'un Colletet par celui d'un Pelletier. Avant qu'elle ne soit écrite, la tirade de Basile sur les vertus de la calomnie trouve, dans ces soi-disant « satires », sa pleine mise en œuvre.

Mais qu'attendre d'autre d'un garnement qui se fait le sectateur empressé d'un baladin dont les grasses plaisanteries font lever le cœur aux gens de bien ? Car il est de notoriété publique que ce Nicolas « Comme un de ses héros (...) encense Molière » et « d'un farceur (se fait) un demi-dieu ». Et, comme de juste, la racaille des comédiennes et des histrions bat très fort des mains :

> A ses vers empruntés la Béjart applaudit,
> Il règne sur Parnasse, et Molière l'a dit.

Recommandable fréquentation. Comment s'étonner dès lors que ce redoutable redresseur de torts mène, avec son frère le « gai Puymorin », une vie de noce et de crapule ? Le gai Puymorin tient le rôle de « Turlupin » avec son fameux talent de jouer « du nez », et Nicolas s'applique « en bateleur » à faire « cent tours de passe-passe » : ainsi gagne-t-on « de bons dîners » :

> ... ensuite, enivrés et du bruit et du vin,
> L'un sur l'autre tombant renversent le festin (...)
> Il n'est comte danois ni baron allemand
> Qui n'ait à ses repas un couple si charmant,
> Et, dans la Croix de Fer, eux seuls en valent mille
> Pour faire aux étrangers l'honneur de cette ville.
> Ils ne se quittent point. O Dieu, quelle amitié !

La tournée des grands ducs, le circuit des maisons à lanterne rouge et des « cabarets », « lieux d'honneur dont il est amphibie ». La fière devise que la sienne ! : « Et Priape et Bacchus » ! (*Satire des Satires*).

> Vous faites ouvertement profession de parasite, de farceur, de blasphémateur dans les lieux où l'on s'enivre et dans les maisons de débauche (*Discours Satyrique*).

Le pire en effet est que ce grotesque se double d'un infâme qui ne respecte rien ni personne. La *Satire* IV s'en prend même à la souveraine et intouchable Raison qu'il a le front de considérer, lui, comme « le pire de tous nos maux » — alors que

chacun sait bien que « l'homme n'est homme que par la raison »
(*Critique désintéressée*).

Ce n'est donc pas le seul petit monde du Parnasse qui est
mis en cause par les foucades de cet iconoclaste : c'est la Société
elle-même, c'est l'Etat, l'Ordre établi. Il faudrait, pour un tel
malfaisant, inventer par avance les termes d'anarchiste, de sub-
versif, de gauchiste. L'idée même de hiérarchie le révulse : à
preuve que les respectables corps constitués sont de son gibier
favori :

> ... Parlement, Ville, Cour et Clergé
> N'échappent point des traits de ce fol enragé.

Un Etat digne de ce nom peut-il supporter cette *chienlit* et
admettre que, sous le masque d'un certain *Damon*, ce Nicolas
s'applique à déconsidérer le digne Parlement, en dénonçant ses
dénis de justice qui réduisent « l'innocence aux abois » ? Un
Parlement qui se perd en « chicanes énormes » uniquement pour
que « ce qui fut blanc au fond » soit « rendu noir par les
formes » ? Ce sont là, très exactement, propos d'émeutier acharné
à dénoncer la scélératesse de la « justice bourgeoise ».

Et cet autre pilier sur lequel repose toute société organisée :
l'Eglise ? Il fallait s'y attendre : ce gredin, qui fréquente intimement le sale des Barreaux, s'en va « sans respecter les cieux, sans
croire à l'Evangile », « débiter des blasphèmes nouveaux » : il ne
« croit jamais en Dieu si ce n'est quand il tonne » et profère des
insanités auprès desquelles celles de Théophile de Viau, le détestable impie, ne sont que bagatelles. Or, c'est de « deux ans de
cachot » que Théophile a payé ses scandaleux blasphèmes. Alors ?
y aurait-il deux poids et deux mesures ?

Que dire encore de cette manière d'évoquer S.E. le cardinal
de Paris, symbole du « vice » qui « marche la mitre en tête et
la crosse à la main » ? Car
c'est ainsi que Despréaux révère

> Des plus dignes prélats la sagesse exemplaire,
> A qui le ciel commet le salut des mortels
> Et qui veille pour eux aux pieds de nos autels.

En vérité, on vous le demande :
> Quel état peut souffrir une telle insolence ?

Sous un roi si chrétien, qu'en peut dire la France ?

Car enfin il faut aller au fond des choses et ne pas se laisser abuser par ce que l'on considère trop vite comme simples divagations de rimailleur. Ne ménager ainsi ni Magistrature ni Noblesse ni Eglise, c'est s'en prendre à Celui-là même qui préside aux destinées de l'Etat. La vérité toute crue est que ce sacrilège ne se soucie même pas d'« épargner la majesté suprême ». N'est-ce pas encore calomnier un souverain dont chacun sait qu'il règne sur un royaume « où le crime est puni, l'innocence respire », que de donner au monde l'image d'un Paris-cloaque, d'un Paris-coupe-gorge, d'un Paris-Chicago ?

Turlupinades sans doute que ces déclamations délirantes. Mais des turlupinades qui peuvent conduire très loin, et jusqu'aux barricades de Mai 1968.

Assurément, ce « portrait » de Nicolas reproduit les seuls traits fournis par ceux que la publication des premières satires a enragés. Ceux — et ils doivent être nombreux — qu'elles ont enchantés n'ont pas de raisons impérieuses de prendre la plume pour exprimer leur satisfaction. Le dossier demeure donc incomplet et fâcheusement monocolore.

Il n'en reste pas moins que telle est bien l'image que les libelles donnent de Nicolas à ceux qui ne le connaissent pas personnellement : non pas tellement celle d'un versificateur sans inspiration ni talent, d'un pitoyable plagiaire, mais celle d'un personnage aux mœurs douteuses et aux convictions inquiétantes pour les « honnêtes gens », d'une sorte de marginal sans scrupule qui, pour le premier ouvrage qu'il publie, traîne dans la boue tout ce qui est respectable sous couvert d'une entreprise de salubrité publique. De nos jours, Nicolas aurait sa fiche, et bien remplie, aux Renseignements Généraux et à la Brigade des Mœurs qui relèverait le numéro de sa voiture à la porte des mauvais lieux.

Il faut ici s'en référer au témoignage du frère Jacques Boileau, homme de soutane qui, plus tard (donc à un moment où toutes ces frasques seront en voie d'être oubliées), concède pudiquement : « Il était en ces temps fort dissipé dans le monde. »

Pour contrebalancer cette déplorable réputation, il ne suffit tout de même pas de faire figurer dans le volume un *Discours au Roy* — pitoyable alibi qui ne saurait tromper personne. Chacun sait bien que, pris au collet par la gendarmerie, le malfrat se prévaut tout aussitôt des plus hautes protections politiques et d'abord de celle du Préfet de Police.

L'ouvrage paraît donc au milieu de l'année 1666. Avec le charivari que l'on vient d'évoquer.

Sur les réactions de l'intéressé devant ce déferlement, on ne possède que des confidences tardives et indirectes mais dont, au moins, la vraisemblance est éclatante : Nicolas prend peur. Et il sera toujours aisé aux moralistes en chambre de hausser les épaules devant tant de couardise. On voudrait les y voir. Car il est exact que, il n'y a pas si longtemps, Théophile de Viau a bel et bien été banni puis, pour impiété, condamné par contumace à être brûlé vif (1623). Il y a là un précédent qui donne à réfléchir.

Dieu merci, la jeune Majesté a une réaction saine, digne de celle de Charles X répondant par un haussement d'épaules aux exaltés du néo-classicisme qui viennent lui demander, au nom de l'ordre public, la proscription du drame romantique. Au maréchal de Gramont qui évoque, pour Nicolas, la perspective du « cou cassé », Elle se contente de faire observer que Despréaux aurait été mieux inspiré d'appliquer à d'autres sujets sa verve pétulante.

Il n'empêche que ce n'est pas ce volume de satires qui peut constituer le sésame capable de donner accès à la voie royale.

Bien entendu, il faut répondre à tous ces corbeaux et Nicolas songe très tôt à « composer en vers une apologie sérieuse ». « Mais il s'aperçut bientôt qu'il jouait le personnage d'un homme en colère et qu'il tombait lui-même dans le défaut dont il avait repris tous ces poètes » (Le Verrier).

Prendre patience donc, se faire tout petit et attendre la bonace. Mettre une sourdine aux démangeaisons de plume et, en particulier, reléguer au plus profond du tiroir une nouvelle satire en gestation par laquelle il entend régler leur compte à ces dames du beau sexe — car Dieu sait si, dans leurs salons, celles-là ont la corde vocale huchante.

Tout ce qu'il peut se permettre, c'est, pour la réédition de 1667, d'apporter à la préface destinée *Au Lecteur* un modeste additif : un appel à la conscience des « honnêtes gens » qui ne doivent pas « se laisser surprendre aux subtilités raffinées de ces petits esprits qui ne savent se venger que par des voies lâches ».

Car c'est bien désormais le camp des « honnêtes gens » qu'il importe de rallier, le camp de la France profonde, celle que l'on regarde au fond des yeux. A la limite, s'appliquer à devenir leur porte-parole, sans toutefois paraître se renier. Délicate opération.

C'est très probablement à ce moment que, la Dynasty étant maintenant éclatée, Nicolas se souvient de sa désormais lointaine jeunesse passée au milieu des Messieurs du Parlement du temps où le Premier Président Pomponne de Bellièvre jouait pour Gilles Ier le rôle d'ange gardien.

Le successeur de cet éminent homme de bien est le sieur Guillaume de Lamoignon qui n'a pas dû être trop effarouché par les nasardes portées dans les satires à l'honorable corps de la magistrature. Le nouveau Premier Président est en effet tellement persuadé que la Justice de la jeune Majesté ne se contente pas de boiter mais qu'elle est franchement bancale, qu'il travaille précisément d'arrache-pied à un projet de réforme de l'institution. De plus, bien que penchant très fort du côté des bons Pères Jésuites, il est assez ouvert pour paraître « ravi » quand on profère « quelque bon mot contre eux » (Gui Patin). Un homme de goût en somme, et qui juge outranciers les trépignements de bacchantes qui ont accueilli les *Satires*. D'ailleurs, M. le Premier

Président « n'est pas bien avec M. Colbert depuis le procès de Fouquet ». Dans ce milieu qui n'est pas sectaire, Nicolas doit donc pouvoir se faire une place, sous la réserve expresse de ne pas se laisser aller au moindre brocard qui viserait les choses sacrées (c'est M. le Président qui, en 1667 justement, fait interdire le second *Tartuffe*). M. de Lamoignon a, lui aussi, ses 5 à 7, chaque lundi en sa personnelle *Académie de belle littérature*. Peut-on rêver société plus recommandable pour se dédouaner ? Plus tard, Nicolas se souviendra : « L'accès obligeant qu'il me donna dans son illustre maison fit certainement mon apologie contre ceux qui voulaient m'accuser alors de libertinage et de mauvaises mœurs. »

C'est donc sous cette aile tutélaire que Nicolas laisse passer la tourmente, tout en méditant sur la forme qu'il donnera à sa réplique aux diffamateurs. Car, bien entendu, il n'est pas question de laisser le dernier mot à cette envolée de sycophantes.

La maturation dure une année environ.

Une année au bout de laquelle Nicolas estime qu'il a réussi à déterminer le juste ton pour sa contre-offensive : ni anathèmes ni sarcasmes — on s'adresse à « ceux surtout qui ont le goût délicat » et non plus aux pochards du club —, mais le registre de l'enjouement, de la décontraction. Un dialogue fictif, une fois de plus : Nicolas va dialoguer avec son Esprit — ficelle un peu usagée sans doute, mais, cette fois, dans la discussion qu'il engage avec cet Esprit, c'est lui-même, Nicolas, qui va conduire le réquisitoire en feignant de reprendre à son compte tous les racontars, toutes les « calomnies » qu'on a déversés sur lui. Se faire le procureur de soi-même, peut-on être plus loyal, plus fair-play ? Nicolas, donc, se fâche :

C'est à vous, mon Esprit, à qui je veux parler.
Vous avez des défauts que je ne puis céler.
Assez et trop longtemps ma lâche complaisance
De vos jeux criminels a nourri l'insolence.
Mais puisque vous poussez ma patience à bout,

Une fois en ma vie il faut vous dire tout.
Et ainsi, pendant quelque 320 vers, Nicolas affecte de se
donner l'élégance de fustiger le déplorable Esprit qui lui a
inspiré de si « violents transports ». Nos modernes marxistes
ne sauraient manquer de déceler là les prodromes de la pratique
de la bienfaisante autocritique.

Donc : à donner des leçons à tout un chacun, cet Esprit se
prend-il pour un « Caton » ? pour un parangon de vertu ? Pourquoi
avoir osé

    d'un style peu chrétien
   Faire insulte en rimant à qui ne vous dit rien ?
Pourquoi se faire d'un cœur allègre la réputation d'un « jeune
fou qui se croit tout permis/Et qui pour un bon mot va perdre
vingt amis » ? Pourquoi encore, au lieu de s'en tenir aux discrets
anonymats, pourquoi « faut-il qu'il nomme » ? : « attaquer Chapelain ! ah ! c'est un si bon homme ! » ? Pourquoi rompre sottement de vaines lances sur les pentes du Parnasse alors qu'on
pourrait si aisément s'appliquer à louer les éminents mérites
de la jeune Majesté ?
Sous cette pluie de griefs, le malheureux Esprit n'a plus
qu'à courber la tête.
Or, le plaisant est en ceci que ce réquisitoire se détruit lui-
même. Et que, jouant ainsi les faux repentis, Nicolas ne recule
pas d'un pouce, qu'il s'opiniâtre.
Car toutes les chères têtes de Turc se retrouvent au rendez-
vous : les Chapelain, Cotin, Pradon, Quinault, auxquels viennent
s'ajouter encore quelques nouveau-venus : Coras, Saint-Amant,
d'autres encore. Sans oublier Gilles III, le renégat, à qui est
réservée cette gentillesse : le « rebut de notre âge ».
En sa toute nouvelle sagesse, Nicolas en convient modes-
tement : pour se prétendre « poète », il faut « être Horace ».
Mais quand, n'étant pas Horace, on refuse de se « taire » ? Eh
bien, c'est tout simple : si, dépourvu de tout don poétique, on
s'obstine à rimer, « on rampe dans la fange avec l'abbé de Pure ».
Peut-on, sous l'auguste patronage d'Horace, plus élégamment
assimiler l'œuvre du médisant abbé à la littérature de caniveau ?

Chanter « du roi les augustes merveilles » ? Certes, là est le devoir de chacun. Mais ne serait-ce pas prouver que le seul « espoir du gain » anime la Muse ? Et il faudrait encore rallier le troupeau de tous ceux (il est désormais superflu de les nommer) qui s'essoufflent à entasser les vieilles métaphores éculées du type « Bellone en feu tonnant de toutes parts » ?

> Un poème insipide et sottement flatteur
> Déshonore à la fois le héros et l'auteur.

Ceci pour les thuriféraires appointés de *TF 1* ou *d'Antenne 2* qu'inspire « l'humble dehors d'un respect *affecté* ».

Il est tout aussi vrai, Nicolas le reconnaît volontiers, que dénoncer publiquement la platitude des rimeurs sans talent, c'est leur faire une publicité bien mal venue. Mieux vaudrait à coup sûr laisser dormir tous ces « vers en paquet » : ils connaîtraient le sort des stocks d'invendus de l'illustre La Serre, lesquels sont couramment utilisés par « l'épicier » pour envelopper ses denrées. Que l'Esprit renonce donc à faire tant de bruit : alors il verra que « le *Jonas* inconnu sèche dans la poussière », que « le *David* imprimé n'a point vu la lumière » et que « le *Moïse* commence à moisir par les bords ». Ceci pour MM. Coras, Las Fargues et Saint-Amant qui s'acharnent à ruiner leur éditeur, eux qui ont « ennuyé le roi, toute la cour ».

Accablé par les reproches de Nicolas, l'Esprit finit par se rebeller. Et la tirade, solide et sonore, était célèbre, du temps où on l'étudiait encore dans les classes d'Humanités :

> Dès que l'impression fait éclore un poète,
> Il est esclave-né de quiconque l'achète :
> Il se soumet lui-même aux caprices d'autrui,
> Et ses écrits tout seuls doivent parler pour lui (...)
> Et je serai le seul qui ne pourrait rien dire !

L'Esprit se rebiffe contre le reproche de « médisance ». Nommer, ce n'est pas médire :

> Non, non, la médisance y va plus doucement.
> Si l'on vient à chercher pour quel secret mystère
> Alidor à ses frais bâtit un monastère :
> « Alidor ! dit un fourbe, *il est de mes amis,*

Je l'ai connu *laquais* avant qu'il fût commis ;
C'est un homme d'honneur, de piété profonde,
Et qui veut rendre à Dieu *ce qu'il a pris au monde.*

C'est sur ce ton papelard et méchamment allusif que l'on doit jouer d'adresse et médire avec art, en évoquant, par exemple, dans les colonnes du *Canard Enchaîné*, les louches origines de Château-Chirac.

Au surplus, de quelle « médisance » s'agit-il ? Celle qui prend pour cible Chapelain, « un si bon homme » ? Ici, une autre tirade, de large portée, et qui s'apparente étroitement aux principes énoncés par Molière dans *l'Impromptu de Versailles* :

Ma muse, en l'attaquant, charitable et discrète,
Sait de l'homme d'honneur distinguer le poète.
Qu'on vante en lui la foi, l'honneur, la probité,
Qu'on prise sa candeur et sa civilité ;
Qu'il soit doux, complaisant, officieux, sincère :
On le veut, j'y souscris et suis prêt de me taire.
Mais que pour un modèle on montre ses écrits ;
Qu'il soit le mieux renté de tous les beaux esprits (...)
Ma bile alors s'échauffe, et je brûle d'écrire.

Il faut ici, derrière la robuste santé du précepte, déceler l'ironie, latente mais aisément perceptible à tout lecteur qui est quelque peu familier du malodorant vieillard, « le mieux renté de tous les beaux esprits ». Car quiconque a approché d'un peu près l'auteur de l'immortelle *Pucelle* sait à quoi s'en tenir sur sa « candeur », sur sa « probité », sur sa « sincérité ». Il y a sans doute de la perfidie dans cette manière d'évoquer les vertus prétendues du vieil adversaire.

La véritable médisance — et, cette fois, le ton s'élève, car le plaidoyer en vient à l'essentiel — est celle de ces « rimeurs blessés » qui « d'un mot innocent » font « un crime d'Etat » et en appellent aux foudres de la Justice :

Vous aurez beau louer le roi dans vos ouvrages, (...)
Qui méprise Cotin n'estime point son roi,
Et n'a, selon Cotin, ni Dieu, ni foi, ni loi.

Traduisons : quiconque s'avise de brocarder la pesante polygraphie de tel ou tel thuriféraire du Pouvoir se trouve en grand

danger d'être dénoncé comme coupable de lèse-légalité répu-
blicaine.

Et la *Satire* s'achève, une nouvelle fois, en pirouette : le
petit abbé (ou tout autre) a tenace la rancune et long le bras
inquisiteur :

(...) craignez tout d'un auteur en courroux,
Qui peut... — Quoi ? — Je m'entends. — Mais encor ? — Taisez-
                                                            [vous.

S'il fallait, de toutes les *Satires*, n'en conserver qu'une ou deux,
ce serait, à coup sûr, celle-là, et aussi la première, celle des
malédictions de *Damon*. Car on a là tout Nicolas, au meilleur
de sa forme : la verve est pétillante de gaieté, mais moins gra-
tuitement agressive ; la mise en œuvre vive et animée ; et les
pointes, qui ne sentent plus la hargne, gardent pourtant toute
leur acidité. Mais surtout elle débouche sur une définition des
droits et des limites de la critique qu'on serait fort avisé, en
1986, de remettre à l'ordre du jour.

Cette *Satire* IX est composée dans les derniers mois de 1667,
plus d'un an après l'impression du volume qui a provoqué le
grand remue-ménage. On a pris du plomb dans la cervelle
et l'on s'est donné, cette fois, le temps de la réflexion avant de
relancer la polémique. Au surplus, nouvelle période probatoire,
la nouvelle satire n'est publiée que dans le courant de 1668.

Comme les précédentes, elle a, avant impression, passé par
le banc des lectures privées. Mais les auditeurs privilégiés ne
sont plus les petits camarades du club et les approbations solli-
citées sont maintenant celles de Mmes Scarron (future Maintenon) et La Fayette dont la propension à la gaieté est assurément
davantage pincée qu'à *la Croix Blanche*. Fiasco total ; si l'on en
croit Louis Racine, « la pièce fut si peu goûtée qu'il n'eut pas le
courage d'en finir la lecture ». Tant est dure la pente à remonter.

Une éclaircie pourtant, et de la brillance la plus lumineuse,
puisqu'elle rayonne depuis le trône même de la jeune Majesté,

à qui l'on vient pourtant de désigner Nicolas comme justiciable de la galère royale.

Il faut ici en revenir à la Dynasty. Non pas en la personne du « gai Puymorin », le trompetteur des narines, mais en celle de son représentant le plus sortable : l'abbé Jacques, celui-là même qui devait plus tard déplorer que son cadet eût été, un temps, si dissipé dans le monde. Il se trouve, la Providence faisant bien les choses, que le sage abbé tient, à Sens, le rôle de porte-mitre, ou de porte-coton, de l'Archevêque du lieu S.E. Gondrin. Il se trouve encore que le Seigneur a placé aux côtés de S.E. un sieur de Saint-Mauris (ou Saint-Morisse), chevau-léger de la garde du roi, qui a appris à Sa Majesté le bel art de « tirer » le gibier et qui, mieux encore, navigue dans la désormais précieuse mouvance de Françoise-Athénaïs de Rochechouart, Marquise de Montespan, depuis peu promue à l'insigne honneur de pimenter la libido de Sa Majesté.

Et c'est ainsi, par un de ces très longs détours que seule peut imaginer la sagesse du Très-Haut (le porte-mitre agissant sur le chevau-léger et le chevau-léger sur l'incomparable Marquise), que la Satire IX, devant laquelle avaient tourné du nez ces dames Scarron et La Fayette, est enfin placée sous l'auguste regard.

On notera au passage que l'on est sans doute maintenant sorti de la douteuse fréquentation des petits camarades de la Croix-Blanche ; mais que, propulsé très loin des bas-fonds, on se retrouve quand même en assez fangeuse compagnie. Car, un peu plus tard, lors de la Chambre Ardente appelée à juger l'abominable Affaire des Poisons, l'obligeant chevau-léger figurera sur la liste des louches entremetteurs livrée aux enquêteurs par le sinistre abbé Guibourg, grand organisateur des messes noires dites « sur le ventre de quelques femmes et filles ». Et l'enquête établira que, maîtresse triomphante mais soucieuse d'effacer dans le cœur de Sa Majesté jusqu'au souvenir même de la petite La Vallière, la divine Marquise n'a pas hésité à s'adonner à ces noires pratiques (ceci se passe en 1667, précisément).

Quoi qu'il en soit, la jeune Majesté accepte de prendre

connaissance du manuscrit. Elle y goûte quelque plaisir et, précieux éloge, le conserve, paraît-il, en une cassette.

Encore faut-il ici ne point trop laisser galoper l'imagination. C'est par volumineux sacs postaux que l'Elysée, quel qu'en soit le locataire, reçoit quotidiennement les « hommages » dédicacés des chevaliers de la plume. Tout pareillement, il passe assurément bien d'autres pièces de vers entre les royales mains et celle-là n'est qu'une entre mille. On n'en est pas, pour si peu, admis à Latche ou à Chanonat.

Mais enfin il y a là tout de même, grâce à l'incomparable Marquise, une précieuse ouverture que n'avaient obtenue ni le solennel *Discours au Roy*, ni l'entregent du petit Marquis de Dangeau. Ouverture de la main gauche, soit. Mais puisque la main gauche est l'instrument élu par la divine Providence...

En attendant que s'ouvrent les portes du Louvre (il y faudra encore sept ans), Nicolas ne chôme pas. Il a même en train quelques menus travaux qui, pour n'être pas rimés, n'en procèdent pas moins de cette humeur batailleuse qu'il s'applique désormais à mieux contrôler.

Il s'est en particulier découvert un petit compte à régler avec lui-même. Car, du temps qu'il était encore un adolescent boutonneux (il s'en souvient avec confusion), il est tombé, avec tant d'autres, dans le snobisme des merveilles du « Nouveau Roman » si cher aux esprits éclairés des années 1960 et qui continue à faire la délectation, pourtant obsolète désormais, des Chairmen nord-américains : « je les lus, ainsi que les lisait tout le monde, et je les regardai comme des chefs-d'œuvre de notre langue ». Ce que l'on peut être béjaune à cet âge ! Car, à la re-lecture, cette épidémie de prétentieux sottisiers se révèle n'être qu'une pitoyable escroquerie dans laquelle, sous la houlette de Madeleine de Scudéry et de ses épigones, se sont engouffrés à leur tour les gens de théâtre, les Quinault, les Thomas Corneille, et même, comme il fallait s'y attendre, le malodorant vieillard, toujours avide de « faire jeune ». Ainsi a-t-on été abreuvé de

Cyrus, de *Clélie*, de *Mort de Cyrus*, d'*Antiochus* qui ne sont rien d'autre que de purs défis au bon sens et dont les personnages parlent « un certain langage » que l'on se doit d'admirer très fort si l'on ne veut pas — ô ignominie — se faire traiter de « bourgeois », c'est-à-dire de ringard.

La Satire prend ici la forme d'un *Dialogue des Héros de roman* qui correspond, en fait, à un *Dialogue des Morts* puisque c'est aux Enfers que Nicolas traîne devant le tribunal de Minos tous ces superbes héros. Il faut en convenir : la mise en scène ainsi choisie, « à la manière de Lucien », est de pâle et scolaire imagination — il faut passer une telle faiblesse à notre inconditionnel de la vieillerie mythologique. Mais, comme dans les *Satires*, le « dialogue » sauve tout. Non seulement parce qu'il est alerte et vivement mené, mais aussi parce qu'il constitue un étonnant pastiche des sucreries de la Scudéry, de la guimauve de Quinault ou de la rocaillerie de M. Chapelain — à quoi s'oppose l'épais langage d'un Pluton qui a dû beaucoup fréquenter le Chrysale de l'ami Poquelin.

Il faut, ici encore, se contenter de ne donner que quelques échantillons de ce défilé carnavalesque.

C'est le grand Cyrus qui ouvre la marche, une marche digne de celle des Rois de *la Belle Hélène*. Et Nicolas s'en donne à cœur joie en prêtant à ce rude conquérant perse, à ce sauvage ravageur de provinces un langage qui, calqué sur celui de la Scudéry, fait de lui un petit maître embéguiné de sa « princesse », « trop engageante personne » qu'il évoque avec les roucoulements qui ont valu à Julio Iglesias une avalanche de disques d'or.

Le grand Cyrus, « le plus grand conquérant que l'on eût encore vu », minaude, façon Madeleine, en ces termes :

CYRUS. — Aimerons-nous une cruelle ? Servirons-nous une insensible ? Adorerons-nous une inexorable ? Oui, Cyrus, il faut aimer une cruelle. Oui, il faut servir une insensible. Oui, il faut adorer l'inexorable fille de Cyaxare.

Avertissement de Diogène à Pluton :

DIOGÈNE. — Vous êtes en danger de bâiller un peu, car ses narrations ne sont pas fort courtes.

Autre sketch : la très chaste Lucrèce, qui préféra se poignarder plutôt que de survivre aux lubriques violences dont elle fut victime, ne songe plus qu'à pousser la romance avec le très austère Brutus, vieux Romain de fer « qui fit mourir ses enfants pour avoir conspiré contre leur patrie ». « Air coquet », « yeux fripons », cette vierge intraitable ne s'exprime désormais, le plus galamment du monde, que par « énigmes » (se souvient-on de l'énigme de la Puce ?), comme celle-ci, intégralement tirée du roman de la Scudéry (*Clélie*) :

Toujours.l'on.si. Mais.aimait.d éternelles.hélas.amours.
d'aimer.doux.il.point.serait.n'est. Qu'il.

Pluton se gendarme devant tant de « galimatias ». Il est vrai qu'il n'a point encore été initié à l'« écriture textuelle » des rédacteurs de *Tel Quel* ou à celle, « sismographique », de Le Clézio. Il n'a pas pu déguster ce sonnet en prose de Jacques Roubaud intitulé *5.1.7* (*G O 151*) et publié aux éditions Gallimard, qui commence ainsi :

verre fusain verre averse cotre cassé où fut caillou, fut lait en d'épaisses vitres terreau des échardes d'aiguilles humus de tessons, etc.

La clé de l'énigme par laquelle la Clélie de Madeleine appâte si subtilement les esprits est plus bourgeoisement celle-ci :

Qu'il serait doux d'aimer, si l'on aimait toujours ;
Mais hélas ! il n'est point d'éternelles amours.

Voici maintenant l'illustre Sapho, la « fameuse Lesbienne » :

PLUTON. — On me l'avait dépeinte si belle. Je la trouve bien laide.

DIOGÈNE. — Il est vrai qu'elle n'a pas le teint fort uni ni les traits du monde les plus réguliers. Mais prenez garde qu'il y a une grande opposition du blanc et du noir de ses yeux comme elle le dit elle-même dans l'histoire de sa vie.

Ce n'est pas de telle prêtresse du Nouveau Roman qu'il s'agit ici, mais de la Scudéry elle-même, dont on sait que Sapho est le pseudonyme galant derrière lequel elle joue de la prunelle et de l'éventail.

Pour ce qui est du style de la romancière, ce pastiche en donne une fort juste idée :

> Tisiphone a naturellement la taille fort haute et passant de beaucoup la mesure ordinaire des personnes de son sexe, mais pourtant si dégagée, si libre et si bien proportionnée en toutes ses parties que son énormité même lui sied admirablement bien (...). Son sein est composé de deux demi-globes brûlés par le bout comme ceux des Amazones et qui, s'éloignant le plus qu'ils peuvent de sa gorge, se vont négligemment et languissamment perdre sous ses deux bras.

Quant à Jehanne, la « vaillante fille qui délivra la France du joug des Anglois », elle ne guerroie plus qu'en vers, qui sont ceux du malodorant vieillard (ici, citation de *la Pucelle*) :

> PLUTON. — Quoi ? c'est du français qu'elle a dit ? Je croirais que ce fût du bas breton ou de l'allemand. Qui est-ce qui lui a appris cet étrange français-là ?
>
> DIOGÈNE. — C'est un poète chez qui elle a été en pension quarante ans durant.
>
> PLUTON. — Voilà un poète qui l'a bien mal élevée.
>
> DIOGÈNE. — Ce n'est pas manque d'avoir été bien payé et d'avoir exactement touché ses pensions.

Et la « vaillante fille » se pâme en oyant le « guerrier » Dunois lui dévoiler son ardente flamme :

> Pour ces célestes yeux, pour ce front magnanime,
> Je n'ai que du respect, je n'ai que de l'estime.
> Je n'en souhaite rien ; et si j'en suis amant,
> D'un amour sans désirs, je l'aime seulement.
> Et soit. Consumons-nous d'une flamme si belle.
> Brûlons en holocauste aux yeux de la Pucelle.

Couplet qui se passe de commentaire et se recommande de lui-même.

Ainsi défilent dans ce *Dialogue* les Pharamond, Astrate (tragédie de Quinault) et autres Ostorius (tragédie de l'abbé de

Pure). La revue est assurément un peu longuette. Et surtout elle pâtit aujourd'hui de l'apparente inactualité de ces personnages et de ces « romans ». Encore que, on l'a vu, il ne serait pas trop malaisé d'accommoder à une sauce moderne le délire verbal qui est ici pris à partie. En fait de références, on n'aurait même que l'embarras du choix. Mais on peut gager que Nicolas n'eût pas manqué de faire figurer en bonne place dans son palmarès un Robbe-Grillet, par exemple, qui s'applique à évoquer, à longueur de pages, « un quartier de tomate en vérité sans défaut » (*les Gommes*), passage ouvertement considéré par l'auteur comme « inutile » mais qui inspire à l'un des muezzins du Nouveau Roman ce commentaire échevelé : « c'est l'univers einsteinien en réduction, le lieu géométrique, la chose objectale, le tableau en abîme de la faille existentielle, l'*être-là* nettoyé de toute signification, le réel créé par l'écriture seule et qui se suffit » (J. Alten). Le Pluton de Nicolas en serait demeuré rêveur.

Cette charge au clairon, Nicolas se garde de la publier (elle ne sera officiellement éditée qu'en 1713). En 1667, il a bien assez d'affaires sur les bras pour ne pas encore se mettre à dos l'importante Madeleine et tous ses fans. C'est tout de même un soulagement de pouvoir ainsi se défouler, et un plaisir délicat que de réciter, entre poire et fromage, ce morceau de choix. Beaucoup plus tard, vers 1710, Nicolas évoquera avec nostalgie l'heureuse époque où l'on s'esclaffait, entre amis :

> Je ne sais si (mon dialogue) s'attirera les mêmes applaudissements qu'il s'attirait autrefois dans les fréquents récits que j'étais obligé d'en faire. En le récitant, je donnais à tous les personnages le ton qui leur convenait.

Le bon temps...

Nous sommes, pour l'heure, en 1668, au lendemain du grand tohu-bohu dont Nicolas attend qu'il s'apaise avant de lancer dans le public la réplique de la *Satire* IX.

Pour occuper le temps, et aussi sans doute pour démontrer

qu'il est capable non seulement de goguenarder sur le dos des rimailleurs, mais encore d'aborder les plus graves sujets, il va se hisser au niveau des idées générales. Un peu de philosophie ne messied pas quand on entend redorer une réputation tant soit peu écornée. Après tout, Coluche nous a bien fait part, lui aussi, de sa conception du monde.

Pour le moment, dans l'entourage du Premier Président Lamoignon, on discute ferme autour de l'obscurantisme obstiné d'une vieille Sorbonne qui se complaît paresseusement dans le culte du plus vieil encore Aristote. Ce qui est pire, c'est que cette Dame usagée jette feux et flammes contre tous ceux qui en tiennent pour des thèses moins archaïques, que ce soit celles de Gassendi ou celles de Descartes, qui séduisent si fort les esprits avides de nouvelletés. Or, pratiquant la très moderne technique de l'amalgame, cette Sorbonne continue à prétendre que les Jansénistes, peste mortelle, sont des suppôts du cartésianisme. Cinq ans plus tôt (1663), l'Université a solennellement mis Descartes à l'Index, comme un vulgaire Karl Marx, et décrété que, pour être admis en son sein à occuper une chaire professorale et à arborer l'épitoge, il est requis de soutenir des thèses hostiles à sa méphitique philosophie.

On ne saurait assurément faire de Nicolas un précurseur des vaillants barricadeurs qui, exactement trois siècles plus tard, allaient monter à l'assaut de l'antique bâtisse aux cris de « Professeurs, vous êtes vieux ! ». Mais enfin, dans le débat ouvert, Nicolas se place résolument du côté des gérontophages. Non pas vraiment parce qu'il se range parmi les « cartésiens », mais parce que les barbons de la Sorbonne lui semblent incarner l'immobilisme le plus recuit, la sotte certitude d'être les seuls détenteurs de la vérité. Et aussi parce que l'offensive anticartésienne n'est à ses yeux qu'un louche moyen de s'en prendre aux chers Jansénistes. C'est, au fond, toujours l'immonde procédé : pour reprendre une formule de la *Satire* IX, qui méprise Aristote « n'a ni Dieu, ni foi, ni loi ».

La nouvelle satire (*Satire* VIII) va donc prendre pour cible le plus marquant de tous ces sorbonnards, grand pourfendeur de Jansénistes, le docteur Morel « qu'on appelait Mâchoire d'Ane parce que son menton avait en effet quelque rapport à une mâchoire d'âne ». Appendice providentiel que cette mâchoire qui va permettre de clore la satire par une « chute » en forme de coup de pied du baudet, car c'est l'âne qui va clamer, in fine, à l'adresse de l'éminent Docteur : « Ma foi, non plus que nous, l'homme n'est qu'une bête. »

La « thèse » développée rappelle celle, « libertine », de la *Satire* IV à le Vayer : le stupide aveuglement de l'homme qui se croit le centre et le parangon de la création.

A vrai dire, au sortir de la *Satire* IX, celle-là apparaît infiniment plus terne, quant à la mise en forme tout au moins. Ses 300 vers se contentent de s'étirer avec la régularité d'une dissertation bien conduite en une très longue énumération d'exemples illustrant la stupidité humaine : avarice, ambition, malfaisance, superstition, etc.

Il y a bien, çà et là, quelques piques décochées aux bons vieux adversaires, à Cotin par exemple à qui la « raison » s'épuise à crier de mettre un terme à sa « vaine furie » de rimer ; ou encore aux gens de justice qui s'évertuent à écraser l'équité sous le poids des « gloses » et des « monceaux d'auteurs ». On n'apprend pas, là, grand-chose que l'on ne sache déjà et qui n'ait été dit par La Mothe le Vayer ou par Montaigne rabaissant l'homme au-dessous de l'animal dans son *Apologie de Raymond Sebond*.

Pour dénoncer la flatteuse illusion d'une Raison sereinement souveraine, le ton plaisant lui-même dérive vers une outrance systématique qui, sans doute, a pour but d'« égayer un lecteur qui veut rire » ; mais enfin, trop c'est trop et l'hyperbole assenée ne tient pas lieu d'argumentation :

> ... un ver, une fourmi,
> Un insecte rampant qui ne vit qu'à demi,
> Un taureau qui rumine, une chèvre qui broute,
> Ont l'esprit mieux tourné que n'a l'homme...

Un passage pourtant doit retenir l'attention, à condition de bien avoir en mémoire que la jeune Majesté, en pleine guerre de Dévolution, est alors en train de conquérir la Flandre. Parmi les folies des hommes, donc, l'ambition, et plus précisément l'ambition guerrière. Et là le développement ne manque ni de fermeté ni de virulence pour fustiger la démence des « furieux » qui s'en vont « se faire estropier sur les pas des Césars ». Car, bien avant que Voltaire, cet esprit si progressiste, se soit déchaîné contre les prétendus « héros » qui ne sont que saccageurs de provinces, Nicolas tire à boulets rouges sur le grand Alexandre, intouchable idole de tous ceux qu'aveugle la soif de gloire, Alexandre « cet écervelé qui mit l'Asie en cendres ». Les vers qui suivent ne sont pas sortis de la plume d'un adversaire frénétique des fusées Pershing ou de Reagan-le-boute-feu :

> L'enragé qu'il était, né roi d'une province
> Qu'il pouvait gouverner en bon et sage prince,
> S'en alla follement, et pensant être dieu,
> Courir comme un bandit qui n'a ni feu ni lieu ;
> Et traînant avec soi les horreurs de la guerre,
> De sa vaste folie emplir toute la terre.

Il eût mieux valu cent fois que cet énergumène fût, « par avis de parents », « enfermé » en un asile d'aliénés.

Ce Nicolas est décidément tête légère. Il ne cesse d'aspirer à se rapprocher du Soleil et voilà qu'il rabaisse au rang des bandits de grand chemin le plus glorieux conquérant de l'Antiquité, dont la jeune Majesté ambitionne d'égaler les exploits militaires. Etrange manière de faire sa cour, en vérité.

Pure et maladroite rhétorique ? simple développement d'un lieu commun sur les horreurs de la guerre ? Et pourquoi pas un sincère mouvement de recul (réflexe petit-bourgeois, soit) en face d'une renommée trop cher payée ?

Depuis longtemps, depuis l'époque du grand Cardinal de Richelieu même, Messieurs les Parlementaires, gens de sens rassis et peu enclins à l'aventurisme, se sont toujours montrés viscéralement hostiles à ces expéditions impérialistes, « sales guerres » qui obèrent les finances publiques et font dramatiquement chuter la rente. C'est là très précisément l'opinion généralement admise dans l'entourage de M. le Premier Président, où l'on militerait

volontiers en faveur d'un désarmement inconditionnel et sans
contrepartie.

En vain M. Colbert (il faut lui rendre hommage sur ce point)
s'évertue-t-il à répéter que la puissance d'un Etat ne se mesure
pas à l'ampleur de ses arsenaux mais dépend de son « impact »
économique. M. Colbert est peu écouté par tous les brillants
« faucons » qui gravitent autour du trône des Lys : esprit bassement mercantile, M. Colbert n'a qu'à s'occuper de ce qui le
regarde et qui consiste à fournir le nerf de la guerre — par quels
moyens il importe peu.

S'étonnera-t-on dès lors que, en cette *Satire* VIII, figure pour
la première fois, nommément cité et promu « colombe » confirmée, M. Colbert, ex-Rafouin, auquel est — enfin ! — décerné un
accessit ? Car le fait est là : il est question à cette heure de
la « prudence » de M. Colbert, qui se dépense avec tant d'ardeur pour empêcher que le vampire, le « traitant », « injuste,
violent, sans foi », s'« engraisse du suc des malheureux ».

Il y a là, de toute évidence, une avance appuyée en direction
du Ministre : suggérée, peut-être, par la divine Montespan, qui
fait amie-amie avec Mme Colbert (on sait que le couple ministériel veille avec discrétion et efficacité sur la sérénité des
amours extra-conjugales de Sa Majesté). Ce qui est sûr, en tout
cas, c'est que Nicolas est autorisé à lire sa dernière œuvre
devant Son Excellence. Et il faut ici bien mesurer la portée de
l'événement : Nicolas l'infréquentable, Nicolas le pilier de cabaret,
Nicolas le contempteur de l'Ordre établi, reçu chez l'un des plus
hauts représentants de l'*establishment* ! Au *Figaro*, on n'en
revient pas : le folliculaire du *Canard Enchaîné* déguste la tasse
de thé dans le salon d'Anémone Giscard ! Le plus délectable est
que Son Excellence se dit émue par cet hommage rendu à sa
« prudence », et probablement aussi par cette préférence affichée
pour une politique du gros bas de laine : la Satire lui « plut
beaucoup » (Le Verrier).

Aussi a-t-on quelque peine à adopter les gloses proposées par
certains exégètes. Ceux-ci relèvent dans la *Satire* la tirade consacrée au sinistre portrait du mauvais riche, oppresseur du peuple,

esprit de la plus crasse ignorance, avide de se voir encensé par
« poètes, orateurs, rhéteurs, grammairiens » ; et ils en concluent
que ce mauvais riche désigne Colbert lui-même, âme rapace et
esprit inculte. En d'autres termes, moyennant la rapide et flatteuse allusion à la « prudence », Nicolas se serait « offert le
plaisir raffiné de lire devant Colbert des vers dirigés contre
Colbert » (A. Adam). On croit rêver. Car ce ne serait plus là
du machiavélisme, mais bien du Gribouille tout pur.

   Nicolas joue volontiers les provocateurs, cela ne fait pas
l'ombre d'un doute. Mais il est tout de même peu vraisemblable
qu'il ait ainsi poussé le goût de se singulariser jusqu'à courir
le risque évident de se faire jeter hors du salon de l'Excellence
par quelques laquais à vigoureux biceps. Ou alors il faut supposer chez l'Excellence une exceptionnelle capacité d'aveuglement. Colbert fut-il jamais si sot, ou si myope ?

   La *Satire* VIII paraît donc en 1668.
   Elle est, à l'évidence, très différente de celles qui l'ont précédée. Violente encore, sans doute, par l'âpreté du ton ; mais
cette violence ne s'exerce plus, comme par le passé, sur les
individus ou sur les mœurs contemporaines ; elle s'en prend à
une très générale et anonyme nature humaine. Elle est un tantinet
pontifiante, plus proche, par l'inspiration, du prône que du
pamphlet. Tout se passe comme si, après avoir longtemps travaillé dans une sorte de libre débraillé, Nicolas s'appliquait
maintenant à prendre de la hauteur : à cette heure, on dit
« l'Homme », avec un H majuscule. Bref, on entend se faire
prendre au sérieux. La meilleure preuve en est assurément que la
prochaine satire (*Satire* X, sur les femmes) ne verra le jour qu'en
1694, vingt-huit ans plus tard. Prudence d'abord. Il n'est plus question désormais de jouer les francs-tireurs. On est tenté de le
regretter, vraiment. Mais on ne peut pas éternellement parader en
festivalier de la barricade.

Pour ne pas détonner dans le salon de M. le Premier Président, Nicolas finit même par gommer tel distique un peu trop corsé de la *Satire* IX : celui où il est prétendu que les animaux sont plus raisonnables que les humains puisqu'ils ne cherchent pas, eux, à

> De fantômes en l'air combattre leurs désirs
> Et de vains arguments chicaner leurs plaisirs.

Cette apologie du droit au « plaisir » fleure par trop le libertin et elle ferait froncer les austères sourcils de M. Arnauld et autres « personnes de piété ». Modeste sacrifice, mais sacrifice tout de même, car Nicolas s'obstine à trouver « fort beaux » ces deux vers-là.

Il va faire mieux encore et, s'il est vrai que l'attachement aux biens de la terre (fussent-ils d'Eglise, ou plutôt surtout s'ils sont d'Eglise) est tentation satanique, le renoncement doit être, là, sensiblement plus âpre. Le paradoxe était piquant assurément d'être tout à la fois prieur du bienheureux Saint-Paterne et franc compagnon de *la Croix Blanche*. Dissonance un peu voyante cependant. Si Paris vaut bien une Messe, ce n'est pas trop cher payer le prix de la respectabilité que de renoncer au bénéfice du fructueux prieuré : et c'est ainsi que l'on apprend que tous les revenus accumulés depuis 1662 et qui sont en provenance de cette vénérable institution viennent d'être voués à des œuvres pies. *Optime, mi fili, optime,* Dieu vous le rendra.

Tout cela ne signifie pourtant pas que l'on devient cagot et que l'on est tout près de coiffer auréole. Car on a beau s'évertuer à étouffer le vieil homme — c'est-à-dire le jeune homme que l'on a été —, le vieil homme connaît de beaux retours de flamme.

Par exemple lorsque le petit Boursault que la *Satire* IX a sèchement renvoyé à son néant s'avise, à titre de revanche, de confier à la troupe du Marais une comédie de son cru, lumineusement intitulée *Satire des Satires*. Alors Nicolas ne se préoccupe pas d'appliquer l'angélique précepte sur la joue gauche qu'il faut tendre après avoir été souffleté sur la droite. Et les moyens radicaux étant les plus sûrs, il s'arrange pour

faire purement et simplement interdire la représentation. Le droit
à la libre expression, certes ; mais, tout de même, point trop
n'en faut. On n'est pas près de voir figurer parmi les titres
exposés à la F.N.A.C. telle insane brochure consacrée à « l'honneur perdu » d'une contemporaine Majesté.

De même, un peu plus tard, quand il apprend (1671) que les
Messieurs de la Sorbonne, Mâchoire d'Ane en tête, se démènent
à nouveau pour que soit interdit tout enseignement du cartésianisme, il serait tout à fait insuffisant, par référence à la
Béatitude sur les « doux » et les « pacifiques », de tolérer sans
réagir cette nouvelle manifestation d'obscurantisme rétrograde.
Et, de concert avec Poquelin, et peut-être Racine, il décoche à
ces théologiens obstinés un imaginaire *Arrêt burlesque de la
Grand'Chambre du Parnasse (...) pour le maintien de la doctrine
d'Aristote* qui est de la même veine que le *Chapelain décoiffé.*
On louera très fort, plus tard, le procédé utilisé par Voltaire
pour dénoncer l'absurdité de la censure dans son pamphlet
intitulé *De l'horrible danger de la lecture :* la dérision par
l'absurde. Chacun sait que M. Arouet est l'esprit le plus délié du
Siècle des Lumières. Mais on ne songe guère à s'extasier quand
Nicolas, ce lourdaud, le précède largement sur cette voie. Et
pourtant, rédigé dans la langue ridiculement archaïque des
Brid'Oison, cet *Arrêt,* digne du Youssouf-Chéribi de Voltaire,
« mouphti du Saint-Empire ottoman », est rigoureusement de la
même veine : l'*Arrêt* proscrit à jamais du royaume, pêle-mêle,
les Gassendistes, les Cartésiens, les Jansénistes, les défenseurs de
la thèse de la circulation du sang, les promoteurs du « quinquina
et autres drogues inconnues au dit Aristote » — tous « factieux »
et « gens sans aveu », coupables de s'opposer « aux lois, us et
coutumes » de l'Université, donc d'empoisonner les âmes et de
menacer la Société.

Bref, il serait tout à fait erroné d'imaginer que Nicolas mène
désormais une vie de cénobite. S'il ne fréquente plus que par
à-coups *la Croix Blanche,* il reste en étroite intimité avec l'ami
Poquelin. C'est même lui qui s'entremet pour ménager à Molière
un entretien avec M. le Premier Président qui, en 1667, a renou-

velé l'interdiction de *Tartuffe*. Hélas, le crédit de Nicolas n'est pas assez lourd pour amener l'austère magistrat à revenir sur sa décision. L'interdiction de *Tartuffe* est affaire d'Etat ; et pour des problèmes de cette envergure, on ne s'en remet pas aux avis d'une tête brûlée, si repentante qu'elle paraisse. Il n'y a décidément que les « intellos » pour s'imaginer que leur prose pèse lourd dans les délibérations gouvernementales.

D'ailleurs, en 1671 encore, Mme de Sévigné, sainte Monique déplorant les débauches de son garnement de fils, évoque avec consternation les « diableries » qui se déroulent chez les deux hétaïres de haut vol que sont Ninon de Lenclos et la Champmeslé dans une atmosphère fort peu janséniste de *dolce vita*. Et Nicolas est de ces « diableries »-là. A trente-cinq ans !

Mais enfin la *Satire* IX se termine bel et bien par un très impératif : « Tais-toi ».

Certes il ne saurait être question de se contraindre au mutisme total : depuis le jour où il a donné la parole à *Damon*, Nicolas a contracté le virus qui ne pardonne pas. Mais moduler, peut-être ? ou bien buriner, ciseler ? Et faire la preuve que l'on n'est pas l'homme d'un seul style et d'un seul genre, qui n'est pas trop le bon genre ? Sans doute suffit-il d'attendre l'occasion pour pratiquer l'ouverture.

Or, la Providence s'obstinant à demeurer paternelle, peut-il se présenter plus favorable perspective que l'atmosphère de liesse nationale qui illumine le royaume des Lys en ce milieu de l'an de grâces 1668 ? En effet, en une fulgurante campagne, le moderne Alexandre n'a-t-il pas mis un point final à la guerre de Dévolution qui vaut à la couronne la conquête de onze places-fortes ? Et ne vient-il pas de parachever ses victoires en signant la paix ? A croire que la royale Majesté a capté le message que lui a, par satire interposée, adressé son lointain sujet sur les funestes méfaits des saccageurs de provinces. La belle et bonne paix que cette paix d'Aix-la-Chapelle !

L'hésitation n'est pas possible désormais.

Ce n'est plus « A M. de Molière » ou « A M. l'abbé le Vayer », ou même « A M. le Marquis de Dangeau » que va être dédiée la nouvelle œuvre. Cette fois, on vise plus haut. La plume d'oie grince sur le parchemin :

AU ROY

Et maintenant on écrit LOUIS en lettres majuscules.

Une fois de plus, l'entreprise est malaisée. Nicolas, qui, quelques mois plus tôt, a voué les conquérants à l'asile d'aliénés, ne peut décemment pas emboucher tout à trac le clairon de Déroulède.

Il importe d'autre part de tirer de la façon la plus visible un trait sur un passé douteux, en clamant dès le premier vers que, tous crocs limés, le jeune dogue de la veille a « abjuré » la Satire ; et qu'il travaille désormais dans le cadre infiniment plus noble et plus serein de l'*Epître*.

Il n'est pas question non plus de s'engager sur les sentiers mille fois rebattus de l'exaltation des exploits guerriers. D'abord parce que, par tempérament, Nicolas penche plutôt du côté de la colombe de Picasso. Mais surtout parce que, pour ces subalternes et banales besognes, il suffit bien des Cotins et des Cassaignes dont tout le maigre talent se réduit à faire rimer « César » avec « ton char » et à placer LOUIS au-dessus « de Mars et d'Alcide ». Se flatter d'avoir « dans nos vers pris Memphis et Byzance », ce serait emprunter la « route vulgaire » où il se confondrait avec le tout-venant des chères vieilles têtes de Turcs, que l'on n'oublie pas, même une fois « abjurée » la satire. D'ailleurs, de toute cette littérature ampoulée, chacun sait bien quel est le sort : « Il est fâcheux, Grand Roi, de se voir sans lecteur. »

Oui, Grand Roi, laissons là les sièges, les batailles.
Qu'un autre aille en rimant renverser des murailles
Et souvent sur Tes pas marchant sans Ton aveu,
S'aille couvrir de sang, de poussière et de feu.

Il n'est absolument pas possible de tomber dans le genre des versificailleries pour stratèges du Café du Commerce.

Plus haute est l'ambition nouvelle de Nicolas qui, par un subtil détour, va faire, du même coup, la preuve de sa parfaite cohérence avec lui-même. Une girouette, lui ? Ce sont là, une fois de plus, propos de médisants. Soit, dans la satire décochée à Mâchoire d'Ane, il a ravalé Alexandre au niveau des bandits de grand chemin. Cochon qui s'en dédit. Car ce n'est pas pour des pétarades militaires que l'épître entend glorifier LOUIS, mais pour la bienheureuse paix d'Aix-la-Chapelle, œuvre suprême d'un héros qui sait « se borner au fort de (sa) victoire/Et chercher dans la paix une plus juste gloire ».

Voilà un couplet qui ne saurait déplaire à M. Colbert qui a récemment accueilli Nicolas de façon si affable et qui n'en tient pas, lui, pour les arquebusades à répétition. Voilà aussi qui ne trahit pas les sentiments profonds de Nicolas, lequel ne fut jamais un foudre de guerre : on le verra plus tard quand, par monts et par vaux, il devra suer sang et eau à suivre LOUIS dans le tohu-bohu des couleuvrines et du matériel de siège.

Pour moi, loin des combats...
Je dirai les exploits de ton règne paisible.

Qu'on ne s'y trompe pas, pourtant. Le style pacifiste à tout crin, le style « plutôt rouge que mort » n'est pas de son genre :

Ce n'est pas que mon cœur du travail ennemi
Approuve un fainéant sur le trône endormi.

Non ; mais un « roi vraiment roi » est celui qui « sage en ses projets, (sait) en un calme heureux maintenir ses sujets ». Suit le tableau idyllique du royaume des Lys sous le sceptre du nouveau Titus, « délices du genre humain », « Qui rendit de son joug l'univers amoureux ».

Et là, vraiment, on ne fait pas le détail : un véritable bilan de mandat présidentiel, établi par un publicitaire qui connaît l'art de prendre l'électeur dans le sens du poil.

« Les plaisirs en foule renaissant » : coup de chapeau aux mirifiques fêtes données à la signature de la paix : le bon peuple a, lui aussi, le droit de s'esbaudir festivement à la Bastille ou de pique-niquer convivialement sur les pelouses de l'Elysée.

La chasse aux « oppresseurs du peuple », aux odieux « traitants » (référence à *Damon*) : on a fait payer les riches, les gros.

L'« abondance » succédant à la « famine » : il est vrai que, lors de la disette, on a procédé à des importations massives de grain en provenance de Pologne et de Russie (c'est encore le temps où l'ancêtre du Soviétique *exporte* du blé !).

Les « artisans grossiers rendus industrieux » : on a créé des manufactures, car il est grand temps que magnétoscopes et ordinateurs ne viennent pas tous des U.S.A. ou de l'Empire du Soleil Levant ; et tant pis pour ces chers « voisins » désormais « frustrés » des énormes bénéfices qu'ils tiraient du « luxe de nos villes ». On achète français, désormais, exclusivement.

« Des subsides affreux la rigueur adoucie » : quel autre gouvernement a jamais promis une réduction des impôts ? 1 %, c'est toujours bon à prendre : bravo, Delors ; bravo, Bérégovoy.

La réforme de la justice, si chère à M. le Président : Badinter avec nous !

Le troupier rendu « sage et laborieux » : les paras à la charrue !

On n'en peut plus douter : M. Colbert est au zénith. La majorité sera triomphalement reconduite, pour le plus grand dépit des partisans de la hargne, de la rogne et de la grogne. LOUIS n'a rien à redouter du peuple de France, enfin rassemblé : « Qui ne sent point l'effet de Tes soins généreux ? » Une ultime et discrète précision :

C'est par Toy qu'on va voir les Muses enrichies,
De leur longue disette à jamais affranchies.

Nicolas relit son texte. Et il a tout lieu de le trouver bel et bon. Flatteur sans être flagorneur. Sincère au demeurant, car nul plus que lui n'en est persuadé : que peuvent les Muses quand « Bellone » déchaîne ses fureurs guerrières ? Que vaut une Epître quand le bon public n'a d'yeux que pour les arcs de triomphe ? L'illustre Marquise ne manquera pas d'attirer la royale attention sur ces 190 vers, qui valent bien le slogan de la Force Tranquille.

L'*Epître au Roy du sieur D...* paraît en tiré-à-part, en 1670.

*
**

Las !

Las ! car, parmi ses proches mêmes, l'enthousiasme ne s'élève pas à la hauteur de la nouvelle inspiration. Et les objections de pleuvoir.

Par exemple, quelle idée saugrenue que d'avoir terminé l'épître en y raccrochant sa fable de l'*Huître et les Plaideurs*, appelée à dénoncer la jobardise des Chicanneau qui se laissent gruger par l'autorité judiciaire ? Terminer son poème par une fable puérile, c'est donner à penser que l'on s'adresse à LOUIS comme à un bambin à peine sevré. Désinvolture qui, aux yeux de certains, touche au crime de lèse-Majesté.

De ces sages observations, Nicolas ne tient aucun compte. Et, père attendri, il défend avec obstination ce nouveau produit de sa verve créatrice ; et c'est seulement deux ans plus tard (1672) qu'il se résignera à couronner son *Epître* par un développement d'une solennité plus digne de LOUIS. Il sera malheureusement trop tard.

Et là, une fois de plus, on sort du domaine fleuri des Muses.

Car ce que Nicolas ne perçoit pas, c'est que, publiée en 1670, deux ans après le traité d'Aix-la-Chapelle, son *Epître* à la gloire de la paix tombe tout à fait à contretemps. Composé dans la ferveur de 1981, un hymne aux bienfaits de la « relance par la consommation » susciterait peu d'enthousiasme en l'an de grâces 1986, placé sous le millésime de l'austérité.

En 1668, les pouvoirs publics ont très légitimement célébré la fin des combats. Il faut bien assurer le repos du guerrier et magnifier la générosité d'un Prince qui sait tendre la main à l'adversaire terrassé.

Mais on ne va tout de même pas éternellement se contenter de ces satisfactions de petits bourgeois pantouflards. Car, autour de LOUIS, papillonne tout un escadron de brillants cavaliers qui ne rêvent, eux, que de remettre flamberge au vent. La campagne de Flandre n'a-t-elle pas démontré que nul ne peut leur résister ? C'est vraiment avoir le cœur bien bas placé que de fixer pour suprême but au nouvel Alexandre le seul soin d'assurer le « repos » des peuples et de faire éclater sa « bonté ». Prendrait-on LOUIS pour le roi Pausole ?

Or il se trouve que l'on a précisément à portée de la main l'occasion rêvée : celle de rabattre enfin, et de magistrale façon, le caquet des horrifiques Messieurs de Hollande. Ah ! ceux-là ! Des parpaillots, hérétiques endurcis ; des républicains qui ont le front de contester l'imprescriptible droit divin ; mais surtout des « marchands de fromages » (dixit LOUIS lui-même) qui monopolisent le commerce maritime, qui ont fait d'Amsterdam « l'entrepôt de toutes les denrées du monde » (Colbert) et des Chartrons bordelais un domaine hollandais (on y prêche en flamand), qui ont érigé tout un quartier de Nantes en « petite Hollande ». Supportera-t-on longtemps encore que le sucre des colonies françaises soit raffiné par ces mécréants ? Du temps du grand cardinal de Luçon déjà, les honnêtes commerçants des P.M.E. ne cessaient de hurler contre cette invasion des ports de l'Atlantique. Alors ?

Certes, M. Colbert, qui a si grand souci (déjà !) de « restructurer » l'économie française pour lui permettre d'affronter la concurrence internationale (déloyale, bien entendu), prend-il des mesures. Mais ce sont mesures de bourgeois, de marchand de drap : à coups de taxes sur les magnétoscopes, de contingentement des motos japonaises. Simples piqûres d'épingles pour des gens qui ne comprennent que le langage du gros bâton et de la canonnière. Une belle cavalcade en plat pays, et l'on en aura fini une fois pour toutes avec ce peuple rampant de financiers et de boutiquiers.

Pour parler clair : c'est avec des propos d'un pacifisme aussi primaire que celui de M. D... que l'on émascule une nation si riche en tempéraments vif-argent tout prêts à ouvrir à LOUIS la glorieuse route des lauriers.

Comme on le voit, avec son *Epître*, Nicolas a le sens du moment. Un fin calculateur, en vérité.

On chuchote de-ci de-là qu'il s'est mis en tête de rimer un *Art Poétique*. Grand bien lui fasse ; que ce grimaud renonce donc à jouer les Mentors auprès de LOUIS et à prodiguer ses ternes conseils aux gens de cœur.

Donc, encore un coup pour rien. C'est là, à proprement parler, faire du surplace. Et le temps passe. A ce rythme...

Le plus solide atout de Nicolas demeure l'aile tutélaire de la divine Marquise, de sa sœur la Thianges et surtout de leur frère Vivonne, Louis-Victor duc de Rochechouart, celui-là même qui, il n'y a pas si longtemps, festoyait grassement avec le club et célébrait le Vendredi Saint en se gobergeant d'un cochon de lait. Mais les exploits du noble duc ne sont pas seulement ceux d'un libertin. Vivonne a guerroyé contre les Barbaresques, il a participé à l'expédition de Candie et commandé en chef la flotte française. Il est célèbre autant par son embonpoint, qui tient de celui du pachyderme, que par la verdeur de ses bons mots. Bref, un fier luron.

Or Vivonne prise très fort Nicolas, tout bourgeois qu'il soit. Il lui rend même visite, sans façons, dans son « grenier » de la maison de l'Enclos du Palais. Un peu plus tard, Nicolas évoquera ces belles soirées : « Etes-vous encore ce même grand seigneur qui venait souper chez un misérable poète et y porteriez-vous sans honte vos nouveaux lauriers au quatrième étage ? » (septembre 1676).

Ce que Vivonne apprécie en Nicolas, c'est l'homme « plaisant ». Or, au noble duc il semble depuis quelque temps que son compère, dans ce souci nouveau de faire honorable figure au sein de la bonne société, commence à perdre de son charme. Celui qui l'émoustille, c'est le Nicolas bagarreur, un peu fou et qui ne craint pas de dire leur fait aux gens en place (une sorte de **Triboulet**, en somme). Pour le noble duc, après les *Satires*, l'*Epître* n'est que fade guimauve. Et il l'a clairement signifié à Nicolas : il lui a « défendu le sérieux » (lettre de Boileau à Vivonne, 3 juin 1675).

Ce grand seigneur en parle à son aise. Il n'a pas, lui, à s'échiner pour s'extirper de la roture. Et, quoi qu'il lui en coûte,

Nicolas doit se faire violence et travailler dans « le sérieux ». Sinon il finira bien, comme *Damon*, par être contraint de quitter la Ville en poussant devant lui son maigre caddy. Aussi s'attèle-t-il à méditer sur un sujet fort peu gaillard : celui de la « mauvaise honte » — disons : du respect humain (*Epître* III).

Le nouveau poème sera dédié à un « docteur de la Sorbonne ». Mais, n'en déplaise au noble duc, il ne s'agit plus cette fois de brocarder un quelconque grotesque du type Mâchoire d'Ane. Le destinataire est « M. Arnauld », l'illustre et intraitable champion de la cause janséniste que l'on peut désormais fréquenter sans faire dresser l'oreille aux autorités, puisque la Paix de l'Eglise (1668) a — oh! très provisoirement — mis fin aux empoignades théologiques. LOUIS s'est même fait présenter très officiellement l'affreux hérétique de la veille, se déclarant « bien aise de voir un homme de son mérite ». Il n'est pas jusqu'au Nonce qui n'ait assuré à M. Arnauld, en italien, « que sa plume était une plume d'or ». Désormais, jésuites et jansénistes, même combat : ils ne se connaissent plus qu'un ennemi commun : c'est la main dans la main que l'on va courir sus aux parpaillots.

Cette *Epître* III n'a jamais joui que d'une fort médiocre réputation. Si, par miracle, on la lisait encore aujourd'hui, on n'y verrait sans doute que languissant développement d'un lieu commun et débat de la plus terne scolastique.

On perdrait probablement son temps et son encre à rappeler que, pour Nicolas et ses contemporains, ces querelles de calotins qui opposent pêle-mêle jésuites, jansénistes, protestants, quiétistes et autres gallicans ne procèdent pas du crétinisme clérical. Mais qu'elles touchent au fond même du problème, qu'elles impliquent toute une conception de la vie, de la société, de l'Etat ; qu'elles sont à peu près l'équivalent de nos modernes affrontements idéologiques, avec les mêmes doses de convictions sincères, d'intérêts de partis, de calculs personnels.

Soit, peu nous chaut désormais d'apprendre que, au moment où Nicolas prend la plume, la Cour et la Ville ne s'entretiennent que de cette époustouflante information : Jean Claude, célèbre

pasteur de Charenton et anti-papiste acharné, serait à la veille
d'abjurer son hérésie. Peu nous chaut aussi que cette Paix de
l'Eglise ait été, à l'époque, considérée comme un événement plus
extraordinaire encore que la paix d'Aix-la-Chapelle (Sainte-Beuve,
Port-Royal).

Condescendons pourtant à prêter une oreille indulgente à la
« thèse » développée par Nicolas. Il part donc de ce fait d'actualité : le pasteur Claude semble prêt à « embrasser l'Eglise », la
seule, la vraie. Le miracle est à nos portes : Georges Marchais
va enfin ouvrir les yeux sur les réalités du Goulag.

Or, Nicolas en prend formellement le pari : jamais, au grand
jamais, le camarade Georges ne laissera triompher « dans son
cœur la vérité naissante ». Jamais il ne consentira à se reconnaître convaincu par la lumineuse argumentation de M. Arnauld.
Non pas que cette argumentation pèche sur quelque point. Mais
simplement parce que — « mauvaise honte » — le pasteur trem-
blera à la perspective de désespérer « Charenton » et toutes ses
ouailles qu'il a si victorieusement endoctrinées.

Et voilà certes qui ne sonne pas tellement XVIIᵉ siècle. Car,
comme tout le monde, le pasteur existentialiste Jean-Paul a bien
eu connaissance du livre de Kravchenko sur l'univers concentra-
tionnaire rouge, du fameux rapport Krouchtchev dénonçant les
abominations du stalinisme. Mais jamais, au grand jamais, le
pasteur Jean-Paul ne se résoudra à cautionner de son universelle
autorité ce tissu d'infamies ; jamais il n'acceptera de « désespérer
Billancourt » et les masses laborieuses qui, avec une foi de
parpaillots, continuent à croire que le Génial Petit Père des
Peuples est le plus somptueux bienfaiteur qu'ait jamais connu
l'Humanité.

Comme le pasteur Claude, le pasteur Jean-Paul entend cette
« voix » du « démon » : « Si tu te rends, sais-tu ce qu'on va
dire ? » Ce sera grande « douleur » à Charenton, ou à Billancourt,
quand on y apprendra que le gardien du troupeau se renie, qu'il
s'était trompé du tout au tout, lui, le phare de la conscience
moderne.

La « mauvaise honte », c'est cela — et qui n'est pas tellement archaïque : la peur du qu'en dira-t-on ; la peur de la

« raillerie » des « amis » ; la pesanteur du regard des autres (« L'enfer, c'est les autres », n'est-il pas dit dans *Huis-clos* ?) : « Des jugements d'autrui nous tremblons follement. »

Et les exemples que cite Nicolas pour illustrer son propos ne sont pas non plus d'un autre siècle. L'esprit fort, le fanfaron de vices qui, pour soutenir sa réputation de libertin endurci, n'ose pas avouer qu'en son for intérieur il tremble devant l'au-delà et s'obstine à prêcher « contre un Dieu que dans son âme il croit » (un souvenir du club, à n'en pas douter ; des Barreaux, peut-être ?). Ou encore le matamore, le faraud de biceps qui, alors que « la fièvre en ses artères brûle », refuse obstinément, par « fausse pudeur », d'avouer sa décrépitude. « Toujours la honte en esclaves nous lie. »

Il est assurément fort fâcheux que l'*Epître* s'oriente ensuite vers un développement en forme de cataplasme sur les désastreux effets du péché originel et les malheurs de l'humanité devenue esclave de la mauvaise honte. Et il faut en convenir, l'évocation, qui se voudrait apocalyptique, du paradis perdu ahane en vers et en adjectifs tristement laborieux :

> Le chardon importun hérissa les guérets,
> Le serpent venimeux rampa dans les forêts,
> La canicule en feu désola les campagnes,
> L'aquilon en fureur gronda sur les montagnes.

Hâtons-nous de tourner la page. Et gardons-nous surtout de relire l'*Enfer* de Dante.

Par contre, et fort heureusement, l'*Epître* se relève en sa dernière partie. Car, bien entendu, le risque est grand pour le lecteur de se laisser gagner par l'agacement que suscite toujours le donneur de leçons de haute vertu : l'austère Sénèque, prônant le détachement des biens de ce monde dans son palais à vaisselle d'or, convainc peu.

Aussi est-on reconnaissant à Nicolas de terminer son « prêche » par un retour sur soi-même, sous forme d'un aveu qui n'est pas celui d'un superbe. « Plus qu'aucun des mortels », Nicolas se reconnaît victime de cette fausse honte, luttant péniblement contre la tentation du qu'en dira-t-on ? et s'y « embourbant » :

Et même sur ces vers que je te viens d'écrire,
Je tremble en ce moment de ce que l'on va dire.

Affectation de tartuffe ? Rouerie de dialecticien ? Bien plutôt
confidence sincère d'une âme honnête au fond, mais qui se
souvient d'avoir trop souvent fait l'esprit fort avec les libertins,
hurlé avec les loups et présenté de lui-même le profil que l'interlocuteur attendait. Quand il s'agit de Montaigne, c'est à son
crédit que l'on porte de telles confessions, car qui oserait ne
pas prendre Montaigne au sérieux ?

En attendant et malgré l'*Epître au Roy*, les affaires ne s'ar-
rangent guère. Elles empirent même. Et, au début de 1671,
l'alerte est chaude, comme si étaient revenus les mauvais jours
de 1666.

Nicolas croit le moment venu de solliciter un privilège pour
une nouvelle publication de l'ensemble de ses œuvres. Simple
formalité, est-il en droit d'espérer. D'autant plus que l'autorisation doit être accordée par M. Colbert dont vient précisément
d'être exaltée avec tant de flamme la sage et bienfaisante
politique. Un éternel naïf, ce Nicolas.

Car il y a un *mais*, et qui est de taille. L'ensemble des œuvres,
c'est d'abord et avant tout les sulfureuses *Satires* qui ont ulcéré
tant de gens de bien cinq ans plus tôt. Nicolas croit-il que tous
ceux-là, à commencer par le malodorant vieillard, vont prendre
plaisir à voir encore une fois leurs noms imprimés en toutes
lettres et se laisser ainsi derechef traîner dans la boue ? Le
protecteur attitré de MM. Chapelain et Cotin, l'illustre duc de
Montausier, n'a pas oublié, lui, qu'il a promis à la noyade l'insolent pamphlétaire. Et Mgr le duc est le gouverneur du Dauphin,
futur roi de France. Ainsi donc le roquet récidiverait ? C'est
donc une muselière qu'il convient de lui passer, et de toute
urgence. On s'y emploie avec empressement et efficacité.

Aussi avec quelle intime satisfaction M. Chapelain prend-il
la plume, le 4 avril 1671, pour remercier le vigilant Ministre

d'avoir su protéger la foule des honnêtes gens contre la réédition de telles incongruités en refusant l'autorisation.

Scripta manent, Nicolas. La vengeance est un plat qui se mange froid. Et, comme l'a si fortement exprimé le Vieux Classique en sa *Rodogune* : « Tombe sur moi le ciel pourvu que je me venge. »

*
**

Il ne reste donc plus qu'à s'en retourner polir les alexandrins du futur *Art Poétique*, dont il y a lieu d'espérer que, cette fois, la plume sera moins corrosive.

Inutile de préciser que, pour l'heure, les honnêtes gens ont en tête bien d'autres préoccupations que ces criailleries de grimauds. Ville et Cour confondues, les honnêtes gens n'ont en tête que la solide raclée que LOUIS s'apprête à donner aux détestables « marchands de fromages » qui sont hérétiques, qui étouffent l'épanouissement du commerce bien français et qui rêvent de Dieu sait quelle République d'utopie. Tout le monde le sait : même M. Colbert, que personne n'a jamais songé à considérer comme un tranche-montagne, estime que la coupe est désormais pleine.

Nul n'en doute : LOUIS n'aura qu'à paraître et ces outrecuidants vont être de la belle façon et aux moindres frais ramenés à une juste estimation des capacités de la grenouille qui veut se faire aussi grosse que le bœuf. En ce moment même d'ailleurs, le bon La Fontaine lui-même, dont la Muse est aussi peu belliqueuse que possible, polit une fable intitulée *Le Soleil et les Grenouilles* : il y dénonce « l'imprudence, l'orgueil et l'oubli des bienfaits » de ce peuple marécageux qui ose « cabaler » contre le « Soleil », qui multiplie les « ambassades croassantes » pour ameuter tous les Etats contre « leur bienfaiteur ». Aux marchands de fromages le fabuliste en donne le solennel avertissement :

... si le Soleil se pique,
    Il le leur fera sentir ;
    La République aquatique
    Pourrait bien s'en repentir.

Chacun en est donc persuadé : l'opération sera une partie de plaisir et constituera un admirable *show* que LOUIS offrira aux dames de la Cour, à commencer par la divine Marquise : « Nous vaincrons parce que nous sommes les plus forts. » LOUIS dispose d'une pléiade de spécialistes du *Blitzkrieg* : Condé, Turenne, Luxembourg ; du génial Vauban auquel ne résiste nulle fortification ; de merveilleux ministres, M. Colbert et M. Louvois, qui se trouvent pour une fois d'accord. Nous sommes assurés de l'alliance de Sa Gracieuse Majesté britannique, Charles II, fort de son invincible *Home Fleet*. Nous alignons 120 000 braves en face de 20 000 gueux à la hâte regroupés sous le commandement du petit Guillaume d'Orange, un chétif, un malingre, un minable. C'est l'affaire d'un été.

Personne, absolument personne ne se doute que l'on va, en réalité, en prendre pour six ans.

LOUIS quitte Paris le 27 mars. La guerre est déclarée le 6 avril. La campagne s'engage de façon si claironnante que, dès le 28, Sa Majesté écrit à M. Colbert qu'il est inutile de lui envoyer son épée : « elle ne me servirait de rien ». L'avance de nos troupes est foudroyante ; on mène quatre sièges en même temps. Et le 12 juin, sous les yeux de LOUIS, renouvelant l'exploit d'Hannibal franchissant les Alpes, l'armée du Roi Très Chrétien traverse le Rhin (immortel tableau de Van der Meulen, Musée de Versailles). Mme de Sévigné, toujours bien informée comme toute dame de la Cour qui est à l'affût des indiscrétions de l'Etat-Major, peut écrire le 20 juin : « Je trouve la paix faite. Toute la Hollande est en alarme et soumise ; le bonheur du roi est au-dessus de tout ce qu'on a jamais vu. » La bonne dame ne peut évidemment pas prévoir que, le surlendemain même, au mépris de toutes les lois de la guerre en dentelles, les marchands de fromages vont perfidement ouvrir leurs digues, inonder le pays et transformer Amsterdam en île.

Nicolas est un bon Français ; il est donc cocardier. S'il penche du côté des Messieurs de Port-Royal, il n'éprouve qu'aversion pour le parpaillot hérétique. Il ne saurait non plus concevoir que l'on mette en question la monarchie de droit divin. Il est naturellement favorable aussi à l'accroissement du pouvoir d'achat que menacent les manigances commerciales des businessmen des Provinces-Unies. Et il voit autour de lui Messieurs les Parlementaires qui pourtant, comme on sait, sont volontiers frondeurs, se passionner pour l'entreprise au point que M. Colbert, émerveillé, propose de « donner quelque gratification » à ceux qui se montrent les plus enthousiastes.

Dans ces conditions, comment Nicolas ne vibrerait-il pas, lui aussi, à l'unisson de tous ?

En cet été 1672, il reprend donc sa plume. Et il récidive :

AU ROY

Mais, cette fois encore, il va falloir peser ses mots et fignoler la métaphore. La difficulté est dans le choix du ton à adopter. Nicolas ne peut tout de même pas utiliser à son tour le style de l'hyperbole qu'il a tant moqué chez les rimeurs. Il devra donc subtilement jouer sur deux registres : hausser le langage pour se mettre au niveau d'un aussi considérable événement, mais tempérer le solennel et l'héroïque par un zeste d'humour : magnifier et faire sourire tout à la fois. Délicat dosage pour faire prendre cette mayonnaise-là.

L'*Epître* (172 vers) s'ouvre donc d'abord sur le ton badin : afin que chacun perçoive bien que la louange sera dispensée *cum grano salis*. On veut bien admirer, mais non pas pontifier : « souvent on ennuie en termes magnifiques » — judicieuse observation. Avec quelque malice, on s'avise donc de mettre en parallèle les sublimes travaux guerriers que LOUIS, ce Titan, maîtrise avec tant de souple aisance et les laborieux efforts du minuscule poète attelé à la célébration de ces hauts-faits. Et la plus rude de ces deux besognes n'est pas celle que l'on croirait ; car

Ce pays, où cent murs n'ont pu Te résister,
Grand Roy, n'est pas en vers si facile à dompter.
Des villes que Tu prends les noms durs et barbares
N'offrent de toutes parts que syllabes bizarres...

Et Nicolas s'amuse à batailler et jongler avec ces noms rocailleux : Vöerden, Hensdel, Zuyderzee,

Comment en vers heureux assiéger Doësbourg,

> Zutphen, Wageninghen, Harderwik, Knotzembourg ?
> Il n'est fort, entre ceux que Tu prends par centaines,
> Qui ne puisse arrêter un rimeur six semaines :
> Et partout sur le Whal, ainsi que sur le Leck,
> Le vers est en déroute et le poète à sec.

Ce n'est certes pas là le ton de *l'Iliade* ou de la *Légende des Siècles*. Mais il faudrait bien du parti pris pour refuser à cet exorde en forme de cacophonie baroque le mérite de l'agrément. Et l'on se pâmerait à coup sûr sans « mauvaise honte » si ces jeux de sonorités étaient de la plume de Leconte de Lisle si habile à introduire dans ses vers audacieusement parnassiens « Abd-el-Nur-Eddin », « Rama Daçarathide », ou « Mohammed Ben-Amer-al-Mançour ». Il est vrai que, dans ces acrobaties, Leconte de Lisle, lui, ne songe pas le moins du monde à badiner.

Toute cette première partie constitue l'apologie de LOUIS sur les thèmes les plus traditionnels. Mais, outre qu'elle évite le recours à l'eau bénite de Cour, elle est en quelque sorte désolennisée par toute cette onomastique tintinnabulante. Ne finira-t-on pas par reconnaître que Nicolas a parfois bien de l'esprit ?

Que ne s'en est-il tenu là ! Car, après ces aimables boutades, lorsqu'il s'agit d'exalter le prodige du passage du Rhin, afin de faire dans le grandiose, Nicolas s'avise fâcheusement de se réfugier dans le dépotoir mythologique pour personnaliser le Rhin en « vieux guerrier » à « figure poudreuse » et à « barbe limoneuse » ; et ce sont des « naïades craintives » qui viennent alerter « leur humide roi » sur l'approche de LOUIS en direction des « flots écumeux ». Et il ne s'agit malheureusement pas là d'une parodie.

L'évocation du passage même tient moins de la fresque épique que du communiqué de guerre rédigé par un M. Prudhomme d'Etat-Major en veine de lyrisme pompier : on voit donc le Rhin trembler sous le « noble poids » de l'armée ; on voit « trente légers vaisseaux » qui « D'un tranchant aviron coupent les eaux » ; on respire l'air échauffé du « salpêtre en fureur », pendant que « Sous les fougueux coursiers l'onde écume et se plaint » et que

« du plomb mortel plus d'un brave est atteint ». De quoi faire regretter les mises en scène de Cecil B. de Mille.

En fait, ce désastreux développement n'a qu'un seul objet : dresser le palmarès de tous les vaillants qui se sont illustrés sous le regard de LOUIS, lequel, souverain, tout « instruit, dispose, ordonne ». Une quinzaine de noms parmi lesquels figure naturellement en bonne place celui du cher Vivonne. La véritable distribution de décorations au soir de la bataille. Il y a là encore quelque cinquante vers au long desquels Nicolas s'époumone et l'on a quelque peine à en croire Louis Racine qui prétend que leur auteur « se vantait d'avoir le premier parlé (du fusil et du canon) poétiquement et par de nobles périphrases ».

Ayant ainsi payé tribut à ce qu'il considère comme la loi du genre, Nicolas finit par crier « pouce ! » et il revient au thème initial. Il est grand temps en effet de s'en tirer par une jonglerie en se mesurant avec le nom du général en chef de l'armée hollandaise : Wurts.

Ah ! quel nom, Grand Roy, quel Hector que ce Wurts !
Sans ce terrible nom, mal né pour les oreilles,
Que j'allais à Tes yeux étaler de merveilles !

A Wurts Nicolas rend donc les armes et il clôt là sa démonstration. Quelques vers encore pour engager LOUIS à élire désormais des champs de bataille dont les noms seront plus riants à la rime et la boucle est bouclée. On ne saura jamais si, arrivé au terme de son effort, Nicolas sourit de satisfaction ou s'il pousse un soupir de soulagement.

L'essentiel est maintenant de prendre connaissance du jugement que va porter LOUIS qui, pour le moment, a bien d'autres soucis en tête. Car, une fois terrassé le « vieux guerrier » à « barbe limoneuse », il faut bien se rendre à l'évidence : tout ne fait que commencer et, à l'instant même où paraît l'*Epître*, en août-septembre, LOUIS a sur les bras, outre les marchands de fromages, non seulement l'Hidalgo pillard, mais encore « les chenilles », c'est-à-dire les Teutons.

L'accueil est favorable. La Cour, semble-t-il, approuve dans son ensemble ; et d'abord, bien entendu, les superbes guerriers

« nominés » dans le poème, sûrs de passer à la postérité. Mais, comme toujours, l'homme de plume est davantage affecté par un seul éreintement que par des brassées de louanges. Or il se trouve que les malveillants ne désarment pas. D'aucuns font valoir que c'est attenter à la majesté de LOUIS que de le glorifier par des pitreries sur les rimes : voilà qui est bien d'un tout petit bourgeois, incapable de célébrer dans le juste ton les hauts faits de la noblesse française.

Il y a aussi les roquets de service, qui jappent, naturellement. Desmarets, le fameux pourchasseur de jansénistes, qui adresse au duc de Richelieu une ode qui ridiculise l'*Epître*. Linières qui, pourtant, mena naguère le bon combat contre le sieur Ménage et M. Chapelain, parle d'une scandaleuse « turlupinade », de vers « boursouflés de louanges ». Et, à cause de celui-là, les choses sont tout près de se gâter pour de bon. Car, épinglant le dernier vers de l'*Epître* (« Je t'attends dans deux ans aux bords de l'Hellespont »), Linières a cru d'une délicate finesse d'ajouter en rime à « Helles*pont* » : « Tarare pon*pon* ». Et il prétend que ce subtil trait d'esprit lui a été soufflé par le seigneur comte de Bussy-Rabutin, le célèbre, quoique scandaleux, auteur de *l'Histoire amoureuse des Gaules*. Comme de juste, Nicolas n'entend pas laisser sans réponse pareille muflerie, fût-elle apostillée d'une couronne comtale. Et il clame très haut que verte sera sa réplique. Du coup, à la perspective d'être publiquement brocardé par un fils de greffier, le sang bleu du noble comte ne fait qu'un tour et, dans une lettre adressée au P. Rapin qui est, comme Nicolas, de l'intimité de M. le Président, il se dresse sur ses aristocratiques ergots :

> Vous me ferez plaisir de m'épargner la peine des violences à quoi pareille insolence me pousserait infailliblement. J'ai toujours estimé l'action de Vardes qui, sachant qu'un homme comme Despréaux avait écrit quelque chose contre lui, lui fit couper le nez.

Diable ! passe pour la perspective du nez coupé : propos de rodomont. Mais ce qui fait mal, c'est cette formule : « un homme comme Despréaux ! » — autrement dit : un ver de terre, un homme de rien. Tant de morgue !

Mais, patience. Tout comme LOUIS force les forteresses, on finira bien par faire violence au destin.

D'ailleurs Nicolas ne vient-il pas d'être présenté au Grand, à l'immense Condé, celui dont l'*Epître* a fort opportunément rappelé que son « seul nom fait tomber les murailles » ? Et n'est-ce pas encore le Grand Condé qui a réussi à persuader Nicolas qu'il est absurde d'avoir terminé la première *Epître* par la si terne fable de *l'Huître et les Plaideurs* ? Nicolas a poussé un gros soupir de regret et substitué à l'apologue un couplet enflammé sur la gloire de la Majesté. Mais, comme il est têtu et convaincu envers et contre tous que sa fable est belle et bonne, il se hâte de la reprendre en un nouveau poème (*Epître* II, 52 vers) dans lequel, revenant à l'un de ses dadas, il dénonce la manie procédurière de ses contemporains.

Avoir de son côté l'immense Condé, l'inimitable Marquise et son frère Vivonne, désormais gouverneur de Champagne, voilà qui devrait bien finir par en imposer aux insolents qui, se croyant encore au Moyen Age, brandissent la menace du nez coupé.

Et en effet, *Te Deum laudamus, Alleluia* : le miracle. Dans les premières semaines de 1674, Nicolas touche au terme de sa Longue Marche. Beaucoup n'en croiront pas l'information, mais c'est un fait que révèle, en exclusivité, *Jours de France* : Nicolas, ce maroufle, est présenté au Roy. Mieux encore : non seulement le Roy rétablit, pour les œuvres complètes, le privilège supprimé à la suite des louches menées de M. Chapelain (qui vient de décéder : paix à son âme et à son inusable perruque) mais, avec une infinie bonne grâce, il accorde aussi une pension de 2 000 livres. M. Chapelain va s'en retourner dans sa tombe encore fraîche. Sans doute faudra-t-il patienter encore pendant deux ans pour que l'on voie apparaître les écus ainsi promis. Mais quoi ! on n'en est pas réduit à la mendicité. Et puis il faut bien consentir à ce petit sacrifice pour la gloire de LOUIS qui, du fait de ses démêlés avec les marchands de fromages, connaît quelques

préoccupations d'argent. M. Colbert est en effet fort inquiet : il
écrit à ce moment même : « A l'égard des finances, je dis à
Votre Majesté, ainsi que je crois y être obligé, les difficultés
qui s'y trouvent. » Sensible comme il est aux appels à la « solidarité », Nicolas attendra donc que la Trésorerie de Sa Majesté
soit un peu moins serrée.

Il importe peu, en tout cas, que l'intraitable Montausier laisse
tomber, en apprenant l'octroi des 2 000 écus : « Bientôt le roi
donnera pension aux voleurs de grand chemin. » Ce cher Montausier n'a pas fini d'avaler des couleuvres puisqu'il devra aussi
supporter bientôt que le bandit de grand chemin soit prié à
dîner par M. Colbert lui-même qui sait pratiquer le pardon des
injures. En fait, M. Colbert tient surtout à faire une bonne
façon à un protégé de la divine Marquise pour laquelle il est
aux tout petits soins. A cet instant justement, Athénaïs écrit à
son royal amant que ce ministre ne cesse de lui demander si
elle est « contente ». Un amour, ce M. Colbert.

Pour tous ces bienfaits, il a fallu, bien sûr, remercier l'Excellence. Redoutable entreprise, cette fois encore. Car chacun garde
en mémoire les brocards naguère décochés à ceux qui s'abaissent
à tendre la sébile à grand renfort de sonnets de la plus grotesque
platitude. Il y a donc accusé de réception et expression de
gratitude. Mais sur quel ton ! et de quelle façon !

Tout d'abord, en dépit des admonestations de son frère, le
gai Puymoren, qui a du savoir-vivre, Nicolas ne consent même
pas à se déranger pour porter son message. Il le fait remettre
au planton de service. Quant à la lettre elle-même, nul ne
pourra dire qu'elle pue l'encens frelaté. Certes, Nicolas remercie ;
mais — nuance — il remercie... pour son « libraire » (= éditeur)
qui, « homme très éveillé pour ses intérêts », se désespérait de
l'interdiction des œuvres complètes en voyant lui échapper « une
petite espérance de gain ». Personnellement, Nicolas se sent d'autant moins concerné que, foi de satirique, il était « fort content
qu'on (l')eût soulagé du fardeau de l'impression et de l'incer-
titude des jugements du public » : ainsi pouvait-il « jouir paisiblement de toute (sa) paresse ». Moyennant quoi on peut se
déclarer, en toute liberté d'esprit, de Son Excellence le très

humble, très obéissant et très fidèle serviteur. La bonne lettre, non ?

Eh bien, dit-on, l'Excellence n'est nullement choquée par ce ton cavalier. Tant il est vrai que « poignez vilain, il vous oindra ». Et Nicolas reçoit un carton d'invitation pour un dîner intime. On paierait cher pour savoir avec précision comment s'est déroulé ce repas de réconciliation. On doit malheureusement se contenter de cette formule de Méré : Nicolas « y alla, il se lava, il mangea, il demanda à boire, et il s'en alla ». Ce qui laisse à penser que l'échange des toasts dut être plutôt froid.

Quoi qu'il en soit et n'en déplaise aux malgracieux, les grilles de Matignon viennent de s'ouvrir devant le diffamateur professionnel des feuilles à scandale : et l'honorabilité de Nicolas est ainsi consacrée de façon définitive.

L'itinéraire suivi a été tortueux, accidenté. Après le départ en fanfare, aux temps heureux où Nicolas croyait possible de tout dire et de tout bousculer, il lui a fallu passer par la longue épreuve de la patience. Il a connu des hauts et des bas, des bas qui étaient très profonds, fangeux même parfois. Il a dû apprendre l'art de la souplesse tout en sauvegardant, à ses propres yeux du moins, le principe de la rigueur. Il est bien vrai que l'on ne devient pas homme innocemment.

Mais enfin, la page est tournée. On respire mieux, tout de même. On y gagne une sérénité encore inconnue. Et c'est calmement, avec une certaine lassitude aussi — la lassitude du coureur de fond — que Nicolas se retourne vers son tumultueux passé.

Composée à l'automne de cette triomphale année 1674, l'*Epître* V est adressée à Guilleragues, un bon ami bordelais, issu d'une très respectable famille de parlementaires et qui, avant de devenir ambassadeur à Constantinople, est depuis 1669 secrétaire du cabinet du roi (et probablement auteur des fameuses *Lettres Portugaises*).

Le ton du poème confirme la nouvelle orientation du « satirique ». Non pas que Nicolas soit désormais tout à fait apprivoisé :

certains développements sont encore animés d'une verve agressive. Mais les emportements sont maintenant d'une autre tonalité, ils visent de moins en moins les personnes : ce qui est dénoncé, c'est, une fois de plus, la folie des hommes (folie de l'avare, de l'ambitieux, du parvenu), mais sans que tel ou tel contemporain soit nommément désigné, alors que, il y a peu encore, l'empoignade directe avec l'adversaire, d'homme à homme, constituait le plaisir même d'écrire.

Tout se passe comme si, après tant de travaux et tant de jours, Nicolas en venait à se poser la question fondamentale sur laquelle, emporté par le tumulte, il n'a pas eu le loisir encore de s'interroger : à quoi bon tout cela ? tout ce jeu, qui a été jusqu'ici le but suprême de l'existence, en valait-il vraiment la chandelle ? Bref, et le plus simplement du monde : cette invitation chez M. le Ministre, ce Matignon grand ouvert, cette subvention gouvernementale, est-ce là le bonheur ? L'inaccessible objectif a finalement été atteint ; mais, de cette hauteur tant désirée, quel panorama découvre-t-on ?

L'expression « examen de conscience » serait sans doute ici impropre. Mais c'est tout de même bien en face de lui-même que se place Nicolas, ayant beaucoup vécu et beaucoup appris, et comme insatisfait. Sans hargne et sans pose, à un ami sûr il fait confidence.

L'adieu à la satire est, cette fois, définitif. Mais il reste malgré tout la nostalgie de ces corps-à-corps menés tambour battant dans un « champ fécond en plaisantes malices », de ces temps où l'on ne songeait qu'à porter des nasardes et à parer les coups.

> Quand mon esprit plus jeune, et prompt à s'irriter,
> Aspirait moins au nom de discret et de sage,
> Que mes cheveux plus noirs ombrageaient mon visage...

Les jeunes années sont envolées et, si folles qu'elles aient été, elles étaient bien celles des « beaux jours ».

> Maintenant que le temps a mûri mes désirs,
> Que mon âge, amoureux de plus sages plaisirs,
> Bientôt s'en va frapper à son neuvième lustre...

Ce que Nicolas confie là à l'ami Guilleragues ce n'est rien d'autre (Dieu nous pardonne ce nouveau rapprochement) que la mélancolie qui tourmente, au même âge exactement, le Victor Hugo de *Les Rayons et les Ombres* : Hugo évoquant *Ce qui se passait aux Feuillantines*, la *Tristesse d'Olympio* ; Hugo qui, « rêveur », le front « pensif », se découvre « regardé fixement » par « les morts muets ».

Nicolas dresse le bilan. Il a connu les luttes âpres, les « traits envenimés » des envieux et les « plaisirs » des fermes ripostes. Plaisirs dépassés : « Je ne sens plus l'aigreur de ma bile première » (il le croit, tout au moins) : et voici qu'il n'est plus qu'un « vieux lion » aux « ongles émoussés ».

Il a gagné, certes, la faveur du « plus grand des Rois » à la « bonté sans limite ». Inestimable bienfait. Et après ? Cette course à la consécration n'est-elle pas toute pareille à la chevauchée d'Alexandre « ravageant la terre » pour « tromper son ennui » sans s'aviser que « le chagrin monte en croupe et galope avec lui » ? Le maître Pascal s'est, lui aussi, interrogé sur ce malheur de l'homme incapable de rester entre les quatre murs de sa chambre.

De nos propres malheurs auteurs infortunés,
Nous sommes loin de nous à toute heure entraînés...

Le ton, vraiment, n'est pas celui de la jubilation et de la vanité comblée.

Je songe à me connaître, et me cherche en moi-même.
C'est là l'unique étude où je veux m'attacher.

Cette redécouverte du vieil axiome socratique sur la nécessité de se connaître soi-même n'a-t-elle pas été trop cher payée, de bien des détours et de bien des erreurs ? Que de temps et de labeurs perdus, peut-être...

Et les souvenirs d'enfance remontent à la mémoire. La vraie sagesse n'était-elle pas celle de Gilles Ier, « soixante ans au travail appliqué », qui n'a, en mourant, laissé à son fils qu'un « revenu léger et son exemple à suivre » ? Au vrai, Nicolas estime pouvoir se rendre cet hommage à lui-même : cet exemple, il l'a suivi ; de la richesse il a appris à « (se) passer »,

> Et surtout redoutant la basse servitude,
> La libre vérité fut mon unique étude.

Fut. C'est-à-dire : jusqu'à maintenant. Mais quelle pourra être désormais la ligne de conduite du tout nouveau lauréat, décoré, pensionné, rétribué ?

Sagesse définitivement conquise, que cette volonté affirmée de ne plus chercher le « bonheur autre part que chez moi » ?

Voire.

L'*Epître*, en ses tout derniers vers, s'achève sur un *si* : « Si jamais, entraîné d'une ardeur étrangère... »

Qui sait ? En effet, « si jamais » renaissait la fièvre des années folles ?

VI

LE SOMMET DE LA PARABOLE

(1674-1677)

Dans sa méprisable *Critique désintéressée*, le petit abbé Cotin a eu l'incroyable culot de dénier à Nicolas le titre même de poète et d'écrire : « Ne pensez-vous pas monter sur le char d'Apollon pour avoir fait six satires en toute votre vie ? » Maintenant que la parfaite honorabilité de l'auteur des satires est très royalement attestée, l'heure a sonné de faire rentrer dans la gorge de telles insolences à ce vibrion des Muses.

En juillet 1674 donc, le libraire, cet « homme très éveillé pour ses intérêts » d'éditeur, déclenche son tir de barrage en lançant dans le commerce un volume d'*Œuvres diverses du sieur D....* qui comprend toutes les *Satires*, quatre *Épîtres*, une traduction du *Traité du Sublime* de Longin, les quatre premiers chants du *Lutrin* et surtout le très considérable *Art Poétique*. Voilà, n'est-il pas vrai, un ensemble riche et varié à souhait qui persuadera tout esprit non prévenu que l'on est tout à fait digne de la considération de LOUIS.

1

Car nous en arrivons à ce point où il faut bien tout de même aborder ce monument qui valut si longtemps à Nicolas les hom-

mages les plus flatteurs et auquel il n'est plus guère fait référence
que pour mettre en évidence son étroitesse de vues, son sectarisme borné, voire même sa crasse ignorance : l'Art Poétique,
1 100 alexandrins étalés sur quatre chants.

Une œuvre qui a été cent fois analysée, qui a été pesée et
soupesée vers après vers, commentée et discutée jusqu'en ses
moindres hémistiches. Au point que l'on est en droit de se demander s'il reste quelque chose à dire à propos de ce monument
que Nicolas considérait comme son poème le plus achevé.

Mais, après tout, et ne serait-ce que pour s'encourager à
soutenir la gageure, peut-être doit-on prendre pour hypothèse
de départ que tant de gloses accumulées pendant trois siècles
ont eu surtout pour effet de fausser les vues d'ensemble et de
noyer l'essentiel.

Il n'est pas inutile de rappeler d'abord les attendus du réquisitoire qui, en un crescendo continu, n'a cessé d'être dressé par
les procureurs de toute robe et de toute compétence.

Avant tout, il est prononcé avec force que ce versificateur
mué en professeur de poésie est l'anti-poète par excellence :
dépourvu de sensibilité autant que d'imagination, soumettant
tout acte créateur au despotisme d'une froide Raison, il est
tout à fait incapable d'apprécier ce qu'il peut y avoir de fantaisie,
de folie, d'incontrôlable dans le mystère de l'élaboration poétique.

D'autre part ce cuistre, qui se mêle en « Régent du Parnasse »
de distribuer à tort et à travers lauriers et remontrances, accumule à plaisir bévues et erreurs de jugement : il *rate* Ronsard
(tout comme Gide haussant les épaules devant Proust), il se tait
sur La Fontaine (tout comme Paul Eluard s'abstient de citer la
moindre fable dans son anthologie de la poésie française), alors
qu'il fait figurer au palmarès le sirupeux Benserade ; il fait la
moue devant le Molière populaire des *Fourberies* (tout comme
A. Adam qui ne voit là qu'une « comédie sans prétention »)
et même reste ambigu sur son « ami » Racine. Le parangon de la
perspicacité, comme on voit.

S'il s'avise de retracer l'évolution de la poésie à travers les âges, ce puits de science se révèle aussi inculte qu'un bachelier cuvée Savary. Lui qui prône si fort le culte de ses chers Anciens, il n'est même pas capable d'évoquer correctement le développement de la satire à Rome ou de la tragédie en Grèce. Quand il pontifie sur la littérature nationale, c'est plus consternant encore : il ignore l'existence du théâtre médiéval et son cours magistral sur la versification française fourmille de contre-vérités ; même le malodorant vieillard en sait plus long que lui sur notre glorieux patrimoine littéraire.

Prétend-il se hisser au niveau des idées générales, sa fameuse « doctrine » se découvre plate comme un trottoir, banale, confuse, contradictoire même : si, par exemple, on confronte ses différentes prises de position, on ne réussit pas à déterminer s'il accepte ou non que la tragédie fasse une place au sentiment de l'amour. Bref, ce doctrinaire apparemment si rigide est un faux dur ; il y a chez lui du flottant, du mou.

Est-il besoin de l'ajouter, de même que les *Satires* doivent tout à Horace et Juvénal, ce grand'œuvre est un plagiat permanent : dans ce pitoyable manteau d'Arlequin, on voit se bousculer, comme ils peuvent et sans toujours y retrouver leurs petits, et Aristote, et Horace, et aussi les prédécesseurs français, et encore les contemporains, depuis l'abbé d'Aubignac jusqu'à M. Chapelain lui-même. La cause est entendue : ce faraud qui porte si haut sa perruque n'est rien d'autre qu'un pâle copiste ; mieux : un escroc.

Mais un escroc qui a finalement fort bien réussi son tour de passe-passe puisque, des siècles durant, on l'a proposé à la vénération de l'ardente jeunesse des Ecoles.

Par quels moyens ?

Mais par les moyens les plus traditionnels de la subornation, bien entendu. Il n'a pas eu recours à la légitime et très innocente pratique qui, de nos jours, fait galoper aux quatre coins de Paris des pléiades d'« attachés de presse » pour tirer les sonnettes des journaux et des média afin de vanter les mérites éclatants du nouveau chef-d'œuvre du Maître. Non : Desmarets, le vieux

renard octogénaire qui connaît la musique, voit très clair : si
Nicolas est ainsi parvenu à tromper son monde, c'est parce que,
avant même la publication de son *Art Poétique*, il a lui-même
organisé sa propre publicité en s'en allant quêter des approbations « par son artifice de lire hardiment en divers lieux et de
mendier des suffrages avant que de se faire imprimer » (*Défense
du Poème héroïque*). Et le maître Antoine Adam d'opiner du
bonnet doctoral : « Desmarets avait bien le droit de signaler
cette trop habile préparation du succès. » Car, nul ne l'ignore,
jamais, au grand jamais, Corneille n'a été tout pareillement lire
dans les salons son *Polyeucte* avant la représentation, ou Molière
ses comédies. Ce sont là douteuses manœuvres auxquelles s'est
seul livré ce louche Nicolas.

Dieu merci, pour la saine hygiène des Belles-Lettres, il se
trouve, sitôt l'ouvrage publié, quelques esprits assez lucides pour
ne pas se laisser piper à ces jeux de l'usurpation.

Pour ceux-là, auxquels le patronage de LOUIS ne suffit pas
à en imposer, la contre-attaque est immédiate et percutante. Un
mois après la parution, Desmarets retrouve toute son ardeur de
pourchasseur d'Augustiniens pour trousser cinq dialogues où il
met en évidence l'impudent charlatanisme du « satirique ». Le
sieur Carel de Sainte-Garde, respectable aumônier du roi et
fulgurant auteur d'un poème héroïque intitulé *les Sarrazins
chassés de France* (sujet de la plus noble inspiration), entre
en lice à son tour avec sa *Défense des beaux esprits de ce temps
contre un satirique* (dédiée à ces Messieurs de l'Académie française). Un peu plus tard, Pradon le douceâtre, le Pradon de la
prochaine querelle de *Phèdre*, procède à un tir groupé, en trois
rafales successives : 1684, *le Triomphe de Pradon* (en toute
modestie) ; 1685, *Nouvelles Remarques sur tous les ouvrages du
sieur D...* ; 1689, *Le satirique français expirant* (désolé, mais la
santé de Nicolas reste, pour le moment, « globalement » bonne).

Après tout, ceux-là, que le « satirique » n'a pas ménagés, ne
font qu'exercer le « Droit de Réponse » que Nicolas leur a

généreusement concédé dans son *Avis :* « Ayant attaqué de gaîté de cœur plusieurs écrivains célèbres, je serais bien injuste si je trouvais mauvais qu'on m'attaquât à mon tour. »

Mais les autres ? Tous ceux que le « satirique » n'a jamais pris dans son collimateur et que hérisse le seul nom de Nicolas ? Ceux qui, trois siècles durant, se sont acharnés sur lui ? Quelle mouche les a donc piqués, et les pique encore ?

A quoi bon plaider en défense ? Reprendre et tenter de réfuter l'un après l'autre chacun des griefs énoncés équivaudrait à s'atteler à une besogne aussi inopérante que celle que la légende assigne à Sisyphe.

Tout au moins peut-on poser cette question préalable : si cet *Art Poétique* atteste avec une aussi éclatante évidence la médiocrité de son auteur, comment expliquer que tant de contemporains, et non des moins bornés, aient été assez myopes pour ne pas percevoir qu'ils étaient victimes d'un faux monnayeur ?

Que LOUIS se soit laissé abuser, soit. Depuis Saint-Simon, chacun sait que le Q.I. de ce prétendu Roi-Soleil plafonnait en dessous du médiocre. Car, n'est-il pas vrai ? c'est un signe de rare déficience mentale que d'avoir réservé sa protection à des écrivains d'aussi mince importance que Racine ou Molière. Et c'est en un moment d'aveuglement qu'Il s'est laissé aller, en accordant le privilège, à préciser qu'Il entendait « donner au public », par la lecture de Nicolas, « la même satisfaction qu'(Il) en a reçue ».

Quoiqu'elle jouisse d'une solide réputation de fine mouche, et passe pour un des esprits les plus déliés de la Cour, la dame de Montespan (tout comme sa sœur la Thianges) ne saurait non plus être considérée comme juge objectif, puisqu'elle s'affiche ouvertement comme protectrice convaincue de Nicolas.

Mais que penser de ces salons qui accueillent avec ferveur les lectures que l'auteur donne de son œuvre en gestation ? C'est, par exemple, pour « amuser notre cher Cardinal (Retz) » que Nicolas présente des fragments de sa *Poétique* (Mme de Sévigné,

9 mars 1672). Même cérémonial en présence de La Rochefoucauld, de Mme de La Fayette et d'autres personnages huppés : les vers de Despréaux « ravissent » (id., 15 décembre 1673). En une autre soirée, c'est M. de Pomponne, ministre des Affaires Etrangères, qui se déclare « enchanté, enlevé, transporté des vers de la *Poétique* ». Approbation de complaisants ? d'illettrés ?

Peut-être sera-t-on moins tenté de récuser le témoignage de Bussy, l'homme de « Tarare ponpon » qui se proposait de s'en aller couper le nez de l'auteur de l'*Epître* IV — un ami en somme. Le 30 mai 1673, l'irascible comte écrit à Nicolas : « J'ai remarqué dans vos ouvrages un air d'honnête homme que j'ai encore plus estimé que tout le reste. » Et au P. Rapin le même comte confie encore : « Despréaux est merveilleux ; personne n'écrit avec plus de pureté ; ses pensées sont toujours fortes et, ce qui m'en plaît, toujours vraies. »

Et comment expliquer que même les détracteurs les plus acharnés sont contraints de faire quelques concessions ? Boursault, le Boursault qui a pris parti contre Poquelin, et désigné Nicolas comme le familier de des Barreaux le blasphémateur, finit par se résigner : « Je trouve en des endroits quelques vers assez beaux. » Quant au chevalier de Méré qui n'a vu en Nicolas qu'un « pédant déclaré » qui « ramasse les balayures du collège » il en vient tout de même à l'admettre : « Ce Boileau est bon versificateur. »

Les faits étant, comme l'a si justement rappelé le petit père Lénine, « têtus », on doit en convenir : bien loin de susciter ricanements et haussements d'épaules, l'*Art Poétique* a été accueilli en son temps avec admiration et considéré comme l'accomplissement de la veine créatrice de Nicolas. Et cela bien avant que l'intéressé se soit appliqué, en son vaniteux troisième âge, à créer, affirme-t-on, sa propre légende.

Pour donner raison à la longue théorie des détracteurs, il faudrait donc postuler que la grande majorité des contemporains a été victime d'une sorte d'hallucination collective. Ou que nos lointains ancêtres étaient tous gens du plus épais mauvais goût.

A moins que l'on ne se trouve là, une fois de plus, en face

d'un assez remarquable exemple de déformation des perspectives.

On connaît fort bien au sein de quel cercle précis et à partir de quelles préoccupations s'opère l'élaboration de l'ouvrage. Et c'est de là qu'il faut partir, si du moins l'on n'accepte pas de gaîté de cœur le risque de commettre le péché mortel d'anachronisme.

On en revient ainsi au bienfaisant Président Lamoignon, qui a tant fait déjà pour blanchir Nicolas de sa douteuse réputation de naguère. C'est sous son autorité souriante, mais vigilante, que se réunit chaque semaine un « petit noyau » de bons esprits qui, dans une atmosphère de bienséante détente, font échange d'idées sur les thèmes les plus divers : sur l'éternel projet de réforme de la Justice, sur les avantages et les dangers d'une politique expansionniste ; et surtout sur ce qui fait le délassement et le charme des heures de loisir : l'actualité littéraire. C'est M. le Président qui pose les questions, qui oriente les débats, qui suscite les objections avec toute « la facilité de (son) humeur et la force de (son) esprit » (Fléchier). On se croirait chez le Bernard Pivot des bons jours. Dans ce groupe dominent les Jésuites chers au cœur de M. le Président, les R.R.P.P. Bouhours, Bourdaloue et surtout Rapin ; et aussi l'abbé Claude Fleury, auteur d'ouvrages remarqués comme, entre autres, une *Lettre sur la Justice*, une *Politique chrétienne tirée de Saint Augustin*, une *Lettre sur Homère* ; et enfin le très docte Olivier Patru que Nicolas reconnaît volontiers pour son maître et qui passe pour oracle en matière de goût et de pureté du langage.

On débat ; on approfondit ; on consulte. On sollicite même l'opinion des absents : celle de Bussy, par exemple, qui, exilé pour avoir poussé l'anticonformisme jusqu'à raconter « beaucoup de galanteries criminelles de dames mariées à la Cour », est invité par le R.P. Rapin à se demander si la langue française, « à cause de l'uniformité de son nombre (= rythme) », est propice à l'épopée et aux longs ouvrages ; si les « tendresses outrées qui sont le caractère principal » des tragédies françaises ne sont pas à l'origine de la dégénérescence du genre ; si les auteurs de satires ne se montrent pas trop soucieux de « plaire au peuple » et, « pour lui frapper l'esprit », de grossir « les choses ». Il faut encore tenter de définir en quoi « consiste le génie du poète » : est-ce « dans l'imagination ou dans le jugement » ? ; « quelle idée avez-vous du genre sublime ? ».

Vus avec un recul de trois siècles, ces débats apparaissent aujourd'hui comme autant d'oiseuses arguties d'incorrigibles bavards. Mais il serait prudent de se demander au préalable si ce n'est pas d'un œil goguenard que nos arrière-petits-neveux considéreront ce qui fut, dans les années 1970, la grande empoignade entre tenants de la Nouvelle Critique et champions de la critique traditionnelle, sous les houlettes respectives de Roland Barthes et de Raymond Picard : âpres chicanes où l'on se préoccupait de déterminer s'il est vrai ou non que l'œuvre entière de Vigny est dominée par la « hantise de l'horloge » (J.-P. Weber) ou, dans *Iphigénie*, si le bras d'Achille enlevant Eriphile doit être, de toute évidence, considéré comme étant « de nature phallique »...

Si académiques, si obsolètes que nous semblent les confrontations entre théoriciens du Grand Siècle, elles n'en constituent pas moins un effort persévérant pour tenter de définir la nature profonde de l'œuvre d'art et d'établir lucidement les conditions du plaisir esthétique.

Il est bien certain que, dans cette lente approche de la future doctrine dite « classique » à partir des principes déjà énoncés par d'Aubignac ou Chapelain, la part de Nicolas est tout à fait modeste. Les analyses auxquelles il se livre, les préceptes qu'il énonce, on les retrouve en grande partie dans les écrits de l'abbé Fleury, ou dans ceux du R.P. Rapin qui, l'année même de *l'Art Poétique*, publie ses propres *Réflexions sur l'Art poétique d'Aristote*. Et il y a belle lurette que l'on a relevé les concordances entre les deux ouvrages.

Sur l'exigence du « vraisemblable », sur la place à accorder aux « ornements », sur les limites à assigner au souci de pureté de la langue, sur l'aspiration au véritable « sublime » que seuls ont connu les grands Anciens, sur la nocivité des « douceurs » qui plaisent tant aux femmes, Nicolas n'invente strictement rien, pas plus que le sublime Voltaire n'« invente » la dénonciation de la torture ou de l'esclavage.

Et il ne s'agit pas là de plagiat. Tout comme les *Maximes* de La Rochefoucauld sont le fruit de conversations de salons, d'échanges de correspondance entre membres d'un même cercle, *l'Art Poétique* énonce une doctrine qui est à peu près définie au sein de sociétés qui ont en commun quelques idées fondamentales et qui tentent d'élaborer un certain type d'idéal littéraire.

Il suffit là d'un peu de ce « bon sens » si cher à Nicolas. Jamais son *Art Poétique* n'aurait connu en son temps une aussi vaste résonance si l'ouvrage avait exprimé les seules vues strictement personnelles de l'auteur, qui auraient inévitablement passé pour élucubrations d'un original.

Dans *l'Art Poétique*, Nicolas ne se fait pas découvreur. Il est, comme tout critique écouté, un porte-parole en qui se reconnaît un groupe social et les « leçons » qu'il professe ne font que codifier les aspirations et les répugnances propres à ce groupe. Faut-il le répéter ? Un « prince de la critique » est toujours davantage un suiveur qu'un guide (1).

Ce qui fait illusion, c'est que, dans son traité, Nicolas dit *je* — un *je* qui est, soit, volontiers aussi impératif que celui d'un maître d'école d'avant la pédagogie du sourire et de la caresse (« Auteurs, prêtez l'oreille à mes instructions... »). Mais à qui fera-t-on accroire que, s'exprimant à travers ce *je*, Nicolas se prend sérieusement pour un mage, un visionnaire qui délivre un message encore inédit et inouï ? C'est Hugo qui, penché sur l'abîme, appliqué à décrypter les mystères de *Ce que dit la bouche d'ombre*, s'offre aux regards des populations ébahies en Messie de ses visions transcendantales.

En d'autres termes, si Nicolas présente bien, dans son *Art Poétique*, des convictions personnelles en matière littéraire, il se fait avant tout l'écho des préférences d'un certain public.

On n'a guère relevé à quel point, dans l'énoncé de ses préceptes, domine le souci du lecteur ou du spectateur, bien

---

(1) Cf. Maurice Descotes, *Histoire de la critique dramatique*, passim.

davantage que celui de voir créée, pour la postérité, une œuvre immortelle. Les indications fournies par le texte sont pourtant multiples et cela dès le chant I :

> Voulez-vous du *public* mériter les amours ? (I, v. 69)
>
> Son livre aimé du ciel et chéri des *lecteurs* (I, v. 77)
>
> N'offrez rien au *lecteur* que ce qui peut lui plaire (I, v. 103)
>
> La faveur du *public* excitant leur audace... (II, v. 110)
>
> ... si ses discours craints du chaste *lecteur* (II, v. 169)
>
> Craignez-vous pour vos vers la censure *publique*? (I, v. 183)
>
> Mais le *lecteur* français veut être respecté... (II, v. 174)
>
> Mais en vain le *public*... (III, v. 321)
>
> ... sans se diffamer aux yeux du *spectateur* (III, v. 422)
>
> Un *lecteur* sage fuit un vain amusement (IV, v. 89)
>
> Aux yeux de leurs *lecteurs*... (IV, v. 96)

Et il faut renoncer à recenser le nombre de fois où Boileau utilise le *je* ou une formule comme « mon esprit » pour signifier l'expression d'un goût qui, assurément, est le sien propre, mais tout autant celui de l'« honnête homme ». Ainsi, à propos des interminables et plates descriptions qui ne dépeignent rien :

> *Je* saute vingt feuillets pour en trouver la fin

Ou encore :

> Si le sens de vos vers tarde à se faire entendre,
>
> *Mon esprit* aussitôt commence à se détendre (I, v. 144)

> *Mon esprit* n'admet point un honteux barbarisme (I, v. 159)

Ce n'est pas le Régent du Parnasse, ce sont les lecteurs qui condamnent les sonnets de Pelletier à passer directement « de chez Sercy » (le libraire) « chez l'épicier » qui enveloppera ses denrées de ces grimoires. C'est la « foule » qui fait le succès des œuvres dramatiques, et non pas le critique ; et pour cela : « Jamais au *spectateur* n'offrez rien d'incroyable. » Sinon l'auteur « trouve à le siffler des bouches toujours prêtes ». C'est « Tout Paris » qui « pour Rodrigue a les yeux de Chimène », spontanément et non pas sur les injonctions d'un cuistre.

Mais ce lecteur, ce spectateur n'est pas M. Tout-le-Monde : il est, d'abord, un *Français*. Et il convient de tenir compte des particularités de son goût, qui n'est pas, par exemple, celui de l'Italien. C'est d'au-delà des Alpes qu'est venue la détestable manie des « pointes », « faux agrément » propre à éblouir le seul « vulgaire ». Ce qui séduit outre-monts n'est pas nécessairement acceptable au royaume de LOUIS. Et si le public français « né malin » est avide de « liberté », de franc-parler — c'est pourquoi il apprécie tant le « vaudeville » —, il est aussi pleinement conscient des limites qu'il convient de ne pas dépasser : les Latins ont bien pu autrefois dans leurs satires braver « la pudeur des mots », un tel excès ne serait pas supportable pour un « lecteur français » qui veut d'abord « être respecté ».

Car, perspective capitale, *l'Art Poétique* s'adresse à ce public très particulier qui, attiré par les jeux poétiques et dramatiques, vit dans la hantise de se donner bonne conscience tout en cédant à son penchant. Soucieux de respectabilité ou même, mieux, de « gloire », il entend être convaincu qu'il peut s'abandonner à ce plaisir et ne pas déroger. Bien avant Nicolas, les Scudéry, les Chapelain ont clairement désigné les lecteurs dont ils souhaitent l'approbation : non pas le « peuple », vile tourbe à laquelle on ne saurait se mêler sans s'abaisser, et pour lequel on éprouve un mépris qu'il convient de bien mesurer à travers ces quelques citations, choisies entre cent autres : « Le peuple a l'esprit si grossier et si extravagant qu'il n'aime que des nouveautés grotesques » (Desmarets) ; complaire au peuple, « c'est mettre les poètes au même rang que les saltimbanques et les violons » (Scudéry) ; « Je ne conseillerai jamais à mon ami de se faire Tabarin pour complaire aux idiots et à cette racaille qui passe en apparence pour le vrai peuple et qui n'est en effet (= en réalité) que sa lie et son rebut » (Chapelain).

Tous les préceptes énoncés par Nicolas sont dominés par ce souci de persuader le lecteur ou le spectateur qu'il ne s'encanaillera pas en prenant goût au passe-temps littéraire. D'où l'utilisation permanente d'un vocabulaire noble, solennel, donc rassurant, et de références au « Parnasse », aux « Muses » ou à

Apollon, qui sont appelés à donner l'impression que l'on ne se trouve pas en compagnie de baladins douteux, mais que l'on participe bien à une activité du meilleur ton.

D'où les excommunications portées contre le « Burlesquel effronté », contre ses « pointes triviales », contre le « langage des Halles », qui finissent par travestir « Apollon » en un vulgaire « Tabarin ».

C'est encore pour la même raison que l'auteur d'Eglogues ne doit pas, « abject en son langage », « faire parler ses bergers comme on parle aux villages » (le bouseux est infréquentable). Ou que, pour obtenir droit de cité, l'Epigramme doit être arrachée à l'emprise avilissante des « insipides, plaisants, bouffons infortunés ».

Le fameux jugement sur Molière est à interpréter dans la même perspective. Molière serait irréprochable si, « moins ami du peuple », il n'était pas, parfois, tombé dans le burlesque :

    Dans ce sac ridicule où Scapin s'enveloppe,
    Je ne reconnais plus l'auteur du Misanthrope.

Jugement porté par celui-là même qui, quelques années plus tôt, félicitait Poquelin pour les gaillardises de l'Ecole des Femmes sur la rouerie des femmes et la bêtise des cocus : c'est alors que Nicolas donnait son véritable sentiment personnel sur Molière, dont les gauloiseries ne le choquent pas — bien au contraire. Alors que, dans l'Art Poétique, il s'applique à faire état des réactions d'autrui. Et il sait très bien que le public auquel il s'adresse préférera, même s'il lui en coûte, renoncer au plaisir de la comédie plutôt que de s'exposer à entendre ces « mots sales et bas », qui ne peuvent que « charmer la populace ».

C'est que demeure très vif, chez les gens de bon ton, le souvenir du temps, pas si lointain, où l'on ne pouvait se hasarder dans la salle de spectacle sans courir le risque de s'exposer aux gaudrioles et aux grasses plaisanteries de Gaultier-Garguille, de salace et écœurante mémoire.

Bref, l'étroitesse de vues que l'on reproche tant à Nicolas en matière d'esthétique devrait être, en priorité, imputée aux préjugés de ceux pour lesquels il écrit. Ces préjugés, il les partage sans doute. Mais il ne se croirait certainement pas obligé de faire ainsi la fine bouche s'il ne se trouvait pas en face d'un auditoire si délicatement susceptible.

Et d'ailleurs, est-il tellement scandaleux de donner la préférence au *Misanthrope* plutôt qu'aux *Fourberies de Sapin* ?

Nicolas s'adresse donc, sinon aux gens du monde, du moins aux « honnêtes gens ». Et il constate que, en matière de belles-lettres, ces honnêtes gens, qui donnent le ton dans la bonne société, font preuve d'une déplorable incompétence, ce qui les amène à se laisser piper aux appeaux du premier charlatan venu. Il y a là un état de fait que l'on ne cesse de déplorer dans l'entourage du Président. Ce n'est pas Nicolas, c'est le R.P. Rapin qui se lamente sur « l'ignorance universelle des gens de qualité » et plus particulièrement des femmes, plus mal préparées par leur éducation à séparer l'ivraie du bon grain. C'est précisément pour désabuser ces novices que tant de bons esprits, et cela bien avant Nicolas, se sont « érigés en arbitres de ces divertissements » et appliqués à codifier les genres littéraires, à dogmatiser sur la nature du Beau, du Goût, du Sublime : entreprise qui équivaut à une véritable croisade d'alphabétisation littéraire et poétique.

Mais ce que Nicolas perçoit fort bien, c'est que ces gens du monde, ces « ignorants », il est vain de les prêcher en de pesants traités dogmatiques qui les feront bâiller d'ennui. De même que le maître Pascal n'a pas écrit ses *Provinciales* pour argumenter entre théologiens patentés, mais pour mettre à la portée du citoyen de base les éléments essentiels du débat élevé autour de l'illisible *Augustinus,* de même ce n'est pas pour les R.R.P.P. Rapin ou Bouhours que Nicolas prend la plume : à ceux-là, il n'a rien à apprendre (il leur doit même l'essentiel de ses préceptes). Ce dont a besoin le public de Nicolas, c'est d'une grille de lecture simple qui soit applicable sans difficultés par chacun et qui permette au moins de ne pas débiter trop de sottises dans les salons.

Le docte Patru ne comprend vraiment rien aux véritables

intentions de Nicolas lorsqu'il recommande avec insistance d'écrire *l'Art Poétique* en prose, sous prétexte que la forme d'expression poétique n'est pas propre à « se soutenir dans des matières aussi sèches ». C'est précisément la *sécheresse* que Nicolas veut à tout prix éviter. Il s'agit d'abord de se rendre accessible, et attrayant autant que faire se peut, à un public qui répugnerait à s'engluer dans un exposé technique.

Bien des commentateurs se sont interrogés sur l'ordre suivant lequel se succèdent les différents sujets traités dans l'ouvrage ; et cet ordre « ne laisse pas que d'étonner un peu » (Marcel Hervier) : le chant IV, qui expose des principes généraux, ne fait-il pas double emploi avec le chant I, tout plein de considérations sur les règles ? pourquoi la présentation de l'Idylle tient-elle autant de place (37 vers) à elle seule que l'élégie et l'ode réunies, genres pourtant dignes de plus larges développements ? pourquoi, au chant III, intercaler l'épopée entre la tragédie et la comédie alors que, selon les lois de la bonne composition, ces deux formes de l'art dramatique devraient être liées l'une à l'autre ?
Questions oiseuses et, pour ainsi dire, sans objet. Le but à atteindre n'est pas de présenter un ensemble dont les différentes parties s'enchaîneraient selon la stricte logique requise pour un traité scientifique. L'organisation trop bien équilibrée n'engendre que monotonie. Alors qu'un peu de désordre, d'inattendu...
Souci premier, donc : ne jamais perdre de vue que *l'Art Poétique* s'adresse à des lecteurs qui ne sont en aucune façon des spécialistes d'histoire littéraire, de rhétorique ou de prosodie ; et qui, s'ils veulent bien « s'instruire », veulent aussi être « égayés ». Le bon La Fontaine se nourrit de la même préoccupation — et Dieu sait à quel point une fable nue peut être, elle aussi, « sèche ».
Ainsi Nicolas s'applique-t-il à « égayer », par exemple en mettant à profit ce don du pastiche qui lui réussit si bien quand il se divertit à imiter les cacophonies de M. Chapelain ou la plate enflure de Madeleine. Pour évoquer le genre pastoral, la plume de Nicolas se fait gracieuse et riante :

> Telle qu'une bergère, au plus beau jour de fête,
> De superbes rubis ne charge point sa tête,
> Et, sans mêler à l'or l'éclat des diamants,
> Cueille en un champ voisin ses plus beaux ornements,
> Telle, aimable en son air, mais humble dans son style,
> Doit éclater sans pompe une élégante idylle....

Pour « la plaintive élégie en longs habits de deuil », le ton devient tendre, mélancolique, et le couplet s'achève sur ce vers pour le moins inattendu de la part de celui dont il est si vite dit qu'il fut un éternel insensible : « C'est peu d'être poète, il faut être amoureux. »

Ne pas se présenter en pédant, c'est encore ménager dans un exposé des temps de répit, des digressions, voire des anecdotes — toutes divagations répréhensibles aux yeux de qui s'obstine à voir dans *l'Art Poétique* un exposé dogmatique. L'initiation passe plus aisément si elle est illustrée d'aperçus généraux qui, brossés à grands traits, ne prétendent pas à la rigueur de l'histoire littéraire. Ainsi se justifient les tableaux de l'évolution de la poésie française et du burlesque (chant I), de la pointe et de la satire (chant II), des grands genres dramatiques (chant III). On sort là de la dialectique pure et de l'abstraction ; on esquisse le développement des genres littéraires, saluant au passage les noms illustres, rafraîchissant les mémoires ou les souvenirs scolaires. A lire ou à écouter Nicolas, l'habitué des salons se sent devenir intelligent et cultivé.

On ne recule même pas devant l'anecdote apparemment gratuite, comme celle qui ouvre le chant IV (elle a aussi, on le verra, une portée autre que celle du simple divertissement) : celle du médecin florentin, « savant hâbleur et célèbre assassin » dont les méfaits s'étendent sur toute la ville :

> Là, le fils orphelin lui redemande un père ;
> Ici, le frère pleure un frère empoisonné.
> L'un meurt vide de sang, l'autre plein de séné ;
> Le rhume à son aspect se change en pleurésie,
> Et par lui la migraine est bientôt frénésie.

Voilà déjà qui est allègrement mené, et qu'on louerait très

fort si le couplet était de la main de Molière dans une de ses
diatribes contre le corps médical. Voilà, assurément, ce qu'on ne
rencontrerait pas sous la plume du R.P. Rapin, soigneusement
appliqué, en ses *Réflexions critiques sur la poétique d'Aristote*,
à organiser son savant exposé : A) les lois de la poésie ; B) les
règles propres à chaque genre ; C) les grands genres ; D) les
genres secondaires, ceux-ci étant rigoureusement subdivisés : les
genres hérités des Anciens, puis les genres modernes, ces derniers
étant présentés suivant la hiérarchie de leur importance.

Or, chassé de Florence, le médecin visite la maison d'un ami.
Et il trouve là son chemin de Damas : il ignorait qu'il était
architecte né :

> Notre assassin renonce à son art inhumain ;
> Et désormais, la règle et l'équerre à la main,
> Laissant de Galien la science suspecte,
> De méchant médecin devient bon architecte.

Ce n'est sans doute pas là un apologue de très fin conteur
et Voltaire y eût apporté plus de piquant et de verve. Mais
enfin cet exorde vaut largement une introduction bien solennelle
et bien pataude.

Le fin mot de cette histoire ? C'est que l'exemple du médecin
constitue un « précepte excellent » :

> Soyez plutôt maçon, si c'est votre talent, (...)
> Qu'écrivain du commun et poète vulgaire.

Leçon banale, dira-t-on, mais dont nos modernes experts en
« orientation » seraient bien venus de s'inspirer plutôt que de
s'évertuer à faire à tout prix d'un modeste bachelier de série G
un futur licencié ès-lettres.

Assurément la réussite ne répond pas toujours aux louables
intentions de Nicolas dont la Muse connaît bien des ratés, sous
forme de platitudes et de gaucheries. Trop souvent, il faut en
convenir, domine le ronron de l'alexandrin non encore déniaisé,
et les détracteurs n'ont jamais eu de peine à dresser une liste de
vers pompeusement plats, du type suivant :

> Qu'en nobles sentiments il soit surtout fécond ;
> Qu'il soit aisé, solide, agréable, profond,

Que de traits surprenants sans cesse il nous réveille...

Ou bien encore : « Soyez simple avec art,/Sublime sans orgueil, agréable sans fard. » Ces décoctions d'adjectifs incolores ne risquent pas d'enflammer ni même de convaincre.

Quant au futur poète épique, il ne sera guère avancé quand il aura médité sur ce distique :

De figures sans nombre égayez votre ouvrage ;
Que tout y fasse une riante image...

A la vérité, il est toujours aisé de prendre un auteur par son petit côté et de mettre les rieurs avec soi en étalant les faiblesses de son œuvre. Ce n'est assurément pas par l'étalage de telles banalités que, en 1674, *l'Art Poétique* réussit à s'imposer aux contemporains.

En fait, ce qui constitue sans aucun doute l'élément décisif du succès et le grand mérite de **Nicolas, celui où il se révèle** insurpassable, c'est dans l'art de découvrir la formule concise, dense, qui se grave aisément dans la mémoire (un peu à la manière de certains vers de Corneille — inoubliables), et qui a valeur de maxime ou de proverbe : atout inappréciable pour un public qui se soucie peu de subtilités, et qui, la lecture achevée, pourra sans peine se référer, citations à l'appui, aux articles du code.

Et, dans ce domaine, la moisson se révèle large et féconde. Quel que soit le jugement que l'on porte sur l'idée qui sous-tend les « préceptes », trouvera-t-on jamais manière plus brève et plus expressive d'énoncer les règles assignées aux poètes ? Par exemple :

Aimez donc la raison, que toujours vos écrits
Empruntent d'elle seule et leur lustre et leur prix.

A ce distique préférera-t-on, sous la plume de Nicole (*Traité de la vraie et de la fausse beauté dans les ouvrages de l'esprit*), ce solennel développement : « Il faut avoir recours à la lumière de la raison. Elle est simple et certaine et c'est par son moyen qu'on peut trouver la vraie beauté naturelle », etc. ?

Cet unique vers : « Le vrai peut quelquefois n'être pas vraisemblable », le jugera-t-on inférieur au délayage de M. Chapelain : « La vraisemblance est l'essence du poème dramatique et sans laquelle il ne se peut rien faire ni dire de raisonnable sur la scène ; ce n'est pas que les choses véritables et possibles soient bannies du théâtre, mais... », etc. ?

Et la saine leçon prodiguée de façon si lapidaire : « Vingt fois sur le métier remettez votre ouvrage,/Ajoutez quelquefois et souvent effacez » ne vaut-elle pas largement celle donnée par le bon Horace : « Jugez sévèrement un poème que l'on n'a pas travaillé et raturé longtemps et que l'on n'a pas dix fois corrigé pour le rendre absolument poli » ?

Quant à la célèbre maxime : « Le vers se sent toujours des bassesses du cœur », elle est tout de même plus frappante que la sentence du R.P. Rapin : « Toute la poésie, quand elle est parfaite, doit être par nécessité une leçon publique de bonnes mœurs. »

Et comment résister à la tentation de citer encore cet alexandrin à l'intention du snobisme éternellement vivace : « Un sot trouve toujours un plus sot qui l'admire » ; ou ce distique dont pourraient si utilement s'inspirer les modernes diseurs de Phébus :

> Ce que l'on conçoit bien s'énonce clairement,
> Et les mots pour le dire arrivent aisément.

Le mérite de Nicolas n'est pas mince d'avoir réussi — qu'on s'y essaie donc ! — à resserrer en deux vers (« Qu'en un jour, en un lieu, un seul fait accompli... ») la fameuse règle des trois unités, qui a fourni matière à tant d'interminables dissertations. Ou d'être parvenu à présenter, sous une forme condensée et facile à saisir, les exigences de la rime, de la pause à l'hémistiche, de la proscription du hiatus — tous sujets qui ne sont assurément pas de la plus riante approche.

On ne saurait échapper à cette conclusion : à son public de 1674, public « ignorant », Nicolas fournit un bréviaire poétique, sans doute sommaire et discutable, mais facile à consulter, à exploiter, et qui va, pour l'ensemble, dans le sens de ses aspirations personnelles. Que ne possède-t-on pareil instrument de travail pour accéder aux sublimes, mais trop secrètes, beautés de la poétique de Saint John Perse ou des hiéroglyphes de *Tel Quel* !

*
**

Reste — grief essentiel — que cette « poétique » apparaît aujourd'hui étriquée, prosaïque, imposant arbitrairement le primat du bon sens le plus sclérosant et de la médiocrité juste-milieu, au détriment de l'imagination, de la fantaisie, de la sensibilité.

Avant de souscrire à ce verdict d'ostracisme, qui constitue l'indispensable sésame pour être admis au sein de la moderne chapelle des connaisseurs en poésie véritable, il convient peut-être d'abord de s'entendre sur les mots. Or c'est un fait que sur le sens précis que Nicolas donne aux mots « nature » ou « raison » *l'Art Poétique* reste fâcheusement muet. Lacune regrettable, à coup sûr. Mais c'est sans doute aller un peu vite en besogne que de conclure que cette négligence constitue la marque d'un esprit déplorablement superficiel.

L'explication de ce silence est bien plutôt à chercher, ici encore, dans les véritables intentions de l'auteur. Il faut le répéter sans crainte de rabâcher : *l'Art Poétique* ne s'adresse pas à des philosophes ou à des professeurs d'esthétique, friands de jongler avec les *-ismes*. Il vise à éclairer des « honnêtes gens » qui prennent ces termes, tout simplement, tout bêtement, dans leur acception la plus courante, comme signifiant : recherche de l'équilibre, rejet de la démesure, de l'artifice et de l'altération du réel. Pour ceux-là, la Raison ne correspond pas au « rationnel » du philosophe, mais au « raisonnable » du sens commun. Et, à ce titre, elle est d'abord un instrument de méfiance — méfiance à l'égard de tout ce qui déforme le vrai, que ce soit vers le bas (le burlesque) ou vers le haut (le précieux).

Les « règles » de *l'Art Poétique* ne sont ainsi rien d'autre que des balises posées en vue de mettre en garde contre les astuces des faux prophètes des Lettres, en vue de placer le jugement sur la voie correcte et de faciliter l'accès au plaisir de lire : « une merveille absurde est pour moi sans appâts ». Donc, être vraisemblable — sinon la Raison se rebiffe — ; être bienséant — sinon c'est un sentiment de malaise, de gêne qui prévaut — ;

être clair, facilement accessible — sinon l'« esprit aussitôt commence à se détendre » et c'est l'ennui qui l'emporte. La formule-
clé de l'*Art Poétique* est celle-ci : « N'offrez rien au lecteur que
ce qui peut lui plaire. » Si bien que, en fin de compte, il s'agit
d'une œuvre qui est beaucoup moins celle d'un doctrinaire raide
et intolérant que celle d'un guide qui se fait complaisant à
l'apprenti-poète et qui s'applique à déterminer pour lui les moyens
les plus efficaces de « plaire ». Boileau n'est donc pas le pré-
cepteur qui manie la férule ; il serait beaucoup plus proche du
Gentil Animateur du Club Méditerranée qui se préoccupe d'abord
de ne pas décourager la clientèle.

   Et ce n'est pas la faute du Gentil Animateur si la postérité
a commis l'erreur de prendre pour un Décalogue impératif et
universel ce manuel du bon art de jouir de la poésie. Mais, là,
Nicolas paie la rançon de l'efficacité de ses présentations : ses
formules deviennent si facilement « proverbes » (comme il le
constate avec une légitime satisfaction dans son *Epître* IX),
elles se prêtent si bien à l'exploitation pédagogique qu'elles ont
très tôt fini par paraître vérités intemporelles et venues d'en haut.
Comme si le Gault et Millau 1986 devait conserver intacte toute
sa valeur au XXIe siècle.

   L'œuvre poétique a donc pour objet essentiel de « plaire », le
corollaire étant que, par le truchement du plaisir, elle réussira
aussi à « instruire ».

   Mais, pour atteindre son but, *L'Art Poétique* doit plaire lui
aussi, et non pas tomber des mains d'un lecteur accablé par des
dissertations. D'où un effort permanent fourni en vue de ne pas
lasser, de varier les effets, d'« égayer ».

   A quoi s'ajoute que l'ouvrage n'est pas du premier plumitif
venu. Il est du sieur Nicolas Despréaux, une « locomotive »
parisienne dont, en 1674, chacun a pu suivre la carrière ondoyante
et fracassante (on pense aussi : scandaleuse). On sait sans doute
qu'il est, à cette heure, « homme rangé » sous le haut patronage
de LOUIS. Mais le bon public serait fort déçu si cet *Art Poétique*

ne lui offrait pas, en écho aux tapages d'antan, quelques-uns de ces jugements à l'emporte-pièce qui font, depuis des années, le tour des salons et des tavernes. On souhaite que, s'il vient à passer à l'austère *Monde*, le rédacteur du *Canard Enchaîné* ou de feu *Hara-Kiri* se souvienne tout de même de s'être naguère allègrement ébroué dans l'irrévérence la plus totale.

Or, chez l'intéressé, la démangeaison satirique, pour contenue qu'elle soit désormais, n'en demeure pas moins vivace. C'est donc avec plaisir et empressement que Nicolas va démontrer que sa réputation de mordacité n'est point usurpée.

Malheureusement, comme les nasardes décochées dans les *Satires* au malodorant vieillard et à quelques autres, cet aspect de l'œuvre est malaisé à apprécier dans la mesure où les chers confrères pris à parti sont aujourd'hui recouverts par le voile de l'oubli le plus opaque. Dans un siècle, qui donc pourra encore trouver quelque sel aux brocards assenés par le critique qui aura eu le mauvais goût, dans les années 1950, de présenter comme des pitres les hiérophantes du Nouveau Roman ?

Pour Nicolas, le procédé est en tout cas d'une sûre efficacité puisque mieux vaut, pour l'agrément, montrer du doigt le fat ou le ridicule que de prôner à grands coups de préceptes abstraits la modestie ou le sens de la mesure.

On ne s'étonne donc pas de voir figurer au hit-parade des balourds, par exemple l'illustre Madeleine et son frère Scudéry : Madeleine pour sa dextérité à faire parler les héros de l'Antiquité le langage musqué des salons précieux (« Caton galant et Brutus dameret ») ; Georges pour sa propension, quand il se veut poète épique (*Alaric*), à faire dès le premier vers gronder « le tonnerre » (« Que produira l'auteur après tous ces grands cris ? »). On salue encore au passage d'Assoucy, maître en l'art de ramener au niveau de la gaudriole les chefs-d'œuvre des chers Anciens, d'Assoucy naguère consacré « empereur » du burlesque : c'est lui le responsable de cette « contagion » qui « infecta les provinces » avant de passer « jusques aux princes », à une époque où

Le plus mauvais plaisant eut ses approbateurs :
Et, jusqu'à d'Assoucy, tout trouva des lecteurs.

Et dans le même panier se retrouvent Scarron et sa déplorable *Gigantomachie.*

On doit se contenter ici d'évoquer les seules passes d'armes par lesquelles Nicolas, renonçant à la sérénité requise du sage conseiller, transforme son *Art Poétique* en pamphlet. On négligera donc les rapides piques destinées à Faret, Pelletier, Boyer, Linières, Pinchesne ou Rampalle, et l'on s'en tiendra au plus gros gibier.

Tout d'abord, Antoine Girard, sieur de Saint-Amant, déjà égratigné dans la *Satire* I. Celui-là est tout simplement présenté comme un « fou ». Car, si l'on en croit Nicolas, Saint-Amant, dans son épopée *Moïse sauvé,*

... décrivant les mers,
Et peignant au milieu de ses flots entrouverts
L'hébreu sauvé du joug de son illustre maître,
Met, pour le voir passer, les poissons aux fenêtres.

Ces poissons de la Mer Rouge qui pointent leurs petites têtes aux fenêtres ne manquent pas de piquant et l'on comprend que le sage Nicolas en ait eu le souffle coupé et qu'il ait été tenté de faire partager son hilarité à ses lecteurs. Seulement, ce qu'il se garde bien de dire, c'est qu'il donne là un coup de pouce et force la note : car enfin le « fou » s'est contenté de rimer :

Et là, près des remparts que l'œil peut transpercer,
Les poissons ébahis les regardent passer.

Les poissons « ébahis » ne font déjà pas mal. Mais les « fenêtres » sont du seul Nicolas ; et voilà, certes, une manière de jouer sur les citations qui n'est point trop correcte. Mais comment résister au plaisir de rendre un ridicule un peu plus ridicule encore ? D'autant plus que, à coup sûr, cette petite manipulation va susciter un tollé dans le Landerneau littéraire — perspective toujours réjouissante.

De fait, on entend bientôt le sieur Carel de Sainte-Garde dénoncer hautement la mauvaise foi de Nicolas (*Défense des beaux esprits de ce temps*) ; Perrault clame son « indignation » (*Parallèle* III) ; et Desmarets, cet autre délirant, ne manque pas pareille occasion de décréter que les œuvres du « fou » valent mieux, à elles seules, que toutes les « satires ensemble » (*Défense du poème héroïque*, V).

A Desmarests l'*Art Poétique* réserve d'ailleurs une place de choix dans le jeu de massacre. C'est que (Nicolas ne l'a pas oublié), deux ans plus tôt, cet extravagant a eu le front de commettre, dans une *Epître au Roi*, une dizaine de vers de la dernière bassesse. Il a osé attirer l'attention de LOUIS sur le fait que la quincaillerie mythologique utilisée pour célébrer le Passage du Rhin a quelque chose d'« injurieux » pour le moderne Alexandre : comme si LOUIS avait eu à affronter un « dieu chimérique » à la barbe limoneuse, et non pas un « grand fleuve indompté », considérable obstacle naturel !

C'est que, en matière d'inspiration épique, Desmarets rejette catégoriquement les vieilleries tirées du bric-à-brac antique : et, avec son *Clovis*, bientôt suivi d'une *Marie-Madeleine*, puis d'une *Esther*, il ne cesse de proclamer la supériorité des sujets inspirés des Saintes Ecritures sur les sujets païens. Engagé sur cette détestable voie, le drôle en est même venu, sacrilège des sacri-lèges, à éructer qu'Homère et Virgile ne sont en rien des maîtres inégalables.

Du coup, le développement consacré à l'épopée prend des proportions démesurées (174 vers) qui ne se justifient que par la volonté d'en découdre avec ce malfaisant auquel il est violem-ment reproché de manquer de respect à l'égard des « mystères terribles » de la « foi d'un chrétien », mystères dont la gravité ne supporte pas d'être rabaissés au vil rang de simples « ornements ».

On sera tenté, bien entendu, de mettre en doute la sincérité de Nicolas se faisant ainsi le paladin d'un rigoureux respect pour les dogmes sacrés. Mais on peut aussi penser qu'il éprouve un réel malaise à voir « Dieu, ses saints et ses prophètes » réduits au rôle d'accessoires pour rimeurs appliqués à « Du Dieu de vérité faire un Dieu de mensonges ». Il eût, à coup sûr, contre-signé la pétition versaillaise réclamant la proscription de l'*Ave Maria* de Jean-Luc Godard. Ce qui, assurément, lui aurait valu de hautaines remontrances du côté du *Nouvel Obs*.

Toujours est-il que le passage consacré au poème épique

s'achève sur une vingtaine de vers qui constituent une agression caractérisée contre Desmarets, désigné comme « poète sans art » à la « Muse déréglée », qui enfle « d'un vain orgueil son esprit chimérique » et qui

> Lui-même, applaudissant à son maigre génie,
> Se donne par ses mains l'encens qu'on lui dénie.

Quant à ses *Clovis, Marie-Madeleine, Esther,* ils demeurent entassés au magasin, « cachés à la lumière », et ils « combattent tristement les vers et la poussière ».

Quand il prend connaissance de cette sortie, le « poète sans art » en reste ébahi, mais non muet ; et, comme il ne manque pas, lui non plus, de pétulance, la riposte à ce coup bas, « plus digne de mépris que de réponse » (ce qui n'empêche pas de répondre), va être cinglante. Car, s'il est tant soit peu homme de cœur, aucun homme de plume n'a jamais pu laisser passer l'allusion aux stocks d'invendus. Or ce *Clovis* si méchamment déprécié, Desmarets en a vu, de ses yeux vu, « cinq diverses impressions de Paris, d'Avignon et de Hollande. Ces ouvrages ne sont pas pour périr contre lesquels l'envie conçoit tant de rage ».

La vérité étant ainsi rétablie, le « poète sans art » lance une dernière flèche, la plus perfide : si le satirique prône si fort la supériorité de son Olympe des Anciens, c'est en réalité qu'il est un de ces athées « de qui la fantaisie/*Veut nous faire païens,* au moins en poésie ». Le « au moins » est là de pure forme. En fait, il est très clairement signifié à Nicolas qu'on l'estime justiciable d'un bras séculier qui ne badine pas avec les mécréants : le bon vieil argument qui a si bien réussi avec Théophile de Viau.

Et ce n'est pas encore fini en matière de règlements de comptes. Car l'anecdote du médecin florentin reconverti dans l'architecture ne constitue pas seulement un épisode destiné à divertir le lecteur. Il est bien davantage une rosserie caractérisée à l'égard d'un personnage très en vue, membre d'une importante famille qui va désormais jouer un rôle capital dans la vie de Nicolas. En ce médecin prétendu « florentin », chacun peut en effet découvrir, en 1674, le sieur Claude Perrault qui a lui-même

abandonné le bistouri pour la planche à épures et qui, à défaut
d'avoir conçu la géniale pyramide du Louvre, se targue d'en
avoir établi les plans de la colonnade.

Ce Claude est l'aîné de quatre frères, belle tribu qui, à l'instar
de celle des Servan-Schreiber, a essaimé dans les différentes
allées du Pouvoir — on ne met pas tous ses œufs dans le
même panier. Le second, Nicolas, décédé en 1661, docteur en
Sorbonne, a été le mouton noir de la lignée : il donnait dans
le Jansénisme et a été expulsé de la Faculté de Théologie en
même temps que le grand Arnauld. Le troisième, Pierre, s'est
vu confier les hautes fonctions de Receveur général des Finances
de l'Université. Quant au quatrième, Charles, l'homme des *Contes*,
on le retrouvera largement dans les années 1690. Pour l'instant,
le seul qui soit en cause est le pseudo-florentin, désigné sans
périphrase comme un « célèbre assassin » : dénonciation qui a
de quoi surprendre en tête du chant IV consacré à l'énoncé des
hautes qualités morales que Nicolas exige du poète.

A l'origine, vraisemblablement, un épisode digne de *l'Amour
Médecin* de l'ami Poquelin et sur lequel les futures *Réflexions
sur Longin* fournissent quelque lumière. En effet, la première
de ces *Réflexions* raconte comment Nicolas aurait eu, par deux
fois, l'occasion de se trouver à la merci de l'illustre praticien,
notamment pour une certaine « difficulté de respirer » :

> Il me tâta le pouls et me trouva la fièvre, que sûre-
> ment je n'avais point. Cependant il me conseilla de me
> faire saigner du pied, remède assez bizarre pour l'asthme
> dont j'étais menacé. Je fus toutefois assez fou pour faire
> son ordonnance dès le soir même. Ce qui arriva de cela,
> c'est que ma difficulté de respirer ne diminua point et
> que, le lendemain, ayant marché mal à propos, le pied
> m'enfla de telle sorte que j'en fus trois semaines dans
> le lit. C'est toute la cure qu'il m'a jamais faite, que je
> prie Dieu de lui pardonner en l'autre monde.

Comme on l'imagine, Claude est modérément flatté de se voir
ainsi jouer les levers de rideau du chant IV. Et il pousse les
cris les plus stridents. A quoi Nicolas répondra, avec la mauvaise
foi la plus éclatante, que le médecin-architecte a bien tort de

se reconnaître dans la personne de ce Florentin pour cette excellente raison :

>   Vous êtes, je l'avoue, ignorant médecin,
>   Mais non pas habile architecte.

Et d'en rajouter, de donner à entendre que les fameuses colonnes du Louvre ne doivent rien au talent de l'architecte improvisé qui les aurait purement et simplement copiées sur les papiers du confrère Le Vau. Bref, l'assassin professionnel est aussi un escroc : de quoi conduire Nicolas en correctionnelle pour diffamation.

En 1693 encore, en pleine Querelle des Anciens et des Modernes, Claude ayant disparu, Nicolas s'offrira le luxe d'une épigramme adressée au frère Charles :

>   Tu te vantes, P...., que ton frère assassin
>   M'a guéri d'une affreuse et longue maladie.
>   La preuve qu'il ne fut jamais mon médecin,
>   C'est que je suis encore en vie.

Quelque incertain que soit le crédit digne d'être accordé à ces histoires de colonnades et de médications (mais ce qui est sûr, c'est que Nicolas fut en effet soigné par Claude), elles ne sauraient justifier à elles seules tant de hargne. Et il n'est pas difficile de discerner une autre raison qui n'a, elle, rien à voir avec la malfaisance de tel ou tel diagnostic. Il y a que ce Perrault-là, au moment de la grande tempête de 1667, à la parution des *Satires*, « se déchaînait à outrance contre moi ; ne m'accusant pas simplement d'avoir écrit contre des auteurs, mais d'avoir glissé dans mes ouvrages des choses dangereuses et qui regardaient l'Etat ». Car Nicolas est persuadé que c'est ce morticole qui a proclamé que le vers de la *Satire* IX : « Midas, le roi Midas, a des oreilles d'âne » s'applique à LOUIS lui-même. Un nuisible donc, qui a encore intrigué auprès de M. Colbert pour que soit retirée à Nicolas la pension due à la clairvoyante générosité de Sa Majesté (A Vivonne, septembre 1676). Et, pour comble, ce calomniateur, dans sa frénésie moderniste et dans son aveugle parti pris en faveur de « son cher Quinault », se pique d'une « haine » farouche pour les grands Anciens, « grand ennemi de Platon, d'Euripide, et de tous les autres bons auteurs ».

Alors, pour tant de méfaits, ces 24 vers qui ouvrent le chant IV, n'est-ce pas modeste revanche ? Soit, cet accès de pugnacité polémique s'accorde peu avec l'égalité d'âme que l'on attend d'un maître à penser et à rimer. Mais quoi ? pour être pensionné de LOUIS, on ne va tout de même pas aller jusqu'à renier tout un passé de redresseur de torts.

En conviendra-t-on à la suite de cette rapide relecture ? *L'Art Poétique* se présente sans doute comme un monument de rébarbative apparence ; et nul n'en est plus persuadé que le Français de 1986 qui, hautement prévenu contre l'inanité de ce versificateur rétrograde, ne s'avisera jamais de l'ouvrir. Mais qu'on veuille bien le parcourir sans idée préconçue et en fonction de la juste intention de l'auteur, qui est celle de l'homme de bonne compagnie s'adressant à ses semblables sur les tons les plus divers, et parfois fort enjoués, pour leur ouvrir les yeux sur un domaine d'eux mal connu : et l'on percevra peut-être que l'œuvre comporte aussi de fort saines leçons dont pourraient profiter très utilement les tenants de l'avant-garde d'une saison, inévitable arrière-garde de demain.

2

Comme pour faire la preuve de la virtuosité de Nicolas à jouer des instruments les plus variés, l'édition qui propose au public *l'Art Poétique* offre en même temps les quatre premiers chants de ce *Lutrin* qui ne fait plus rire A. Adam (les deux derniers ne seront publiés qu'en 1683). Et là, il s'agit d'une bien autre chanson.

L'Art Poétique est de nos jours réputé obsolète et nauséeux. *Le Lutrin*, lui, qui prétend à l'enjouement et au badinage, apparaît plus consternant encore. Car est-il plus lugubre spectacle que celui du pitre dont les tours tombent à plat ? Aussi bien, comment ce lourd rimeur a-t-il pu surestimer ses capacités au point d'imaginer que ses facéties seraient parées d'assez de grâce et d'esprit pour mettre en joie une future postérité qui se pâme aux subtiles plaisanteries de Coluche ou de Stéphane Collaro ?

Quelque indulgent que l'on soit à l'égard de Nicolas, il faut ici faire la part des choses et le reconnaître en toute objectivité : son *Lutrin* est aujourd'hui à peu près inaccessible de prime abord.

Car, pour commencer, qu'est-ce donc qu'un lutrin ? A l'increvable Jeu des 1 000 francs, la question se situerait au niveau du Super-Banco. Certes, les amateurs de tours organisés dans les vieilles cathédrales seraient en mesure d'apporter la réponse : le lutrin, c'est un énorme pupitre qui, placé dans le chœur d'une église, supporte les gros livres du chant liturgique. Cela élucidé, le problème se pose sous une autre forme : à la suite de quelle hallucination un « poète » a-t-il cru pouvoir trouver dans un lutrin matière à quelque 1 230 alexandrins étirés sur 6 chants ?

D'autre part, il est fort douteux que gens d'Eglise, chanoines, chantres et bedeaux aient quelque chance d'affriander le lecteur. En matière de clergé, l'anticlérical moderne a déjà tout entendu ; et le sectateur de Mgr Lefèvre se contentera de hausser les épaules.

Mais le plus pitoyable est que l'élément moteur de ce poème héroïco-burlesque tourne aujourd'hui, faute de rouages de transmission, dans le vide. Le principe même de la parodie repose sur l'irrévérence à l'égard des personnes ou des œuvres et son charme procède du plaisir éprouvé à voir persiflées les idoles. Encore faut-il, pour qu'en soient perçus les ridicules dont elle se moque, qu'elle s'adresse à des lecteurs qui ont quelque connaissance des individus ou des ouvrages mis en cause. Quel intérêt présentera le très insolent *Cornaro, tyran pas doux* pour celui qui ignore l'*Angelo, tyran de Padoue* de Victor Hugo ? De même, musique mise à part, *la Belle Hélène* d'Offenbach perd toute une partie de sa saveur auprès d'un public moderne pour lequel, en sa majorité, les grands noms d'Ajax, de Calchas ou de Léda ne représentent plus rien. Tout pareillement encore, qu'on imagine un honnête Texan qui, dans un cabaret montmartrois, assiste au spectacle d'un chansonnier s'appliquant à reproduire la diction si nette et si harmonieuse de notre Gaston Defferre ; les éclatants mérites et la si forte personnalité de ce ministre n'ayant pas suffi à faire de lui, à Houston, une vedette de l'actualité, le Texan ne verra dans ce numéro que la banale exhibition d'un saltimbanque sans imagination.

Or précisément *le Lutrin* doit d'abord son sel à la virtuosité avec laquelle Nicolas caricature aussi bien les plus augustes chefs-d'œuvre, ceux d'Homère, de Virgile, de Racine, de Corneille que les navets de M. Chapelain. Si, pendant des générations, ce *Lutrin* a réussi à « faire rire », ce n'est pas du tout parce que ses lecteurs étaient des niais qui se laissaient piper aux gaudrioles du premier bateleur venu : c'est parce que, formés aux « Humanités » traditionnelles, ils étaient tout pleins de références précises à *l'Iliade*, à *l'Enéide*, ou aux tragédies classiques. Notre XX\ siècle ayant solennellement aboli le culte des vieilles Humanités, le latin et le grec ayant été déclarés pour la seconde fois « langues mortes » et Corneille ou Racine à peu près proscrits pour crime d'élitisme caractérisé, on est désormais très loin de compte. Et les pastiches de Nicolas perdent toute portée et tout intérêt puisque ceux auxquels ils s'adressent ne sont plus en possession du premier terme de la comparaison. Et, en effet, dans ces conditions, *le Lutrin* ne peut plus « faire rire ».

Nicolas a fort bien défini la nature du burlesque qu'il met en œuvre. Ce n'est pas celui, traditionnel, de Scarron dans *l'Enéide travestie* ou de d'Assoucy, qui traitent par la dérision les sublimes héros virgiliens placés dans les positions les plus burlesques (Laocoon qui, saisi par le serpent, se met « à pleurer, puis à braire » ; Priam qui « ne voit pas plus loin/Que son grand nez de marsouin/Quoiqu'il eût de belles lunettes »). Le procédé qui assurément n'est pas d'invention aussi neuve que le prétend ce vaniteux Nicolas est rigoureusement inverse : les héros du *Lutrin* ne sont pas des surhommes, prestigieux personnages de la Légende, que l'auteur fait parler « comme des harengères et des crocheteurs », mais de petites gens, un sacristain, un barbier, « une horlogère et un horloger » qui « parlent comme Didon et Enée ». C'est, très exactement, le type même de comique qu'utilise

Offenbach dans certaines de ses opérettes : l'aventure de *la Péri-chole* et de son Piquillo, modestes chanteurs des rues, est musi-calement narrée sur des rythmes ou des mélodies démarqués des solennelles et pathétiques arias de *la Favorite* de Donizetti.

Quand, au chant II, l'horlogère — qui devient perruquière dans l'édition de 1701 — veut démontrer à son mari les périls qu'il courra s'il se lance dans la ridicule expédition nocturne qui a pour but de déplacer le fameux lutrin, c'est sur le ton des imprécations de Didon maudissant l'amant qui l'abandonne, ou des fureurs d'Hermione et de la Camille d'*Horace :* la criarde scène de ménage infligée à l'époux qui s'avise de découcher résonne de l'écho des accents douloureux des héroïnes au pathé-tique destin. Le registre tragique est là fidèlement reproduit ; mais, au tournant d'un vers, il se trouve brusquement démenti, dévalué par l'apparition d'un ou deux mots qui sont de la tona-lité la plus banale, tout comme Offenbach, parodiant la gron-dante grandiloquence de Meyerbeer, la dénature tout à coup par l'adjonction de quelques notes légères tirées d'une flûte ou d'un pipeau ironiques. Il faut citer :

> Une tigresse affreuse, en quelque antre écarté,
> Te fit avec son lait sucer sa cruauté.
> Car pourquoi désormais flatter un infidèle ?
> En attendrai-je encore quelque injure nouvelle ?
> L'ingrat a-t-il du moins, en violant sa foi,
> Balancé quelque temps entre un *lutrin* et moi ? (...)
> Mais que servent ici ces discours superflus ?
> Va, cours à ton *lutrin :* je ne te retiens plus.
> Ris des justes douleurs d'une amante jalouse ;
> Mais ne crois plus en moi retrouver une épouse.
> Tu me verras toujours, constante à me venger,
> De reproches *hargneux* sans cesse t'affliger,
> Et quand la mort bientôt, dans le fond d'une bière,
> D'une éternelle nuit couvrira ma paupière,
> Mon ombre chaque jour reviendra dans ces lieux,
> *Un pupitre à la main,* me montrer à tes yeux,
> Rôder autour de toi dans l'horreur des ténèbres,
> Et remplir ta maison de *hurlements* funèbres.

Tout au long du poème, ce sont ainsi des situations, des vers de la tragédie et de l'épopée qui, à peine déformés, adressent le clin d'œil de la malice et de la saine irrévérence au lecteur de bonne compagnie qui, tout en professant lui aussi un culte inébranlable pour les Grands Anciens, ne répugne pas à concevoir que l'on peut leur faire à l'occasion quelques niches.

Encore faudrait-il que ce souci parodique ne se manifeste pas à propos d'une anecdote qui soit inepte. Or, là encore, le handicap est aujourd'hui de taille.

A l'origine, on retrouve une fois de plus le bienfaisant Président Lamoignon, puisque c'est lui qui incite Nicolas à mettre en vers « un différend assez léger qui s'émut dans une des plus célèbres églises de Paris, entre le trésorier et le chantre » et qui le défie de « travailler à cette bagatelle ».

Il est indispensable ici de retracer à grands traits l'intrigue de la « bagatelle », ne serait-ce pour en mettre en évidence la ténuité, avant d'en découvrir la très réelle actualité.

Le cadre de la narration est fourni par l'auguste Sainte-Chapelle, qui jouxte le Palais de MM. les Magistrats et dont Nicolas connaît ainsi les coins et les recoins. Au début du poème, cette Sainte-Chapelle est la seule église de Paris où règne une bienheureuse concorde. Insupportable situation dont enrage une très allégorique Discorde qui entreprend de semer la zizanie au sein du pacifique clergé en dressant l'un contre l'autre le Trésorier et le Chantre de la chapelle.

Premier personnage de ces vénérables lieux, le Trésorier découvre avec effroi que, au cours des cérémonies, le Chantre, qui lui est subordonné, tire perfidement à lui la couverture, parade au-devant du chœur et monopolise ainsi les regards du bon peuple qui ne devrait avoir d'yeux que pour lui, l'Excellentissime prélat. Après avoir fait appel à la solidarité de quelques fidèles acolytes, le prélat-Trésorier entreprend donc une expédition punitive nocturne : sur la proposition d'un vieux chapelain,

un commando de trois braves (sous-marguillier, horloger, sacristain) s'en ira placer devant la stalle de l'impudent Chantre un
énorme lutrin qui le dissimulera désormais à la vue des dévotes
populations. Malgré l'intervention passionnée de l'horlogère qui
tente vainement de retenir son mari près d'elle en lui reprochant
de déserter la couche conjugale, l'opération est couronnée de
succès. A l'aube, réveillé par un songe, le Chantre constate l'im-
mensité du désastre, ameute les chanoines qui finissent par
abattre le funeste lutrin. A partir de là (chant V), le tumulte
devient général : partisans du Trésorier et partisans du Chantre
se mesurent en une gigantesque bataille rangée où les gros
volumes du libraire-éditeur Barbin servent de meurtriers projectiles. Jusqu'au moment où, sous le coup de l'inspiration, le
Trésorier-prélat prend l'initiative décisive qui va mettre fin aux
hostilités : il se met à multiplier les bénédictions tous azimuts
sur les combattants qui sont ainsi contraints de tous plier le
genou devant lui. Tout s'arrange enfin, grâce à l'intervention du
vertueux Ariste : le Chantre replace lui-même dans le chœur le
fatal lutrin que le Trésorier, généreux, s'empresse de faire enlever.

Comme on le voit, la trame de cette « bagatelle » ne risque pas,
assurément, de retenir une seule seconde les familiers de Man-
drake ou d'Indiana Jones.

Pourtant, peut-être convient-il, ici encore, de ne pas décréter
trop vite que ce pauvre Nicolas, même quand il est en gaieté,
radote. Car enfin, parodie mise à part, de quoi s'agit-il exactement
dans ce *Lutrin* ?

En réalité, ce qui fait obstacle aujourd'hui à une juste
compréhension de la portée du *Lutrin*, c'est qu'il met en scène
des gens d'Eglise : pâle querelle de calotins, entre membres
d'une institution dont le poids, dans la vie publique moderne,
est désormais si dégradé qu'elle n'ose même plus prendre la tête
du grandiose défilé qui déferle sur le pavé parisien pour conspuer
le ministre Savary. Alors que, au moment où Nicolas compose
son poème, l'Eglise constitue une puissance considérable, dont
le contrôle s'étend à tous les actes de la vie individuelle et
collective, et qui est capable de faire contrepoids au pouvoir

royal lui-même : en 1674, une querelle entre gens d'Eglise peut être ridicule ; elle n'est jamais indifférente. Autrement dit, pour aborder *le Lutrin*, il importe de trouver, par approximation, quelque équivalent moderne à ce pouvoir maintenant dévalué.

En 1674, le Trésorier n'est pas un quelconque gratte-papier à boulier, éplucheur de comptes. Il est un très haut dignitaire ecclésiastique qui « officie avec toutes les marques de l'épiscopat » dans la plus prestigieuse église de la capitale, la chapelle même du saint roi Louis IX. C'est lui qui plastronne au premier plan au cours des cérémonies religieuses, qui distribue les bénédictions ; c'est devant lui que l'on plie le genou, et il ne s'agit pas là d'un geste d'automate. On le verrait aujourd'hui figurer à la une des journaux et des magazines, pérorer aux Etranges Lucarnes. L'homme qui est parvenu à ces sommets tient à être vu, et vu au rang qui lui est dû ; et à ce rang il tient encore plus qu'à sa fonction.

Et puis il y a le Chantre. Non pas une anonyme basse-chantante appréciée pour son art de moduler l'*Ave Maria* de Gounod aux messes de mariage. Mais un autre gros bonnet, qui jouit du privilège de porter le bâton cantoral lors des fêtes solennelles, qui contrôle le chapitre des douze chanoines et règne sur le petit monde des chapelains, des clercs et autres marguilliers. Bref, l'Eternel Second, celui qui doit constamment s'effacer devant le numéro 1, qui joue les porte-coton — et qui en souffre mille morts.

Pour se gausser de l'inactualité du *Lutrin*, il faudrait n'avoir jamais assisté à ces réceptions officielles, à ces inaugurations, à ces funérailles nationales, au cours desquelles se développe toute une stratégie pour se bien placer face aux photographes, pour se faire voir à la droite du Président, pour ne pas se trouver en bout de table, bref pour ne pas être anéanti dans le tout-venant de la cohue. Il ferait beau voir que M. le Président du Conseil Général soit éclipsé par M. le Commissaire de la République, que M. le Recteur d'Académie soit « occulté » par M. le Doyen de la Faculté des Lettres, ou M. Fabius par M. Attali. C'est en 1985, non en 1674, qu'ont été écrites ces lignes :

Tous, encenseurs, flagorneurs, louangeurs, complimen-

teurs, éducateurs, caudataires, courtisans, prêtent attention à être photographiés près du souverain et à
bénéficier, pour peu que la cour voyage, d'une chambre
proche de la sienne (...). Il faut avoir vu des hommes
importants jouer des coudes tels des midinettes pour se
glisser le long du passage présidentiel ; il faut avoir
aperçu la joie baigner le visage de celui qui a été
reconnu, salué, et peut-être interpellé ainsi que l'envie
de ceux qui n'ont pas eu cette chance (2).

Qu'on relise (ou plutôt qu'on lise) le poème de Nicolas dans
cette optique, et l'on conclura peut-être que, pour ne plus porter
rabats et surplis, son Trésorier et son Chantre sont tout à fait
nos contemporains.

Si (traitement burlesque une fois de plus mis à part) l'on se
penche sur les circonstances précises de la querelle qui, en
1667, a opposé, dans la réalité des faits, les deux ecclésiastiques
de la Sainte-Chapelle, on s'aperçoit que la réalité évoquée tient à
bien d'autres raisons que celle d'une chétive jalousie.

Nicolas commence très probablement à rédiger en 1669, c'est-à-
dire à un moment où le scandale du lutrin est encore présent
dans tous les esprits.

Le Trésorier se nomme Claude Auvry, et il n'est pas n'importe
qui. Il a soixante ans au moment des événements. Il est de très
modeste origine, fils d'un marchand de drap. Mais, à Rome, où
il a étudié, il a eu la chance de rencontrer le futur Cardinal Jules,
qui en a fait plus tard son camérier. Grâce à cette protection,
il a été sacré évêque de Saint-Flour — promotion inespérée pour
un roturier ; il est évêque de Coutances lorsqu'il est reçu, en 1653,
Trésorier de la Sainte-Chapelle. Mais, cinq ans plus tard, il a dû
renoncer à son évêché puisqu'il n'y résidait pas. Auvry est donc
un parvenu et, en 1667, un ex-évêque qui a perdu son tutélaire
patron auquel il doit tout puisque le Cardinal a disparu six ans
plus tôt : double et impérieuse raison pour être désormais
intraitable sur les honneurs auxquels il a droit. Il s'évertue donc,

_____

(2) *L'Elysée de Mitterrand*, Michel Schifres et Michel Sarazin, p. 292-293,
éd. A. Moreau.

en toute occasion, à jouer les prélats pontifiants aux yeux des populations, se consolant en prodiguant des « bénédictions irrégulières (...) dans les rues de la Cité et de l'Université » (Godefroy Hermant). Il a d'ailleurs obtenu du Parlement un arrêt précisant que, seul, le Trésorier peut être encensé en public. On voit le personnage et l'on devine la maligne joie qu'il éprouve en faisant disposer dans le chœur le satanique lutrin qui masquera désormais son rival à la vue du peuple chrétien, un rival qu'il a déjà contraint à porter un rochet plus court que le sien (Brossette).

Ce rival se nomme Jacques Barrin. Il est, lui, fort bien *né* : aussi dès l'âge de deux ans a-t-il été fait chanoine (1614) ; il a été promu Chantre en 1651 et, comme de juste, il enrage de ne pas tenir le haut du pavé et de se voir encore, au bout de seize ans, barré par une médiocre créature du Cardinal Jules.

Ainsi le conflit prend-il son vrai sens. Ce n'est pas l'abstraite Discorde qui souffle la tempête sur la Sainte-Chapelle. C'est une de ces âpres rivalités qui engendrent de véritables haines et justifient tous les coups fourrés. Le Trésorier n'est Trésorier que par le fait du Prince ; le Chantre, lui, est élu par les chanoines qui font bloc derrière leur champion contre celui qui symbolise le Pouvoir ; le Trésorier, bon démagogue paternaliste, s'appuie sur les petits clercs, sur les humbles, les obscurs de la Chapelle. Chacun a sa clientèle et entend bien qu'elle serve la cause de sa vanité personnelle.

Décidément, interprété sous cet angle, *le Lutrin* n'est en aucune façon une vieillerie d'un autre monde.

Plus heureux qu'A. Adam, les contemporains de Nicolas ont d'ailleurs une autre raison de *rire* à la lecture du *Lutrin*. Car, comme les protagonistes, les seconds rôles du poème sont loin d'être des inconnus et ils sont encore bien vivants.

Sans doute y a-t-il camouflage. Ainsi le Trésorier Auvry que chacun peut voir (il tient tant à se montrer !) long et sec devient-il, en alexandrins, gros et gras. Mais les nombreuses « clés » qui ont circulé à l'époque attestent que les contemporains se sont fort égayés au jeu traditionnel qui consiste à mettre des noms sous ceux du sous-marguillier Brontin, de l'aumônier Gilotin ou du sacristain Boisrude. Dans le petit monde du Palais qui jouxte la Sainte-Chapelle, dans les salons, qui ne reconnaît, par exemple, dans le « fameux perruquier l'Amour » (d'abord nommé la Tour) le très authentique perruquier Delamour qui tient échoppe sous l'escalier même de la Sainte-Chapelle ? Celui-là a vécu trois ans en concubinage avec dame Anne Dubuisson — cette amante éplorée aux douloureux accents de Didon — avant de lui passer bague au doigt. Histoire de maquiller un peu l'allusion, dans l'édition de 1674, le perruquier a d'abord été mué en « horloger ». Mais qui s'y tromperait ? On a dû jaser ferme sur la situation de cet honnête artisan qui, à l'ombre même de l'oratoire de Saint-Louis, fornique de la plus illégitime façon.

Assurément, au lecteur moderne et nécessairement pressé, ces clins d'œil échappent totalement.

Mais ce qui, tout de même, reste parfaitement sensible, c'est l'allégresse quasi rabelaisienne avec laquelle Nicolas se complaît à évoquer le mode de vie de ces Messieurs de la Nomenklatura ecclésiastique, mode de vie qui ne doit rien aux austères principes des Solitaires de Port-Royal : ce ne sont que lits douillets, pichets bien remplis, grande bouffe et peur des coups — le tout couronné par une onctueuse affectation de dévotion.

Et certes cette dénonciation des mœurs d'un certain clergé ne brille pas par les feux les plus éclatants de la créativité : vieille tradition gauloise qui a été illustrée par des conteurs autrement salaces.

Il est pourtant un peu rapide de conclure qu'il n'y a là que « quelques plaisanteries sur la paresse et la gourmandise des chanoines » (Adam). Voyons tout de même jusqu'où s'égarent ces inoffensives drôleries.

Dès le début du chant I, ce couplet donne le ton : les

... chanoines vermeils et brillants de santé
S'engraissaient d'une longue et sainte oisiveté.
Sans sortir de leurs lits, plus doux que leurs hermines,

Ces *pieux fainéants* faisaient chanter matines,
Veillaient à bien dîner et laissaient en leur lieu
A des *chantres gagés* le soin de louer Dieu.

Ce qui est ici mis en valeur, ce n'est pas tellement l'indolence des chanoines — lieu commun en effet — mais, à travers les adjectifs choisis (*sainte* oisiveté, *pieux* fainéants), le scandale d'une vie de mollesse derrière le paravent d'un ministère sacré dont on se décharge à prix d'argent (chantres *gagés*). *Tartuffe* ne dit pas autre chose ; et *Tartuffe* a été interdit.

On a déjà vu Nicolas s'effarer en découvrant la gastrolâtrie des compagnons de la *Croix Blanche* et du *Repas ridicule*. Mais, cette fois, les chevaliers de la ripaille ne sont pas de fieffés débauchés ou d'imbéciles nouveaux riches. Ce sont gens d'Eglise, distributeurs de bénédictions, qui s'empiffrent à qui mieux mieux pour respecter leur fière devise : « Du reste, déjeunons, messieurs, et buvons frais » ; qui immolent « trente mets à leur faim indomptable » ; qui couvent de tous leurs yeux « tous les recoins d'un monstrueux pâté ». Chevaliers de la Dive Bouteille au demeurant : lorsqu'ils partent en campagne, chacun des combattants « tient un verre de vin qui rit dans la fougère ». « Et de chantres buvants les cabarets sont pleins. »

La pieuse confrérie ne rassemble que de gras fainéants. L'aumônier le rappelle à son prélat sans la moindre vergogne :

Quelle fureur, dit-il, quel aveugle caprice,
Quand le dîner est prêt, vous appelle à l'office ?
De votre dignité soutenez mieux l'éclat :
Est-ce pour travailler que vous êtes prélat ?

Quelqu'un propose-t-il de rameuter les chanoines en pleine nuit ? Impossible besogne : leurs « lits » sont « au bruit inaccessibles » :

Deux chantres feront-ils, dans l'ardeur de vous plaire,
Ce que depuis trente ans six cloches n'ont pu faire ?

Et en un couplet particulièrement étudié et où est évident le souci du détail précis, Nicolas évoque le Trésorier dans sa plus commune activité :

Dans le réduit obscur d'une alcôve enfoncée,
S'élève un lit de plume à grands frais amassée.

> Quatre rideaux pompeux, par un double contour,
> En défendent l'entrée à la clarté du jour.
> Là, parmi les douceurs d'un tranquille silence,
> Règne sur le duvet une heureuse indolence.
> C'est là que le prélat, muni d'un déjeuner,
> Dormant d'un léger somme, attendait le dîner.
> La jeunesse en sa fleur brille sur son visage :
> Son menton sur son sein descend à double étage ;
> Et son corps ramassé dans sa courte grosseur,
> Fait gémir les coussins sous sa molle épaisseur.

La description se suffit à elle-même. Pourtant Nicolas tient à mettre les points sur les *i* : la Discorde, qui contemple l'alcôve et le prélat endormi, « Admire un si bel ordre *et reconnaît l'Eglise* ».

Et comme pour fournir un exemple qui lui serve de garant, Nicolas cite celui de la très réelle abbaye de Citeaux, dont chacun sait, en 1674, qu'on s'y refuse à appliquer la réforme préconisée par Rancé depuis 1666 : Citeaux est le temple même de la Mollesse, souveraine des lieux :

> C'est là qu'en un dortoir elle fait son séjour.
> Les Plaisirs nonchalants folâtrent à l'entour :
> L'un pétrit dans un coin l'embonpoint des chanoines ;
> L'autre broie en riant le vermillon des moines.
> La Volupté la sert avec des yeux dévots,
> Et toujours le Sommeil lui verse des pavots.

Sans doute le parti pris de burlesque émousse-t-il largement la portée de la caricature. Il n'empêche que ces estocades ne sont pas portées par un quelconque marginal ou par un pitre patenté : mais bien par une personnalité que pensionne officiellement un régime dont l'Eglise est le plus solide pilier. Si un écrivain qui bénéficie des munificences de notre Ministre de la Culture s'avisait de bouffonner sur le dos de Messieurs les Parlementaires de la majorité gouvernementale, en les présentant comme des parasites uniquement préoccupés de fainéanter et de se remplir la panse, il est douteux que ces « quelques plaisanteries » vaudraient à celui-là la Commanderie des Arts et Lettres.

Mais enfin, passe encore pour la goinfrerie et le goût des siestes prolongées : aux yeux de M. Tout-le-Monde, ce sont là travers pardonnables qu'il faut bien concéder à ceux qui ont officiellement renoncé aux plaisirs du monde afin d'être plus disponibles pour le salut des âmes.

Mais il est bien question de ministère sacré et de salut des âmes ! Ces Messieurs du Chapitre ne sont plus que des distributeurs automatiques de bénédictions : que M. le Trésorier se dresse en sursaut après le très mauvais rêve que lui a infligé la Discorde, le réflexe joue aussitôt :

> Le prélat se réveille et, plein d'émotion,
> Lui donne toutefois la bénédiction.

M. le Trésorier n'est rien d'autre qu'un égoïste vaniteux dont le seul souci est de se voir « seul à *Magnificat* (...) encensé », qui se hérisse à la pensée qu'un impudent usurpe tous ses « droits » et, « s'emparant de (ses) travaux », prononce « pour (lui) le *Benedicat vos !* ».

Le Chantre n'est, en somme, qu'un hypocrite, que fait frémir la perspective de se voir masqué aux yeux des fidèles par le « pupitre fatal », « hydre épouvantable », car désormais

> Inconnu dans l'église, ignoré dans ce lieu,
> *Je ne pourrai donc plus être vu que de Dieu !*
> Renonçons à l'autel, abandonnons l'office (...)
> Ne voyons plus un chœur où l'on ne nous voit plus.

Mais c'est au chant VI (nettement postérieur) que le ton change lorsque (détestables allégories une fois encore) la Piété vient prendre à témoin la Justice de la dégradation des mœurs du clergé. Il ne s'agit plus là de burlesque, mais de gravité et de colère. Il faudrait pouvoir citer tout le passage (70 vers) où se révèle une indignation, qui n'est pas feinte, devant le spectacle donné par une Eglise dévoyée, en contrepoint de l'évocation d'une Eglise primitive où « Au sortir du baptême, on courait au martyre » ; où le fidèle fuyait « des vanités la dangereuse amorce », et « Aux honneurs appelé, n'y montait que par force ».

Désormais, ce ne sont plus, partout, que « mains avares (= avides) qui cherchent à (...) ravir crosses, mitres, tiares ».

> Le moine secoua le cilice et la haire ;
> Le chanoine indolent apprit à ne rien faire ;
> Le prélat, par la brigue aux honneurs parvenu,
> Ne sut plus qu'abuser d'un ample revenu,
> Et pour toutes vertus fit au dos d'un carrosse,
> A côté d'une mitre, armorier sa crosse.

Et voici encore, à l'évidente intention des casuistes de la Compagnie de Jésus :

> Pour comble de misère, un tas de *faux docteurs*
> Vint flatter les péchés de *discours imposteurs ;*
> Infectant les esprits d'*exécrables maximes,*
> *Voulut faire à Dieu même approuver tous les crimes.*

Les commentateurs n'ont pas tort de s'étonner : après cinq chants de bouffonneries, le lecteur se croit ici transporté au prêche. Mais, toujours prompts à prêter à Nicolas les plus douteuses intentions, ils vont tout de même trop vite en besogne en prétendant que, s'il adopte ce ton de Savonarole, c'est seulement pour mieux faire ensuite courbette devant LOUIS. LOUIS qui, « le ciel aidant », a dans son inégalable clairvoyance, fait choix d'un « homme incomparable » pour apaiser les conflits entre gens d'Eglise : c'est d'*Ariste* qu'il s'agit (« le Meilleur »), en d'autres termes de M. le Président lui-même qui fut amené, en effet, à arbitrer la querelle élevée entre le Trésorier et Chantre. On peut tout aussi bien percevoir, dans ce chant VI, l'écho d'un emportement qui n'est pas feint devant des abus qui en ont scandalisé bien d'autres, à commencer par les Messieurs de Port-Royal, sans attendre La Bruyère. Et convenir que *le Lutrin* ne se contente pas de risquer « quelques plaisanteries sur la paresse et la gourmandise des chanoines ».

Le Lutrin, sans doute, ne « fait plus rire ». Résignons-nous au diagnostic.

Mais on osera avancer que jamais, peut-être, ce « versificateur » n'a manifesté une aussi évidente alacrité à rimer. Le

Passage du Rhin nous a convaincus que la trompette héroïque lui sied mal ; mais, quand il s'avise de tourner en dérision cette trompette-là, il semble s'amuser tant et tant qu'il faut vraiment être bien fort prévenu pour ne pas se laisser entraîner par le rythme du récit.

Le morceau de bravoure du chant V est constitué par l'épisode où s'affrontent les vaillantes troupes du Trésorier et du Chantre et qui parodie les titanesques combats soutenus par les héros de *l'Iliade* et de *l'Enéide*. Mais le poète burlesque est ici rejoint par le satirique (Nicolas tient très fort à ce que nul n'oublie quelle est sa véritable vocation), puisque l'affrontement se déroule dans la boutique du libraire Barbin au milieu des piles de livres et ce sont les volumes invendus qui servent de projectiles.

Tout naturellement, comme dans *l'Art Poétique,* on retrouve là les œuvres des plats rimeurs et des indigestes romanciers dont les productions sont pour la première fois mises au jour :

> Oh ! que d'écrits obscurs, de livres ignorés,
> Furent en ce grand jour de la poudre tirés !

On voit ainsi reparaître Madeleine et les dix tomes de sa *Clélie,* Brébeuf et sa *Pharsale* « Aux provinces si chères », le La Serre du *Chapelain décoiffé,* qui assomment (au propre et au figuré) les adversaires. Quant au soporifique *Charlemagne* de Louis le Laboureur, il vient frapper le Chapelain qui

> (Des vers de ce poète effet prodigieux !)
> Tout prêt à s'endormir, bâille et ferme les yeux.

Il serait tout de même injuste de ne pas reproduire le dénouement de cette *Iliade* burlesque. Acculé par les troupes de son adversaire, le Trésorier s'avise, pour mettre fin au tumulte, d'user de son arme secrète : il va bénir...

> Il sait que l'ennemi, que ce coup va surprendre,
> Désormais sur ses pieds ne l'oserait attendre.

De fait une pieuse panique saisit les combattants ; et tout comme, dans *Faust,* Méphisto prend la fuite devant la croix des épées des soldats, de même le Chantre décampe : « Sa fierté l'abandonne, il tremble, il cède, il fuit... » (remarque-t-on à quel

point, bien avant l'insupportable Victor, l'alexandrin est ici
« déniaisé » ?).

C'est désormais la déroute et la caméra de Nicolas suit,
mouvement après mouvement, geste après geste, toutes les étapes
de la déconfiture des cohortes du Chantre :

Le long des sacrés murs, sa brigade le suit :
Tout s'écarte à l'instant mais aucun n'en réchappe ;
Partout le doigt vainqueur les suit et les rattrape.
Evrard (3) seul, en un coin prudemment retiré,
Se croyait à couvert de l'insulte sacré ;
Mais le prélat vers lui fait une marche adroite :
Il l'observe de l'œil ; et tirant vers la droite,
Tout d'un coup tourne à gauche, et d'un bras fortuné
Bénit subitement le guerrier consterné.
Le chanoine, surpris de la foudre mortelle,
Se dresse, et lève en vain une tête rebelle ;
Sur ses genoux tremblants il tombe à cet aspect,
Et donne à la frayeur ce qu'il doit au respect.
Dans le temple aussitôt le prélat plein de gloire
Va goûter les doux fruits de la sainte victoire.
Et de leur vain projet les chanoines punis
S'en retournent chez eux éperdus, et bénis.

On n'ira pas ici jusqu'à prétendre que le Lutrin atteint aux
sommets de la poésie, et même de la poésie burlesque. Il mérite
pourtant davantage que les quelques lignes dédaigneuses et
condescendantes qu'on lui concède désormais. Si bien que le
Lutrin semble encore tout à fait capable de faire sourire, et
même réfléchir.

3

Le volume de 1674 propose enfin à la délectation du public le
texte du Traité du Sublime de Longin et l'on est là contraint
de glisser furtivement. D'abord parce que, s'agissant d'une tra-

---

(3) Le chanoine Evrard « d'abstinence incapable ».

duction, l'œuvre n'appartient pas en propre à Nicolas (elle peut, tout au plus, permettre aux éternels grincheux de ricaner à propos de sa compétence en matière de langue grecque). Ensuite parce que l'on ne sait pas trop quelle part, dans l'entreprise, revient à feu Gilles III qui, avant de disparaître, avait commencé à transcrire en français l'ouvrage du pseudo-rhéteur. Enfin, et surtout, parce que ce *Traité* ne nous apprend pas grand-chose, même s'il est évident que le traducteur partage largement les thèses exposées par Longin : nécessité de ne pas s'en tenir à la pureté de la langue, de viser à la grandeur, au « sublime », selon le modèle fourni par les Anciens. Mieux vaut donc réserver ce *Traité* pour le moment où, vingt ans plus tard (1694), Nicolas le rééditera en le faisant suivre d'une série de *Réflexions*, qui sont, celles-là, fort personnelles et fortement vinaigrées.

Contentons-nous, pour l'instant, de relever que ce docte ouvrage est, à sa parution, très apprécié du petit monde des érudits que l'on embrasse, dans les salons, « pour l'amour du grec ». Cet appréciable succès d'estime constitue une utime réponse aux teigneux, toujours sur le qui-vive, auxquels les innocents dévergondages du *Lutrin* donnent à penser que le rimeur assagi est bien faible encore aux tentations de la Muse en goguette.

Considéré dans son ensemble, le volume de 1674 constitue un cocktail qui doit paraître à Nicolas d'un dosage capable de flatter les palais les plus divers : du solide et du sérieux, de la gaîté aussi, de l'érudition enfin, peut-on plus brillamment faire la preuve de la variété des dons du nouveau protégé de LOUIS ? Le petit abbé Cotin est-il bien persuadé désormais que ce n'est pas seulement de six minces satires que l'on peut se prévaloir ?

Bien entendu, quelques envieux jappent alentour. Mais qu'attendre d'autre de vieux fous comme Desmarets ? En cette fin d'année, c'est de témoignages infiniment plus glorieux que l'on peut se réclamer.

Qu'on en juge. La fin de l'année 1674 est toute proche et, comme dans tous les foyers de la douce France, on prépare, dans l'entourage de LOUIS, les cadeaux que l'on glissera dans les souliers des chères têtes blondes — celles des bâtards que la divine Marquise ne cesse de prodiguer à Sa Majesté. Il y a, en particulier, le mignon (quoique boiteux) petit Louis-Auguste, duc du Maine, qui va sur ses cinq ans déjà. En cette occasion, l'autre divine, tante Thianges, confie à Papa Noël pour ce cher neveu un joujou qui mérite, on va le voir, d'être qualifié de « sublime ». Elle fait confectionner une sorte de maquette représentant une chambre, grande comme une table et « toute dorée ». Dans un fauteuil est assis un M. du Maine en cire, qui s'adonne sagement à la lecture. Le petit duc est entouré de quelques intimes, qui comptent parmi les personnages les plus hautement huppés du royaume : la généreuse donatrice, bien entendu, assistée de Mme de La Fayette ; et encore Mgr le duc de La Rochefoucauld et son fils ; M. de Condom, alias Jacques-Bénigne Bossuet, pour l'indispensable touche ecclésiastique. Et puis qui ? qui encore au sein de ce petit groupe de si prestigieux parage ? le cher Racine, le « naïf » La Fontaine (un peu en retrait il est vrai), et enfin Nicolas. Nicolas lui-même évoqué dans la plus glorieuse de ses attributions : armé d'une fourche pour barrer la route à un quarteron « de mauvais poètes » qui tentent (vainement, grâce à Dieu, et à Nicolas) de pénétrer dans cette adorable chambre, nommée... *Chambre Sublime* (merci, Longin). Peut-on imaginer plus succulentes étrennes, grâce auxquelles Nicolas se voit officiellement consacré par cette naïve imagerie comme le défenseur de l'innocence d'un enfant menacé par le détestable goût des abbés Cotin ou des Desmarets ?

Grâces en soient rendues à cette bienfaisante tante Thianges. Grâces soient aussi rendues au cher ami Racine que prise si fort tante Thianges parce qu'il a « une belle carrure et (ressemble) à M. de Marsillac qu'elle (a) aimé autrefois » (Primi Visconti).

Avec Racine à la si profitable carrure, c'est maintenant à la vie à la mort. Tragique et Satirique même combat. Très lointains sont désormais les temps où l'implacable *Damon* vouait aux gémonies le petit arriviste si empressé à courber bien bas l'échine devant le malodorant vieillard. Sous l'égide tutélaire des deux divines, est désormais conclue la belle et bonne alliance et l'on commence à murmurer, à propos de Nicolas : « Son Racine est le seul dont il dise du bien » (le Moyne), et — en écho : « A défendre Boileau, Racine est toujours prêt » (Pradon).

En aussi bienheureuse conjoncture, on le comprend sans peine, les années 1675-1676 se déroulent dans le calme et la béatitude. Nicolas revient donc à la sereine Epître, en déposant quelques grains d'encens aux pieds du fils aîné de M. Colbert, Jean-Baptiste de Seignelay, qui n'a certes que vingt-quatre ans, mais qui, Secrétaire d'Etat à la Marine, seconde déjà efficacement son père : Epître IX (qui ne sera publiée qu'en 1683).

Il n'est pas besoin d'être très fin limier pour percevoir que, par-dessus la tête de Jean-Baptiste, c'est au grand ministre que l'on s'adresse, ministre qui, on s'en souvient, est aux tout petits soins pour la divine Marquise. Subtile stratégie en cascade d'hommages.

On n'osera pas affirmer que cette Epître IX est de la plus gouleyante cuvée. D'abord parce qu'il s'en dégage une assez fâcheuse impression de redite. Sur le thème « Rien n'est beau que le vrai », on retrouve des développements qui, littéraires, ne font guère que reprendre les préceptes énoncés aux chants I et IV de l'Art Poétique, et moraux, ceux de l'Epître III (sur la « mauvaise honte »). Et, dans la partie (très modérément) satirique, le lecteur est une nouvelle fois invité à saluer au passage quelques laborieux de la plume : le sieur La Serre, les pitoyables auteurs de Jonas (Coras), des Sarrasins chassés de France (Carel de Sainte-Garde), et aussi de Charlemagne (Le Laboureur), dont chacun doit savoir que le volume est tombé des augustes mains du Grand Condé qui s'en est débarrassé au profit de Pacolet, son valet de pied.

Dans l'éloge, la distribution d'eau bénite de cour est, comme toujours avec Nicolas, plutôt pénible. Coup de chapeau donc au jeune Marquis, qui sait ne pas se laisser « prendre aux filets d'une sotte louange », bien qu'il consente à souffrir la « louange étroite et délicate/Dont la trop forte odeur n'ébranle point les

sens ». Hommage à son « esprit ami de la raison », à sa « vigilance heureuse », à sa « probité sincère, utile, officieuse ». Décidément, que ce soit au niveau subalterne du Secrétaire d'Etat
ou à celui, sublime, de la royale Majesté, on continue de revenir
à peu près bredouille de la chasse aux épithètes.

Coup de chapeau plus accentué encore à l'intention de
« l'illustre père » du jeune marquis. Mais, une nouvelle fois,
l'adjectif se fait rétif : « noble activité », « solide vertu », « vaste
intelligence », « constante équité »... On évite peut-être l'écueil
contre lequel achoppa si souvent le malodorant vieillard qui
toujours fut prompt à mobiliser pour les besoins de la cause
Jupiter, Mars et les dieux de l'Olympe ; on n'en doit pas moins
reconnaître qu'on flotte là au niveau des pâquerettes. Nicolas en
convient d'ailleurs avec bonne grâce (il le faut bien puisque « le
vrai seul est aimable ») : ses vers sont sans doute « recherchés
du peuple et reçus chez les princes » ; mais il le confesse :

> Ce n'est pas que leurs sons agréables, nombreux,
> Soient toujours à l'oreille également heureux,
> Qu'en plus d'un lieu le sens n'en gêne la mesure...

Un très bon point pour cette lucidité, fort rare dans le
petit monde des gens de plume.

Un bon point encore pour la saine morale qui se dégage des
préceptes prodigués : être vrai, toujours ; être soi-même. Louable
généralité que l'on ne saurait pourtant célébrer comme hardie
trouvaille.

Pourtant, tout en cheminant au long de ces sentiers déjà largement battus, voici que l'on relève tout à coup un surprenant
aveu, fruit d'une inquiétude qui déjà s'est manifestée dans
l'*Epître* III : le donneur de leçons sur la vertu de « transparence »
est-il bien lui-même qualifié pour jeter la première pierre ? Car,
peut-être

> Moi-même en ma faveur, Seignelay, je m'abuse.
> Cessons de nous flatter. *Il n'est esprit si droit*
> *Qui ne soit imposteur et faux par quelque endroit :*
> *Sans cesse* on prend le masque et, quittant la nature,
> On craint de se montrer sous sa propre figure.

Précieuse confidence. Nicolas ne serait donc pas seulement le hautain héraut de la rectitude pure et dure ? il aurait ainsi conscience de jouer, comme tout un chacun, dans l'universelle comédie humaine, le rôle éternel du Pharisien qui, à force de prêcher la vertu, finit par se persuader qu'il est lui-même vertueux ? Tartuffe ne connaît pas de ces inquiétudes-là.

C'est peut-être pour échapper à ces moroses pensées que Nicolas se réfugie une nouvelle fois dans la rassurante évocation d'un mythique Age d'or, d'un heureux temps où

> ... l'homme vivait au travail occupé
> Et, ne trompant jamais, n'était jamais trompé.
> On ne connaissait point la ruse et l'imposture...

alors que, désormais, « l'Abondance » (disons : la société de consommation), ayant donné « le loisir de se nuire », tout est devenu fausses valeurs, faux brillants : « fausse vanité », « pompe insolente » et « fortune arrogante ». *Damon* ne désavouerait pas ce développement qui s'agrémente pourtant d'un pittoresque couplet, heureusement moins austère :

> La trop courte beauté monta sur des patins ;
> La coquette tendit ses lacs tous les matins ;
> Et, mettant la céruse et le plâtre en usage,
> Composa de sa main les fleurs de son visage.
> Le courtisan n'eut plus de sentiments à soi.

Et, parmi tous ces faussaires, bien entendu, figurent au premier rang les chers confrères, « imposteurs » du Parnasse :

> De là vint cet amas d'ouvrages mercenaires,
> Stances, odes, sonnets, épîtres liminaires,
> Où toujours le héros passe pour sans pareil,
> Et, fût-il louche ou borgne, est réputé soleil.

Voilà qui est assez fortement dit. Mais, après avoir pris connaissance de ce quatrain, le lecteur devra être assez charitable pour oublier, en toute hâte, le début de l'*Epître* avec sa décoction d'épithètes laudatives. Mieux vaut reconnaître que Nicolas reste toujours maître en l'art de ficeler des formules bien carrées, solidement équipées pour passer à la postérité :

> Rien n'est beau que le vrai : le vrai seul est aimable.

... Mon vers, bien ou mal, dit toujours quelque chose.

Mais la nature est vraie, et d'abord on la sent.

Voulant se redresser, soi-même on s'estropie.

En l'art de forger des maximes rimées, Nicolas se connaît
peu d'égaux.

Au lendemain de la parution de l'*Art Poétique,* tout baigne
donc dans l'huile. Nicolas fait partie de l'incomparable coterie
du Sublime qui dispose de ses grandes entrées dans les alcôves
du Pouvoir. Il est reçu à Versailles dans l'intimité des deux
divines et l'on joue à guili-guili avec Mgr le duc du Maine. Et
surtout, on fait front commun avec l'ami Racine, les protecteurs
de l'un épaulant solidement ceux de l'autre.

D'autre part, bienveillante quoi qu'on en dise, la vie offre
d'agréables satisfactions. C'est ainsi que l'on se promet beaucoup
de plaisir des prochaines soirées que prépare Racine, tout récemment nommé « Conseiller Trésorier de France en la généralité
de Moulins » (où il se garde bien de résider), et Dieu sait si
la fonction de Trésorier-Payeur général est, en ce temps déjà,
juteuse. Le cher Racine travaille à une *Phèdre* qui doit enfin
mettre un terme au silence dramatique qu'il observe depuis le
triomphe de cette *Iphigénie* qui a fait couler des flots de larmes
sur les plus augustes visages : « On en attend un grand succès »
(Bayle, 4 octobre 1676). De ce succès, Nicolas ne saurait douter :
le Trésorier de France est au sommet de sa forme, et il n'a plus
rien à craindre des pâles dramaturges qui, bien loin derrière lui,
s'essoufflent à courtiser Melpomène. A preuve ce novice, le
minuscule Pradon, qui vient, en janvier, de faire un four de
première grandeur avec son *Tamerlan ou la mort de Bajazet.*
Encore un prétentieux, ce Pradon (Nicolas ; le prénom est à
la mode, décidément), qui se prend pour Euripide parce que,
deux ans plus tôt, son *Pyrame et Thisbé* n'a pas été hué. Négligeable bétail, de toute façon.

Et pourtant voici que l'on apprend que ce nain se répand dans les salons en chuchotant que, si son *Tamerlan* a échoué de si piteuse façon, c'est à la suite des « brigues indignes de M. Racine » (Baillet). Comme si M. Racine, qui plane si haut au zénith du Parnasse, avait à se préoccuper des balbutiements tragiques d'un Nicolas Pradon ! L'envie toujours, l'envie au verdâtre visage. On en a vu d'autres.

Mais le fait est qu'il s'obstine, l'outrecuidant. Ayant appris, comme tout le monde, que l'ami Racine s'applique à lentement, amoureusement, polir les vers de sa *Phèdre*, il s'avise de bâcler en trois mois une *Phèdre et Hippolyte* qu'il a le front de confier aux comédiens du théâtre Guénégaud — des histrions de troisième zone qui en sont, pour soutenir les recettes, à enguirlander de musique le sublime alexandrin. Une tragédie en trois mois ! et pourquoi pas en huit jours ? Nicolas vient pourtant bien de le rappeler avec toute la solennité souhaitable : « Cent fois sur le métier... ». Ainsi, tout devient clair : une si folle précipitation atteste, manœuvre classique, que le rodomont entend « doubler » le futur historiographe de LOUIS. Rien, on ne respecte plus rien.

Phèdre est créée le 1er janvier 1677. La tragédie de Pradon le 3.

Et là, le monde renversé, le coup de théâtre — non pas sur la scène, mais dans la salle : le nain ne mord pas la poussière, le nain ne s'écroule pas sous les quolibets. Et tout aussitôt ceux qui, par petitesse d'âme, sont incapables de s'incliner devant l'authentique génie n'hésitent pas à décréter que, davantage que la *Phèdre* de M. Racine, celle du petit prétentieux a « donné dans (le goût) du public ». Et, naturellement, le public (ces « ignorants » pour l'instruction desquels a été pourtant conçu *l'Art Poétique*) suit l'opinion de ces mauvais guides : le Pradon fait plus de vingt-quatre représentations entre janvier et mars ! Une insanité ; pire : un sacrilège.

A la vérité, nul n'ignore que ce succès, ou plutôt ce non-échec, est dû aux diligents tripotages d'un petit groupe qui a remué ciel et terre pour que soit portée au pinacle la tragédie bâclée

en trois mois : des jaloux, des envieux, empressés à sauter sur
l'occasion pour ternir la prestigieuse et désormais commune carrière de MM. Racine et Despréaux qui, clament-ils, « se sont
érigés en Régents du Parnasse, ou plutôt en tyrans » (Pradon).
Des grandes dames aussi, et de très hauts Messieurs : la duchesse
de Bouillon, nièce du Cardinal Jules — une belle gourgandine,
celle-là —, et son frère, Philippe Mancini, duc de Nevers ; et aussi
les sœurs de la Bouillon, la connétable Colonna et la duchesse
de Mazarin (et, après cela, on s'étonnera que Nicolas conserve
soigneusement dans ses tiroirs l'ébauche d'une satire où il dira
son fait à l'engeance féminine !) : toute une fine équipe qui se
pique d'anti-conformisme, qui déteste la divine Marquise et, bien
entendu, tous ceux qu'elle protège. Tout ce beau monde a tant et
tant grenouillé que le résultat est là : on a osé mettre en parallèle
le divin Racine et un pâle petit intrigant. Que l'humanité est
donc laide !

Il est vrai que, très vite, les yeux se dessillent et le soufflé
s'avachit : dès le début de mai, les perspectives sont rectifiées
et la véritable hiérarchie rétablie. Même les esprits les plus
prévenus doivent en convenir : « la critique se déclare hautement
contre Pradon » (Bayle). Un feu de paille en somme, une toquade
sans lendemain. Pourtant, devant cet affront, l'ami Racine a
lourdement accusé le coup, lui qui confiera plus tard à son fils :
« La moindre critique, quelque mauvaise qu'elle ait été, m'a
toujours causé plus de chagrin que toutes les louanges ne m'ont
fait plaisir. »

Mais, après tout, les piqûres d'amour-propre finissent toujours
par se cicatriser. Alors que, bien assenés, les coups de gourdin
peuvent conduire directement à l'hôpital des Quinze-Vingt. Or
il se trouve précisément que l'affaire est à deux doigts de coûter
très cher à l'ami Racine, et davantage encore à Nicolas lui-même
et à son échine. Car, aussitôt *Phèdre* créée, circule un sonnet
qui est fort disgracieux pour la tragédie de M. Racine. On y
moque une « Phèdre tremblante et blême » qui débite « des
vers où d'abord personne n'entend rien », une Œnone qui « lui
fait un sermon fort chrétien », une « grosse Aricie au cuir noir,

aux crins blonds » qui ne figure dans la pièce que « pour montrer deux énormes tétons/Que, malgré sa froideur, Hippolyte idolâtre » (la comédienne, Mlle d'Ennebault, a dû être flattée), et enfin un dénouement où Phèdre en est réduite à prendre « de la mort-aux-rats ».

Affligeant de bêtise, inepte, débile. Même d'Assouci, ex-« empereur du burlesque », ne se serait pas ainsi vautré dans la gadoue, en dessous du niveau du mirliton. Sonnet anonyme, comme de juste. Mais, même sans avoir recours au flair légendaire du lieutenant de police La Reynie, il est aisé de renifler d'où vient le coup : il suffit de regarder du côté de ceux qui se sont tant démenés en faveur du déplorable Pradon. Nul n'en doute : le pitoyable sonnet est l'œuvre du duc de Nevers.

Et c'est là que l'aventure prend une très, très fâcheuse tournure. Car aussitôt, sous prétexte de voler au secours de M. Racine, et à son insu, un ou plusieurs petits futés (on ne sait trop) se divertissent en répliquant par un autre sonnet qui joue sur les mêmes rimes mais qui ne se contente plus de donner dans le grotesque.

Il y est question d'un certain Damon, qui ressemble comme un frère au noble duc de Nevers et dont le portrait est, pour le moins, celui d'un bien triste sire. « Jaloux et blême », il « fait des vers où jamais personne n'entend rien » (le noble duc se targue, en effet, de taquiner la Muse : il a même collaboré avec le fou Desmarests) ; il n'est « ni guerrier ni chrétien » (de fait, le duc ne brille ni par la valeur militaire, ni par la piété) ; il « idolâtre » les « deux tétons » que sa sœur promène « par tout l'univers » (le duc passe, depuis plusieurs années, pour être l'amant de sa sœur) ; il assimile *l'Enéide* à de la « mort-aux-rats » et, pour lui, « Pradon est le roi du théâtre » (le duc clame furieusement son mépris pour les Anciens et ne jure que par Pradon).

Voilà qui, certes, n'est plus du tout innocent ou de simple mauvais goût : s'en prendre à un Grand, à un très Grand, en le désignant comme un lâche, comme un impie qui ne recule même pas devant l'inceste...

Or le piquant de l'histoire est que le noble duc n'est strictement pour rien dans la rédaction du premier sonnet. Et l'on comprend qu'il trouve trop corsé le piment à la sauce Damon. Dans son entourage, chacun en est persuadé : le graveleux second sonnet ne peut être que de la plume de MM. Racine et Despréaux, des rimeurs vaniteux, des petits bourgeois qui, oubliant le néant de leurs origines, osent salir un des plus brillants fleurons de l'aristocratie française.

Il n'est plus dès lors question de tragédies, mais bien de l'Honneur, de l'ordre social lui-même qui est ici menacé et c'est promptement qu'il convient de mettre le holà à de tels dévergondages. Tout « en dînant », Louis-Marie de Rochebaron, duc d'Aumont, premier gentilhomme de la Chambre, clame qu'il faut « couper le nez à Racine et à Boileau » (Tallemant). Le petit Bussy est tout aussi catégorique : de telles injures « devraient attirer mille coups d'étrivières à des gens comme ceux-là », car on ne va tout de même pas donner à des manants d'aussi crasse roture la satisfaction de dégainer pour eux la rapière sur le pré.

Le plus succulent de l'aventure est que ni Racine ni Nicolas n'ont mis la main à l'impudent sonnet. Mais leur réputation est trop bien établie et quand sort des égoûts un libelle de cet acabit, à qui l'attribuer sinon à un Nicolas qui a si largement fait ses preuves dans l'art de la diffamation ?

Cette fois, il n'est plus question de badiner sur les rimes ni de parader, et les deux compères qui sont, selon Valincour, « l'un et l'autre gens fort susceptibles de peur » (dame ! on est familier de la plume et non de Durandal) se précipitent pour chercher refuge en l'hôtel de Condé : l'immense prestige du vainqueur de Rocroi ne sera pas de trop pour éviter la bastonnade aux malheureux innocents.

Dès lors, les perspectives changent : de Condé à Nevers, on peut discuter et, entre seigneurs de si haut lignage, les choses s'accommodent aisément. M. de Nevers a donc finalement la bonne grâce de bien vouloir passer l'éponge : « on persuada M. de Nevers que ce n'était pas eux ». Dès la fin de janvier l'affaire apparaît réglée (Tallemant).

Réglée entre talons rouges, peut-être. Mais, pour beaucoup, l'occasion est trop belle de faire payer, sous le couvert de l'anonymat, à ces gens de peu leurs insolences et leur morgue de parvenus. Et, toujours sur les mêmes rimes désormais fameuses, les sonnets de se multiplier : on n'a pas oublié les sales avanies des *Satires*.

> Vous en serez punis, satiriques ingrats,
> Non pas, en trahison, d'un sou de mort-aux-rats,
> Mais de coups de bâton donnés en plein théâtre.

Et c'est Nicolas, le malheureux, qui est le plus directement visé : « Tout le monde le craint et personne ne l'aime. » Si bien que, l'imagination aidant, la bastonnade devient réalité :

> Dans un coin de Paris, Boileau, tremblant et blême,
> Fut hier bien frotté, quoiqu'il n'en dise rien.

Et ce faquin se comporte en pleutre de la plus plate couardise :

> A l'aspect du bâton, Boileau, tremblant et blême,
> Cria : « Tout beau, Messieurs, ne précipitez rien ;
> Quoi ! sans confession assommer un chrétien ! »

Plus désastreux encore : le bruit de la prétendue bastonnade passe les frontières. Le 28 janvier, la très recherchée *Gazette d'Amsterdam* se fait l'écho de la piteuse déconfiture du poète, un « des meilleurs que ce siècle ait produits » : « mercredi dernier, notre favori du Parnasse fut roué de coups ». Un autre, le correspondant particulier à Paris des *Relations Véritables* qui paraissent à Bruxelles, va même jusqu'à fournir les précisions les plus convaincantes : « Mercredi dernier, deux hommes prirent ce poète chacun par un bras dans la rue du Faubourg-Saint-Germain, pendant qu'un troisième lui donnait des coups de canne de toute sa force. » On croirait y être. Il ne manque plus que la photo. Quand donc se décidera-t-on à sévir contre Messieurs les journalistes étrangers des agences Reuter ou Tass, pour diffusion de fausses nouvelles ?

En tout cas, la conclusion à tirer est claire : ce n'est pas sur l'auteur de *Phèdre* que tombent les brocarts, mais sur Nicolas, nommément désigné comme l'exécuteur des basses œuvres de

M. Racine. L'amitié *mano en la mano* a de ces douloureuses servitudes.

Et de cette catastrophique algarade, que va dire LOUIS ?

L'*Epître* VII (*A M. Racine*) découle directement de ce lancinant souci. C'est en effet Nicolas qui va aller au charbon, pendant que le cher ami, dans la préface qu'il donne en mars à sa *Phèdre*, joue dans le registre du hautain détachement : pas le moindre mot sur la détestable affaire, aucune allusion au vil Pradon, mais de très nobles considérations sur la nécessité de « réconcilier la tragédie avec quantité de personnes célèbres par leur piété qui l'ont condamnée ces derniers temps ».

Cette fois, sous le coup de l'émotion, la réussite va être parfaite. Car il ne s'agit plus de disserter sur de vieux lieux communs comme la « mauvaise honte » ou l'Age d'or, considérés du haut de l'Empyrée. Il s'agit de dire ce que l'on a sur le cœur à partir d'une affaire odieuse, qui est vécue et qui a été profondément ressentie ; il s'agit de chercher des raisons de se rassurer et de dire leur fait aux malfaisants, mais sans tomber dans la polémique vulgaire où l'on n'engage que sa vanité.

Le miracle est que, à partir de ce cas particulier et très personnel, l'Epître atteint sans peine apparente aux grandes leçons que, un jour ou l'autre, donne la vie pour ouvrir les yeux sur l'essentiel. Elle s'articule sur trois idées-force : le génie, parce qu'il est original et novateur, ne suscite d'abord que sarcasmes et louches manœuvres ; c'est en se colletant avec les obstacles et les ennemis que le génie trouve son plein accomplissement ; seule est valable l'opinion des juges éclairés. Rien là que de très quotidienne expérience.

Mais tout est dans le ton, qui est celui de la sincérité la plus directe — indignation ou admiration — ; et dans le souffle qui anime le plaidoyer comme le réquisitoire.

Le point de départ est bien entendu constitué par l'éloge du cher Racine (« Que tu sais bien, Racine, à l'aide d'un acteur... »).

Mais cet éloge est en fait d'une extrême brièveté : 8 vers. Il est tout à fait clair que l'affaire de *Phèdre* ne représente qu'un prétexte et que l'Epître est de portée beaucoup plus large. Et la question posée par l'exorde est, en fin de compte, celle-ci : qu'est-ce que la gloire ? et de quel prix faut-il la payer ? Avec cette sombre réponse : ce n'est qu'après la mort que s'impose le génie novateur :

> La mort seule ici-bas, en terminant sa vie,
> Peut calmer sur son nom l'injustice et l'envie.

Il ne s'agit pas là du sempiternel « jugement de la postérité ». Il s'agit de l'épouvantable pesanteur qui, de son vivant, accable le créateur : l'incompréhension volontaire des envieux, les rosseries décochées pour le seul plaisir de faire un bon mot, la suffisance hautaine du médiocre qui enrage de sa médiocrité, le refus de la main tendue à celui qui n'attend qu'un encouragement pour ne pas se mettre à douter de lui-même.

Sous cet angle, bien davantage que l'éloge de Racine, l'épître est un admirable hommage rendu au vieux compagnon disparu depuis quatre ans, Poquelin. Et comme, cette fois, Nicolas parle en son nom propre et ne cherche plus à se faire, comme dans *l'Art Poétique*, le porte-parole du « public », il n'est pas question de reprendre les réserves naguère formulées sur les excès de bouffonnerie des *Fourberies de Scapin*. Parce que Nicolas vient de faire lui-même l'expérience de la bassesse venimeuse et de la brutalité nue, il trouve la note juste pour dire autant son admiration pour l'« auteur du *Misanthrope* » que son mépris pour le fat, le snob, le muscadin ou le tartuffe. La tirade était jadis célèbre, et elle mérite d'être intégralement reproduite :

> Avant qu'un peu de terre, obtenu par prière,
> Pour jamais sous la tombe eût enfermé Molière,
> Mille de ces beaux traits, aujourd'hui si vantés,
> Furent des sots esprits à nos yeux rebutés.
> L'ignorance et l'erreur à ses naissantes pièces,
> En habits de marquis, en robes de comtesses,
> Venaient pour diffamer son chef-d'œuvre nouveau,
> Et secouaient la tête à l'endroit le plus beau.

> Le commandeur voulait la scène plus exacte ;
> Le vicomte indigné sortait au second acte.
> L'un, défenseur zélé des bigots mis en jeu,
> Pour prix de ses bons mots le condamnait au feu.
> L'autre, fougueux marquis, lui déclarant la guerre,
> Voulait venger la cour immolée au parterre.
> Mais, sitôt que d'un trait de ses fatales mains,
> La Parque l'eut rayé du nombre des humains,
> On reconnut le prix de sa muse éclipsée.

Il n'est plus question ici de « littérature », ni même de polémique. Il est question de rendre justice à un ami très cher et qui fut très malheureux.

Le second développement porte sur l'utilité des ennemis, par le biais d'un bref retour à Racine qui suit « les pas de Sophocle » et « De Corneille vieilli (sait) consoler Paris ».

> Cesse de t'étonner si l'envie animée,
> Attachant à ton nom sa rouille envenimée,
> La *calomnie* en main quelquefois te poursuit.

Et, là encore, ce qui est en cause, ce ne sont pas des mérites dramatiques, mais bien l'honneur et la dignité de l'adversaire. Un honneur et une dignité dont, il faut le reconnaître, Nicolas ne se souciait pas trop lorsque, quinze ans plus tôt, il entrait lui-même si gaillardement dans la jungle et qu'il avait peu à perdre et beaucoup à gagner. Maintenant la situation est toute autre : on a beaucoup à perdre. Alors, on cherche des raisons de persévérer. La « haine », le « venin », Nicolas vient de les rencontrer, et plus brutalement encore que l'ami Racine : donc, autant s'appliquer à tirer profit des malveillants :

> Je songe, à chaque trait que ma plume hasarde,
> Que d'un œil dangereux leur troupe me regarde.
> Je sais sur leur avis corriger mes erreurs,
> Et je mets à profit leur maligne fureur.
> Et plus *en criminel* ils pensent me confondre,
> Plus, croissant en vertu, je songe à me venger.

Au surplus, qu'importe la cabale ? Elle n'est que « bruit passager » de « cris impuissants » (de fait, on l'a vu, l'affaire avec

Pradon est bientôt accommodée). Il ne reste donc plus qu'à régler, avec toute l'égalité d'âme possible, un certain nombre de petits comptes, en désignant au palmarès de la sottise ceux dont l'approbation vaudrait certificat de médiocrité (un seul mot un peu raide : pour désigner Linière, « de Senlis le poète idiot »). Et ensuite faire donner les trompettes de la gloire en citant les grands noms de ceux-là seuls qui comptent : « le plus puissant des rois », bien entendu ; l'immense Condé et son fils ; M. Colbert et le cher Vivonne ; les La Rochefoucauld père et fils, et Pomponne, « et mille autres qu'ici je ne puis faire entrer ». Triomphant remerciement qui est aussi un appel à l'aide. Après quoi, on peut porter l'estocade finale :

> C'est à de tels lecteurs que j'offre mes écrits ;
> Mais pour un tas grossier de frivoles esprits,
> Admirateurs zélés de toute œuvre insipide,
> Que, non loin de la place où Brioché (4) préside,
> Sans chercher dans les vers ni cadence ni son,
> Ils s'en aillent admirer le savoir de Pradon !

Le pitoyable Pradon pourra toujours bien, dans la préface qu'il donne à sa *Phèdre*, prétendre que l'*Epître* VII est une « satire » nouvelle, que Nicolas vient ainsi de se dénoncer comme l'agresseur, nul ne l'en croira sur parole. Pradon ne compte plus ; Pradon n'est plus qu'un mauvais souvenir. La bourrasque est désormais passée. Le mot d'ordre est, maintenant plus que jamais : sérénité.

Sérénité ? On ne saurait en jurer.

L'ami Racine a été, sur le moment, complètement démonté (« Je vis Racine au désespoir », affirme Valincour), mais il a assez vite récupéré. Mais si, après avoir donné le fraternel coup d'épaule, Nicolas avait, plus rudement que Racine, ressenti le contrecoup de l'aventure ? C'est un fait, en tout cas, que, la querelle une fois apaisée, il quitte la place, lui Parisien jusqu'aux

---

(4) Célèbre montreur de marionnettes installé rue Guénégaud, près du théâtre où avait été joué Pradon.

os et qui n'a si fort tempêté contre les embarras de la Ville
que parce qu'il ne pouvait pas se passer de Paris. Et il s'installe
dans la datcha de son neveu Dongois à Hautisle, près de La Roche-
Guyon. Non pas sur l'avis de quelque médecin qui lui conseillerait
le grand air pour son asthme, mais parce que, de toute évidence,
Paris désormais lui fait horreur. Après tout, ce prétendu insensible, ce cœur sec a probablement le cuir moins épais qu'on
ne se plaît à le répéter.

C'est en tenant compte de cet état d'esprit qu'il faut lire la
nouvelle Epître qu'il destine au fils du Premier Président, en
réponse à l'invitation instante que celui-ci lui adresse de revenir
au plus tôt dans la capitale.

On s'est trop hâté d'affirmer que cette *Epître* VI reprend
encore un très vieux thème, celui des charmes de la vie cam-
pagnarde : chacun sait bien que Nicolas est tout à fait incapable
d'avoir une idée personnelle. Il est sans doute exact que le
poème commence par célébrer le petit village de Hautisle en
une évocation qui, si elle était de la plume de La Fontaine ou
de Mme de Sévigné, passerait pour agréablement illustrer un très
vif « sentiment de la nature ».

S'il s'égarait à lire Nicolas, l'écologiste de base ou le maniaque
entiché de pain cuit à la maison serait fort étonné de voir prôner,
contre le *fast-food* ou le steack surgelé, le « repas agréable et rustique » — diététique — que la ferme a fourni et la fermière
cuisiné : « Tout ce qu'on boit est bon, tout ce qu'on mange est
sain. » Ce sont là alexandrins qui ne relèvent pas d'un lyrisme
pindarique. Mais ils traduisent bien tout de même un dégoût
accru pour les « dogmes de Broussin » (le fameux gastronome
de la *Croix-Blanche*), pour les assaisonnements sophistiqués de
la maison Fauchon — alias ici « Bergerat », illustre traiteur qui
tient rôtisserie près du Palais-Royal : plaisirs faisandés auxquels
on a naguère succombé du temps que l'on côtoyait le mauvais
sujet.

Que les temps sont changés ! Reconnaîtrait-on le Nicolas d'antan dans ce Promeneur Solitaire, tout adonné à ses « rêveries »
au fond d'un « vallon » qui pourrait être lamartinien ?

> Tantôt, un livre en main, errant dans les prairies,
> J'occupe ma raison d'utiles rêveries ;
> Tantôt cherchant la fin d'un vers que je construis,
> Je trouve au coin d'un bois le mot qui m'avait fui ;
> Quelquefois, aux appâts d'un hameçon perfide,
> J'amorce en badinant le poisson trop avide
> (la truite de Schubert ?)
> Ou d'un plomb qui suit l'œil, et part avec l'éclair,
> Je vais faire la guerre aux habitants de l'air.

Bien évidemment, ces mousqueteries ne sont pas d'un doux inconditionnel de la S.P.A. et elles donnent à penser que le promeneur solitaire n'a pas encore muselé en lui le vieil homme : Huguette Bouchardeau trouverait ici matière à froncer son rare sourcil. Mais il faut bien trouver le moyen de se défouler d'une façon ou d'une autre, puisque la verve satirique est désormais proscrite.

Ceci dit, il faut revenir à l'attaque du poème. Elle est d'une amertume qui ne trompe pas :

> Oui, Lamoignon, je fuis les chagrins de la ville,
> Et contre eux la campagne est mon unique asile.

Chagrins, cette fois, et non plus simples *embarras*. C'est l'homme même qui est touché, alors que dans les anathèmes de *Damon* il entrait une part évidente de rhétorique — indignation dans une certaine mesure convenue. Et le même mot revient : à Paris, « en tous lieux les *chagrins* m'attendent au passage », « Ainsi de cent *chagrins* dans Paris accablé... ». Or le terme possède alors un sens infiniment plus fort qu'aujourd'hui : il implique, non pas blessure après tout légère, mais douleur et souffrance.

Passe encore pour le « cousin » qui, sitôt Nicolas revenu à Paris, le harcèlerait pour qu'il aille solliciter « vingt juges » en faveur de sa cause : un « fâcheux » du type de ceux de l'ami Poquelin — négligeable contrariété.

Les véritables *chagrins* sont ceux qui se sont accumulés dans les premières semaines de l'année : la sordide affaire des sonnets avec ses imputations calomnieuses, le déferlement du fiel

des rivaux, le poids du ridicule aussi. Et ce dialogue imaginaire
dissimule mal que l'on rit jaune :
— Hier, dit-on, de vous on parla chez le roi,
Et d'attentat horrible on traita la satire.
— Et le roi, que dit-il ? — *Le roi se prit à rire.*
Contre vos derniers vers on est fort en courroux :
Pradon a mis au jour un livre contre vous (...).
L'autre jour sur un mot la cour vous condamna ;
Un écrit scandaleux sous votre nom se donne :
D'un pasquin (= écrit séditieux) qu'on a fait, au Louvre on
                                                    [vous soupçonne.
— Moi ? — Vous : on nous l'a dit dans le Palais Royal.

Soit, LOUIS s'est contenté de « rire ». Mais le fait est là :
toute la Cour a jasé. Et le pli est pris désormais : on ne prête
qu'aux riches :

> Vient-il de la province une satire fade,
> D'un plaisant du pays insipide boutade,
> Pour la faire courir on dit qu'elle est de moi ;
> Et le sot campagnard le croit de bonne foi.

Il y a quelques années encore, on frétillait d'aise au spectacle
du tumulte provoqué par les satires et l'on avait plaisir à ferrailler avec les contradicteurs. Mais, avec le temps, la lassitude
est venue, et aussi le sentiment de la vanité de tout ce tintamarre.
Nicolas le constate avec lucidité : il se retrouve maintenant
« moins plein de feu », « J'ai besoin du silence ».

Et l'on comprend mieux ainsi le sens de cette retraite, qui n'est
pas de veine bucolique. La vérité est que, pour l'instant, Nicolas
ne peut plus supporter l'idée d'avoir à « marcher sur le pavé
des rues ».

> Qu'heureux est le mortel qui, du monde ignoré,
> Vit content de soi-même en un coin retiré !
> Que *l'amour de ce rien qu'on nomme renommée*
> N'a jamais enivré d'une vaine fumée ;
> Qui de sa liberté forme tout son plaisir,
> Et ne rend qu'à lui seul compte de son loisir.
> Il n'a pas à souffrir d'affronts ni d'injustices...

Ce n'est pas là à proprement parler de la misanthropie,

mais une sorte de fatigue de l'être et la vague perception d'une inquiétude : et si la voie naguère choisie n'était pas la bonne ?

Et voici encore que, le 1er juin, l'ami Racine convole en justes noces. Il a trente-huit ans. Celui-là n'a sans doute pas escaladé les glorieuses barricades de 68, mais il s'en est tout de même bien donné à cœur joie avec la du Parc et la Champmeslé. Maintenant, ce flamboyant de la veille découvre qu'il est grand temps de songer à chausser les charentaises. Et il se retrouve au bras d'une orpheline de vingt-quatre ans, issue d'une famille bourgeoise récemment anoblie et nantie d'un convenable sac de S.I.C.A.V. L'épouse ne sait même pas distinguer une rime masculine d'une rime féminine et elle ne lira jamais les tragédies de son mari...

N'est-ce pas mortellement triste ?

LOUIS a *ri* — ce qui prouve son bon sens et sa juste appréciation des proportions.

Mais, chacun le sait, changeante est l'humeur d'une si puissante Majesté. Et le paratonnerre de la pension (toujours révocable) est bien fragile. Il faudrait bénéficier d'une garantie plus sûre, quelque chose comme un poste officiel qui ferait des deux compères des intouchables, hors d'atteinte de la perfidie des méchants. C'est à quoi pensent pour eux les bienfaisantes protectrices, et surtout tante Thianges qui est si fort entichée de l'avantageuse carrure de M. Racine.

Or, tout le monde en convient, il se trouve que, en 1677, LOUIS est au sommet de sa gloire : « l'état de grâce » dans son plein épanouissement. Ses vaillantes troupes viennent de conquérir la Franche-Comté ; on s'est rendu maître de Valenciennes, de Cambrai ; on a mis cul par-dessus tête l'insolent ennemi au Mont Cassel. Comme l'écrira Nicolas un peu plus tard avec tant d'à-propos : « Grand Roi, cesse de vaincre ou je cesse d'écrire. » Mais à qui donc revient-il, en 1677, de célébrer officiellement cette gloire, ces hauts faits devant lesquels s'incline l'Europe entière ?

Cette fonction a été dévolue, une dizaine d'années plus tôt, à un vieux cheval de retour, à Pellisson — oui, Pellisson, l'*Acante* et l'homme à tout faire de Fouquet, après qu'il ait été tiré de son cachot. Ce revenant s'acquitte sans doute très honorablement de sa tâche, mais il date tout de même (il a largement passé la cinquantaine) ; il n'a point trop su prendre le bel air de la Cour et M. le Maréchal d'Estrade se plaît à le brocarder en évoquant sa moustache qui « ressemble à une omelette rôtie » (Primi Visconti). Plutôt que ce vieux héron au *look* suranné, M. Racine, de si impressionnante allure, ne serait-il pas beaucoup plus représentatif ? Et, en recrutant aussi M. Despréaux dont chacun connaît la rugueuse indépendance d'esprit, le Pouvoir ne prouverait-il pas qu'il s'adjoint un collaborateur que nul ne peut soupçonner d'être un flatteur professionnel ? Pour célébrer, en mai 1981, la glorieuse apothéose de la Rose, se contentera-t-on, afin d'entonner une triomphante *Marseillaise*, de faire appel à un ténorino usagé de l'Opéra Comique ? Le « peuple de gauche » ne serait-il pas davantage pris aux tripes si l'on faisait appel au prestigieux Placido Domingo ? C'est cela que les deux divines ressaient aux oreilles de LOUIS.

LOUIS n'est pas d'emblée séduit. LOUIS demande à réfléchir. C'est qu'il est tant d'autres candidats qui se bousculent pour avoir l'honneur de magnifier les merveilles du nouveau régime ! En tête du peloton, le petit Bussy qui, six ans plus tôt (1671), a déjà fait connaître, par l'entremise du duc de Saint-Aignan, qu'il suppliait Sa Majesté « de trouver bon qu'(il) écrivît son histoire » — et aussi Primi Visconti qui, afin de donner un échantillon de son savoir-faire, publie, en 1677 précisément, sa relation sur *La Campagna del Re Cristianissimo nell'anno 1677*. Un grand seigneur, un ambassadeur... En face de ces considérables candidats, les deux rimeurs bourgeois font figure de poids plume.

Pour mettre un terme au harcèlement dont il est l'objet, LOUIS finit par imposer aux deux outsiders une épreuve probatoire : ces Messieurs du Sublime sont invités à composer « un panégyrique » à la « louange » de la brillante campagne militaire qui vient de s'achever en mai.

Or — merveille ! — l'épreuve se révèle concluante. Le royal

examinateur se déclare satisfait puisque, le 11 septembre, le garde du Trésor reçoit une ordonnance lui enjoignant de payer « comptant aux sieurs Despréaux et Racine la somme de 12 000 livres (...) en considération de divers ouvrages auxquels ils travaillent par mon ordre ».

Une telle apothéose, quelques mois seulement après la désastreuse affaire des sonnets ! De quoi faire rentrer dans sa gorge les calomnies déversées par le correspondant de la *Gazette d'Amsterdam*. Et, en prime, la sécurité de l'emploi dans le sillage d'un monarque qui, par la grâce de Dieu, ne se voit pas contraint aux limites d'un septennat. Nicolas, qui l'eût cru ? Jean Racine, qui l'eût dit ?

En fait, nul ne se trompe sur l'origine de cette exceptionnelle promotion : épîtres *Au Roy* ou *Mithridate* auraient peu pesé dans la balance si, plus divine que jamais, l'admirable Montespan n'avait pas considéré que ce « travail » d'historiographie était un « amusement dont elle avait besoin pour occuper le Roi » (Perrault). Candidat malchanceux, Primi Visconti n'en doute pas : le Roi a cédé « aux instances de Mme de Montespan » ; on a même précisé à M. l'Ambassadeur que l'intérêt que Mme de Montespan « porte à ces Messieurs vient de Mme de Thianges ». Toujours l'avantageuse carrure de M. Racine.

Certes, certes, une volonté de LOUIS ne se discute pas. Il n'empêche que l'on potine ferme sur cette éminente distinction concédée à de si minces personnages — ex-piliers de tavernes, ex-familiers des coulisses, alors que tant de nobles gentilshommes eussent si dignement honoré les hauts faits de LOUIS. La brigue, Marquis, toujours la brigue !

Le petit Bussy s'en étrangle de dépit. Et, toujours aussi snobinette, la cousine Sévigné se met à l'unisson : « Il n'appartient pas à *ces gens-là* de louer le Roi ni d'écrire son histoire ; ce devrait être un homme de cour, de qualité et de la guerre » (2 avril 1678). Les saines traditions se perdent, décidément. « Le Roi mériterait bien d'avoir d'autres historiens que deux poètes ; vous savez aussi bien que moi ce qu'on dit en disant des *poètes* » (18 mars 1678) : des pas grand-chose, en vérité. Quant à

Bussy, il écrit à Mme de Scudéry (7 avril 1678) : « Despréaux et Racine sont incapables de bien écrire l'histoire du Roi et il faudrait choisir pour cet emploi un homme de qualité, de cour, de guerre et *d'esprit.* »

De nos jours, ceux-là n'en finiraient pas de déblatérer contre l'utilisation systématique de la promotion interne.

Vains coassements. LOUIS a décidé. LOUIS a parlé.

Le 2 décembre 1804, au moment où il s'avancera dans la grande nef de Notre-Dame pour être couronné par S.S. Pie VII, Napoleone Buonaparte se penchera vers son frère aîné : « Joseph, si notre père nous voyait ! » Le 11 septembre 1677, Nicolas peut, lui aussi, se retourner vers l'ombre flottante de feu Gilles Ier et hocher la tête avec la même conviction...

Hier encore, on frôlait la Roche Tarpéienne. Aujourd'hui s'achève la fulgurante montée au Capitole.

Qui donc, quelques semaines plus tôt, sombrait encore dans les noirs *chagrins* ?

VII

INTERLUDE

(1677-1687)

La parade triomphale sur les Champs-Elysées exclut catégoriquement les douces errances sur les pentes du Parnasse chéri
des Muses : le service de LOUIS postule la disponibilité totale,
vingt-quatre heures sur vingt-quatre. Et ce n'est pas avec cet
employeur-là, fort peu soucieux d'appliquer les lois Auroux sur
les légitimes droits des travailleurs, que l'on peut négocier un
horaire de travail à mi-temps. A Blaise-Henri de Corte, baron
de Walef, Nicolas ne tarde pas à en faire confidence : si
« l'Histoire » l'a bien « tiré du métier de Poésie », elle ne tolère
pas de badinage avec la rime : « la Poésie m'est en quelque sorte
interdite ». Comme l'a déjà dit de façon si expressive la Sévigné,
on sait trop bien ce que le seul mot de *poète* évoque à la Cour :
maigre fretin, gens de peu, bastonnables sans nul préavis. Or
la Cour, ce n'est pas seulement les deux divines si compréhen-
sives : la Cour, c'est le panier de crabes intégral, tout un monde
d'intrigants, d'arrivistes forcenés, de clans qui s'entre-déchirent et
qui guettent la moindre bienheureuse bévue que finira bien par
commettre le « cher ami » d'en face. Il va donc falloir s'appliquer
à ne pas faire trop piètre figure et à naviguer au plus juste dans
une jungle auprès de laquelle celle des gens de plume n'est que
pacifique parc zoologique.

De fait, entre 1677 et 1693, seize ans durant (une éternité !), la chère Muse, qu'elle soit satirique ou épistolière, se trouve, la pauvrette, réduite au silence. On s'aventurera tout juste, en 1683, à donner une nouvelle édition d'*Œuvres diverses* : en un mot, le désert de la créativité, hier encore si jaillissante. Est-il donc vrai que, comme le dira beaucoup plus tard Bernard Grasset dans ses *Remarques sur l'action,* « la réussite n'est souvent qu'une revanche sur le bonheur » ?

Car LOUIS n'est pas Sire à plaisanter. Le ton est donné à peine séchée l'encre du parchemin consacrant les deux compères dans leurs nouvelles fonctions. Dès le début d'octobre, la bonne Sévigné, qui ne cesse de jouer les cancanières de gazettes, style France Roche, se régale de rapporter une piquante anecdote au petit cousin Bussy si déconfit. C'est en public, devant tous les hauts dignitaires du régime, que LOUIS a sèchement fait observer à ses deux porte-plume : « Je suis fâché que vous ne soyez venus à cette dernière campagne », la campagne de Flandre qui s'est déroulée au printemps, alors que pourtant la fameuse nomination n'était encore qu'un vague projet.

On a bien entendu : « Je suis *fâché...* » LOUIS a la litote olympienne mais catégorique. *Fâché !* alors qu'un simple froncement du royal sourcil peut rendre à son néant le rimeur bourgeois. Chacun sait bien que, d'abord distingué par notre démocratique Majesté et promu ministre, l'illustre Alain Bombard s'est vu en une phrase sèchement renvoyé à ses navigations solitaires. *Fâché !* De quoi donner un frisson dans le dos.

Dieu en soit remercié, l'ami Racine est là — l'algarade vaut aussi pour lui. Et l'ami Racine a souple l'échine et fine la répartie : « Sire, nous sommes deux bourgeois qui n'avons que des habits de ville ; nous en commandâmes de campagne ; mais les places que vous attaquiez furent plus tôt prises que nos habits ne furent faits. »

Merveilleux Racine ! Ours insuffisamment léché, Nicolas n'a pas fini de lui envier cet à-propos, ce fin doigté.

En tout cas le coup de semonce est reçu 5 sur 5. En fait de sinécure, il faudra attendre des jours meilleurs : le moment n'est pas encore venu où l'on pourra s'en aller paisiblement taquiner le goujon ou la truite schubertienne.

Il va même falloir faire très vite, car LOUIS est déjà tout piaffant, avide de cueillir de nouveaux lauriers.

C'est un fait qu'il vole de victoire en victoire, ainsi que Nicolas l'a déjà célébré solennellement à plusieurs reprises. Mais c'est un autre fait, têtu vraiment, que, depuis six ans, les marchands de fromages, ces vers de terre, s'obstinent à transformer en interminable marathon une guerre qui s'était annoncée fraîche et joyeuse, œillet à la boutonnière et fleur au fusil. A Nimègue, on négocie bien autour du traditionnel tapis vert. Mais, chétif David, Guillaume d'Orange se refuse à prendre la juste mesure du Goliath qu'il affronte et il trouve toujours mille prétextes pour finasser, pour mégoter : aussi urge-t-il de ramener à la saine réalité ce jeunot en lui donnant une bonne leçon. Et, cette fois, on va y mettre le paquet : c'est 100 000 hommes de troupe que vont suivre la Cour au grand complet, la Reine et, naturellement, LOUIS perruque et plumes au vent. Direction : Gand, l'orgueilleuse métropole commerçante des marchands de fromages que l'on entend frapper au cœur même de leur City. Jour J : le 7 février (1668), en pleine froidure : la vraie partie de plaisir.

Il n'est pas question, bien entendu, que Messieurs les Historiographes se défilent en douceur pour cause de flânerie du côté des tailleurs. On ne se contenterait pas, cette fois, de se dire fâché.

Donc, en toute hâte, bourgeois de se harnacher militairement, sous l'œil goguenard des brillants maréchaux de camp et des vieux briscards à trois poils qui se font par avance un délice de voir patauger ces deux pékins dans la boue des chemins au milieu du train des équipages et des convois d'artillerie. Le spectacle ne manquera pas de piquant : Nicolas n'a-t-il pas naïvement avoué en son Epître VI qu'il n'est qu'un « apprenti cavalier » ? Il y a, à coup sûr, du roulé-boulé dans l'air.

Et c'est avant même le grand départ pour l'inconnu que le seigneur bien né et le haut militaire se livrent à des facéties du goût le plus douteux à l'endroit de ces deux palikares d'occasion. Ainsi Louis d'Oger, marquis de Cavoye, grand maréchal de la Maison de LOUIS, un ami pourtant (mais il faut bien rire aux dépens des amis), s'en vient le plus sérieusement du monde demander au cher Racine s'il a songé à faire ferrer ses chevaux à forfait. Panique de l'ami Racine qui n'est point expert en science hippologique et auquel, bon prince, mais riant sous cape, M. de Cavoye doit exposer aimablement :

— Croyez-vous que, quand une armée est en marche, elle trouve partout des maréchaux ? Avant de partir, on fait un forfait avec un maréchal de Paris qui vous garantit que les fers qu'il met aux pieds de votre cheval y resteront six mois.

Des fers capables de durer six mois... L'astuce est sans doute un peu grosse, mais l'hameçon est voracement gobé par le pékin qui cherche une excuse : « Boileau ne m'en a rien dit ; mais je n'en suis pas étonné, il ne songe à rien. » L'amitié *mano en la mano* a de ces limites quand il s'agit de ne pas jouer soi-même le rôle de niquedouille. Et le cher Racine de courir chez le cher Nicolas qui marche à son tour, qui s'affaire : « Il faut promptement s'informer du maréchal le plus fameux pour ces sortes de forfaits. »

Ils n'eurent pas le temps de le chercher. Dès le soir même, M. de Cavoye raconta au Roi le succès de sa plaisanterie. (Louis Racine.)

Bon fils, Louis Racine commente : « Un fait pareil, quand il serait véritable, ne ferait aucun tort à leur réputation. » Certes. Mais, « véritable » ou non, le « fait » atteste bien que, dans les mess et les Etats-Majors, on se promet bien du plaisir à la perspective de placer dans les plus impayables postures ces Messieurs du Sublime, mués en chevaliers de la flamberge. Le spectacle vaudra bien le Théâtre aux Armées.

Cette fois encore, LOUIS a *ri*, sans doute ?

A la campagne engagée, LOUIS impose un train d'enfer.

De Metz que l'on quitte le 27 février, on fonce sur Saint-Amand, qui est atteint le 2 mars. Au cours de la journée du 26, on a parcouru quelque 60 kilomètres. Gand est investie le 4 mars et, dès le 5, la tranchée est ouverte : ni trêve ni répit. Embrigadés dans cette chevauchée fantastique digne de John Ford, les deux correspondants aux armées crient miséricorde. Et Nicolas fantasme ferme sur les duveteux édredons qui enveloppent, au fond des alcôves, les chanoines de son *Lutrin*. C'est le moment que choisit le même Cavoye pour s'en venir l'éveiller alors que, « très fatigué » par « une marche fort longue », il s'est effondré sur un lit, sans même souper. L'incorrigible plaisantin prend son air le plus « consterné » pour se faire le messager d'une « fâcheuse nouvelle » : « — Le Roi n'est point content de vous ! il a remarqué aujourd'hui une chose qui vous fait un grand tort. »

On imagine l'épouvante : *point content de vous... un grand tort...* et cela après *fâché !* « Tout alarmé », Nicolas presse de questions l'autre qui se délecte à faire durer le plaisir : « — Je ne saurais affliger mes amis. » Et ce n'est qu'après avoir laissé le malheureux se débattre avec son « agitation » qu'il consent à parler :

> — Puisqu'il faut vous l'avouer, le Roi a remarqué que vous étiez tout de travers à cheval.
> — Si ce n'est que cela, répondit Boileau, laissez-moi dormir.

Encore une bien bonne qui va faire le tour des popotes, avant de courir les ruelles et les salons parisiens. Déjà la bonne Sévigné s'en donne à cœur joie de décrire la tartarinade de ces Messieurs dont, il y a peu, les alexandrins résonnaient encore des si mâles accents qu'ils prêtaient à « Bellone », à Mars, aux dieux des combats : des balourds qui font les délices du troupier. A Waterloo, Fabrice del Dongo a au moins, lui, l'excuse de la jeunesse. Ceux-là

> suivent la Cour, plus ébaubis que vous ne sauriez le penser, à pied, à cheval, dans la boue jusqu'aux oreilles (...). Ils font leur cour par l'étonnement qu'ils témoignent de ces légions si nombreuses et des fatigues qui ne sont que trop vraies. Ils disaient l'autre jour au

Roi qu'ils n'étaient plus si étonnés de la valeur extraordinaire des soldats, qu'ils avaient raison de souhaiter
d'être tués pour finir une vie si épouvantable. Cela fait
rire.

Un peu plus tard, Pradon ne va pas manquer une aussi
savoureuse occasion de prendre une juste revanche. Et il rime
sur ces nouveaux paladins qui, « armés d'une longue rapière »,
« chacun monté sur un grand palefroi », du mieux qu'ils peuvent
prennent une « mine guerrière » :

L'un et l'autre à s'armer furent ingénieux :
Ils l'étaient jusqu'aux dents, et même jusqu'aux yeux,
Et pour voir sans danger les périls, les alarmes,
Ils avaient apporté des lunettes pour armes,
Dont ces deux champions, se servant au besoin,
N'approchaient l'ennemi que pour le voir de loin.

Car ce qu'il est important de bien mettre en valeur, c'est
que, bourgeois jusqu'au bout des ongles, ces deux-là ne sont que
des trembleurs égarés au milieu de héros qui font escorte à
LOUIS.

Il y a certes gros à parier que, au cours de la grandiose
campagne, les deux historiographes n'ont pas fait figure de
lions. Il est pourtant équitable de mentionner ce satisfecit que,
après la mort de Racine, LOUIS aurait décerné à Nicolas : « Je
me souviens qu'au siège de Gand, vous étiez le plus brave des
deux » : voilà qui équivaut à une citation à l'ordre de l'Armée
avec attribution de la rosette.

Dieu merci le calvaire n'est pas trop long tant les victoires
remportées sont fulgurantes. Et la bienfaisante paix de Nimègue
ramène bientôt nos deux héros à Versailles.

Expérience consommée, Paris et ses « chagrins » sont cent
fois préférables à la gadoue des camps, au grondement des canon-
nades et aux ricanements du troupier.

Il faudra bien, en 1681, se harnacher encore et suivre LOUIS
dans sa marche une fois de plus triomphale vers l'Alsace et
Strasbourg. Mais ensuite, en 1691, en 1692, en 1693, Nicolas laissera le cher Racine galoper seul du côté de Mons ou de Namur.
Après tout, l'autre a pour lui la jeunesse (trois ans de moins,

cela compte, à nos âges). D'autant plus que, en cette fin de siècle, on ne caracole plus en météores étincelants : la guerre en dentelles est devenue pure boucherie et c'en est bien fini du *Te Deum* des vainqueurs.

Ce sera donc chaussons aux pieds, à travers les lettres du cher Racine, que Nicolas suivra le déroulement des opérations. Moyennant quoi il pourra délivrer à son correspondant ce certificat qui le consacre grognard d'élite : « Je vois bien qu'à l'heure qu'il est vous êtes un soldat parfaitement aguerri contre les périls et contre la fatigue » (25 mars 1691).

Après avoir ainsi, comme on dit, subi l'épreuve du feu, c'est avec un immense soupir de soulagement que Nicolas retrouve la plume d'oie. Mais avant de travailler studieusement à l'histoire des exploits de LOUIS, il convient de remercier de la façon la plus officielle Sa Majesté pour la si flatteuse promotion : *Epître* VIII, *Au Roy.*

Le problème est que, par deux fois déjà, on a célébré les mérites de l'inimitable prince et, on a beau dire, une victoire ressemble étrangement à une autre victoire. Aussi le début du panégyrique se révèle-t-il plutôt rebattu, sur une antienne bien connue :

Grand Roi, cesse de vaincre ou je cesse d'écrire.
Tu sais bien que mon style est né pour la satire,
Mais mon esprit, contraint de la désavouer,
Sous ton règne étonnant ne veut plus que louer.

Puis la litanie des victoires récentes : Dinan, Limbourg, Bouchain, Condé. On a lu déjà cela dans la gazette. Exaltation du pacifisme de LOUIS : « Tu cultives les arts ; tu répands les bienfaits. » Le petit Bussy ne va pas manquer de penser qu'on ne trouve pas beaucoup mieux en fait de platitude. Bref : « Te voyant de plus près, je t'admire encore plus. » Le sentiment exprimé est certainement sincère ; il n'empêche que les tirades exhalent une fade odeur de pensum obligé, le superlatif se révélant une fois de plus parfaitement anémique.

Pourtant, si l'on décape l'épître de tout son pesant appareil laudatif, qu'y lit-on ? Sans doute pas un examen de conscience, du moins des aveux qui ne claironnent pas l'enivrement.

La référence à l'esprit satirique qu'il faut désormais museler peut apparaître comme une clause de pure forme. Elle ne fait pourtant que mettre en évidence la lucidité avec laquelle Nicolas se place en face de lui-même. Le bon La Fontaine a fort bien porté le diagnostic : à forcer son talent, on ne fait rien avec grâce. Or, c'est un fait : Nicolas ne sait pas « louer » ; sous sa plume l'hyperbole est pédante et la litote malingre. Le résultat est là :

> Je sens de jour en jour *dépérir mon génie* ;
> Et mes vers en ce style, *ennuyeux,* sans appâts,
> *Déshonorent ma plume...*

On ne saurait mieux dire. Au temps béni où l'on n'était pas dans les bonnes grâces des « princes qui nous gouvernent », c'était avec alacrité que l'on troussait, pour *le Canard Enchaîné*, l'articulet vengeur ou perfide ; mais maintenant que l'on fréquente les lambris élyséens, le billet hebdomadaire, naguère si flambant, s'essouffle et s'étiole.

> Notre muse, souvent paresseuse et stérile,
> A besoin, pour marcher, de colère et de bile.
> Notre style languit dans un remerciement.

Et même — même ! — la prestigieuse promotion débouche, à l'usage, sur une bien ingrate besogne : « J'amasse de tes faits le *pénible* volume. » *Pénible*... décidément, ce n'est pas la joie. Et cela au moment même où il y aurait tant à dire et à crier pour assener leurs quatre vérités aux poétaillons qui relèvent la tête depuis que Nicolas n'est plus autorisé à les fustiger : « La licence partout règne dans les écrits (...). Et la scène française est en proie à Pradon ! » S'il s'agissait de s'en prendre aux « sottises du temps », « Aisément les bons vers couleraient de ma veine ». Mais voilà : on est désormais condamné à magnifier le règne incomparable.

Il y a plus amer encore. Un « remords légitime » :

> Il me semble, grand Roi, dans mes nouveaux écrits,

Que mon *encens payé* n'est plus de même prix.

Car il est impossible d'oublier que les satires d'antan ont, en toute priorité, dénoncé les sales manœuvres des louangeurs à gages. Il est vrai, certes, que Nicolas n'a pas attendu que se répandent sur lui les « bienfaits » de LOUIS pour célébrer ses mérites. Mais enfin personne ne convaincra les mal-pensants que ces pensions, ces hautes fonctions ne sont pas le salaire de la complaisance :

J'ai peur...

... que par tes présents mon vers discrédité
N'ait moins de poids pour toi dans la postérité.

J'ai peur... voilà qui est lourd à porter.

Et cette épître qui, logiquement, devrait déborder d'allégresse s'achève sur un ton bien peu convaincant. On chasse les moroses pensées, on s'exhorte : « Ah ! plutôt de nos sons redoublons l'harmonie » — alexandrin dont l'« harmonie » est précisément plus que douteuse. Et l'on bâcle la péroraison : « Je m'arrête à l'instant, j'admire et je me tais. »

Se taire. C'est-à-dire d'abord suivre LOUIS pas à pas à Versailles pour ne rien perdre du si précieux « quotidien » de Sa Majesté. Et Pradon ricane :

Aussi remarque-t-on que tu viens chaque jour
En dépit de ton air prendre l'air de la Cour (...)
Dans ces palais dorés, que tu figures mal !
Crois-moi : tu n'es pas là dans ton pays natal,
Iroquois à la Cour...

Bref, un plouc endimanché côtoyant S.A. le prince Poniatovski sur les pelouses de Trianon.

Se taire, c'est ensuite se mettre incontinent au travail et transcrire en prose les hauts faits dont on a été, dont on est jour après jour le témoin émerveillé.

On le sait, le grand œuvre des deux historiographes a malheureusement disparu dans l'incendie de la maison Valincour en

1726. On possède malgré tout la relation de la campagne d'hiver qui a abouti à la prise de Gand (le texte est, en général, réuni aux *Œuvres Complètes* de Racine). Il est naturellement impossible de déterminer ce qui, dans ce chapitre, revient en propre à l'un et à l'autre puisqu'il s'agit d'une rédaction en collaboration ; mais il est évident que les deux compères sont tombés d'accord pour adopter un style qui soit à la hauteur des événements, donc noble, volontiers oratoire, tout plein de sublimités : on plane au plus haut des nues.

Pourtant, dans les notes prises par Racine au cours de l'aventure, ne manquent pas les anecdotes prises sur le vif, ce que l'on appréciera tant dans les *Choses Vues* de Hugo : à Stenay, le Roi boit « le plus mauvais vin du monde » ; à Aubigny, il fait « jaser un moine pour se divertir » ; à Guise, une vieille femme s'approche de lui et constate qu'il est « bien changé » ; à Cateau-Cambrésis, ce qui le frappe c'est la « férocité des paysans » ; à Saint-Amant, LOUIS se trouve « si las qu'il ne pouvait se résoudre à monter jusqu'à sa chambre » (il n'y a donc pas eu que les pékins pour crier pouce). A Gand enfin, « le gouverneur, vieil et barbu, ne dit au Roi que ces paroles : « — Je viens rendre Gand à Votre Majesté, c'est tout ce que j'ai à lui dire. » De ces menues observations qui, en notre temps d'exécration de l'histoire événementielle, doivent être considérées comme négligeables miettes de vérité, il ne reste plus, dans la *Relation* officielle, strictement rien. Et cette lacune est fort regrettable car, pour l'édification du citoyen, n'est-il pas enrichissant d'être informé des tendres sentiments qui ont uni Valéry Iᵉʳ à son labrador et son successeur à ses ânes gris de Latche ?

Est-ce donc la peine d'avoir, trois mois durant, grelotté, ahané sur les routes de l'Est et du Nord pour que tant d'efforts et de minutie aboutissent à ces quelques lignes ?

Le Roi (...) monte à cheval, traverse en trois jours plus de soixante lieues, et joint son armée qui est devant Gand. Il trouve en arrivant la circonvallation presque achevée, et tous les quartiers déjà disposés suivent le plan qu'il en avait lui-même dressé à Saint-Germain (...). La tranchée est ouverte dès le soir ; bientôt les dehors sont emportés l'épée à la main : la ville se rend ; et la citadelle, quoique très forte et environnée de larges fossés, capitule deux jours après. Ainsi le Roi, par sa conduite, se rend en six jours maître de cette ville si renommée qui faisait la loi à ses princes, et qui prétendait égaler Paris même par la grandeur de son circuit et par le nombre de ses habitants.

Si encore tant de zèle et de conscience professionnelle était reconnu ! Mais il semble bien que, au début tout au moins, LOUIS fasse grise mine, si l'on accorde foi à l'anecdote rapportée par Primi Visconti. Un soir, les deux historiographes lisent chez Mme de Montespan « quelques parties de leur histoire ». Le courtisan aiguise son regard pour observer les réactions du royal examinateur : et il le voit secouer « la tête de temps en temps » ; il l'entend aussi « dire tout bas à Mme de Montespan : — Gazettes, gazettes ! ». Ce qui signifie très exactement : bavardage et bla-bla-bla. Et S.E. l'Ambassadeur conclut, ravi : « Je vous avais bien dit que nos historiens feraient mieux de s'en retourner à leurs rimes. »

Il convient donc de redoubler d'efforts. Et la correspondance entre Nicolas et le cher Racine atteste que, pendant des années, ils travaillent ferme à accumuler documents sur documents, à interviewer les témoins haut placés, M. Louvois par exemple, qui répond « avec beaucoup de bonté » et de qui l'on obtient « cinq ou six éclaircissements ». Aussi bienheureux est le jour où Nicolas peut annoncer : « J'ai déjà formé mon plan pour l'année 1667, où je vois de quoi ouvrir un beau champ à l'esprit » (9 août 1687).

On mesure à quel point Pradon, ce sycophante, se vautre dans l'ignominie lorsqu'il ose écrire qu'un « commis des finances » lui a, un jour, dit à propos des deux historiographes :

— Nous n'avons encore rien d'eux que leurs quittances.

Que ce qu'ils ont écrit (...)
  soit bien ou mal conçu,
Ils écrivent fort bien du moins un « j'ai reçu ».

Tant d'acharnement au labeur finit tout de même par porter ses fruits. Et le petit Bussy, qui est coriace, en a été pour ses

frais lorsque, en 1679, il a eu l'audace d'envoyer à LOUIS, via
Pomponne, une lettre où il renouvelait ses offres de service, en
précisant bien que, si l'on consentait à l'employer, il ne serait
pas, lui, « payé ». Bave de crapaud : LOUIS ouvre peu à peu
les narines à l'encens de ses thuriféraires. Et, en 1684, la divine
Montespan ne peut imaginer d'offrir à Louis étrennes plus
désirables que celles d'« un livre d'or et plein de tableaux de
miniatures, qui sont toutes les villes de Hollande » conquises en
1672 (coût : 4 000 pistoles) ; or ce sont MM. Despréaux et Racine
qui en « ont fait tous les discours et y ont joint un éloge
historique de Sa Majesté » (Dangeau).

En 1686, nouveau prix d'Honneur. Le 20 mars, le même Dangeau consigne dans son *Journal* que LOUIS « s'est fait lire dans
ses dernières après-dînées l'histoire que font Racine et Despréaux » ; et chacun a pu observer que LOUIS « en paraît fort
content ». Satisfaction qui, deux ans plus tard, se traduit de la
façon la plus tangible par l'octroi d'une gratification exceptionnelle de 1 000 pistoles.

Le petit Bussy peut bien en crever de jalousie, l'Ambassadeur
Visconti lui-même doit se rendre à l'évidence : au bout de deux
ou trois ans, les deux Messieurs du Sublime, « inséparables », sont
« à la mode » : « on les appelait les Philosophes ». Avec ce bon
point pour Nicolas : « Racine est très pédant, mais Despréaux
est homme de jugement ».

Homme de jugement, assurément. Mais ce don ne suffit pas
à éviter telle plaisante mésaventure qui, intervenue en 1680, n'en
finit pas de provoquer des gorges chaudes chez Messieurs les
courtisans. La scène se passe à Versailles où LOUIS s'est installé
depuis peu en compagnie, bien entendu, de la divine Marquise
qui, piquante lubie, traîne partout derrière elle deux ours, oui
deux plantigrades, « qui vont et viennent comme bon leur
semble ». Or, mettant à profit cette agréable liberté, le couple
d'ursidés s'égare pendant toute une nuit « dans le magnifique
appartement que l'on fait à Mme de Fontanges » — une rivale
avec laquelle LOUIS file depuis peu le parfait amour (d'ici à
penser que c'est la divine qui a orienté ses deux ours vers cet

appartement-là...).. Le lendemain, tout le petit monde versaillais s'empresse d'aller constater sur place « le dégât des ours ». Les Messieurs du Sublime suivent le mouvement en fin de journée : rien de ce qui touche à LOUIS ne saurait les laisser indifférents. Entrant de chambre en chambre, enfoncés dans leur curiosité ou dans leur douce conversation, ils ne prirent pas garde qu'on fermait les premières chambres, de sorte que, quand ils voulurent sortir, ils ne le purent. Ils crièrent par les fenêtres, mais on ne les entendit point. Les deux poètes firent bivouac où les deux ours l'avaient fait la nuit précédente et eurent le loisir de songer à leur poésie passée ou à leur histoire future. (P. Quesnel.) Incorrigibles *poètes*.

Au service de LOUIS, on ne chôme pas, même si, une fois signée la paix de Nimègue (1678), les cavalcades militaires ne sont plus, pour un temps, en tête de l'ordre du jour. Il s'agit désormais de pourvoir aux divertissements de Sa Majesté et les journées sans chevauchées ni batailles sont bien longues. C'est ainsi que, en 1682, il faut s'atteler à la composition d'un opéra, le *bel canto* et les ballets de Cour qui l'accompagnent constituant la récréation privilégiée du Sire. Encore un « bienfait » dû au patronage des deux divines.

Ces deux-là n'ont pas toujours, elles non plus, la vie facile, car LOUIS a la libido exigeante et versatile. En 1677 par exemple, l'alerte a été chaude quand il est apparu que le royal Apollon se délectait aux charmes de Mlle de Ludre. Quelques imprudents en ont conclu qu'il était urgent de jouer les empressés auprès de la « nouvelle ». Parmi ceux-là, le sieur Quinault, ce fade qui se prend pour Virgile et fait parler les sublimes héros de l'Antiquité comme des petits marquis. Il a été persuadé qu'il misait sur le bon cheval en présentant dans le livret d'un de ses opéras la divine Marquise sous les traits d'une jalouse et vindi-cative Junon persécutant la délicieuse Isis-Ludre. Misérable calcul : car Isis n'a batifolé que fort peu de temps dans la couche royale et l'on s'est ensuite hâté de régler les comptes : Lulli s'est vu formellement interdire de recourir désormais aux pâles alexandrins de M. Quinault. Ce que Nicolas traduit en termes pudiques : « Mme de M... et Mme de T... sa sœur, lasses des opéras de M. Quinault... ». Compte tenu de l'estime en laquelle Nicolas tient M. Quinault, il n'a certainement pas crié au scandale en apprenant que ce barbouilleur insipide était interdit d'antenne comme un vulgaire Thierry le Luron.

Le revers de la médaille, c'est que la divine, qui n'entend pas voir son LOUIS sombrer dans la morosité, s'est retournée vers le cher Racine pour l'inviter à prendre la plume et à composer un opéra. Toujours empressé (c'est là son péché mignon), le cher Racine s'est engagé « assez légèrement » à « donner satisfaction ». Or, bien des fois, les Messieurs du Sublime, dans leurs conversations particulières, en sont tombés d'accord : « On ne peut jamais faire un bon opéra : parce que la musique ne saurait narrer (...). Les passions n'y peuvent être peintes dans toute l'étendue qu'elles demandent. Elle (la musique) ne saurait souvent mettre en chant les expressions sublimes et courageuses. »

Le cher Racine a fait son *mea culpa* : « Il m'avoua que j'avais raison. » Mais, le vin étant tiré, il faut bien vider la coupe et mettre en chantier un *Phaéton* pour lequel — solidarité oblige — Nicolas consent à composer le Prologue, tout en faisant valoir son « peu de talent pour ces sortes d'ouvrages » et que jamais il n'avait « fait de vers d'amourette ».

C'est donc avec un « assez grand dégoût » pour un « ouvrage si opposé à (son) génie et à (son) inclination » que Nicolas finit par concevoir une première scène de ce Prologue sur l'argument suivant dont on appréciera certainement la percutante rareté :

> ... une dispute de la Poésie et de la Musique, qui se querellaient sur l'excellence de leur art et étaient enfin toutes prêtes à se séparer lorsque tout à coup la Déesse des Accords, je veux dire l'Harmonie, descendait du ciel avec tous ses charmes et tous ses agréments, et les réconciliait.

On est assurément en droit de préférer l'argument du *Repas Ridicule* ou des *Embarras de Paris*.

De son côté le cher Racine s'échine « avec non moins de dégoût » sur ce « misérable travail » en disposant le plan de l'opéra. Et puis, la Providence consent une fois de plus à manifester sa paternelle bienveillance. Elle a bien autrefois arrêté au dernier moment le bras d'Abraham qui s'apprêtait à égorger son fils Isaac ; elle peut bien aussi susciter un « heureux incident » en faveur des Messieurs du Sublime qui ont donné la preuve de leur bonne volonté et fait effort pour surmonter leur « dégoût ». L'heureux événement est que M. Quilnault se présente devant LOUIS « les larmes aux yeux », lui remontre quel affront il recevra s'il ne travaille plus « aux divertissements de Sa Majesté ». Et Sa Majesté s'émeut ; le bon, le digne monarque se sent envahi par « la compassion », et il rétablit le librettiste éploré dans ses fonctions antérieures : le *Phaéton* de M. Quinault est représenté en février 1683. Et, pour mieux marquer sa satisfaction, LOUIS lui accorde un peu plus tard une récompense de 20 000 livres.

On aurait tort de croire que, dans cette opération manquée, les Messieurs du Sublime se sont laissés piéger au profit d'un versificateur de salon. Ce serait mal connaître le sens de l'équité qui inspire tous les actes de LOUIS : aussi, en compensation, les Messieurs du Sublime sont-ils tout aussitôt invités à composer un « petit opéra » (aujourd'hui perdu) pour le Carnaval de 1683. Les loyaux serviteurs doivent donc surmonter à nouveau leur invincible répugnance ; et ils battent tous les records de célérité puisqu'ils s'acquittent de la besogne « en trois jours ». Pour une aussi exceptionnelle diligence, 10 000 livres à chacun. Salomon ferait-il mieux ? Le règne de LOUIS n'est-il pas celui de la fameuse « Harmonie » ?

*
* *

Harmonie... harmonie, voilà certes qui est vite dit. Car enfin harmonie signifie aussi égalité de traitement. Or, depuis que, entre Nicolas et le cher Racine, c'est *mano en la mano*, il subsiste tout de même de notables différences. C'est un fait, par exemple, que l'ami Racine est Immortel consacré, et cela depuis 1673. Immortel à trente-trois ans (alors que Nicolas est largement son aîné) c'est presque aussi bien que feu Gilles III. Il est vrai que, dans le tandem mondain que forment les Messieurs du Sublime, c'est lui qui a toujours constitué la locomotive et la priorité n'est sans doute pas imméritée. Mais enfin, les années passent...

En novembre 1678, le *Mercure Galant* n'a pas manqué de faire valoir que l'illustre assemblée est « composée de personnes du premier ordre par leur naissance et par leurs emplois, tant dans l'Eglise et la Robe que dans l'Epée ». Ce n'est point, hélas, par de tels titres que se distingue Nicolas, même après les glorieuses campagnes militaires.

Au surplus, la Compagnie compte en ses rangs la plupart de ceux que, à l'époque de sa folle jeunesse, il a couverts de ridicule : fatale erreur que n'eût jamais commise Jean Dutourd qui, de son propre aveu, à peine sorti de l'enfance, n'a jamais songé qu'à coiffer le bicorne. Impossible de compter sur les voix du douceâtre Quinault, de Perrault, le médecin-assassin, de Pellisson qui n'est pas tellement enchanté de s'être vu confisquer son poste d'historiographe, de Boyer, de Le Clerc, de Benserade, qui ont tous, un jour ou l'autre, éprouvé la foudroyante force de frappe du satirique.

Nicolas l'affirme : il n'a jamais eu « la hardiesse de demander » l'honneur d'endosser l'habit vert pomme. Mais du côté de tante Thianges, on a bien dû y songer pour lui. Toujours est-il que le jour où la cohorte des Immortels s'avise de présenter à l'approbation royale l'élection du bon La Fontaine qui a été lanterné jusqu'à l'âge de soixante-deux ans, LOUIS fait connaître que « pour ce coup il n'était pas encore bien déterminé ». Ce qui signifie en clair : priorité à Nicolas, on verra ensuite.

La cohorte prend bonne note et, toutes rancœurs ravalées, s'incline en réservant à M. l'Historiographe une élection triomphale, à la soviétique : « tout d'une voix » (15 avril 1684).

M. l'Historiographe va donc pouvoir éprouver la douce jouissance de siéger tout près du petit Bussy et du douceâtre Quinault.

« Tout d'une voix ». Nicolas n'est tout de même pas béjaune au point de se laisser prendre à cette ficelle et, au moment de la solennelle réception sous la Coupole (1er juillet), ce va être une volupté bien délicate que de faire entendre à la docte confrérie que l'on n'est pas dupe de son apparente unanimité. Dans son appareil académique, le discours de réception est d'une pompeuse rhétorique, indispensable ingrédient pour faire passer la pilule sous le couvert de la révérence et de la modestie. Dans la réalité, que dit ce discours aux vénérables Immortels ?

D'abord que Nicolas n'en croit pas ses yeux de se voir siéger en une assemblée aussi choisie et « dont tant de raisons semblaient devoir pour jamais m'en exclure ». Inutile de préciser davantage la nature de ces « raisons » : tout le monde a en mémoire les mauvais traitements que le nouvel Académicien a naguère administrés à la plupart de ceux qui l'accueillent — « tout d'une voix ».

Ensuite qu'il sait très bien avec quelle souveraine condescen- dance ces Messieurs considèrent son œuvre littéraire : « Un faible recueil de poésies » qui doit tout son mérite à « quelque adroite imitation des Anciens » (ne le lui a-t-on pas assez seriné, qu'il n'était qu'un vulgaire plagiaire ?), et une simple « traduc- tion » (le *Traité du Sublime*). Donc, comment s'y tromper ? ce n'est pas « de vous-mêmes » que l'auteur de ces « ouvrages médiocres » a été appelé à siéger parmi tant de lumineux esprits. Seule la volonté du « plus grand prince du monde » a compensé « toutes les qualités qui me manquent ». Conclusion : à ces Mes- sieurs Nicolas ne doit strictement rien.

Une bonne leçon maintenant. De toute évidence, le choix de ceux qui sont appelés à célébrer le règne de LOUIS aurait dû tomber (le bon apôtre s'en dit tout à fait convaincu) sur quel- ques-uns des membres de la glorieuse Compagnie : c'est à « des plumes comme les vôtres » seulement qu'il « appartient de faire de tels chefs-d'œuvre ». Il faut donc, très humblement, en conclure que si LOUIS l'a choisi, lui Nicolas, de préférence à ces plumes si « célèbres », c'est qu'il a simplement souhaité recourir à « un homme sans fard et accusé plutôt de trop de sincérité que de flatterie », une plume « sincère et plus soigneuse de dire vrai que de se faire admirer ». Serait-ce donc que, parmi tant d'Immortels, l'on ne trouve (n'est-ce pas, Bussy ?) que de plats valets ?

Cette question étant implicitement posée, Nicolas peut maintenant reprendre la formule consacrée et assurer l'honorable assemblée de « l'extrême reconnaissance que j'aurai toute ma vie de l'honneur inespéré que vous m'avez fait ».

Que l'on sache, on n'enregistra même pas au sein de la Confrérie ce qu'il est convenu d'appeler des « mouvements divers ».

D'ailleurs, une fois bien coiffé le bicorne, Nicolas va se montrer fort peu empressé à suivre les débats d'une Académie où la convivialité à son égard est plus que tiède. Si l'on en croit d'Alembert, Nicolas compare volontiers les chers collègues à une troupe de singes se mirant dans une fontaine : *sibi pulchri* (beaux à leurs propres yeux). Dans quelques années, il en dira de bien pires. Il partage tout à fait l'opinion de Furetière (qui a été pour beaucoup dans l'élaboration de l'inoubliable *Chapelain décoiffé*) lorsque celui-ci évoque le travail des bicornés : « Il y en a un qui lit, un qui opine, deux qui causent, un qui dort et un qui s'amuse à lire quelque dictionnaire... Chacun débite un conte plaisant ou quelque nouvelle... On parle des affaires d'Etat et de réformer le gouvernement. »

Car ces budgétivores gonflés de leur importance ne reculent devant rien : ils sont toujours prêts à formuler des maximes de gouvernement, comme si LOUIS n'était pas là, Force Tranquille à la barre !

Par contre, Nicolas se trouve parfaitement à l'aise au sein de la Petite Académie où il retrouve l'ami Racine naturellement et quelques esprits éminents qui se réunissent pour composer les inscriptions, les devises des monuments et médailles qui célèbrent les miracles du règne. Et Dieu sait si se multiplient ces témoignages hagiographiques : deux séances par semaine, le lundi et le samedi de 5 à 7, suffisent à peine à la besogne.

Pourtant, là encore, se fait sentir la nécessité de remettre dans le droit chemin quelques brebis égarées. Celui qui donne le ton, au sein de ce petit comité, est François Charpentier, le « gros Charpentier », un auteur de dixième ordre sur lequel Nicolas a l'œil fixé depuis 1666 (*Discours au Roy*) : toujours habile à se vanter « soi-même à tout propos » et confondant l'éloge de LOUIS avec sa propre glorification. Nicolas n'a pas honte de l'avouer : « Que ne ferait-on pas pour avoir le plaisir de contredire M. Charpentier ? » (A Racine.)

Ce grotesque a été chargé d'illustrer de quelques formules bien frappées les tableaux que Le Brun a exécutés pour la grande galerie de Versailles qui suffit à peine à accueillir toute cette imagerie des victoires de LOUIS. Or ces formules sont outrancièrement « pleines d'emphase » : « pompeuses déclamations ». M. Louvois qui, depuis la mort de Colbert (1683), a pris le contrôle de la Petite Académie, est assailli de protestations de la part des gens de goût : « Ces inscriptions déplaisaient fort à tout le monde. »

M. Louvois, dont la poigne est de fer et qui ne badine pas sur le chapitre de la qualité du culte rendu à son maître, entend faire cesser le scandale. Et c'est à Nicolas qu'il confie cette mission de confiance : veiller à ce que l'encens n'empeste pas le patchouli.

Cette besogne de salubrité publique, Nicolas l'entreprend avec l'allégresse que l'on devine. Et, fonctionnaire exemplaire, il rédige un rapport sur cette importante question. Or le Roi lit son mémoire « avec plaisir » et l'approuve. Si bien que désormais les flamboyants tableaux porteront les « inscriptions simples qui y sont » et qui sont dues aux plumes de MM. Despréaux et Racine. Le miracle est immédiat : elles sont « approuvées de tout le monde », bien qu'il soit douteux que « le gros Charpentier » ait jubilé à l'unisson.

De fait, le mémoire contient des observations d'une pertinence que les siècles écoulés n'ont pas émoussée :

Il est absurde de faire une déclamation autour d'une médaille ou au bas d'un tableau (...). Il suffit d'énoncer simplement les choses pour les faire admirer. *Le Passage du Rhin* dit beaucoup plus que *Le merveilleux Passage du Rhin*. L'épithète de *merveilleux* en cet endroit, bien loin d'augmenter l'action, la diminue et sent son déclamateur qui veut grossir de petites choses (...). Celui qui lit saura bien dire sans elle : « Le passage du Rhin est une des plus merveilleuses actions qui aient jamais été faites dans la guerre. » Il le dira même d'autant plus volontiers que l'inscription ne l'aura pas dit avant lui, les hommes naturellement ne pouvant souffrir qu'on prévienne leurs jugements ni qu'on leur impose la nécessité d'admirer ce qu'ils admireront assez d'eux-mêmes.

Innombrables sont les séances au cours desquelles Nicolas se penchera ainsi sur des médailles illustrant des thèmes aussi importants que « la Majorité du Roi », « la Prise du Fort de Tabago » ou le fait que « le Roy s'est déclaré protecteur de l'Académie Française ». Il faut bien faire travailler l'artisan graveur, puisque l'on ne peut encore réunir en un somptueux album les photos de notre actuelle Majesté revêtant le boubou traditionnel en terre africaine ou effectuant la solennelle marche sur Solutré.

Bien que l'on soit désormais délivré du « métier de poésie », il faut tout de même songer aussi à se rappeler au souvenir du bon public. On fait donc paraître, en 1683, un nouveau volume d'*Œuvres Diverses* qui contient la fin du *Lutrin* et les quatre récentes *Epîtres* qui ont déjà circulé. Assez maigre bagage au total. Mais l'essentiel n'est pas là : ce qu'il convient avant tout de bien faire saisir aux fidèles lecteurs, c'est à quel homme ils ont maintenant affaire. Non pas à un quelconque pèlerin du Parnasse mais à un personnage très officiel nanti d'un « glorieux emploi ». Et la *Préface* de l'édition est d'une plume toute transformée. On est, à cette heure, assez haut placé pour considérer les prises de bec de naguère avec la sérénité du sage et la largeur de vues qui sied à l'âge mûr. Il n'est certes pas question de renier ces satires où a été attaquée « quantité d'écrivains de notre siècle ». Mais (et là le ton s'élève) il est un point sur lequel le bon public doit être prioritairement « instruit » : Nicolas l'a déjà dit dans une satire antérieure, mais il faut le proclamer cette fois avec toute la gravité voulue : « Je n'ai pas prétendu pour cela ôter à ces écrivains le mérite et les bonnes qualités qu'ils peuvent avoir d'(= par) ailleurs. »

M. Chapelain, ci-devant décoiffé ? Honni soit qui mal y pense. Ses éminentes qualités d'honnête homme ont-elles été jamais mises en doute ? « Assez méchant poète », soit ; mais on se plaît à reconnaître qu'on lui doit « une assez belle ode » (celle dédiée au grand Cardinal de Luçon) ; elle est « assez belle » — mais « je ne sais comment il l'a faite... ». Quant à M. Quinault, que l'on côtoie désormais à la Petite Académie, on maintient qu'il n'atteint pas à « la perfection de Virgile » ; mais on estime qu'il ne manque ni « d'esprit ni d'agrément ». D'ailleurs il serait équitable de respecter les perspectives : quand Nicolas lançait contre lui quelques pointes, « nous étions tous deux fort jeunes, et il n'avait pas fait alors beaucoup d'ouvrages qui lui ont dans la suite acquis une juste réputation. »

Et, pendant que l'on y est, l'heure est venue de passer encore l'éponge sur les jugements acides portés contre d'autres seigneurs de moindre importance : « Je veux bien aussi avouer qu'il y a du génie dans les écrits de Saint-Amant, de Brébeuf, de Scudéry et de quelques autres. » Saint-Amant, qui a été autrefois rangé parmi les « rimeurs affamés », parmi « les frelons, troupe lâche et stérile » ; Brébeuf dont la *Pharsale* a été assimilée à un « fatras obscur » ; Scudéry aux écrits « sans art et languissants, formés en dépit du bon sens ». Tous, du génie. La semaine de bonté. A croire que Mathieu Marais, un fidèle de Nicolas, dit juste en parlant de lui comme d'« un homme d'une innocence des premiers temps ».

En tout cas, nul ne pourra maintenant imaginer un seul instant que Nicolas a jamais été inspiré par « un esprit d'envie et de médisance ».

*
**

Comme on le voit, depuis la merveilleuse année 1677 où s'est posé sur Nicolas l'œil olympien de LOUIS, les journées sont bien remplies. Il n'y a que le petit peuple et les malveillants pour imaginer que, à l'ombre des puissants, on se prélasse dans l'oisiveté et dans la *dolce vita*. Et les futurs historiographes de Nicolas, nos contemporains, prouveront qu'ils ont la vue bien basse lorsqu'ils décrètent que « de 1678 à 1683, il n'écrivit rien ou presque rien » (R. Bray) ; que « le silence de Boileau durera dix-sept ans » (Clarac). On voudrait les y voir, happés par tant d'accablantes occupations.

D'ailleurs (et là les semaines ne se comptent pas en heures de travail effectif), il est indispensable de garder les yeux bien ouverts sur les coulisses de son siècle. Nicolas fraie quotidiennement avec le Tout-Paris, il est admis dans l'intimité de LOUIS — toujours dans le sillage du cher Racine. Il assiste ainsi à de bien étonnants spectacles qui méritent de susciter l'attention la plus aiguë car, comme l'énonce la sagesse populaire, nul ne sait de quoi sera fait demain.

Les Messieurs du Sublime doivent leur fulgurante ascension au crédit dont la divine Marquise dispose auprès de Sa Majesté. En 1677, l'étoile de cette providentielle égérie est au zénith et elle a réussi à persuader LOUIS, qui n'était pas tellement chaud, de confier aux deux rimeurs bourgeois le soin d'immortaliser ses grandes œuvres.

Mais si femme varie, il est aussi attesté que souverain peut se révéler changeant ; nul ne le sait mieux que la divine elle-même qui n'a eu de cesse, au début de son propre règne, de voir « marginalisée » Louise de La Vallière, médiocre boiteuse, que l'on a finalement réduite à se réfugier au Carmel.

Sa Majesté a bien eu aussi quelques coups de cœur pour la Soubise, pour la Louvigny, pour la Ludre (qui a failli coûter si cher à M. Quinault) : passades de prince qui vérifie que l'ennui naquit un jour de l'uniformité.

Mais à partir de 1679 (un an seulement après la fabuleuse promotion), les royales fantaisies prennent une autre tournure. Le courtisan averti n'a aucune peine à observer les lentes approches de deux taupes silencieusement appliquées à dresser leurs filets autour de Sa Majesté. C'est ainsi que besogne la veuve Scarron à qui la divine a très imprudemment confié ses bâtards et qui, sous ses dehors de femme effacée et résignée, mûrit en sa tête quelques projets personnels bien précis. Et aussi la superbe Fontanges qui, à dix-sept ans, a débarqué de son Auvergne natale pour entrer dans la cohorte des filles d'honneur de Madame — traditionnelle antichambre de l'alcôve royale. « Belle comme un ange, sotte comme un panier » ainsi que le dit l'abbé de Choisy, peut-être ; mais ce panier-là a tout de même réussi, en six mois, à « surprendre et charmer une cour aussi galante » (Spannheim). Or c'est exactement le moment où, dans le procès ouvert par la Chambre Ardente, la divine est accusée par la sale Voisin et ses acolytes des pires infamies : messes noires, empoisonnements, égorgements d'enfants.

Le Tout-Versailles retient son souffle, guette, épie, compte les points : tombera ? tombera pas ? Un jour on apprend que la fière Françoise-Athénaïs a demandé à l'abbé de Gobelin de faire prier pour le roi qui est « sur le bord d'un grand précipice » (chacun connaît la monacale piété de la dame). Un autre jour (15 septembre 1679) on constate que « Mlle de Fontanges a des gardes » (Mme de Montmorency) : des gardes à une fille d'honneur ! un indice qui ne trompe pas. Plus furet que jamais, la Sévigné suit heure par heure le passionnant développement de ce steeple-chase en direction du lit de Sa Majesté : Mme de Montespan et « *l'enrhumée* » (la Fontanges) « sont très mal » (24 novembre) ; « la faveur de *la personne enrhumée* augmente tous les jours » (avril 1680) ; *l'enrhumée* est faite duchesse avec 20 000 livres de pension (avril).

> Mme de Montespan est enragée ; elle pleura beaucoup hier ; vous pouvez juger du martyre que souffre son orgueil ; il est encore plus outragé par la haute faveur de Mme de Maintenon.

> Mme de Montespan est fort tombée, à un point qu'il n'est pas croyable ; le roi ne la regarde pas, et vous pensez bien que les courtisans suivent cet exemple. (30 avril.)

La faveur de Mme de Maintenon croît toujours ; celle de Mme de Montespan diminue à vue d'œil. (9 juin.)

Les Messieurs du Sublime épient eux aussi. Et ils frémissent rétrospectivement : à quoi a tenu leur nomination ! Ce n'est pas en ce moment que LOUIS céderait aux instances d'une femme qu'il ne regarde même plus et qui a maintenant d'autres soucis en tête que de caser avantageusement deux polisseurs de rimes. Aujourd'hui, le « glorieux emploi » serait dévolu au petit Bussy ou à l'ambassadeur Visconti. A quel mince fil sont suspendues les grandes destinées...

Pour ce qui est de *l'enrhumée*, l'affaire est assez rapidement classée : en janvier 80, elle a, des œuvres de Sa Majesté, mis au monde un enfant mort-né et elle ne va plus que traîner — perte de sang sur perte de sang — une existence languissante de femme diminuée, ce qui ne saurait être du goût d'une Majesté qui n'apprécie le beau sexe que pimpant et actif dans l'intimité de l'alcôve. En juin 1680, la Sévigné observe que « Mlle de Fontanges pleure tous les jours de ne plus être aimée », quoiqu'elle ait été (la formule est savoureuse) « blessée dans le service ». Finalement, le 28 mars 1681, le « panier » rend au Ciel son âme de vingt ans.

La veuve Scarron, celle que la Palatine appelle, entre autres noms gracieux, « la vieille ripopée » (= « mélange que les cabaretiers font des différents restes de vin », Littré) se défend beaucoup mieux et c'est bientôt la divine qui est mise sur la touche après avoir été nantie d'une gratification compensatoire de 50 000 livres et fermement invitée à se faire toute petite et à ne plus se montrer aux cérémonies officielles (elle ne sera même pas de la fête quand le duc du Maine, son bâtard, se mariera). Place nette désormais pour celle qui va devenir Mme de Maintenant : à Versailles on lui octroie un superbe appartement, de plain-pied avec celui de LOUIS qui n'a à traverser que la salle des gardes pour se retrouver dans un chez-soi bien douillet. Le 31 juillet 1683, la reine Marie-Thérèse, qui n'a jamais cessé de jouer les Arlésiennes, a enfin le bon goût de céder la place, après avoir mélancoliquement énoncé : « Depuis que je suis reine, je n'ai eu qu'un seul jour heureux. » Un mois plus tard, LOUIS convole en justes, mais secrètes, noces.

L'horizon étant ainsi dégagé, il s'agit, pour les Messieurs du Sublime, de procéder froidement à une juste évaluation de la situation nouvelle, sans se perdre en nostalgies inefficaces.

Très objectivement, il n'y a pas lieu de s'affoler. D'abord parce que, côté respectabilité (la nouvelle Dame est extrêmement pointilleuse en matière de bonnes mœurs) on peut montrer cartes de visite très présentables. En effet, depuis six ans, le cher Racine a renoncé à ses douteuses activités dramatiques. Il ne court plus les comédiennes gourgandines et joue fort dignement son nouveau rôle d'époux et de paterfamilias (sept naissances). Tout le monde a pu observer qu'il est désormais « converti » et ce retour au sein de notre Sainte-Mère l'Eglise constitue aux yeux de la dévote Maintenon le plus précieux des laissez-passer. Quant à Nicolas il a lui aussi rompu avec ses fréquentations malsaines ; il ne disperse plus son très réel talent à tort et à travers ; il est passé de *satire* à *épître ;* il a célébré les charmes de la vie rustique, il s'est fait le chantre des bonnes mœurs et des vertus ancestrales. Il était temps, car à quelques années près...

Mais l'atout essentiel des Messieurs du Sublime est qu'ils se trouvent déjà solidement implantés dans la place. Car enfin ce petit duc du Maine, royal bâtard que l'aveugle Montespan a confié aux soins maternels de la veuve Scarron, c'est bien pour lui qu'a été conçu le si spirituel joujou des étrennes de 1675, où figurent aussi bien que Mme de Maintenon elle-même (quoique en retrait) les sieurs Racine et Despréaux. Or chacun sait que la veuve Scarron éprouve pour ce bâtard, devenu un grand jeune homme maintenant, une ardente passion de femme frustrée dans ses appétits de maternité.

Et le cher Racine, qui a les yeux si perçants en matière de bonnes cartes à jouer, n'a jamais manqué une occasion de se faire diligent auprès de celle qui n'est pourtant encore qu'une obscure gouvernante. C'est ainsi que, pour le 1ᵉʳ de l'an 1679 (les étrennes sont décidément période faste), il a prêté la main et la plume pour le cadeau que le jeune prince fait à sa chère

maman, sous les auspices de la veuve : un superbe volume
d'*Œuvres diverses d'un auteur de sept ans,* c'est-à-dire un « recueil
des ouvrages de M. le duc du Maine qu'il a faits pendant l'année 1677 et dans le commencement de 1678 ». L'*Epître dédicatoire*
à maman porte bien la signature de la gouvernante, « très humble
et très obéissante servante » de la divine, mais c'est le cher
Racine qui a servi de nègre.

   Au moment décisif, la ripopée a donc toutes les raisons
de se montrer fort bien disposée à l'égard de Messieurs si
convenables qui sont associés depuis longtemps au service de
M. du Maine. M. Racine n'a plus qu'à se laisser aller sur sa
lancée et il se révèle, une fois de plus, un fort habile homme.
Le 30 septembre 1684, par exemple, c'est lui qui fait bénéficier
ses collègues Immortels d'un *scoop* qui va les bouleverser autant
que les honorer : est-ce croyable ? le merveilleux jeune duc
(quatorze ans) fait paraître depuis peu tant d'« estime et de
considération pour la Compagnie » qu'il a exprimé le souhait
d'occuper en son sein un des deux fauteuils vacants, celui de
Corneille — pas moins. Le prince a personnellement exprimé à
l'auteur de *Phèdre* cet ardent désir. A la perspective de voir
siéger parmi eux un rejeton du sang royal, quoiqu'un peu mêlé
de Mortemart, les Immortels manifestent un enthousiasme qui
touche à la frénésie. L'un d'entre eux va même jusqu'à assurer
que, s'il ne se trouvait pas de place vacante dans leur corps,
« il n'y aurait aucun d'eux qui ne fût bien aise de mourir pour
lui en faire une ». Dans son infinie et paternelle sagesse, LOUIS
fait observer que le candidat est encore un peu jeune ; ce sera
pour plus tard. Il n'empêche que, tant du côté de la divine
disgraciée que de la « nouvelle », on est infiniment reconnaissant
à M. Racine d'avoir réussi à susciter un tel enthousiasme.
   Comment s'étonner dès lors que Mme de Maintenant qui, en
1686, apporte tous ses soins à la réorganisation de Saint-Cyr,
soumette à l'examen de MM. Racine et Despréaux les « constitutions » de la Maison pour en corriger « les défauts de langage
et d'orthographe » ? C'est là faire appel non seulement aux plus
fins des lettrés, mais aussi à des collaborateurs qui pensent bien,

puisqu'il est notoire que l'un et l'autre « admirent » fort ces constitutions.

Et, deux ans plus tard, M. Racine sera tout naturellement chargé de la prestigieuse mais fort délicate tâche d'élaborer, pour les demoiselles de la Maison, un divertissement dramatique dont le sujet sera emprunté à l'histoire d'Esther et Assuérus.

Nicolas suit avec enchantement toute cette savante stratégie déployée par le cher Racine au sillage duquel il colle plus étroitement que jamais : « Vous faites bien de cultiver Mme de Maintenon. Jamais personne ne fut si digne du poste qu'elle occupe » (9 août 1687).

Le cap des tempêtes qui ne pardonnent pas est désormais passé.

Si bien qu'il est, en fin de compte, plus malaisé de régler la marche des petites affaires personnelles et domestiques. Vivre en célibataire, fût-on historiographe de LOUIS, pose bien des problèmes, une fois dissipées les griseries de liberté à laquelle on a tant aspiré.

Nicolas a fini par quitter la chambre-grenier du quatrième étage de la maison paternelle où Mgr de Vivonne lui faisait parfois l'honneur de dîner dans les années 1670. Il loge désormais chez son parent Dongois, branche collatérale de la Dynasty, dans l'enceinte du cher vieux Palais. Certes, c'est très joli, la vie de famille ; mais ce n'est pas, hélas, la tour d'ivoire chérie des Muses : du bruit, des querelles, tout le « tintamarre des nourrices et des servantes » (2 septembre 1687). Il faut donc chercher ailleurs, du côté des bons ecclésiastiques, si soucieux de leur bien-être et s'offrir le luxe d'un petit bureau, dans le cloître Notre-Dame, chez le chanoine Emeric de Dreux : « Je n'ai qu'une chambre et point de meubles » :

> Il me faut du moins de la tranquillité. Je suis las de me sacrifier au plaisir et à la commodité d'autrui. Il n'est pas vrai que je ne puisse bien vivre et tenir seul mon ménage. D'ailleurs je prétends désormais mener un

genre de vie dont tout le monde ne s'accommodera pas
(2 septembre 1687).

Ce nouveau genre de vie, à partir de 1685, il prend pour cadre
Auteuil, la très grande banlieue, loin des *embarras* de la métropole, des vagissements de la marmaille et des criailleries de la
valetaille : une modeste maison de campagne avec jardin, achetée
pour 8 000 livres (grâce aux libéralités de LOUIS, on peut largement se passer cette fantaisie de résidence secondaire) qu'il
évoquera plus tard dans l'*Epître* XI.

Et puis, et surtout, il faut maintenant compter avec la méca-
nique humaine qui commence à se détraquer. On n'a pourtant que
la cinquantaine. Or voici que, à la sinistre « difficulté particulière » de toujours, aux coliques néphrétiques, aux suffocations
vient s'ajouter une épreuve plus affligeante encore : Nicolas
perd la voix. Cette voix qui fait l'admiration de tous ceux qui
l'écoutent déclamer ses vers et qui constitue, en somme, avec
la plume, son instrument de travail.

Le 19 mai 1687, d'Auteuil, il écrit une lettre désolée et désolante au cher Racine qui, lui, ne desselle pas et suit la glorieuse
Majesté partie visiter les fortifications de Luxembourg. Il est
retombé sous la coupe des médecins qui, bien entendu, y perdent
leur latin, « comme l'ânesse qui le gorge de son lait » : la différence entre eux est que le lait de l'ânesse « m'a engraissé et
que leurs remèdes me dessèchaient ». « Me voilà aussi chagrin que
jamais (...). J'aurais bon besoin de votre vertu et surtout de votre
vertu chrétienne... Vous ne sauriez vous imaginer à quel excès
va cet **abattement. »**

Quelques jours plus tard (26 mai), c'est pire encore : il a
fallu abandonner le lait d'ânesse qui provoque aigreurs et nausées,
remède pire que le mal. Ce sont les médecins qui sont, eux,
des ânes, depuis vingt-cinq ans qu'ils lui assurent que sa « difficulté de respirer s'en irait » ; et ils s'obstinent à ne pas voir
que cette affection-là est liée à son actuelle « difficulté de parler ».
Il y a aussi à endurer le supplice bien connu infligé par tous
ceux qui s'empressent auprès de l'égrotant : les bavardages
des visiteurs qui, tous, prétendent « avoir eu le même mal que

moi » et qui ont guéri, et qui donnent des conseils, et qui n'en finissent pas d'égrener le chapelet de leurs misères personnelles.

Bref, le moral est au plus bas, même si l'on affecte d'en plaisanter :

> Je ne me couche point que je n'espère le lendemain m'éveiller avec une voix sonore ; et quelquefois même après mon réveil, je demeure longtemps sans parler pour m'entretenir dans mon espérance. Ce qui est vrai, c'est qu'il n'y a point de nuit que je ne retrouve la voix en songe ; mais je reconnais bien ensuite que tous les songes, quoi qu'en dise Homère, ne viennent pas de Jupiter, ou il faut que Jupiter soit un grand menteur...

Pauvre Nicolas. Trop douillet ? trop obsédé par sa modeste personne ? Ce sont là ricanement de gens bien portants et qui ne savent pas.

Et pourtant, c'est ce cacochyme, ce valétudinaire qui, tout à coup, se redresse, retrouve la fougue de ses vingt ans et s'engage dans la plus rude croisade qu'il ait jamais soutenue — et cette fois, ce n'est pas pour la gloire de LOUIS.

VIII

CROISADE POUR LES VIEILLES GLOIRES

(1687-1694)

Chacun a pu en faire la déplorable expérience : les générations montantes, qui pourtant n'en finissent pas de brailler contre le « racisme anti-jeunes », ne respectent plus rien. Mais enfin c'est de leur âge et ils ne tarderont guère à vérifier à leurs dépens que l'on est toujours le Géronte de quelqu'autre. Mais là où est largement dépassée la limite de l'outrecuidance, c'est lorsque les sexagénaires se mettent à hurler avec les louveteaux. Il y a là de quoi réveiller un mort, ou tout au moins un moribond.

Dieu sait pourtant que, renonçant à la satire, crapahutant en plein hiver dans les chemins creux, Nicolas avait juré, par-devant LOUIS, de se faire bénin et parangon de tolérance (dix ans de silence ! : un record quand ne cesse de vous poigner le prurit de la plume). Pourtant, à moins d'être le dernier des capons et de démissionner devant n'importe quel malotru, il est des provocations qu'on ne peut tout de même pas laisser passer.

C'est entendu, il s'est toujours trouvé, dans le siècle où nous sommes, quelques agités ou quelques maroufles pour se singulariser en clamant que nous sommes, nous, les plus forts, les plus intelligents, les plus subtils, et que nous n'avons à recevoir aucune leçon de qui que ce soit. Il y a eu, par exemple, l'inimitable Sartre renvoyant Mauriac à son néant pour inaugurer l'ère illuminatrice du « Nouveau Roman » (en attendant, ses transcendants *Chemins de la Liberté* sont toujours et resteront, pour la paix du lecteur, inachevés). Il y a eu Barthes et Jean-Paul Weber pulvérisant au nom de la Nouvelle Critique les vénérables gloses lansoniennes et sorbonnardes. Il y a eu Boisrobert qui a comparé Homère « aux chanteurs des carrefours dont les vers réjouissent la canaille ». Il y a eu le fou Desmarests qui s'est mis en tête de pourchasser avec une hargne délirante tous ceux qui marquent encore quelque révérence pour nos grands Anciens. Ce sont là excentricités qui datent de tous les temps. Ces lubies, on les enregistre, on les voue au ridicule, et puis on regarde ailleurs. Il suffit bien au lecteur de se plonger dans le *Clovis* de Desmarets pour être édifié sur la valeur des « prestations » poétiques de ce coxigrue.

Mais les choses se gâtent lorsque l'on constate que de hautes personnalités, des gens rassis et d'âge canonique, des Académiciens pour tout dire, se mettent à prendre au sérieux pareilles billevesées, recrutent des disciples et se font le plus officiellement du monde les sectateurs de doctrines aussi aberrantes que néfastes. Ce n'est tout de même pas pour qu'ils sapent jusqu'en ses fondations l'équilibre même de l'Etat que le grand Cardinal de Luçon ou LOUIS ont fait Immortels tous ces Messieurs à bicorne.

Car enfin qu'est-ce qui se trouve à la base de l'admirable créativité littéraire et artistique d'un siècle que l'on peut légitimement appeler le Grand Siècle ? Après bien d'autres, mais de façon plus solennelle encore, Nicolas l'a récemment proclamé en son *Art Poétique* : le Siècle de LOUIS n'est Grand que parce qu'il a su choisir les modèles exemplaires que lui fournissaient les sublimes Anciens. Y aurait-il eu un Racine sans Sophocle et Euripide ? un Molière sans Térence ? un La Fontaine sans Esope et Phèdre ? et, *last but not least*, un Despréaux sans Juvénal et sans Horace ? Et quels chefs-d'œuvre a donc engendrés la plume de ceux qui se sont écartés de cette voie triomphale ? les minauderies d'un Cotin, les vaticinations de Desmarests, les fadasseries de Quinault. Et l'on ose appeler cela : le Progrès ? En fait de Progrès, c'est bien plutôt la décadence : celle d'une

culture qui, précédant celle des mœurs, s'enfonce peu à peu
dans le mièvre, l'emberlificoté, le trompe-l'œil. Et ce serait là
servir la noble cause de l'illustration du règne ?

En 1675, avant de comparaître devant le Très-Haut (dont on
espère qu'Il a été indulgent pour ce délirant), Desmarests a
proféré un ultime blasphème dans sa *Défense de la poésie et de la
langue française,* qui constitue son testament intellectuel en vue
de passer le flambeau à des champions capables de poursuivre
le combat pour la détestable cause. Or à qui a-t-il confié cette
funeste besogne ? à qui ? A cette vieille connaissance, Perrault :

> Viens défendre, Perrault, la France qui t'appelle,
> Viens combattre avec moi cette troupe rebelle,
> Ce ramas d'ennemis qui, faibles et mutins,
> Préfèrent à nos chants des ouvrages latins.

Perrault, défenseur de la France ! On aura décidément tout
entendu en cette sombre fin de siècle.

Le lecteur peut n'en pas croire ses yeux, mais il s'agit bien
de Charles Perrault, le frère du médecin-assassin, celui-là même
qui, il n'y a pas si longtemps, a développé ses louches manœuvres
pour faire révoquer le privilège accordé à Nicolas ; Charles
Perrault qui a, avec ses frères, osé prendre la défense de Quinault
quand celui-ci s'est abaissé à travestir en opéra la sublime
Alceste du divin Euripide — cette fois, le cher Racine s'est fâché
tout rouge (préface d'*Iphigénie*) ; Charles Perrault qui, au sein
de l'Académie des Immortels, s'applique artificieusement (surtout
depuis qu'il a perdu la confiance de M. Colbert) à se constituer
une pléiade de partisans ; Charles Perrault qui vient, l'année précédente, de consacrer à un *Saint Paulin, évêque de Nole* 2 000 vers
qui ne risquent pas de tirer de l'obscurité ce respectable Prince
de l'Eglise (par quelle aberration l'illustre Aigle de Meaux Bossuet,
qui pourtant pense si sainement, a-t-il pu déclarer que ce déplorable navet « sera fort estimé des esprits bien faits » ?). Que ne
peut-on attendre de pareil malandrin ?

Aussi arrive-t-il bientôt ce qui devait arriver : le malandrin
n'hésite pas à se livrer à une provocation publique.

Le 27 janvier 1687 (Nicolas s'inquiète déjà très fort sur l'état de ses cordes vocales et cet état ne le prédispose pas à prêter une oreille indulgente à des divagations), l'assemblée des Immortels siège en séance plénière. La conjoncture est particulièrement solennelle, puisqu'il s'agit de célébrer dignement la convalescence de LOUIS pour la santé duquel chacun vient d'être fortement alarmé. Le directeur de l'Académie, abbé de Lavau, donne lecture d'un poème de Perrault intitulé *le Siècle de Louis le Grand*. Puisqu'il est question de magnifier la gloire de LOUIS, les Immortels, tout figés dans la posture familière aux dirigeants du Kremlin sur la tribune de la Place Rouge, se statufient dans l'attitude de la révérence due au sacré. On l'écoute, religieusement.

On l'écoute ; et voici ce que l'on entend dès les premiers vers :

La belle antiquité fut toujours vénérable.
Mais *je ne crus jamais qu'elle fût adorable.*
Je vois les Anciens *sans plier le genou.*
Ils sont grands, il est vrai, *mais hommes comme nous...*

L'impudent ! le rustre, l'iconoclaste ! S'en aller ainsi d'emblée, et sans la moindre litote, cracher sur les sources vives de notre beau patrimoine national ! Pourquoi, comme le fait tel olibrius des années 1968, ne pas aussi décréter que le génial Claudel, ce n'est que du « carnaval pour archevêques » ?

Et le festival ne fait là que commencer. Que devient, aux yeux de M. Perrault, le divin Homère, l'aveugle sublime, père de toute poésie ? Bien entendu le bon apôtre, qui a lu *Tartuffe*, y va d'abord de son grain d'encens : « Vaste et puissant génie, inimitable Homère », « D'un respect infini ma Muse te révère ». Le beau respect ! Le vaste et puissant génie est tout aussitôt généreusement gratifié de « cent défauts » : et que ses guerriers sont d'interminables bavards (le valeureux Hector, le prestigieux Achille, des bavards !) ; et que la description du bouclier d'Achille est tissue d'invraisemblances, et quoi encore ? Ceci — qu'on ose à peine transcrire : au vaste et puissant aède, qu'il interpelle avec un sans-gêne de goujat, M. Perrault va jusqu'à reprocher « cent doctes rêveries »

Où ton esprit s'égare et prend de tels essors
Qu'Horace te fait grâce en disant que tu dors.

Et dans la foulée Platon devient « ennuyeux ». Et Aristote, en physique, est si peu « sûr » que ses écrits ne sauraient plus être utiles à « nos moindres régents (= professeurs) ». Ce sont là, littéralement, propos dignes d'une Révolution culturelle à la chinoise.

Et au profit de qui, toute cette entreprise de subversion ? au profit de quels nains de la pensée et de l'art ? Ici encore, il faut le voir écrit pour le croire : des Maynard, des Gombauld, des Godeau, des Racan, des Voiture, « délices de leur temps » (le Tartuffe glisse quand même Molière dans son palmarès).

Pour justifier cette logorrhée délirante, de fumeux développements sur l'invention du télescope, du microscope. Tout cela avant d'en arriver à cette conclusion : M. Perrault et ses épigones se refusent absolument à applaudir « mille erreurs grossières », au nom de cette notion si vague, si incertaine : le Progrès. Bien entendu, le profanateur prend la précaution d'ouvrir le parapluie en se couvrant du grand nom de LOUIS :

... on peut comparer, sans crainte d'être injuste,
Le siècle de Louis au beau siècle d'Auguste.

Dans la salle de séance, jusque-là si compassée, la scène est impayable et Perrault gardera toujours le souvenir de l'esclandre suscité par Nicolas, Nicolas qui s'agite sur son fauteuil pendant la lecture, puis qui gronde, qui peste tout bas ; l'évêque Huet, qui siège à côté de lui et qui partage les convictions de son voisin, s'efforçant de le calmer, lui représentant « qu'ils n'étaient là que pour écouter ». Vaines exhortations : quand le bon goût et le devoir de respect sont si sauvagement agressés, il n'est pas de compromis ni de silence possibles. Nicolas se dresse et sort avant même la fin du discours en clamant qu'une telle lecture est « une honte pour l'Académie », tel Maurice Clavel plantant là, sur le plateau de la télévision, en pleine émission, ceux qu'il voue à l'infamie en les traitant de « censeurs ».

Au lendemain de ce scandale, le bon La Fontaine publie une *Epître à Huet* pour répondre au malotru. Mais celui-là n'est pas un battant, sa réplique manque de nerf : il considère bien comme discours « frivoles » les odieux propos du sieur Perrault ; il affirme certes encore que « faute d'admirer les Grecs et les Romains,/On s'égare en voulant tenir d'autres chemins » ; mais il s'embarrasse dans des considérations qui sont autant de louches concessions : au nom d'un douteux éclectisme, il se pique d'en lire « qui sont du nord et qui sont du midi », il se vante de chérir l'Arioste et d'estimer le Tasse ; il se prononce contre toute forme de sectarisme et transige : « Tout peuple peut avoir du goût et du bon sens. » Ce n'est pas avec une argumentation d'une telle mollesse que l'on gagne les batailles : il faut frapper ferme et surtout ne pas s'empêtrer dans de vaines circonlocutions. Et Nicolas trousse tout aussitôt deux épigrammes qui lui rappellent le bon temps où il pouvait encore appeler un chat un chat et Rollet un fripon : personne ne lui interdira jamais de clamer que Messieurs les Modernes qui ont le front de présenter Homère et Virgile comme des « auteurs froids », comme des « poètes stériles », commettent une infamie. Et, appelant les dieux de l'Olympe à la rescousse, il fait Apollon s'interroger :

Où peut-on avoir dit une telle infamie ?
Est-ce chez les Hurons, chez les Topinambous ?
— C'est à Paris. — C'est donc dans l'hôpital des fous ?
— Non, c'est au Louvre, en pleine Académie.

Tel est le genre de réponses que méritent les profanateurs du sacré.

De pareilles émotions ne peuvent naturellement qu'accroître les aigreurs provoquées par le lait d'ânesse dont l'absorption massive est devenue nécessaire pour rendre à la voix timbre et clarté. Si bien que, le mal empirant, Nicolas se résigne à faire retraite et, suivant les conseils des maudits médecins, à s'en aller prendre les eaux à l'autre bout du royaume, à Bourbon-l'Archambault, près Moulins, Allier. Une station fort en vue où l'on retrouve ordinairement tout le gratin parisien, à commencer par la divine

Montespan qui, certes, ne joue plus auprès de LOUIS l'illustre
rôle de naguère, mais qui n'en doit pas moins se préoccuper
de veiller sur ses articulations (la lumineuse, l'étincelante Montespan, rhumatisante... nous sommes décidément peu de chose !).
Nicolas trouve gîte et couvert chez un M. Prévost, chirurgien
— et voilà qui déjà n'est pas de très bon augure.

A certains points de vue, le séjour n'est pas désagréable :
« J'ai un jardin pour me promener », une servante aussi. Il se
trouve encore, à Bourbon, des gens de très bonne compagnie :
par exemple un abbé de Salles, trésorier de la Sainte-Chapelle,
« grand ami de M. Lamoignon » et qui est « homme de beaucoup
d'esprit (...) et de lettres » (A Racine, 21 juillet). « Il me tient lieu
ici de frères, de parents et d'amis par les soins qu'il prend de
tout ce qui me regarde » (A sa sœur, 31 juillet). Les médicastres
même se montrent fort attentionnés ; M. Amyot, en particulier,
« est homme d'esprit ».

> Il se fait une affaire très sérieuse, aussi bien que
> les autres médecins, de me guérir. Je n'ai jamais vu de
> gens si affectionnés à leur malade, et je crois qu'il n'y
> en a pas un d'entre eux qui ne donnât quelque chose
> de sa santé pour me rendre la mienne. Outre leur affec-
> tion, il y va de leur intérêt, parce que ma maladie fait
> grand bruit dans Bourbon. (A Racine, 19 août).

Mais voici le *hic* : bonne volonté n'est pas synonyme d'efficacité. Depuis sa plus tendre enfance, Nicolas sait quel crédit il
convient d'accorder aux serviteurs d'Esculape : « A vous dire
le vrai, mon cher Monsieur, c'est quelque chose d'assez fâcheux
que de se voir ainsi le jouet d'une science très conjecturale »
(A Racine, 13 août). Aussi est-il vraiment fort dommage que l'ami
Poquelin ne soit plus de ce monde pour observer la belle comédie
que donnent ces solennels praticiens. Le savant M. Fagon (alors
médecin de la Dauphine, s'il vous plaît) a prescrit le traitement
par les bains ; mais le non moins savant M. Bourdier, « cite des
exemples de gens qui non seulement n'ont pas recouvré la voix,
mais qui l'ont perdue pour s'être baignés » (A Racine, 21 juillet) :
le traitement s'annonce bien, vraiment.

J'ai été soigné, purgé, etc. ; et il ne me manque plus aucune des formalités prétendues nécessaires pour prendre les eaux. La médecine que j'ai prise aujourd'hui m'a fait, à ce qu'on dit, tous les biens du monde, et m'a mis en tel état qu'à peine je me puis soutenir.

Et ce n'est là qu'un tout petit début. Car ces eaux miraculeuses sont, dit-on, « fort endormantes » : ce sera « un noviciat terrible pour un aussi déterminé dormeur que moi ; mais que ne fait-on pas pour avoir de quoi contredire M. Charpentier ? ».

Au dixième jour du traitement, le résultat est là : « de fort grandes lassitudes dans les jambes... de grandes envies de dormir... très peu d'appétit et une assez grande faiblesse de corps » (A sa sœur, 31 juillet). Et un peu plus tard : « Je traîne les jambes plutôt que je ne marche. Je n'oserais dormir, et je suis toujours accablé de sommeil » (A Racine, 19 août). En septembre : « ma voix est tout au même état que je suis arrivé » (A Racine, 2 septembre).

Le cher Racine, dont la correspondance constitue la seule consolation en si triste conjoncture, n'arrange pas les choses. Car, avec la meilleure volonté du monde, le grand ami, tout alarmé, donne à son tour son propre diagnostic : le savant docteur Morin connaît, lui, le remède-miracle qui, en trois semaines, a rendu à un chantre de Notre-Dame (« je crois que c'était une basse ») la voix qu'il avait entièrement perdue « depuis six mois » : « une herbe qu'on appelle, je crois, *erysimum* » — alias, en effet, l'« herbe aux chantres ». Malheureusement les autres médecins qu'a consultés le cher Racine affirment catégoriquement qu'ils ne croient pas en la « vertu » du merveilleux médicament (A Boileau, 25 juillet). Et le médecin traitant, le docte Bourdier, à qui Nicolas a montré la lettre de l'ami Racine, assure que l'*erysimum* peut rendre la voix seulement « à des gens qui ont le gosier attaqué, et non pas à un homme comme moi, qui a tous les muscles de la poitrine embarrassés » (A Racine, 29 juillet). En août, Racine revient à la charge : le docteur Dodart lui a déclaré « en conscience » que « ce M. Morin, qui m'a parlé de ce remède, est sans doute le plus habile médecin qui soit dans Paris » (8 août). Quant à M. le Maréchal de Bellefonds, il ne cesse de répéter qu'il possède les pharmacopées personnelles qui feraient miracle : « c'est de laisser fondre dans sa bouche un peu de myrrhe, la plus transparente qu'on puisse trouver ; d'autres se sont guéris avec la simple eau de poulet, sans compter l'*erysimum* ». A quel saint se vouer, grands dieux ?

D'autant plus que tous ces infaillibles laryngologistes sont soutenus par la foi du charbonnier : alors que, jour après jour Nicolas enregistre la décrépitude croissante de son bel organe, ils n'en démordent pas, eux : « M. Bourdier soutient que j'ai la voix plus forte que quand je suis arrivé ; et M. Baudière, mon apothicaire, qui est encore meilleur juge que lui puisqu'il est sourd, prétend la même chose » (A Racine, 29 juillet). Finalement, il vaut mieux en rire ; mais le rire est amer.

Des encouragements, il y en a certes. C'est ainsi qu'il est réchauffant pour le cœur d'apprendre que, au cours d'un dîner, LOUIS a demandé au cher Racine « comment allait votre extinction de voix » (25 juillet) ; Monsieur, duc d'Orléans, Madame ont fait là-dessus « force questions » ; M. de Louvois, dont chacun sait pourtant qu'il n'est point une âme sensible, s'est enquis, lui aussi, de la santé de Nicolas « avec beaucoup de bonté ». Et encore « mille autres qui me parlent tous les jours de vous ». Un peu plus tard, LOUIS interroge : ce cher Despréaux est-il « revenu » ? (13 août). Même à Marly, là où LOUIS est « fort libre et fort caressant » (« On dirait qu'à Versailles il est tout entier aux affaires et qu'à Marly il est tout à lui et à son plaisir »), même là, LOUIS a tenu à savoir où en était « l'embarras » de Nicolas aux prises avec tous ses médecins (24 août). Tant de sollicitude de la part du « plus grand prince de la terre », il y a là de quoi verser des larmes d'émotion, et aussi de quoi faire endêver le gros Charpentier.

Mais cette sollicitude même accroît la déprime : « L'impuissance où ma maladie me met de répondre par mon travail à toutes les bontés qu'il (Louis) me témoigne me fait un sujet de chagrin de ce qui devrait faire toute ma joie » (A Racine, 29 juillet). Car l'ami Racine doit en être bien persuadé : non seulement il devra continuer tout seul à cavalcader par monts et par vaux, mais pour ce qui est de manier la plume d'oie, il ne faut plus compter sur l'historiographe en second :

> Il ne faut pas que vous fassiez un grand fonds sur moi, tant que j'aurai tous les matins douze verrées d'eau (...) qui vous laissent tout étourdi le reste du jour, sans qu'il soit possible de sommeiller un moment (A Racine, 9 août).

Arrivé à ce stade de la cure, Nicolas tombe au dernier degré de la neurasthénie. Et ici, sans doute, ne faut-il plus trop plaisanter. Nicolas est passé de la « mélancolie » à la peur pure et simple : celle éprouvée par un « misérable qui a besoin de sa voix » (28 août), qui « désespère » à la perspective d'« être sans voix toute (sa) vie », « misérable vie », et qui en est à connaître une « véritable joie » parce que, au bout de six mois, il a réussi une fois, une seule, à émettre un son « à pleine voix » (23 août). Cela s'appelle très exactement la panique.

Un signe qui ne trompe pas : le grand batailleur d'antan en est à l'oubli des injures et au remords d'avoir si fort bousculé les uns et les autres. Que Boursault, avec lequel il a tant et tant ferraillé, fasse un détour (« de trois grandes lieues » !) pour lui rendre visite, Nicolas en est bouleversé : « Nous nous séparâmes amis et à outrance ». Et même Quinault, parce qu'il a écrit « des choses obligeantes de moi à M. l'abbé de Sales (...), vous pouvez l'assurer que je le compte présentement au rang de mes meilleurs amis et de ceux dont j'estime le plus le cœur et l'esprit » (19 août).

Douloureuse expérience : quand on se croit ainsi, sinon à l'article de la mort, du moins voué à vie à la chaise roulante ou à l'hospice, on a de ces envies d'universelle réconciliation.

Le cher Racine perçoit parfaitement que Nicolas est désormais au plus bas. Il est certes facile d'ironiser sur cette correspondance entretenue entre les deux amis, la trouver « exaspérante » (A. Adam) avec cette affectation de ne jamais se donner que du « Monsieur », de ne s'exprimer qu'en termes gourmés, de ne laisser transparaître les émotions qu'à travers une indifférence de commande. L'épisode de Bourbon-l'Archambault le prouve surabondamment : entre ces deux-là il existe autre chose que le compagnonnage des intérêts ou l'habitude de la convivialité. Il y a de l'angoisse dans les appels que Racine adresse à Nicolas : « Tout cela, mon cher Monsieur, m'a donné une furieuse envie de vous voir de retour. » Et surtout :

> Ne perdez pas un moment pour vous redonner à vos amis, et à moi surtout qui suis inconsolable de vous voir si loin de moi et d'être des semaines sans savoir si vous êtes en santé ou non. Plus je vois décroître le nombre de mes amis, plus je deviens sensible au peu qui m'en reste ; et il me semble, à vous parler franchement, qu'il ne me reste plus que vous (A Boileau, 13 août).

Nicolas ne s'y trompe pas : celui-là est un ami véritable. Il est touché jusqu'au fond du cœur par « la tendresse que vous m'avez témoignée dans votre dernière lettre : les larmes m'en sont presque venues aux yeux (...) ; je me sens capable de quitter toutes choses hormis vous » (19 août). Et encore : « Je ne crois pas que je fusse jamais retourné à Paris, où je ne conçois aucun autre plaisir que celui de vous revoir » (2 septembre).

Finalement, Nicolas n'y tient plus et il prend sa décision : excédé de ses laits d'ânesse, de ses bains qui le plongent dans une semi-léthargie, il plie bagage. Pourtant les perspectives ne sont pas couleur de rose :

> Je ne sais trop le parti que je prendrai à Paris. Tous mes livres sont à Auteuil où je ne puis plus désormais passer les hivers (...). J'avais pris des mesures que j'aurais exécutées si ma voix ne s'était pas éteinte. Dieu ne l'a pas voulu. J'ai honte de moi-même et je rougis des larmes que je répands en vous écrivant ces derniers mots.

Nicolas ne soupçonne pas à cette heure qu'il lui faudra encore découvrir qu'il est en train de devenir « sourdaud ».

Pour ce qui est de la voix, une fois de plus et comme toujours, c'est LOUIS qui a vu juste lorsqu'il a déclaré à Racine que Nicolas serait heureusement inspiré de planter là médicastres et apothicaires : « Il fera mieux de se remettre à son train de vie ordinaire ; la voix lui reviendra lorsqu'il y pensera le moins » (13 août). Merveilleux LOUIS, plus lucide que toutes les têtes à bonnet doctoral.

Car, de fait, une fois revenu à « son train ordinaire », Nicolas ne tarde pas à retrouver, avec l'intégrité de son précieux organe, la volupté d'en découdre avec le gros Charpentier ou avec M. Perrault.

La vie donc reprend au cloître Notre-Dame et, à la belle saison, à Auteuil, où Nicolas reçoit beaucoup, et pas seulement le cher Racine et sa ribambelle d'enfants ; mais aussi de très hauts personnages qui, peut-être, lui rendent visite comme on s'en va volontiers contempler un ours. C'est que Nicolas n'est pas seulement l'historiographe de LOUIS ; il est encore le pontife de *l'Art Poétique*, détenteur de tous les secrets de la Muse ; et aussi, pour beaucoup, un original à la Léautaud, une sorte de phénomène, très vieille France paléolithique, volontiers bourru, quoique tendre au fond : « Droit d'esprit et de cœur, plein d'équité, généreux ami » (Vuillard). Assurément un peu trop soupe au lait, volontiers ronchon, et qui n'entend pas que quiconque lui manque. Très vieux garçon, en somme, quoique le cœur sur la main : à preuve que lorsque le cher maître Patru est persécuté par d'« inflexibles créanciers » qui veulent vendre sa bibliothèque, c'est lui, Nicolas, qui, pour qu'on ne fasse pas au vieux monsieur « l'affront de la déplacer », l'achète tout en lui en laissant l'utilisation pour « le reste de sa vie ». Lui encore qui, apprenant que vient d'être supprimée la pension de Corneille, se précipite à Fontainebleau pour proposer que l'on sacrifie plutôt la sienne (Boursault).

La vie reprend donc, avec le travail en commun pour le service de LOUIS, avec les séances de la Petite Académie qui contraignent à côtoyer le gros Charpentier, avec les va-et-vient à Versailles, où l'on se rend de moins en moins souvent d'ailleurs. Mais l'humeur n'est pas à la communication généralisée. Quand le cher Racine se remet en selle pour galoper en direction de Mons, Nicolas le reconnaît : « je ne voyais que vous pendant que vous étiez à Paris et depuis que vous n'y êtes plus, je ne vois plus pour ainsi dire personne » (25 mars 1891).

Naturellement il continue à suivre avec attention le déroulement de l'actualité sur les pentes du Parnasse. Mais le spectacle qu'il observe n'a rien pour « instiller » une petite dose d'optimisme ; et en d'autres temps il trouverait là bien des raisons de rendre la parole à *Damon*. Mais quoi ! On finit par se lasser aussi des excentricités des vibrions du stylo.

L'Académie Française, par exemple, s'enfonce de plus en plus dans l'ignominie. Il est impossible de conserver la moindre illusion : cette Académie est désormais quasiment monopolisée par ceux qui se désignent pompeusement comme étant les « Modernes » — sotte prétention. Pour défendre la juste cause, on ne peut guère compter que sur le bon La Fontaine mais la pugnacité de celui-là est d'une affligeante mollesse ; sur l'évêque Huet — un compagnon de route douteux qui, au fond de lui-même, jalouse les lauriers de Nicolas ; sur un Ménage (mais oui !), un Longepierre. Quant au cher Racine, il n'a vraiment plus le loisir d'en découdre pour les saines doctrines. S'il voyait à quel point de décrépitude est tombée la vénérable institution qu'il a fondée, le grand Cardinal de Luçon aurait tôt fait de mettre le holà aux dévergondages de ces Messieurs. Mais qui donc désormais aurait encore l'échine assez raide pour courir crânement le risque de se faire traiter de ringard par tous les enfiévrés de l'avant-garde ?

Le 15 mai 1691, l'Académie reçoit solennellement le jeune Fontenelle (trente et un ans) et fait un triomphe à cette étoile montante qui a cédé au snobisme du moment en publiant (1688) une *Digression sur les Anciens et les Modernes* où le fait d'être le neveu du *grand* Corneille ne l'a pas empêché de proférer ce blasphème : « nous autres modernes, nous sommes supérieurs aux anciens car, étant montés sur leurs épaules, nous voyons plus loin qu'eux ». Tout cela ne mérite, en fin de compte, que haussements d'épaules — pseudo philosophie de boudoir pour péronelles qui n'entendent pas passer pour baba-cool aux yeux de leurs minets : un Cotin en progrès sur Homère, peut-être ?

La même année, l'insupportable Perrault, qui se sent le vent en poupe, retourne à ses vomissements et commence à publier ses *Parallèles des Anciens et des Modernes,* cinq dialogues fictifs dont le dernier ne verra le jour qu'en 1697. La mise en scène est sans nul génie, vraiment, et, en fait de « modernité », le scénario sent très fort le recuit. Trois interlocuteurs : un Président, qui en tient pour les Anciens, qui est donc inévitablement solennel et ridicule, mais que l'on prend soin de faire doux et bénin afin de le rendre plus vite convaincu par les arguments de ses adversaires ; un Abbé, érudit et pondéré, qui prône les Modernes ; un Chevalier, sorte de petit sauteur mondain, qui crible les Anciens de ses traits d'esprit éculés. On juge de l'indigence de l'invention.

Le premier dialogue rabâche les tartes à la crème du parti : les œuvres des Grecs et des Latins ne sont tout de même pas l'Ecriture Sainte ; chacun est donc autorisé à les critiquer à l'aune de sa petite jugeotte personnelle. Ces prétendus monuments de l'esprit sont nécessairement imparfaits puisque l'Humanité ne cesse de profiter des expériences antérieures. Bref, les « Anciens sont excellents ; mais les Modernes ne leur cèdent en rien, et même les surpassent en beaucoup de choses ».

Le second dialogue traite des beaux-arts. Il fallait s'y attendre : puisque la tribu Perrault compte en son sein l'illustre médecin-architecte, c'est le panégyrique de l'art contemporain, qui bénéficie des progrès de la géométrie, etc., etc. Le Louvre ne peut donc qu'être supérieur au palais d'Auguste. C.Q.F.D.

Passons ; passons en silence et mettons ces aberrations sur le compte de la solidarité fraternelle.

Mais, un peu plus tard, les choses se corsent lorsque, avec son troisième dialogue, le Modernissime s'aventure à appliquer ses belles théories à l'éloquence (1690) et surtout, avec le quatrième (1692), à la poésie, chasse pourtant gardée du pontife de *l'Art Poétique.* Cette fois, l'iconoclaste ne connaît plus ni mesure ni vergogne. Et, moyennant un ton faussement modéré, tout y passe. Le véritable jeu de massacre. Tous ces sublimes ancêtres que tant de siècles ont vénérés se trouvent rabaissés au niveau d'antiques momies, de pitoyables croulants : Démosthène n'est rien auprès de nos babillards contemporains ; l'*Iliade*, l'*Odyssée*, immortels chefs-d'œuvre de l'immortel aveugle, sont ravalés au-dessous des romans de la Scudéry ; Aristote, père des indispensables unités dramatiques, n'est qu'un modeste apprenti et l'inimitable Pindare un divagateur à l'esprit dérangé qui, tout comme Platon d'ailleurs, fait bâiller d'ennui. Et M. Perrault se bouche le nez de dégoût devant les exquises familiarités champêtres des *Idylles* de Théocrite.

En fait, M. Perrault se soucie fort peu de jeter là les bases de la « littérature comparée » ; tout ce sinistre carnaval n'a qu'un seul but : porter au pinacle les minuscules contemporains, si raffinés, si jolis, si tarabiscotés, tous ces beaux esprits mondains pirouettistes de salons dont Nicolas, depuis tant d'années, dénonce l'incapacité d'atteindre au « sublime ».

Le pire, et le plus pernicieux, est en ceci que ce dérèglement de l'esprit s'abrite hypocritement derrière l'alibi suprême : l'exaltation du siècle de LOUIS. LOUIS régnant, la poésie moderne peut-elle être autre chose que merveille accomplie ? Et l'on n'en finit pas de s'extasier sur ce faste, cette délicatesse des mœurs cette politesse du langage, ce raffinement des sentiments qui partout s'étalent grâce à LOUIS et autour de LOUIS. Conclusion de M. Perrault : les « poètes » de notre siècle n'ont rien à envier aux rugueux développements des très vieux Grecs et des très vieux Latins.

Eh bien ! il y en aura au moins un pour le clamer très haut : ce que M. Perrault considère comme Progrès, Nicolas l'appelle, lui, décadence, dégénérescence qui, bien loin de célébrer le glorieux règne, en donnent une caricature et, pour tout dire, le déshonorent.

Quelque contraignante que soit l'obligation de réserve à laquelle Nicolas est désormais tenu, quelle que soit la lassitude éprouvée après l'alerte du lait d'ânesse et avec les petites misères de la vie de célibataire, il n'est pas possible de se taire. Et

cela d'autant plus que de bons et solides esprits (des aristocrates,
de très hauts magistrats : un Lamoignon, un Daguesseau), des
prélats, des philosophes chrétiens, sont eux aussi persuadés que
la pernicieuse doctrine sécrète les poisons les plus insidieux.
N'est-ce pas S.A. le prince de Conti qui menace d'aller écrire
sur le fauteuil de l'Académicien Nicolas : « Tu dors, Brutus ! » ? -
« Despréaux, as-tu du cœur ? ». - « Tout autre que LOUIS
l'éprouverait sur l'heure ».

On a certes la cinquantaine bien sonnée et la santé chance-
lante ; mais l'hésitation n'est plus possible devant pareil gâchis.
On ceint donc le haubert et le heaume et, Homère au poignet
en guise de faucon, on se met en route pour la Croisade appelée
à assurer la défense des Lieux Saints de la vraie littérature.
Et peu importe que l'on se fasse traiter de vieil attardé.

Tout d'abord, des salves dispersées de mousquetterie. Des
épigrammes acérées, où l'on n'hésite pas à assimiler Perrault et
le gros Charpentier à Caligula et Néron ; où l'on fait des gorges
chaudes des traductions si mal ficelées par M. Perrault que,
sous sa plume, Cicéron, Platon, Homère, Virgile apparaissent
comme des « sots » : ces sublimes créateurs, « Vous les faites
tous des Perrault ».

Simple canardage de tirailleurs, menus zakouskis avant le feu
d'artifice. Il convient maintenant de faire donner le bazooka et
d'écraser la position occupée par l'adversaire sous le feu de
tous les calibres disponibles : *Ode sur la Prise de Namur* (1693),
Réflexions critiques sur quelques passages de Longin et *Satire X*
sur les femmes (1694). Un pilonnage digne des fameuses orgues
de Staline.

L'agression la plus scandaleuse a été perpétrée contre le
divin Pindare dont les « nobles hardiesses », visiblement inspirées
par Apollon, ont été ramenées au niveau de la versification des
Chapelain, des Cotin. Il y a donc là iniquité à redresser et affront
à laver. Et le meilleur moyen de réhabiliter l'illustre outragé par

tant de faux prophètes n'est-il pas de mettre sous les yeux
du public abusé une Ode en français dans le style de ce poète
difficile et si vilainement sali par un ignorant « qui vraisemblablement ne sait point de grec et qui n'a lu Pindare que dans
des traductions latines assez défectueuses » ?

Ce sera donc, d'abord, pour ouvrir l'engagement, une *Ode sur
la prise de Namur,* sujet d'un éclat qui est à la juste hauteur
tout à la fois du merveilleux poète grec et du prestigieux LOUIS.

Noble ambition, mais redoutable besogne.

Très vite Nicolas perçoit en effet que le style du merveilleux
poète, avec ses « sens rompus », ses apparentes incohérences,
ses « mouvements et ses transports », ne se copie pas aussi
aisément que les incolores productions de Chapelain ou de la
Scudéry. Et Nicolas sue sang et eau, comme il le confie au cher
Racine : âpre quête que celle de la transcription des « hyperboles » et des « hardiesses de style » des *Odes* pindariques :

> Il y a des moments où je crois n'avoir rien fait de
> mieux en ma vie, mais il y en a aussi beaucoup où je
> n'en suis point du tout content... (3 juin 1693).

> Oh ! qu'heureux est M. Charpentier qui, même sou-
> vent bafoué (...) demeure parfaitement tranquille, et per-
> suadé de l'excellence de son esprit...

Le pensum une fois achevé, on se décerne tout de même, à
l'instar de M. Charpentier, un petit satisfecit ; et Nicolas chuchote en confidence : « J'y ai hasardé des choses fort neuves
jusqu'à parler de la plume blanche que le Roi a sur son chapeau »
(A Racine, 4 juin).

La plume blanche de LOUIS... Diantre ! la furieuse audace !
Ne voilà-t-il pas qui est proprement pindarique ! De fait, chacun
peut lire :

> Contemplez dans la tempête (...)
> La plume qui sur sa tête
> Attire tous les regards.
> A cet astre redoutable
> Toujours un sort favorable
> S'attache dans les combats ;
> Et toujours avec la gloire

> Mars amenant la victoire
> Vole et le suit à grands pas.

C'est bien là, en vérité, que l'on sent passer le puissant souffle lyrique des grandes odes triomphales. Tout comme dans ce si éloquent appel liminaire aux « chastes nymphes du Parnasse » et aux vents :

> Et vous, vents, faites silence :
> Je vais parler de Louis.

Et n'est-ce pas la fureur même de Mars déchaîné que l'on entend gronder dans cette évocation des couleuvrines, des caronades et des espingoles :

> Et par cent bouches horribles
> L'airain sur ces monts terribles
> Vomit le fer et la mort.

Comment ne pas rendre les armes devant les guerriers de LOUIS, « athlètes belliqueux », ces « dix mille vaillants Alcides » aux « éclairs homicides » qui victorieusement affrontent « le Batave », « le lion belgique » et l'« aigle germanique » ?

Le lecteur non prévenu en conviendra : c'est bien là l'apothéose même du Sublime, et qui laisse loin derrière elle la pourtant fameuse épître naguère consacrée au passage du Rhin. La cause est entendue : au terme de ces 170 heptasyllabes (« Préfère l'impair », dira plus tard l'ivrogne Verlaine qui, naturellement, se targuera d'avoir tout inventé), Nicolas est en droit de conclure, avec l'inévitable pique à l'encontre de M. Perrault :

> Ma muse dans son déclin
> Sait encore les avenues
> Et les sources inconnues
> A l'auteur du *Saint-Paulin*.

(« Ma muse dans son déclin »... un éclair de lucidité ?)

Après une aussi éclatante démonstration, Nicolas est ainsi parfaitement justifié de placer en tête de son poème un *Discours sur l'Ode* où les mots ne sont pas mâchés pour dénoncer la bassesse d'âme de celui qui a osé traiter les grands Anciens d'« esprits médiocres » : « bizarrerie d'esprit » qui, d'ailleurs, est le fait de « toute sa famille » — véritable DYNASTY de tarés, de mutilés du cerveau.

*
**

L'auteur du *Saint Paulin* trouve naturellement trop verte la mercuriale et peu probante la démonstration. Et de riposter avec fougue, en particulier dans une sorte de « Lettre ouverte » au citoyen Despréaux qui doit se préparer à en entendre de poivrées.

Contre-offensive de choc. Tout d'abord, ce paladin de la littérature d'arrière-grand-papa est un parangon de « mauvaise foi », un faussaire expert en l'art de déformer les textes : car jamais, au grand jamais, M. Perrault n'a traité d'« esprits médiocres » les grands ancêtres (« Il n'y a pas un seul mot de tout cela dans mes *Dialogues* ») : tout au plus a-t-il avancé qu'ils ont parfois commis des « choses peu dignes de leur réputation » parce que, « enfants d'un siècle trop lointain », ils étaient privés des « lumières » et des « secours » dont l'expérience a « enrichi les derniers siècles ». Toujours la serinette du Progrès.

Pour ce qui est de la crasse ignorance de la langue grecque, la réplique est aisée : « vous me ferez plaisir de me montrer mes bévues ».

Et puis ne se rend-il pas compte, cet éternel donneur de leçons, qu'il assomme à la longue à vouloir que sans cesse « tout le monde (ait) devant les yeux (son) *Art Poétique* » ? Un peu de « modestie » ferait bien mieux l'affaire.

Quant aux sarcasmes sur l'auteur du *Saint Paulin*, « homme sans aucun goût », on rappellera simplement qu'il s'agit de quelqu'un « dont les ouvrages ont reçu de l'applaudissement plus d'une fois dans l'Académie française » : « Voulez-vous qu'on croie qu'il n'y (a) que vous seul qui (ayez) du goût ? »

Et, par-dessus tout, quand on est fils de greffier crotté, on devrait hésiter à jeter le discrédit sur une famille entière en parlant de « bizarrerie d'esprit » commune à toute la tribu. C'est là vraiment passer la limite extrême de la décence et excéder « toutes les libertés que les gens de lettres prennent dans leurs disputes ». Qu'on ouvre donc le dossier de la Dynasty Perrault. Une famille « irréprochable », qui a été illustrée par un frère médecin aux miraculeuses guérisons, fleuron de l'Académie des Sciences, distingué par M. Colbert et qui a triomphé « de tous les architectes de France et d'Italie ».

Mieux vaut parler de la pitoyable *Ode sur la prise de Namur* : chacun peut juger qu'elle n'a de « pindarique » que le nom et le succès qu'elle a reçu du public prouve qu'elle pourrait utilement figurer parmi les invendus dont se bombardent, dans *le Lutrin*, les grotesques combattants de la librairie Barbin.

En d'autres termes, bien loin de venir à Canossa, l'auteur du *Saint Paulin* tombe sous l'accusation de relaps : il s'incline derechef devant la *Clélie* de la Scudéry et les opéras de Quinault. Et il conclut : « Nous dirons toujours des raisons,/Ils diront toujours des injures » (*Parallèle* III).

L'Ode fulgurante se révèle ainsi pétard mouillé.

Parfait. Puisque le galopin ne consent pas à aller au coin, il mérite qu'on lui tire les oreilles un peu plus vertement, à lui comme à cet escadron de cotillons musqués qui gloussent et pépient à qui mieux mieux autour de lui et se pâment sottement devant les chefs-d'œuvre à la mode que prônent si fort les petites revues d'avant-garde.

Depuis longtemps, Nicolas songe à dire leurs quatre vérités à ces représentants d'un beau sexe à tête d'oiseau qui mènent par le bout du nez leurs galants enrubannés — autres serins. Par déférence pour LOUIS, il a abandonné le projet. Mais cette fois la coupe est pleine et l'occasion propice : ce n'est pas d'hier que les gros bataillons des gens sensés de la France profonde, les Gorgibus et les Chrysales, attendent de Nicolas que soit dit leur fait à toutes ces minaudières. Quand il a donné lecture des ébauches de son texte, chacun a « publié que c'était la meilleure de (ses) satires ». Le moment est donc venu de prouver à tous ceux qui « ont tant critiqué (l')Ode sur Namur » que la « muse à son déclin » a tout de même de beaux restes.

Nicolas mijote des semaines et des semaines, au gré des foucades de la « fougue poétique » : « c'est un ouvrage qui me tue » (A Racine, 7 octobre 1692).

Il n'est pas besoin d'être grand prophète pour prévoir que

cette satire va provoquer tumulte et tohu-bohu du côté de ces
dames et il ne servira de rien de se prévaloir des précédents
de Juvénal, de Villon, de Marot, de Poquelin et de La Fontaine,
de « tous ces vieux recueils de satires naïves,/Des malices du
sexe immortelles archives ». Il est donc préférable de se retran-
cher derrière un plus efficace paratonnerre et de faire valoir
que, après tout, la satire n'en dira pas plus que les « prédica-
tions (...) que les prédicateurs font tous les jours en chaire ».
Donc, avec la bénédiction de Notre Sainte-Mère l'Eglise, sus aux
femelles et honni soit qui mal y pense. Et, après tant d'années
de silence, c'est une sorte de résurrection : le souffle revient et
aussi l'entrain, plus vif et plus mordant que jamais : plus de
700 vers d'une seule envolée.

La traditionnelle mise en scène est vite posée : Nicolas ser-
monne un ami qui est à la veille de commettre la suprême folie
de convoler. Trop longtemps demeuré célibataire, l'ami (ce niais)
brûle maintenant de « s'entendre appeler *petit cœur* ou *mon bon* »
et de se voir bientôt entouré « De petits citoyens dont on croit
être père ». L'ami le reconnaît : « Je vieillis », et il tremble en se
voyant épié par des « neveux affamés » qui, à l'affût de l'héritage,
attendent impatiemment le moment béni où ils apprendront que,
enfin, « sans retour leur cher oncle est passé ».

Gros rire de Nicolas qui, maintenant bien lancé, va faire se
succéder comme en un film à sketches une longue série de portraits de ces Dames.

Elles sont toutes là, en file indienne, grimaçantes comme
des Goya ; et il est tout à fait superflu de s'interroger sur la
vérité de chacune. Le critère de la vraisemblance n'a pas ici sa
place ; il faut prendre les croquis pour ce qu'ils sont : des cari-
catures outrées. Demande-t-on au créateur d'Harpagon de travailler dans le souci de la nuance psychologique ?

Voici la chaste fiancée qui, une fois initiée aux « plaisirs »
d'amour, ne rêvera plus que des « doucereux Renauds », des
« insensés Rolands » si chers à M. Quinault, prédicateur de
« morale lubrique » ; et bien beau si elle ne devient pas, « ivre
d'un mousquetaire », une Messaline. Voici la coquette qui accueille

chez elle « et la Cour et la Ville » (« Tout, hormis toi, chez toi rencontre un doux accueil »). La joueuse que l'aube du lendemain souvent « trouve encor les cartes à la main ». La « bizarre », la lunatique sans cesse grondante qui, pour houspiller mari et valets, découvre le langage des poissardes : « Il faut voir de quels mots elle enrichit la langue. » La jalouse qui ne cesse, « les cheveux hérissés », d'épier « au coin des rues » le retour de l'époux. La perpétuelle victime de la déprime qui ne cesse de *somatiser* et qui « douze fois par jour » tombe en pâmoison. Le bas-bleu entiché de science qui, « un astrolabe en main », « à suivre Jupiter (passe) la nuit entière ». La précieuse, la snobinette pour laquelle « Tous les vers sont bons pourvu qu'ils soient nouveaux » ; qui « dans la balance met Aristote et Cotin ». La pimbêche qui, digne d'Angélique Dandin née *de* Sottenville, toquée de sa haute naissance, ne cesse « à son triste mari » de « reprocher la farine » de ses origines. La bigote qui, « impudente faussaire », « sous un vain dehors d'austère piété, cherche l'impunité « de ses crimes » et de son « affreux libertinage ». Plus néfaste encore, la bigote sincère qui, les yeux vers le ciel, « offre à Dieu les tourments » qu'elle fait subir à son mari. La mécréante endurcie qui parle de Dieu « du ton de des Barreaux ». La vieille insatiable qui, vingt ans après le mariage, exige « d'un mari les respects d'un amant ». La goinfre qui impose « même à ses amants » « ses baisers pleins d'ail et de tabac ». La névrosée qui, justiciable du canapé des psychanalystes, rosse « dans (ses) enfants l'époux » qu'elle déteste. Et encore « celle qui de son chat fait son seul entretien »...

N'en jetez plus, la cour est pleine.

Comment ne pas se voiler la face devant le déchaînement de ce phallocrate atteint de misogynie galopante ? Comment ces Dames ne seraient-elles pas tentées (dindon ou pas dindon) de faire subir à ce mufle le traitement radical qui fut naguère infligé à Abélard qui pourtant jamais n'en avait tant dit ? A côté de ce délirant, le Montherlant des *Jeunes Filles* apparaît comme un galant douceureux.

Il serait sans doute tout à fait vain de plaider que cette accu-

mulation, par son énormité, se détruit elle-même. Que, à l'égard
du deuxième sexe, Nicolas ait éprouvé agacement et irritation
n'est pas douteux ; mais s'il avait eu vraiment pour intention de
dénoncer les méfaits de ses contemporaines, il n'aurait pas poussé
jusqu'à une telle outrance un réquisitoire qu'il eût voulu convaincant. Trop c'est trop. Et ici la limite est très largement dépassée.

En fait, Nicolas s'amuse et se grise de sa propre verve. Ou
plutôt, sur un thème usé jusqu'à la corde depuis le Moyen Age,
il se délecte à fignoler des croquis qu'il s'applique à composer
colorés, pittoresques, réalistes dans leur excès même : exercice
de virtuosité beaucoup plus que pamphlet.

Or, à ce point de vue, la réussite est presque constamment
parfaite, chaque tableautin étant vigoureux, plein de sève et
soutenu par une langue efficace. Hugo, peu suspect de partialité
en faveur de la vieille perruque, s'enchantait par exemple du
couplet consacré à la coquette : s'il veut « à son tour » (et ce
« à son tour » ne constitue pas une cheville) posséder sa belle, le
mari se doit d'attendre que, le soir, elle étale son teint sur sa
toilette,

> Et dans quatre mouchoirs de sa beauté salis,
> Envoie au blanchisseur ses roses et ses lys.

Une place privilégiée doit être faite au tableau du « couple
illustre » d'avares sordides qui s'étend sur un développement
d'une longueur exceptionnelle. Non pas que l'avarice paraisse à
Nicolas plus blâmable ou scandaleuse que le libertinage ou la
pruderie ; mais parce que la matière est là particulièrement
propice à la mise en œuvre d'une peinture haute en couleurs et
d'un naturalisme appuyé. Le modèle est bien connu : il s'agit
d'un ancien voisin de la Dynasty (il a même été parrain du frère
abbé Jacques) qui finit crapuleusement assassiné, en 1665, avec
son épouse et dont la ladrerie était phénoménale (il y a déjà été
fait allusion dans la *Satire* VIII). C'est sous l'influence de sa
femme que le lieutenant criminel Tardieu est tombé dans la lési-
nerie la plus répugnante. Voici le portrait de la dame :

> Décrirai-je ses bas en trente endroits percés,
> Ses souliers grimaçant vingt fois rapetassés,

> Ses coiffes d'où pendait au bout d'une ficelle
> Un vieux masque pelé presqu'aussi hideux qu'elle ?
> Peindrai-je son jupon bigarré de latin
> Qu'ensemble composaient trois thèses de satin,
> Présent qu'en un procès sur certain privilège
> Firent à son mari les régents d'un collège,
> Et qui sur cette jupe à maint rieur encor
> Derrière elle faisait lire : *Argumentabor.*

La dénonciation des méfaits de l'avarice féminine n'a là plus rien à voir et l'on ne décèle dans cette séquence que le plaisir de faire bouffonner une charge, un plaisir tout pareil à celui que doit éprouver Hugo en évoquant la silhouette de son Don César de Bazan avec « sa cape en dents de scie et ses bas en spirale ».

Un autre portrait occupe une place démesurée par rapport à l'intérêt réel du défaut dénoncé : celui de la bigote sincère qui « tous les jours à l'église entend jusqu'à six messes » (ici encore l'outrance du trait rend évidente l'intention déformante) et qui ne se préoccupe pas le moins du monde de combattre ses mauvais penchants pour le jeu, ou pour la toilette, ou pour le luxe. En réalité, ce développement ne prend sa valeur que par rapport à la condamnation du vrai vice, qui n'est pas féminin, celui des faussaires de religion qui mettent en coupe réglée les familles Orgon : les « directeurs de femmes » :

> Nul n'est si bien soigné qu'un directeur de femmes.
> Quelque léger dégoût vient-il le travailler ?
> Une faible vapeur le fait-elle bâiller ?
> Un escadron coiffé d'abord court à son aide :
> L'une chauffe un bouillon, l'autre apprête un remède.
> Chez lui sirops exquis, ratafias vantés,
> Confitures surtout volent de tous côtés.
> Car de tous mets sucrés, secs, en pâte, ou liquides,
> Les estomacs dévôts toujours furent avides.

Passe encore pour ces péchés mignons qui pourraient trouver place dans *le Lutrin.* Mais la doctrine de ce sybarite est proprement infâme, elle est celle de la casuistique complaisante qui pervertit les âmes parce que « du Paradis » pour la femme « elle aplanit les routes ». Il faut l'entendre, ce mielleux, rassurer l'âme scrupuleuse :

> Du rouge qu'on vous voit, on s'étonne, on murmure.
> Mais a-t-on, dira-t-il, sujet de s'étonner ?
> Est-ce qu'à faire peur on veut vous condamner ?
> Aux usages reçus il faut qu'on s'accommode,
> Une femme surtout doit tribut à la mode (...)
> Le jeu fut de tout temps permis pour s'amuser.
> On ne peut pas toujours travailler, prier, lire :
> Il vaut mieux s'occuper à jouer qu'à médire.
> Le plus grand jeu joué dans cette intention
> Peut même devenir une bonne action.
> *Tout est sanctifié par une âme pieuse.*

La femme n'est pas là une vicieuse. Elle est tout simplement une victime. Dans *la Bigote*, Jules Renard ne dit pas autre chose.

La conclusion se dégage aisément : Nicolas s'en prend certes au sexe féminin, mais les comptes qu'il règle, les maléfices qu'il dénonce vont bien au-delà de cette intention primitive qui finit par n'apparaître que comme un prétexte.

Quand la satire en vient à tomber sur la bande à Perrault, c'est sans doute par le biais des admiratrices béates qui s'enchantent sottement des « héros à la voix luxurieuse » de M. Quinault, qui frétillent devant le « faux bel esprit », qui mettent sur le même pied « Chapelain et Virgile » : on ne saurait être plus bécasses. Mais les 14 vers qui prennent directement à parti « l'auteur du *Saint Paulin* » ne sont plus rattachés que de façon très lâche au thème antiféministe : la précieuse s'étonne de constater que, chez le libraire :

> Le *Saint Paulin*, écrit avec un si grand art,
> Et d'une plume douce, aisée et naturelle,
> Pourrit, vingt fois encore moins lu que *la Pucelle*.
> Elle en accuse alors notre siècle infecté
> Du pédantesque goût qu'ont pour l'antiquité
> Magistrats, princes, ducs et même fils de France,
> Qui lisent sans rougir et Virgile et Térence,
> Et toujours pour P... pleins d'un dégoût malin,
> Ne savent pas s'il est au monde un *Saint Paulin*.

A travers la mise au pilori de la malfaisance féminine, la satire apparaît ainsi surtout comme une accusation globale portée contre l'esprit du siècle : mauvais goût, laxisme moral, hypocrisie, reniement des saines valeurs. « Je vieillis », concède Nicolas. Mais c'est bien là retrouvé le *Damon* de sa jeunesse.

On dira sans doute que Nicolas ne fait ici qu'enfoncer des portes déjà très largement ouvertes : vieux thèmes gaulois, portraits d'une trop grande généralité.

Mais le contemporain de Nicolas, lui, derrière chacun de ces portraits, découvre un visage, une personnalité qui n'ont rien d'abstrait. Et une fois de plus la satire apparaît à certains comme une entreprise de calomniateur public, de correspondant de gazette louche. L'empoignade avec M. Perrault est certes de notoriété publique, comme la ladrerie du couple Tardieu. Mais cette femme qui minaude et qui, à longueur de journées, susurre à son cher mari des « petit cœur », des « mon bon », ne serait-ce pas Mme Colbert elle-même (Le Verrier) ? En la folle d'astronomie, ne reconnaît-on pas la très honorable Mme de la Sablière, l'égérie du bon La Fontaine, à qui Nicolas ne pardonne pas d'avoir naguère relevé, en plein milieu de son salon, une grossière erreur commise dans l'*Epître* V à propos de la juste utilisation de l'astrolabe ? Et pourquoi la précieuse ne serait-elle pas la Deshoulières qui fut si virulente à l'époque de *Phèdre* ? Et combien d'autres encore qui sont vouées au ridicule pour la seule raison qu'elles ont le malheur de ne point plaire à Nicolas qu'il serait vain de rappeler au sens de la vieille galanterie française et du respect dû aux dames. Le pavé ainsi jeté dans la mare est massif, et ce va être un plaisir d'entendre glousser dans le poulailler.

C'est par brigades entières, du duc de Nevers à Fontenelle, de Linières à Regnard, que se lèvent les preux chevaliers pour laver l'ignoble affront. Pradon clame que les femmes dont parle Nicolas ne peuvent être « tout au plus que celles de la rue Saint-Denis ou de la place Maubert » : des petites bourgeoises de bas quartiers. La Scudéry rappelle que sa *Clélie* a été « traduite en quatre langues, et qu'elle peut se passer de l'approbation d'un homme qui blâme tout le genre humain » (A l'abbé Boisot, 10 mars 1694).

Mais c'est, bien entendu, l'auteur du *Saint Paulin* qui, bon père, excellent mari, se place en tête de la contre-offensive. Et d'abord ce cri qui vient du cœur, cri d'indignation à l'égard de ce célibataire qui salit la dignité de la vieille famille française : « Nous sommes presque tous des enfants naturels ! » Nicolas n'a-t-il pas évoqué ces « petits citoyens dont on croit être le père » ? Parce que Juvénal et Horace ont, il y a très longtemps, « déclamé contre les femmes d'une manière scandaleuse et qui blesse la pudeur », Nicolas se croit-il autorisé à revenir aux mœurs triviales d'une époque mal policée ? Et n'est-ce pas « la chose la plus dégoûtante du monde » que de le voir sans cesse harceler les Chapelain, les Cotin, les Coras et tant d'autres ? Et d'où vient encore ce maladif besoin de toujours faire la « peinture de ce qu'il y a de plus laid dans les hommes » au lieu de « célébrer les vertus que le ciel leur a données » ? En ce satirique tout crie la « malignité du cœur humain », la « médisance », la « calomnie ». N'est-ce pas là « voler toujours terre à terre comme un corbeau qui va de charogne en charogne » ?

Et l'on n'évoque que pour mémoire ses vers « durs, secs, coupés par morceaux, pleins de mauvaises césures, et enjambant les uns sur les autres ». Il suffit de jeter un regard sur ce gueux méprisable :

Tu le verras crasseux, maladroit et sauvage,
Farouche dans ses mœurs, rude dans son langage,
Ne pouvoir rien penser de fin, d'ingénieux,
Ne dire jamais rien que de dur et de vieux.
S'il joint à ces talents *l'amour de l'antiquaille*,
S'il trouve qu'en nos jours on ne fait rien qui vaille,
Et qu'à tout bon moderne il donne un coup de dent,
De ces dons rassemblés se forme le pédant,
Le plus fastidieux comme le plus immonde
De tous les animaux qui rampent dans le monde.

Et naturellement il se trouvera bien aussi un Regnard pour rappeler que si ce rustre a toujours ignoré « le beau monde et la galanterie », c'est que (la fâcheuse « difficulté particulière », n'est-ce pas ?) « le cœur d'une Iris » est pour lui « une terre australe » où il n'alla jamais (*Tombeau de Boileau*).

Devant cette levée de boucliers, Nicolas en est encore à se demander par quel miracle Bayle, sectateur empressé de la clique des Modernes pourtant, consent à reconnaître que cette *Satire* X est sans doute la meilleure de toute la série.

Compte tenu de l'ampleur de la vague déferlante, il n'était vraiment pas superflu de glisser, dans le corps du pamphlet, un hommage appuyé à Mme de Maintenant, rare et inimitable exception dans cet apocalyptique tableau de l'engeance féminine : celle-là est « chérie et du monde et de Dieu,/Humble dans les grandeurs, sage dans la fortune » et chacun sait bien qu'elle « gémit, comme Esther, de sa gloire importune ». De ce côté, Nicolas est parfaitement tranquille, car la vénérable morganatique ne fait pas mystère de son aversion pour ses consœurs :

Les femmes de ce temps-ci me sont insupportables ; leur habillement insensé et immodeste, leur tabac, leur vin, leur gourmandise, leur grossièreté, leur paresse, tout cela est si opposé à mon goût (et) à la raison que je ne puis le souffrir.

Voilà qui est sûreté de jugement et franchise de langage. Et il faut bien cette auguste caution pour contrebalancer l'incroyable jugement porté sur la *Satire* par Sa Grandeur l'Aigle de Meaux dans son *Traité sur la concupiscence*. Car le prestigieux prélat, qui devrait être l'apologiste des bonnes mœurs, se révélera à ce point aveugle sur les dérèglements du temps qu'il osera écrire que Nicolas « ne se met point en peine s'il condamne le mariage (...) ; pourvu qu'avec de beaux vers il sacrifie la pudeur des femmes à son humeur satirique, et qu'il fasse de belles peintures d'actions bien souvent très laides, il est content ».

De cette détestable condamnation on retiendra sans doute ces mentions honorables : « beaux vers », « belles peintures ». Mais, vraiment, ce n'est pas tous les jours que l'Esprit Saint souffle sur les têtes mitrées.

L'auteur du *Saint Paulin* a eu le toupet d'affirmer qu'à ses
raisonnements on ne répond jamais que par des injures. On va
donc compléter le feu roulant en assenant une réplique bien
dogmatique, bien solidement argumentée — et tant pis si cette
partie-là est quelque peu ennuyeuse : l'adversaire se révèle amateur de pédanteries ; ce sera donc à pédant pédant et demi. Et
Nicolas va se couvrir de l'incontestable autorité de ce Longin
qui, quelques années plus tôt, lui a déjà permis de prouver
qu'il n'est pas seulement homme de polémiques et de chicane,
mais aussi homme de doctrine et de mûre réflexion.

Au cours de cette ardente année 1694, Nicolas allonge donc
le tir et fait tonner neuf *Réflexions critiques sur quelques passages de Longin* qui constitueront la réfutation solennelle et en
quelque sorte dialectique des thèses de M. Perrault (trois autres
Réflexions suivront beaucoup plus tard, en 1710).

Nicolas ne va pas commettre l'erreur de commenter pesam-
ment le texte de l'illustre rhéteur : il se contentera d'en isoler
quelques passages particulièrement éclairants et de les illustrer
d'argumentations personnelles. Il n'y aura donc pas d'exposé
systématique (ce serait reconnaître que *l'Art Poétique* ne constitue
pas LE document définitif et complet), mais une suite en quelque
sorte pointilliste de gloses qui feront ressortir jusqu'à l'évidence
l'insanité des principes de la clique à Perrault.

C'est ainsi que la *Réflexion* I s'appuie sur un précepte formulé
par Longin et qui, bien entendu, a été déjà fortement mis en
valeur par Nicolas en son *Art Poétique,* à savoir que tout écrivain
a besoin d'un ami officieux pour lui signaler ses petites faiblesses.

En matière d'obligeants services, l'auteur du *Saint Paulin*
va être servi. Car c'est Nicolas lui-même qui se constitue le
« charitable » et claironnant censeur d'un individu dont il est
d'abord rappelé, pour rafraîchir la mémoire du bon public, qu'il
est le frère d'un funeste médecin, architecte imposteur habile à
se parer des plumes de M. Le Vau. Il est ensuite précisé que

le même individu est un fieffé menteur lorsqu'il affirme qu'il a tant fait pour favoriser la carrière de feu Gilles III — « fausseté » notoire. « Petites choses », objectera-t-on ? Mais lorsqu'il s'agit d'« honneur », comment ne pas se faire le dénonciateur de l'imposture même dans les petites choses ?

Pour ce qui est de l'esprit — puisque c'est à ce seul niveau que se situe le débat — on ne se trouve pas, avec cette Dynasty Perrault, en plus recommandable compagnie. Car, qu'on le sache bien, M. l'Académicien, si doctement acharné contre les Anciens, est un cancre, digne du bonnet d'âne le plus pointu. Il couvre de ridicule et Homère et Pindare mais, en réalité, cet éminent exégète est tout à fait incapable de lire un texte dans la sublime langue grecque : « ignorances grossières » (*Réflexion* II). Ce n'est pas là affirmation gratuite de contradicteur mal intentionné : des preuves de cet analphabétisme, on en fournira tout au long de la série des *Réflexions*. Par exemple à propos de l'admirable et si délicat épisode de Nausicaa, dans *l'Odyssée* : M. Perrault « traite notre poète de grossier » parce qu'il fait dire à la jeune fille « qu'elle n'approuvait point qu'une fille *couchât avec* un homme avant que de l'avoir épousé ». Le vigilant Père la Pudeur devrait d'abord s'informer, puisqu'il ne soupçonne même pas que le verbe grec employé n'a pas, dans l'épopée tout entière, le sens graveleux de *coucher avec*, mais bien celui de *fréquenter*, de fréquenter *en tout bien tout honneur*. On voit le hideux contresens et comment est ainsi pollué le chaste visage d'une « Princesse aussi sage et honnête qu'est représentée Nausicaa » (*Réflexion* III).

Veut-on maintenant du pur grotesque ? M. Perrault se gausse très fort d'Homère lorsque celui-ci « compare Ulysse, qui se trouve dans son lit, au *boudin* qu'on rôtit sur le gril ». *Boudin !* Oui, M. Perrault écrit bien *boudin !* Comme si quelqu'un ignorait que le mot n'était point encore inventé du temps d'Homère, où il n'y avait « ni boudins ni ragouts ». Autre balourdise, autre incongruité. En réalité, Homère ne fait là que comparer Ulysse « qui se tourne çà et là dans son lit », brûlant d'impatience de se venger des soupirants de Pénélope, à un homme « affamé qui s'agite pour faire cuire sur un feu le ventre sanglant et plein

de graisse d'un animal dont il brûle de se rassasier »
(*Réflexion* VI). *Boudin !*

La vérité est que M. Perrault n'a jamais eu connaissance des
originaux grecs qu'à travers de misérables traductions en latin.
Or le comble, c'est que lui qui déjà « ne sait point de grec entend
médiocrement le latin » (*Réflexion* III). S'étonnera-t-on dès lors
que, sur Homère, il accumule d'« énormes bévues » ? Ainsi il
accable de sarcasmes l'aveugle sublime à propos de l'épisode,
si touchant pourtant, d'Ulysse aussitôt reconnu par son chien
« qui ne l'avait point vu depuis vingt ans ». Doctissime, M. Perrault en appelle gravement au témoignage de Pline (un « Ancien »
pourtant) qui, à l'en croire, affirmerait que les chiens ne peuvent
vivre vingt ans : donc, ridicule ignorant, cet Homère. Le malheur
est que M. Perrault « n'a point lu » Pline, ou ne l'a « point
entendu », puisque le célèbre naturaliste écrit en toutes lettres
que, si les chiens dits de Laconie ne vivent que dix ans, « les
autres espèces de chiens vivent ordinairement quinze ans, et vont
parfois jusques à vingt ». D'ailleurs Nicolas lui-même pourrait
citer bien « des exemples dans notre siècle de chiens qui en ont
vécu jusqu'à vingt-deux ». La cause n'est-elle pas ainsi entendue ?

Et pourtant, le croira-t-on ?, cet illettré majeur n'a pas hésité
une seule seconde à s'improviser lui-même traducteur. On imagine
alors quelle bouillie : « avec ce beau talent qu'il a de dire bassement toutes choses, il fait si bien que, racontant le sujet
de *l'Odyssée*, il fait d'un des plus nobles sujets (...) un ouvrage
aussi burlesque que l'*Ovide en belle humeur* » (*Réflexion* IX).
Exemple ? là où Homère écrit si poétiquement que « la nuit
couvrait la terre de son ombre et cachait le chemin aux
voyageurs », le traducteur non diplômé transcrit : « l'on commen-
çait à ne voir goutte dans les rues ». Authentique.

Bref, pour faire l'inventaire de ces montagnes de sottises,
« il faudrait un très gros volume ». Mais que chacun en soit bien
persuadé, M. Perrault est tout aussi ignorant sur Platon, Démosthène, Horace, Térence, Virgile, que sur Homère et Pindare
(*Conclusion*).

Osera-t-on enfin descendre jusqu'au plus bas degré de la

nullité ? Pour la salubrité des mœurs, il faut tout de même y venir : M. Perrault, de l'Académie, ne sait même pas... le français. C'est ainsi qu'il écrit : « Mais, mon esprit, ne contemples point... » N'a-t-il donc pas dans les jambes quelque petit-fils pour lui chuchoter que l'impératif « n'a point d's » ? « Je lui conseille donc de renvoyer cet *s* au mot de *casuite* qu'il écrit toujours ainsi » (*Réflexion* VIII). Bien entendu, M. Perrault ne va pas manquer d'affirmer que cette insulte à la grammaire doit se trouver dans la version hollandaise qu'il n'a pu contrôler (*Réponse à la VIIIᵉ Réflexion critique*). Mauvais joueur, en plus.

Le bon public est-il maintenant assez édifié ? Comprend-il pourquoi ce bélître en vient finalement à prétendre que jamais Homère n'a existé ? que ses deux épopées « ne sont qu'une collection de plusieurs petits poèmes de différents auteurs qu'on a joints ensemble » ? On se croirait déjà au XIXᵉ siècle lorsque des cuistres teutons soutiendront mordicus à leur tour que l'aveugle sublime n'est qu'un mythe. Mais, dira-t-on, quelles preuves décisives M. Perrault apporte-il pour étayer cette renversante théorie ? Tout simplement « qu'on ne sait point la ville qui a donné naissance à Homère » (*Réflexion* III). Comme si l'on savait où est né Pétrone, où est né Quinte-Curce ! D'ailleurs l'auteur du *Saint Paulin* serait bien inspiré de se reporter à l'admirable *Traité du poème* du R.P. le Bossu où ce « savant religieux fait si bien voir l'unité, la beauté et l'admirable construction » de ces poèmes homériques qui ne peuvent avoir atteint à une telle perfection que s'ils sont l'œuvre d'un seul et même homme. M. Perrault ignore-t-il aussi que le savant religieux est pourtant de son propre camp, un « Moderne » ? La différence entre un Perrault et un R.P. le Bossu est que ce dernier est, lui, un « auteur excellent » et non pas un de ces « médiocres » à qui sont insupportables les écrivains « d'un mérite élevé ». Car c'est uniquement par basse jalousie que M. Perrault dénigre les Anciens, pour les rabaisser au niveau de ses « chers auteurs », au niveau des « plus vulgaires écrivains ».

Et ce vibrion fait preuve de toute l'assurance des ignares sûrs d'eux-mêmes. Lui seul connaît la vérité, « présomptueux » qui, tout rempli de sa « bonne opinion de lui-même », « s'occupe uniquement à contredire le sentiment de tous les hommes ».

M. Perrault n'est au total rien d'autre qu'un pédant, c'est-à-dire : non pas « un savant nourri dans un collège, et rempli de grec et de latin, qui admire aveuglément tous les auteurs anciens », mais bien un homme

> qui, avec un médiocre savoir, décide hardiment de toutes choses ; qui se vante sans cesse d'avoir fait de nouvelles découvertes ; qui traite de haut en bas Aristote, Epicure, Hippocrate, Pline; qui blâme tous les auteurs anciens (...).
>
> En un mot qui compte pour rien de heurter sur cela le sentiment de tous les hommes (*Réflexion* V).

Mais le plus grave, l'impardonnable, c'est que peu chaut à M. Perrault que cette scandaleuse irrévérence se nourrisse de la plus maléfique des doctrines. Car en fin de compte ce mépris manifesté à l'égard de l'exemplaire simplicité de mœurs des grands Anciens ne s'exerce qu'au profit de l'apologie de la « mollesse » et du « luxe », « qu'il regarde comme un des grands présents que Dieu (a) faits aux hommes, et qui sont pourtant l'origine de tous les vices » — voilà ce que, tous, ils appellent « Progrès » : un fléau « plus dangereux que la peste », qui ravale les nations au niveau des « barbares » orientaux (*Réflexion* IX). Il est bien question ici de Belles Lettres ! C'est la santé même de la Société qui est en cause désormais. M. Perrault ? un corrupteur, tout simplement.

Nicolas ne prétend pas anticiper sur le jugement que portera Dieu le Père sur l'auteur du *Saint Paulin*. Mais ce qu'il sait parfaitement, c'est que ce triste individu se rend coupable du péché d'orgueil — péché capital, péché mortel — qui l'aveugle et le pousse à croire que son minuscule et pauvre jugement personnel et ses « goûts dépravés » sont capables de prévaloir contre l'opinion professée par « un fort grand nombre de siècles ». Celui qui s'acharne à s'opposer au consensus universel, comment l'appeler, sinon un fou ?

Il vaut mieux, assurément, n'avoir point lu les *Provinciales* du maître Pascal si l'on ne veut pas mesurer péniblement ce qui sépare son étincelante argumentation de celle, plutôt pataude, de notre Nicolas. Quoique placées sous le haut patronage du savant Longin, ses *Réflexions* sont aux antipodes d'un véritable débat d'idées. Bousculer l'adversaire et l'acculer dans le coin du ring, soit ; le présenter en âne bâté, en vaniteux gonflé de vide, en muscadin, soit encore. Mais il faudrait que l'ironie ne soit pas assenée à coups de masse d'armes. Quant à user à tout bout de champ de l'argument d'autorité, c'est, malgré soi, jouer sans grâce ni humour le rôle du naïf Jésuite pascalien, toujours empressé à se référer aux bons auteurs du parti.

Et cela est bien dommage. Car, de la position prise par Nicolas, il y aurait sans doute bien de saines leçons à tirer : la méfiance à l'égard de la nouveauté à tout prix et du clinquant d'un jour (« l'absurde superstition du nouveau », dira Paul Valéry dont nul ne contestera qu'il soit un « Moderne ») ; le jugement réfléchi plutôt que l'emballement moutonnier ; la prise en considération de l'opinion des prédécesseurs qui ne sont pas nécessairement bornés et stupides ; le rejet de tout ce qui est tarabiscoté, frelaté, pur tape-à-l'œil.

Devant les excentricités des nouvelles modes, Nicolas s'exaspère ; il bougonne et ronchonne ; il joue les Alceste, et l'on ne saurait lui en vouloir : après tout, l'indignation n'est pas toujours mauvaise conseillère. Mais, parce qu'elles ne constituent ni un solide exposé doctrinal, ni une satire en forme, ni même une vraie discussion, les *Réflexions* sont loin de valoir la charge contre les femmes.

Salve d'épigrammes, pamphlet antiféministe, doctes *Réflexions* : Nicolas est en droit de considérer qu'il a suffisamment œuvré pour la bonne cause. Il a donc sa conscience pour lui. Et il est temps de s'en retourner sagement dans le paisible jardin d'Auteuil. On se lasse, à la longue, d'être le seul à crier la vérité dans le désert.

Car, dans toute cette affaire, il a sans doute été cordialement soutenu par le cher Racine, mais *moderato*, en souplesse, sans

LE CAS BOILEAU

faire donner les grandes orgues. Sur le compte de M. Perrault et de ses prétentions à jouer les déboulonneurs d'idoles, le cher Racine pense exactement comme Nicolas : « M. Perrault ne peut-il pas avoir quelque ami grec qui lui fournisse des mémoires ? » (A Boileau) et il s'est empressé, par lettre, de donner à son correspondant d'autres exemples de la crasse ignorance de M. Perrault en matière de langue hellénique. Mais, de toute évidence, il n'approuve guère les tonitruantes sorties de son coéquipier. Est-ce bien le moment de se donner ainsi en spectacle ? N'a-t-on pas passé l'âge de se produire dans les parades de foire ?

M. Racine parle d'or. Mais patience. Car il se trouve que, toujours aussi sûr de lui, M. Perrault est en train de commettre une grosse bêtise, ou plutôt une fausse manœuvre. Tout faraud de sa riposte de l'*Apologie des femmes*, il s'est empressé de la communiquer à l'admirable octogénaire exilé à Bruxelles, oracle incontesté du Jansénisme : M. Arnauld qui est de ses amis, comme d'ailleurs celui de Nicolas. M. Perrault est persuadé que ce sage et saint homme ne peut que déplorer les excès de langage, la verdeur des peintures de la *Satire* X. Il devrait donc avoir bientôt la satisfaction d'entendre Nicolas dénoncé *urbi et orbi* par ce phare de la conscience universelle : après le jugement sévère déjà porté par le considérable et très orthodoxe Aigle de Meaux, ce second désaveu achèvera de terrasser l'inélégant pamphlétaire.

Seulement, dans son indécrottable fatuité, M. Perrault a la tête bien légère. S'il conservait une once de bon sens, il devrait bien savoir que le vénérable vieillard n'est pas entiché des opéras de M. Quinault : c'est tout de même bien du côté de Port-Royal qu'est partie naguère la vigoureuse condamnation des auteurs dramatiques, « empoisonneurs d'âmes ». Et le patriarche a de la suite dans les idées. Pasteur attentif au salut des âmes, il suppute d'autre part que M. Despréaux est « fort estimé à la Cour » et qu'ainsi sa croisade « contre l'opéra et les romans peut y faire beaucoup de bien » en faisant connaître « combien cela peut gâter l'esprit et le cœur des femmes du monde » (A du Vaucel, 19 mars 1694). Au surplus, dans cette satire, n'a-t-il pas été fait une flatteuse référence à Port-Royal tenu par Nicolas pour « le lieu où on élevait les filles le plus chrétiennement » ?

Aussi, après avoir pris largement le temps de la réflexion, l'honorable vieillard rédige, en mai, un projet de réponse à M. Perrault dans lequel il établit tout d'abord que les piques satiriques de Nicolas ne sauraient blesser la sensibilité des bons chrétiens puisqu'elles ne s'en prennent pas aux personnes privées. Et, fort vert décidément, il décoche même à M. Perrault cette banderille : pourquoi Nicolas serait-il blâmable pour avoir dénoncé Chapelain comme un méchant poète si M. Perrault n'est pas à son tour répréhensible pour avoir « parlé avec tant de mépris » de l'ode pindarique de son adversaire ? Lumineux argument. Et puis, surtout, il y a que Nicolas n'est pas n'importe qui ; que l'Elysée et même le Conseil de l'Europe lui prêtent une oreille attentive :

> Vous n'ignorez pas combien ce qu'il a mis au jour a été bien reçu dans le monde, à la Cour, à Paris, dans les provinces, et même dans tous les pays étrangers où l'on entend le français.

Accuser Nicolas de « médisance » et de « calomnie », c'est attribuer ces vilains défauts à « tout ce qu'il y a de gens d'esprit à la Cour et à Paris ». Or M. Arnauld est un exilé, il doit veiller sans relâche à ce que son cher troupeau janséniste ne s'expose pas à de nouvelles persécutions : dès lors, comment prendre parti contre un homme aussi influent qui peut jouer auprès de LOUIS le rôle d'avocat de la malheureuse cause des opprimés ?

A quoi s'ajoute encore que M. Arnauld est tout à fait persuadé que, dans cette affaire, Nicolas a été traité « d'une manière outrageuse et pleine de calomnies » (Au chanoine Le Noir, 16 mai 1694).

Dès lors, on le comprend, il ne saurait être question pour l'honorable vieillard de s'en aller lancer une bulle d'excommunication contre l'auteur de la *Satire* X. Et le saint homme prononce le mot magique : « réconciliation », autrement dit : « décrispation ».

Mais comme il ne tient pas à faire trop de vagues autour de

son verdict (M. Perrault n'est pas, lui non plus, personnalité négligeable), il exige expressément que l'esquisse de sa lettre ne soit vue que « par quelques personnes discrètes sans que cela coure le monde ». En clair : la lettre ne doit en aucun cas être publiée. Des personnes discrètes parmi lesquelles figure, naturellement, le cher Racine, considéré comme « plus traitable que son compagnon ». En attendant, la lettre restera sous le coude.

Discrétion donc. Mais l'honorable vieillard est un naïf lui aussi s'il croit qu'en une si ardente confrontation le secret peut être longtemps gardé. Et l'une des « personnes discrètes » (le chanoine Le Noir) ne résiste pas longtemps à la tentation de communiquer le merveilleux document à son ami Nicolas, dans la meilleure intention du monde d'ailleurs tant il est persuadé que la lecture de si flatteuses pages contribuera à amadouer le peu traitable auteur des *Réflexions*.

François Mauriac recevant de Sa Sainteté un brevet de charité chrétienne pour ses inépuisables rosseries n'aurait certainement pas exulté davantage que Nicolas : « Jamais cause ne fut si bien défendue que la mienne ! » s'écrie-t-il le 6 juin. Cette lettre est une véritable absolution, mieux : une consécration qui pèse tout autant que celle naguère octroyée par LOUIS. Et le message que Nicolas rédige à son tour pour remercier l'honorable vieillard déborde de jubilation : « Tout m'a charmé, ravi, édifié dans votre lettre. » Et tout de go, il se déclare, foi de Nicolas, prêt à la réconciliation : ainsi aux « paroles assez aigres » succédera « la plaisanterie ».

Mais dans cet irrésistible élan de générosité, Nicolas ne perd pas la tête. Réconciliation, embrassades, pardon des injures, soit, tout ce que l'on voudra. Mais à une condition, condition *sine qua non :* c'est que l'adorable lettre ne restera pas confidentielle, qu'elle « verra le jour », qu'elle sera portée à la connaissance de la Cour et de la Ville. Comment Nicolas pourrait-il se priver « du plus grand honneur que j'ai reçu de ma vie » ?

Moyennant quoi, il en prend l'engagement formel : dans la prochaine édition de son œuvre, plus rien ne subsistera qui puisse paraître offensant pour la « mémoire de feu M. Perrault le médecin ». Et même, même !, jamais plus il ne prendra « la

plume pour écrire contre M. Perrault ». Mais il faut que la lettre
soit publiée :

> Que ne ferais-je point pour en obtenir de vous le
> consentement ? Faut-il se dédire de tout ce que j'ai écrit
> contre M. Perrault ? faut-il se mettre à genoux devant
> lui ? faut-il lire tout *Saint Paulin* ? vous n'avez qu'à dire :
> rien ne me sera difficile.

Pour finir — mais c'est la dernière fois, la dernière, promis,
juré — Nicolas s'offre le malin plaisir de mettre sous les yeux
de l'honorable vieillard la liste des ouvrages de Perrault pour
lesquels on exige de lui qu'il clame son admiration. Les titres,
à coup sûr, parlent d'eux-mêmes : *Peau d'Ane, Histoire de la
femme au nez de boudin, les Maximes d'amour et de galanterie,
Elégie à Iris*, etc., etc. La littérature des « Modernes », c'est cela,
et rien que cela, honorable vieillard.

Le piquant de l'aventure est que la lettre n'a pas encore été
envoyée à l'auteur du *Saint Paulin* (puisqu'il ne s'agit que d'un
projet) ; il n'en possède même pas une copie. Il n'en connaît
l'existence que par des on-dit et il s'inquiète de son contenu, il
interroge, il s'enquiert auprès de M. Racine sur cette « lettre qui
lui (a) été écrite, et qu'il n'a pas reçue ». Le cher Racine est
bien trop finaud pour vendre la mèche en donnant lecture
du document et, du même coup, rouvrir les hostilités. M. Racine
fait diligence, M. Racine s'informe; renseignements pris, M. Racine
glisse en confidence que la lettre non reçue est en réalité pleine
d'« honnêteté », qu'elle n'exprime guère plus que le vœu de voir
M. Perrault cesser de prôner si fort l'opéra ; mais surtout qu'elle
exhorte « à la paix » les deux adversaires. M. Racine est décidément un fort habile négociateur et à l'épreuve, si fort goûtée
de la pédagogie moderne, de la contraction de texte, il obtiendrait
assurément la note optimale. Mais que ne ferait-on pas pour
obtenir, enfin, « la paix » ?

Si bien que l'on peut bientôt annoncer à l'honorable vieillard
que, le 6 août, à la surprise générale, M. Racine a « fait la paix »
entre M. Despréaux et M. Perrault : « Dieu soit loué » (Dodart
à Arnauld). L'honorable vieillard sera malheureusement privé

d'une dernière joie : il décède dès le 8, sans avoir eu connaissance de la si consolante nouvelle — il n'y a pas de justice en ce bas monde.

C'est dans le cadre prestigieux de l'Académie qu'est officialisée, le 30 août, l'incroyable réconciliation de Paul Claudel et d'André Gide. On s'embrasse le plus publiquement du monde. Et l'on entonne le *Te Deum*.

Nicolas se hâte de rimer une épigramme pour garantir l'authenticité de l'événement :

> Tout le trouble poétique
> A Paris s'en va cesser :
> Perrault l'anti-pindarique
> Et Despréaux l'homérique
> Consentent de s'embrasser.

L'« estime » réciproque a opéré ce miracle : aussi « l'accord » s'est-il fait « aisément » (!). Mais puisque M. Perrault est désormais intouchable, il faut bien que l'inévitable coup de patte tombe sur quelqu'un d'autre. La paix est faite, donc ; mais quel héros réussira maintenant l'impossible prodige de réconcilier Pradon et le « parterre », c'est-à-dire le public ? Nul n'ignore que, depuis l'affaire de *Phèdre*, les œuvres de ce « moderne » ne sont jouées que devant des banquettes vides.

Incorrigible décidément.

Baiser Lamourette ?

Un peu plus tard, l'abbé du Bos écrira à Bayle : M. Perrault « vit à présent en bonne intelligence avec M. Despréaux (...). Mais, en vérité, si la plaie est fermée, il reste encore une grande cicatrice ». On n'a aucune peine à l'en croire.

Quoi qu'il en soit, conformément aux engagements de l'armistice, Nicolas va supprimer dans la *Satire X* les vers déplaisants pour l'auteur du *Saint Paulin*. Mais dans l'édition de 1701, il ne résistera pas au plaisir d'insérer enfin le fameux texte qui ne devait surtout pas « courir le monde ». Ainsi, dindon de la farce,

M. Perrault pourra-t-il apprécier de quelle sauce émolliente M. Racine a enveloppé le résumé oral qu'il en a donné.

En compensation, la même édition présente, de M. Despréaux, une *Lettre à M. Perrault* par laquelle va s'achever la longue querelle. Et cette lettre-là est vraiment du meilleur Nicolas : sage, solide, sereine, de ton juste mais malicieux aussi.

C'est qu'il s'agit de faire passer en douceur la pilule de la publication de la lettre du vénérable vieillard, dans sa version intégrale et non édulcorée par l'obligeant intermédiaire.

Tout d'abord (avec un sourire), à l'intention de ce contempteur des Anciens, une comparaison qui ne peut pas ne pas être empruntée à Homère :

> Je puis dire, *si j'ose vous citer Homère*, que nous avons fait comme Ajax et Hector dans l'*Iliade* qui, aussitôt après leur long combat (...) se comblent d'honnêtetés et se font des présents.

Voilà qui n'est vraiment pas méchant et qui est agréablement ajusté.

Il n'est plus question, bien entendu, d'évoquer l'ignorance crasse du pseudo-helléniste, ni sa pédanterie, encore moins son douteux sens de l'honneur. Nicolas se contente donc, à cette heure, d'exprimer son étonnement, faussement naïf : comment un esprit aussi distingué que M. Perrault a-t-il bien pu être amené à « écrire contre tous les plus célèbres écrivains de l'Antiquité », alors que, du côté des Anciens, tant de voix se sont élevées pour « applaudir » les œuvres des grands Modernes : les Malherbes, les Corneilles, les La Fontaine et les Racines ? N'est-il pas clair que ceux-là sont « redevables du succès de leurs écrits » aux soins qu'is ont pris de s'inspirer des modèles antiques ? Racine serait-il Racine sans Sophocle et Euripide ?

M. Perrault est trop éclairé pour nier de telles évidences. En réalité, il a été une victime ; oui, la malheureuse victime des « faux savants » : ceux qui « n'estiment les Anciens que parce qu'ils sont anciens », « ridicules admirateurs ». Ce sont ces détestables champions de la cause des Grecs et des Latins qui ont poussé M. Perrault à l'exaspération la plus légitime. Dans tous les partis on trouve de tels sectaires.

Déplorable malentendu car « nous ne sommes pas même, vous et moi, si éloignés d'opinion que vous pensez ». M. Perrault estime que le siècle de LOUIS « est non seulement comparable, mais supérieur à tous les plus fameux siècles de l'Antiquité » ? Mais il va en être « bien étonné » : « Je suis sur cela *entièrement de votre avis.* »

Nicolas ne le dira jamais assez : tout est question de méthode ; les jeunes générations devraient s'en persuader. Ainsi l'erreur serait de juger globalement au lieu d'examiner « chaque nation et chaque siècle l'un après l'autre ». Pour le siècle d'Auguste, par exemple, on ne saurait raisonnablement contester que nos modernes « poètes héroïques », que nos « orateurs » ne valent pas les Virgiles et les Cicérons ; et aussi que « nos plus habiles historiens sont petits devant les Tite-Live et les Sallustes » (on peut en croire Nicolas : n'est-il pas lui-même historiographe ?). Mais pour ce qui est de la tragédie, « nous sommes beaucoup supérieurs aux Latins » ; pour les poètes lyriques, « nous en avons un assez grand nombre qui ne sont guère inférieurs » à Horace. Mieux encore : pour la philosophie, quel auteur ancien pourrait être mis décemment « en parallèle avec Descartes », ou même avec Gassendi ?

Parlons net : vous et moi, hommes de sens et de bonne volonté, « nous ne sommes point d'avis différent sur l'estime que l'on doit faire de notre maison » et du siècle de LOUIS (qui, plus que Nicolas, s'est dépensé pour faire éclater sur les cadences les plus diverses les merveilles du règne ?). Nuance, tout est affaire de nuance. La grande querelle se réduit en fait à ceci : M. Perrault éprouve « un penchant trop fort à rabaisser les bons écrivains de l'Antiquité » ; et Nicolas, lui, cède à une « inclination un peu trop violente à blâmer les méchants et même les médiocres auteurs de notre siècle ». Peut-on se montrer plus conciliant ? Plus fidèle à l'esprit de décrispation prôné par feu l'honorable vieillard ?

Demeurent tout de même les quelques « railleries un peu

fortes » que l'on peut relever dans les *Réflexions*. Ce sont là, soit, regrettables incontinences de langage, mais légères somme toute (il n'est en effet question que de crasse ignorance, de famille de tarés, de douteux sens de l'honneur). Ces picoteries, Nicolas aurait ardemment (on peut l'en croire sur parole) souhaité être en mesure de les « adoucir » dans la nouvelle édition. Mais hélas, *scripta manent* comme on dit chez les Anciens ; et l'on connaît assez le public pour prévoir qu'il se ferait un malin plaisir de recourir aux éditions précédentes pour gloser sur ces curieuses variantes.

J'ai donc cru que le meilleur moyen d'en corriger la petite (!) malignité, c'était de vous marquer ici, comme je viens de le faire, mes vrais sentiments pour vous.

Et pour conclure :

Du reste, je vous prie de croire que (...) je ne vous regarde pas simplement comme un très bel esprit, mais comme un des hommes de France qui a le plus de probité et d'honneur. Je suis, etc.

Qu'on en convienne donc honnêtement de part et d'autre : beaucoup de bruit pour rien.

Beaucoup de bruit pour rien ? c'est à voir.

Car, mettant ainsi un terme au bruyant esclandre qui lui a échauffé la bile pendant tant d'années, Nicolas se garde bien d'aller au fond des choses. La réalité des faits, c'est que, en dépit de la lettre de l'honorable vieillard, des embrassades et de la réconciliation, la Croisade pour les vieilles gloires, qui semble s'achever sur un match nul, débouche sur un échec à peu près complet : pour un La Bruyère élu à l'Académie (un solide, un véritable admirateur des Anciens), ce sont les autres qui occupent désormais le terrain, les beaux esprits, les gens du *Mercure Galant*, les Fontenelle, les Thomas Corneille et autres amateurs d'« agréments » et de futilités. On a peut-être sauvé la face ; mais c'est l'adversaire détesté qui s'impose un peu partout. Nicolas regrette-t-il maintenant de n'avoir pas, en

faveur de ses chers grands modèles, argumenté de plus ration-
nelle façon, au lieu de distribuer à tort et à travers nasardes
et sarcasmes ? Perçoit-il qu'il eût fallu lier étroitement ce problème de la rivalité des « grands siècles » à celui de la relativité
des époques et des mentalités, au lieu de manier le rude gourdin
de l'Autorité établie ? Plus vraisemblablement estime-t-il que,
grâce au satisfecit décerné par l'honorable vieillard, il a fini par
tirer son épingle du jeu : l'« honneur » est sauf. On est tout
près de la soixantaine ; et la tentation est forte de soupirer :
après moi le déluge !

Mais c'est ainsi que l'on se fait, à la longue, une réputation
qui est à peu près celle d'un Monsieur Glandu, cher à Thierry le
Luron : le ronchon, le grognon, enkysté dans ses convictions de
vieux réactionnaire aigri et vaguement facho. *Sic transeunt* les
Anciens Combattants qui, la cause pour laquelle ils se sont battus
passant désormais pour vieille lune, en sont réduits à se satisfaire
de la poignée de main que leur concède, à chaque 11 novembre,
M. le Président de la République.

Le collègue Huet, lui, y voit plus clair. Et il se lamente :
« Les Dieux s'en vont. »

Quand la Camarde viendra cueillir l'âme moderne de l'auteur
du *Saint Paulin* (juin 1703), Nicolas aura l'oraison funèbre tiède.
Il en fera confidence, un peu plus tard, à Brossette : il est
douteux que M. Perrault ait été « content » de la lettre si
conciliante qui a rétabli la paix.

> J'ai pourtant été au service que lui a fait dire
> l'Académie, et Monsieur son fils m'a assuré qu'en mou-
> rant il l'avait chargé de me faire, de sa part, de grandes
> honnêtetés, et de m'assurer qu'il mourait mon serviteur.

Il n'est sans doute pas inutile de préciser que ce combat de
Titans des années 1690, où l'on dispute avec tant d'âpreté sur
la vertu des femmes, sur les limites de l'intelligence des textes
grecs et sur les mérites comparés de *l'Iliade* et du *Saint-Paulin,*
se déroule exactement à l'époque où les armées de LOUIS ne

parviennent plus à faire face aux Allemands, aux Hollandais, aux Anglais de la Ligue d'Augsbourg (en 1692, la flotte française connaît une défaite décisive à La Hougue). Et le pays étouffe sous le poids écrasant des impôts et de la misère. Impayables Intellocrates, fascinés par leur nombril et dont le tintamarre couvre la voix de l'abbé Fénelon rédigeant, à l'intention de LOUIS, une lettre dont est tout à fait absent le souci de l'honneur des Anciens :

> Vos peuples (...) meurent de faim. La culture des terres est presque abandonnée, les villes et les campagnes se dépeuplent (...). La France entière n'est plus qu'un grand hôpital désolé et sans provision (...). La sédition s'allume peu à peu de toutes parts...

On plane si haut sur le Parnasse que l'on n'entend pas ces gémissements-là.

De toute façon, l'armistice étant signé et les couteaux déposés au vestiaire, il est grand temps de se réfugier à Auteuil pour y cultiver son jardin.

IX

RETOUR AUX VERITES PREMIERES
(1694-1700)

La petite maison d'Auteuil n'est certainement pas l'Eden ni même Marly. Mais il y fait bon vivre, loin des embarras de la Ville et de la cohue de la Cour. Sans doute, à l'instar de l'abbé Le Gendre qui l'a décrite dans ses *Mémoires*, les amateurs de luxe et de chichis font-ils la fine bouche : ni laide ni belle ; l'intérieur, intérieur de vieux célibataire, fort négligé ; le salon orné, naturellement, d'austères portraits des Grands Anciens (Horace, Juvénal, Perse, Timon d'Athènes). Préférerait-on les décorations alambiquées qui sont si fort du goût des nouveaux Messieurs ou les collages bariolés à base de coupures de journaux, ou encore quelque tableau évoquant les amours d'une stakhanoviste et de son tracteur agricole ?

En tout cas la maison est fort accueillante et animée : une véritable « hôtellerie », comme dit plaisamment le cher Racine. Les amis y sont reçus avec une affabilité toute patriarcale : que l'avocat général Daguesseau reçoive une sèche semonce de la part de LOUIS, c'est auprès de Nicolas qu'il va chercher réconfort et consolation. Quand le collègue historiographe reprend ses chevauchées dans les plaines du Nord, c'est une joie de recevoir en son absence toute la sympathique nichée :

> Mme Racine me fit l'honneur de souper dimanche
> chez moi, avec toute votre petite et agréable famille.
> Cela se passa fort gaiement, mon rhume étant presque
> entièrement passé (3 juin 1693).

Au cours de ces parties de campagne, le passe-temps favori
est l'innocent jeu de quilles. Louis Racine ne perdra jamais
le souvenir de ces pacifiques compétitions où « excellait » Nicolas
qu'il vit « souvent abattre toutes les neuf d'un seul coup de
boule ». On n'est pas Français moyen pour rien : on adore la
pétanque. Et le champion du cochonnet de plaisanter :

> — Il faut avouer que j'ai deux grands talents, aussi
> utiles l'un que l'autre à la société et à un Etat : l'un de
> bien jouer aux quilles, l'autre de bien faire des vers.

Nicolas ne cessera jamais de suivre avec le plus vif intérêt
le développement du petit Jean-Baptiste qui se révèle au collège
de Beauvais un fort brillant rhétoricien : le cher Racine est
vraiment l'heureux père d'un fils qui « croît toujours en mérite
et en esprit » et qui a même réussi la gageure d'« étonner » Nicolas
par sa traduction d'une « harangue de Tive-Live » : de la part
du champion des grands Anciens, le compliment vaut tous les
prix de Concours Général : « Je crois non seulement qu'il sera
habile pour les Lettres, mais qu'il aura la conversation agréable,
parce qu'en effet il pense beaucoup et qu'il conçoit fort vivement
ce qu'on lui dit. »

Plus tard, après la disparition du papa, il prêtera la même
vigilante attention au jeune Louis qui se souviendra longtemps de
la sévère leçon qui lui a été donnée par Oncle Nicolas, lorsqu'il
a, élève de Philosophie, présenté « une pièce de douze vers français, pour déplorer la destinée d'un chien qui avait servi de
victime aux leçons d'anatomie », un douzain que, assurément,
notre Brigitte Bardot eût fort approuvé.

Cette existence de modeste gentleman-farmer n'empêche pas
de garder l'œil bien ouvert sur tout ce qui se passe dans l'entourage de LOUIS. On s'est sans doute retiré à Colombey-les-
Deux-Eglises, où l'on vit en anachorète ; mais on se tient minu-
tieusement informé des intrigues et manigances qui fleurissent

du côté de l'Elysée. Depuis deux ou trois ans, Nicolas a prati-
quement renoncé à la Cour, à ses pompes et à ses œuvres. A quoi
bon ? N'y a-t-il pas là-bas le cher Racine qui y joue officieusement
le rôle de « résident de M. Despréaux auprès de Sa Majesté »,
comme dira plus tard M. de Valincour. Nul aussi bien que le
cher ami n'est habile à plaider une cause auprès de LOUIS dans
l'étroite intimité duquel il vit quotidiennement, puisqu'il lui fait
lecture et puisque, époustouflant privilège, il est autorisé à
l'aborder « sans que l'huissier aille demander » pour lui (L'Etat
de la France, 1694).

Le cher Racine connaît à la perfection l'art subtil de ce que
les méchantes langues nomment « courtisanerie ». Lui, Nicolas,
il n'est qu'un pataud malhabile, avec ses gros souliers et son
éternel franc-parler : « Dans le monde poli, l'on s'exprime
autrement », a ricané le détestable Pradon à propos de la satire
sur les femmes. Louis Racine en convient lui-même : Nicolas n'a
pas « la réputation d'être courtisan et mon père (passe) pour
plus habile que lui dans cette science ». Le pataud, d'ailleurs,
n'est pas du tout mécontent de jouer ainsi les paysans du Danube :
puisque LOUIS continue à honorer de ses faveurs un personnage
aussi carré de langage, n'est-ce pas la preuve que le Pouvoir est
assez lucide pour ne pas s'entourer seulement de flatteurs ?
Nicolas a tout intérêt, en réalité, à se donner ce look de vieux
Romain, de Caton intransigeant à l'indéfectible loyalisme, mais
qui n'oublie pas le principe fondamental auquel sans cesse il
revient : appeler un chat un chat et Rollet un fripon. La paire
est ainsi parfaitement assortie. On est tout à fait couvert du
côté de Versailles.

Aux très judicieuses suggestions de son « résident » Nicolas
se montre d'une attention qui ne se dément jamais. Ainsi dans
la délicate affaire du niveau des royales gratifications accordées
aux historiographes préférés. Depuis 1689, c'est-à-dire depuis que
LOUIS a dû se résigner à s'en aller guerroyer contre la Ligue
des enragés d'Augsbourg, la manne ministérielle s'est faite rare :
les caisses sont vides et, même escorté d'argousins, le collecteur
d'impôts est toujours en grand risque de se faire écharper par

le contribuable malgracieux. Perrault lui-même en soupire amèrement : « Quand on déclara la guerre à l'Espagne, une grande partie de ces gratifications s'amortirent... » « Amortirent » est un euphémisme pudique : en 1689 il n'est pas distribué le moindre écu. La gratification de 1688 n'est payée qu'en 1690, et encore par acompte du tiers. Les vaches maigres, comme à l'époque du Cardinal Jules, sinistre souvenir.

Dieu merci le cher Racine est là pour veiller au grain et, en 1692, il a pu déjà rassurer Nicolas : en ce qui les concerne tous deux (flatteuse exception), la munificence de LOUIS ne se démentira pas, à ceci près que le solitaire d'Auteuil ne touchera que 2 000 francs, alors que le calvacadeur en campagne recevra le double, comme une sorte de prime de risque. Il a tout de même fallu se démener ferme et, en particulier, faire le siège de Mme de Maintenant. Avec la plus exquise délicatesse LOUIS a tenu à marquer à M. Racine sa « peine » en annonçant qu'il y avait « diminution ». Solidarité nationale oblige : « Je lui ai dit que nous étions trop contents. »

> Je ne laisse pas d'avoir une vraie peine de ce qu'il semble que je gagne à cela plus que vous ; mais outre les dépenses et les fatigues des voyages, dont je suis assez aise que vous soyez délivré, je vous connais si noble et si plein d'amitié que je suis assuré que vous souhaiteriez de bon cœur que je fusse encore mieux traité (8 avril).

Nicolas s'empresse de rassurer le diligent négociateur : il le comprend sans peine, la simple équité exige qu'une différence soit établie entre les services rendus dans un sofa d'Auteuil et ceux qui exigent marches et contremarches dans les brumes du Nord : « Je suis encore plus réjoui pour vous que pour moi-même » (9 avril).

Reste à remercier les généreux bienfaiteurs. Sur ce point toujours délicat Nicolas ne manque pas de consulter son alter ego versaillais et il lui fait tenir en confidence le brouillon des lettres qu'il se propose d'adresser à LOUIS et à sa morganatique duègne : « Je vous prie d'examiner si elles sont en état d'être données afin que je les réforme, si vous ne les trouvez pas bien. » Nicolas

est si peu habitué, lui, à pratiquer la courbette et à trouver le
mot qui charme...

Courrier tournant, l'expert en langage de Cour retourne les
deux épîtres : mention « passable », tout au plus. Dans ces
lettres Nicolas a en effet cru de fine rhétorique de faire allusion
à ses petites misères de « mal-entendant » et de plaisanter sur
« les trompettes et les sourds ». Détestable manque de tact : on
ne badine pas avec les infirmités, quand bien même on en est
la victime. D'autre part, il convient de ne pas lanterner : c'est
à « cinq heures et demie du soir » que les lettres, une fois amen-
dées, doivent être revenues entre les mains de l'intermédiaire :
« afin que je les puisse donner avant que le Roi entre chez
Mme de Maintenon » (11 avril). De plus en plus docile, le bon
élève se hâte ; moyennant quoi, dès le lendemain, il reçoit ce
satisfecit : « Vos deux lettres sont à merveille. »

Un peu plus tard il faut encore une fois avoir recours à cette
inépuisable serviabilité, pour une affaire qui concerne la Dynasty,
et plus spécialement le frère aîné, Jacques, qui est chanoine de
Sens.

Au terme d'une exemplaire carrière ecclésiastique, le vœu de
**Jacques est de devenir chanoine de cette Sainte-Chapelle si gaie-
ment brocardée dans *le Lutrin*. Il faut être indulgent aux siens
pour ces petites démangeaisons de vanité trop humaine surtout
lorsqu'ils arrivent au bout du rouleau. En campagne donc. Et le
cher Racine se lance à nouveau sur le si glissant terrain versaillais
selon une stratégie très élaborée. Manœuvre préliminaire d'abord :
on commence par circonvenir le R.P. de La Chaise, membre de la
Compagnie de Jésus et importante place-forte puisqu'il est le
confesseur de LOUIS et que, dans le chuchotis du confessionnal,
on est admirablement placé pour orienter les volontés royales.
Puis manœuvre d'approche en direction de Mme de Maintenant,
et aussi de M. de Chamlay, maréchal des logis des armées du
Roi : « Je l'ai échauffé de tout mon possible » (30 mai 1693).
Mais, bien entendu, « le reste est entre les mains du bon Dieu ».
Prions, frère Nicolas, prions.

Si habilement sollicité, le bon Dieu consent à venir au secours de ceux qui se sont tant aidés eux-mêmes et il inspire à LOUIS le bon choix. Le frère Jacques sera donc chanoine de la Sainte-Chapelle :

> Mme de Maintenon m'a chargé de vous faire ses baise-mains. Elle mérite bien que vous lui fassiez quelque remerciement (...). Je suis content au dernier point de M. de Chamlay, et il faut absolument que vous lui écriviez, aussi bien qu'au P. de La Chaise (31 mai).

Nicolas reprend donc la plume, mais toujours en s'en remettant à son « résident » qui devra lui mander « à peu près ce qu'il faut que je leur écrive » (4 juin). En tout cas, M. Racine doit imaginer ce que sera la surprise du frère Jacques « quand il apprendra tout d'un coup le bien imprévu et excessif que vous lui avez fait ».

On ne s'en tient pas seulement là. Tout occupé qu'il soit à glorifier le vrai Dieu en ses *Cantiques Spirituels*, le cher Racine se révèle aussi un admirable gestionnaire de portefeuille (chacun sait que Nicolas, si peu porté sur le souci de ses intérêts matériels, est tout à fait incapable, lui, de dépister le bon placement : il n'aurait même pas su profiter du lancement du célèbre emprunt Giscard). Or Nicolas possède à Fontainebleau une maison qui, convenablement exploitée, devrait constituer un fructueux « immeuble de rapport » mais qui reste aussi improductif que sable du désert. Le cher Racine a tôt fait de déceler où se dissimule le ver dans le fruit : tout est à mettre sur le compte des manigances d'un douteux concierge qui, au lieu de chercher à vendre la maison, s'est avisé de meubler quelques chambres qui « demeuraient vides », et de les louer. Aussi convient-il de dénicher au plus tôt un acheteur largement fortuné : des avances ont été faites en direction de M. Félix, qui n'est rien moins que premier chirurgien du Roi : « Je vois bien que je le ferai aller jusques à 4 000 francs » (3 octobre 1692). Pourtant Nicolas fait la moue, il rechigne sur les 4 000 francs : et pourquoi pas 5 000 ? Le dévoué courtier fait observer que ce sera « très difficile » ; il n'en baisse pas les bras pour autant et, de nouveau, se fait agent-conseil : si la maison ne trouve pas acquéreur à 5 000, il faudra louer, mais ne pas s'en remettre de ce soin à des MM. Pipelet qui ne souhaitent que « demeurer seuls dans cette maison » ; c'est lui-même, le sublime auteur de *Phèdre*, qui se chargera de découvrir d'efficaces agents immobiliers « bien propres à vous trouver des marchands » (6 octobre 1692).

Lorsque l'on dispose ainsi, aux bons postes d'observation, d'un tel autre soi-même, il n'est vraiment pas nécessaire de se mêler au tout-venant des courtisans et de se faire éclabousser par les carrosses.

Une fois les arrières solidement assurés, on est si bien dans la petite maison d'Auteuil.

D'autant plus qu'il importe de prendre quelque distance par rapport à la pénible croisade qui vient d'être menée pour la bonne cause des grands Anciens.

Certes Nicolas peut considérer que l'hommage public que lui a rendu l'honorable vieillard garantit que jamais, au grand jamais, il n'a outrepassé les limites de la courtoisie qui est de mise entre gens de la bonne société.

Il n'empêche que la *Satire* sur les femmes, les *Réflexions* qui ont si allègrement houspillé M. Perrault, ont laissé à beaucoup l'impression que le sage et pacifique ermite d'Auteuil était encore tout à fait capable de redevenir le détestable auteur des *Satires* de 1666. Et ces égarements d'une opinion publique téléguidée par les méchants qui ne désarment pas sont de nature à ternir une réputation, si péniblement acquise, de sérénité et de détachement vis-à-vis des vaines querelles d'ici-bas. Il convient donc de corriger ces regrettables erreurs de jugement et de soigner son « image de marque ».

Ce sera l'*Epître* X, *A mes Vers* (composée dans les derniers mois de 1694 et les débuts de 1695). Et que ricanent encore les fielleux qui vont crier que Nicolas ne fait là que de nouveau plagier le bon Horace. Le lecteur non prévenu n'aura aucune peine à percevoir que, s'il est vrai que Nicolas s'adresse à ses vers comme le bon Horace dialoguait autrefois avec « son livre », l'intention véritable est de toute autre nature.

Une haute ambition, d'abord, dont personne ne pourra, cette fois, sous-estimer la nouveauté : « dire ce qui ne s'est point encore dit dans notre langue » (A Maucroix, 29 avril 1695). Non plus monter sur les grands chevaux et emboucher la trompette héroïque (mieux vaut ne pas renouveler la douteuse expérience de l'*Ode sur la prise de Namur*), mais exprimer le plus simplement du monde « les petites choses » — le « quotidien au vécu » —, acclimater la Muse française aux « Choses de la vie », comme dans le film de Claude Sautet. La nouvelle *Epître* sera avant tout une recherche d'artiste.

Or peut-on imaginer choses plus « petites », plus humbles, que celles de la vie de Nicolas lui-même, ce modeste serviteur des Belles-Lettres ? Oui, c'est, tout uniment, Nicolas qui, en veine d'épanchement, va être le sujet de ses rimes nouvelles. Sans excentricités romantiques, sans révélations salaces : on n'ira donc pas clamer, à l'instar de M. le vicomte de Chateaubriand, que l'on a coûté la vie à sa mère en naissant (laquelle, dans la réalité, survivra trente ans à cette naissance) et qu'avec la petite sœur Lucile on a frôlé l'inceste. Toutes ces confidences ne sont qu'inconvenantes forfanteries.

Non, ce que le lecteur ébahi découvrira en cette dixième *Epître*, c'est le vrai Nicolas, sans fard ni hyperboles, sans maligne complaisance à soi-même : vrai en somme — tel que toujours il fut, quoi qu'en disent les calomniateurs. Un auto portrait les yeux dans les yeux. Ce que ses vers doivent attester, c'est que

... au fond, cet homme horrible,
Ce censeur qu'ils ont peint si noir et si terrible,
Fut un esprit doux, simple, ami de l'équité,
Qui, cherchant dans ses vers la seule vérité,
Fit, sans être malin, ses plus grandes malices :
Et qu'enfin sa candeur seule a fait tous ses vices.
Dites que, harcelé par les plus vils rimeurs,
Jamais, blessant leurs vers, il n'effleura leurs mœurs.
Libre dans ses discours, mais pourtant toujours sage,
Assez faible de corps, assez doux de visage,

> Ni petit, ni trop grand, très peu voluptueux,
>   Ami de la vertu plutôt que vertueux...

N'est-ce point ici l'accent même de la sincérité toute nue ?
Est-ce là le visage ricanant du calomniateur selon Perrault ?
Et Nicolas évoque avec émotion ses « aïeux avocats », le « père
greffier », la « fort jeune mère » trop tôt enlevée à sa tendresse.
Sa carrière littéraire ? elle est due à son « seul génie ». Son
entrée à la Cour ? simple « coup du sort » (un sort dont il vaut
mieux ne pas rappeler qu'il a été quelque peu aidé par les deux
divines) : c'est le destin qui a suggéré à ce « Roi dont le nom fait
trembler tant de rois » de choisir la « main » de Nicolas pour
« crayonner ses exploits ». Nicolas peut encore se targuer de la
« tendresse » que lui manifesta « plus d'un Grand », à commencer
par M. Colbert (ex-faquin). Et maintenant encore qu'il est retiré
de la Cour en sa paisible retraite,

>   Plus d'un héros, épris des fruits de mon étude,
>   Vient quelquefois chez moi goûter la solitude.

Tous ces Grands viendraient-ils ainsi chercher refuge auprès
d'un méchant diffamateur ?

Et pour achever d'ouvrir les yeux du lecteur malencontreu-
sement abusé, il rappelle ce phénomène « encore plus surprenant » : en ces temps d'âpres querelles religieuses et d'intolérance,
il a réussi, lui, Nicolas, à être l'« ami déclaré » « de tant d'écrivains de l'école d'Ignace » (les bons, les vrais Jésuites, pas les
« casuistes » à senteur de fagot), en même temps que de l'honorable vieillard, « Arnauld, le grand Arnauld » qui a fait son
« apologie ». Qui dit mieux ? C'est cette réalité-là qu'il faut crier
en réponse à « tant de peintres faux » qui « ont flétri mes
portraits » : « Surtout à mes rivaux sachez bien l'étaler. »
Au pitoyable Pradon, par exemple, ignorant qui en est encore
à croire que « la métaphore et la métonymie » sont « termes
de chimie ». La pointe est ici innocente à vrai dire. Mais il faut
encore et toujours marquer que l'ermite ne perd pas la main
et que, à titiller la bête, on s'exposerait à de mordants réveils.
A bon entendeur...

Dans cet avantageux auto-portrait, ce que l'on décèle, au-delà de l'intention apologétique, c'est, beaucoup moins glorieusement, le besoin de chercher refuge dans le passé : la peur de vieillir, la nostalgie grandissante des années folles, la crainte que la nouvelle *Epître* ne soit le « dernier fruit de sa veine » et que ne se tarisse l'inspiration autrefois si efficace pour « dérider » le lecteur le plus « sauvage ». C'est maintenant l'heure des « Le temps n'est plus où... », des « Nos beaux jours sont finis, nos honneurs sont passés ». Un signe qui ne trompe pas : voici que les conseilleurs bien intentionnés commencent à susurrer que Nicolas devrait se garder de ternir la gloire acquise par l'étalage de la dégénérescence :

> — Malheureux ! laisse en paix ton cheval vieillissant,
> De peur que tout à coup, efflanqué, sans haleine,
> Il ne laisse en tombant son maître sur l'arène.

Car la réalité du si philosophique ermitage, elle est celle-là désormais :

> ... la vieillesse venue,
> Sur mes faux cheveux blonds déjà toute chenue,
> A jeté sur ma tête, avec ses doigts pesants,
> Onze lustres complets, surchargés de trois ans...

On en est là. Et tout cela n'est pas très gai.

Mais quand, à la fin de l'*Epître*, on écrit : « Adieu, mes vers, adieu, pour la dernière fois », on ne croit tout de même pas trop à cette « dernière fois ».

∧
∗∗

Dans la foulée — et sans doute aussi pour conjurer les menaces du Temps qui s'écoule — une onzième *Epître*, de la même veine et de la même intention : *A mon jardinier.*

Ici encore il s'agit tout à la fois de présenter de soi-même un visage avenant, bon enfant, et d'exploiter cette veine nouvelle de la poésie familière et sans apprêts. Une poésie que, à coup sûr, les « censeurs » ne manqueront pas de dénigrer, puisqu'elle s'applique à des « choses très basses et très petites » qui vont faire lever le cœur aux Marie-Chantal : un jardinier, ma chère, il fallait y songer vraiment. Et pourquoi pas un palefrenier qui fleure à plein nez le crottin ? A ces donzelles il serait tout à fait vain d'objecter que le bon Horace avait lui aussi daigné s'adresser en vers à son esclave pour le persuader qu'il avait tort de soupirer après le séjour à la ville (*Ad villicum suum*). Mais de ce dialogue avec le modeste horticulteur Nicolas se propose de tirer des leçons qui ne doivent rien à son lointain prédécesseur : il y a bien longtemps déjà qu'il a vilipendé la civilisation urbaine, ses grands ensembles et ses quartiers à loubards.

Ce « gouverneur » du jardin d'Auteuil se nomme Antoine Riquier ; il est le « laborieux valet du plus commode maître ». On nous le montre, en toute familiarité,

                    ... du matin au soir,
        Chez moi poussant la bêche, ou portant l'arrosoir
et, tout occupé par le soin de l'if, du chèvrefeuille, des espaliers,
        Labourer, couper, tondre, aplanir, palisser,
        Et, dans l'eau de ces puits sans relâche tirée,
        De ce sable étancher la soif démesurée.

Le bon Antoine, qui pourtant n'est point encore aiguillonné par les consignes syndicales, s'agace de s'échiner ainsi, alors qu'il observe son maître déambulant dans son jardin

                        rêveur, capricieux,
        Tantôt baissant le front, tantôt levant les yeux,
        De paroles dans l'air par élans envolées,
        Effrayer les oiseaux perchés dans les allées.

Etrange comportement. Le bon Antoine n'est pas loin de penser que le « si commode maître » devrait bien prendre quelques grains d'ellébore au lieu de « troubler la paix de ces fauvettes » pour de « si vaines sornettes ».

Et tant pis pour le lecteur s'il ne goûte pas la saveur de ce petit tableau rustique et préfère l'évocation mensongère des bergers enrubannés et des moutons pomponnés qui peuplent les innombrables *Bergeries* dont la fadeur musquée ravit tant les délicats. Trêve de fariboles : ce dont il s'agit — Nicolas y revient — c'est de dire, « sans s'avilir, les plus petites choses » et
                    au discours de la rusticité
        Donner de l'élégance et de la dignité.

Nul ne pourra plus ricaner en affirmant que ce Nicolas finit par être fatigant, à la longue, avec sa perpétuelle référence au Sublime. Voilà pour l'« écriture ».

Quant à la leçon dispensée par le « si commode maître » au fidèle horticulteur, elle est celle-ci : depuis longtemps Nicolas a observé que le prolétaire de base, le vrai, celui qui travaille à mains nues dans la glaise ou le cambouis, s'exaspère au spectacle de ces intellos à la peau blanche qui se lamentent sur les affres de la création littéraire, même si, comme ils disent, ils « vont au peuple ». Antoine partage, bien entendu, cet imbécile préjugé : eh bien, qu'Antoine, au lieu de ronchonner, s'applique donc, « deux jours seulement, libre du jardinage », à la besogne de poésie : il aurait tôt fait de crier : pouce !

Tu dirais, reprenant ta pelle et ton râteau :
« J'aime mieux mettre encore cent arpents au niveau,
Que d'aller follement, égaré dans les nues,
Me lasser à chercher des visions cornues ;
Et, pour lier des mots si mal s'entr'accordants,
Prendre dans ce jardin la lune avec les dents. »

Cet Antoine revendicatif et geignard mérite que lui soit dispensée une saine semonce, que certes n'entérineraient pas les porte-parole attitrés du « peuple de gauche » : à savoir que, trêve de rêverie, l'homme ici-bas est « au travail condamné » ; que rien n'est plus « ennuyeux » que le farniente de celui qui se fait « D'une lâche indolence esclave volontaire » ; que la paresse n'engendre que « honteux plaisirs, enfants de la mollesse ».

Reconnais donc, Antoine, et conclus avec moi,
Que la pauvreté mâle, active et vigilante,
Est, parmi les travaux, moins lasse et plus contente
Que la richesse oisive au sein des voluptés.

Nul doute que, ayant ouï pareil discours, cet Antoine ne coure réclamer sa carte d'adhésion à la Centrale qui a « en charge » les opprimés et les damnés de la terre. Mais les temps ne sont pas mûrs encore et le bon Antoine se contente de s'endormir :

... je vois, sur ce début de prône,

> Que ta bouche déjà s'ouvre large d'une aune,
> Et que, les yeux fermés, tu baisses le menton.

Et Antoine est renvoyé à ses « melons qui (l')attendent », à ses fleurs qui se demandent pour quelle raison « On les laisse aujourd'hui si longtemps manquer d'eau ».

Dommage tout de même que le bon Antoine ne se soit pas laissé persuader que jardinage et labourage sont beaucoup moins harassants que l'épuisante recherche de la cadence, de la rime, de la césure, de « la riche expression » et de « la nombreuse mesure ». S'il l'avait compris, Antoine ne se serait pas interrogé sur l'état mental de son maître vaticinant dans les allées. Sans doute Valéry ou Cocteau eussent-ils aimé ces deux vers :

> Sans cesse poursuivant ces fugitives fées,
> On voit sous les lauriers haleter les Orphées.

On est en droit, bien entendu, de mettre en doute l'originalité de ces considérations sur les bienfaits du travail, la nécessité de l'effort et la nocivité du désœuvrement, même si elles sont relevées par une mise en forme alerte et enjouée. Un « prône », en effet, sur un thème qui traînait un peu partout et qui semble peu apte à convertir qui que ce soit.

Mais si l'on consent à se placer au point de vue de Nicolas lui-même, peut-être ce prêchi-prêcha n'est-il pas aussi fade qu'il y paraît de prime abord. Il ne cesse de le répéter : il vieillit ; et cela n'est pas réjouissant, même sous les ombrages d'Auteuil. Les incommodités sont toujours là, de plus en plus pesantes, et qui ne prédisposent pas à la bagatelle et à la légèreté. On se pose des questions qu'il n'est plus possible d'éluder, sur la manière dont on a construit sa vie, sur les satisfactions que l'on en a tirées. Et la conclusion est que, malgré les folies de la jeunesse, l'existence est rude, que l'homme n'est pas né pour être heureux. En somme, la vérité est sans doute du côté de ceux qui sont poursuivis, pourchassés parce qu'ils ne cessent de répéter que l'être humain, au cœur « creux et plein d'ordure » (comme disait l'honorable vieillard), est irrémédiablement corrompu, que la vie n'est qu'une suite d'épreuves et que le travail est l'une d'entre elles. Alors que d'autres s'en viennent, tout souriants, plaider que le Progrès est incessant, qu'il suffit bien de se laisser emporter au fil de la facilité et de se consacrer à la « fête » : des semeurs d'illusions, des imposteurs.

A y bien regarder, si détendue en apparence, l'*Epître* à Antoine se révèle inspirée par de biens moroses pensées.

Dans ces conditions, l'*Epître* XII, *Sur l'Amour de Dieu,* cesse d'apparaître comme procédant d'une initiative biscornue. L'auteur qui gaudriolait, il y a peu, sur le compte des chanoines du *Lutrin* ou sur la malfaisance du beau sexe, tout à coup mué en Père de l'Eglise, il y a là de quoi faire s'esclaffer les ruelles. Nicolas en prend aussitôt conscience : il va passer pour « théologien téméraire » (*Préface* aux trois dernières *Epîtres*).

Il laissera ricaner. Quand on a atteint la soixantaine, on en arrive à considérer comme quantité négligeable les sarcasmes de ceux qui croient encore avoir toute la vie devant eux : mieux vaut professer, envers et contre tous et à très haute voix, ce que, proche du terme définitif, on finit par considérer comme vérité essentielle.

Or ce nouvel ouvrage « qui vraisemblablement sera la dernière pièce de poésie qu'on aura de moi » (toujours la même obsession), Nicolas y pense « depuis longtemps ». Au milieu des joyeusetés du *Lutrin* déjà, il est parti en guerre contre les « faux docteurs » qui infectent « les esprits d'exécrables maximes » ; il est revenu sur le compte de ces faussaires dans son portrait de la bigote à laquelle le mielleux confesseur rend aisé l'accès aux plaisirs défendus. Il ne s'agit donc pas d'une vocation tardive. Mais on ne peut plus désormais s'en tenir aux jeux de la moquerie ou aux croquis de portraitiste. Il faut bien, un jour ou l'autre, aller au fond du problème et aux racines du mal.

Hargne de barbon attardé ? Aigreur d'hypocondre que tourmentent les incommodités ? Bien plutôt résurgence du vieux fonds bourgeois hostile à tout ce qui est facilité et complaisance : un fonds hérité du père greffier et de ces Messieurs du Parlement, mais qui a été un temps submergé par l'assaut des fièvres de jeunesse ; et qui reparaît, à marée très basse, lorsque la frénésie de l'arrivisme et du « tout est permis » apparaît enfin pour ce qu'elle est : un trompe-l'œil.

Il reste qu'il semble farfelu que Nicolas s'avise de se jeter tout à trac dans ces querelles sorbonnardes et byzantines qu'il avait fuies autrefois, du temps qu'il était voué à la tonsure.

C'est sans doute que, en une époque où le fait religieux se marginalise et se rapetisse, le lecteur d'aujourd'hui est devenu tout à fait incapable de prendre la mesure et de saisir la portée réelle de ces conflits qui, autour de l'Eglise et de ses dogmes, ont secoué le siècle de Nicolas jusqu'en ses profondeurs.

Que Nos Seigneurs les Evêques de France se réunissent à l'ombre de la basilique de Lourdes pour débattre de l'orthodoxie des thèses qui inspirent la nouvelle « catéchèse » destinée aux modernes bambins, voilà qui n'émeut plus guère que les cercles de dames catéchistes. Quant aux vaticinations théologiques de Mgr Lefèvre, chacun sait bien qu'elles n'auraient pas trouvé tant d'écho auprès des média et du bon public si elles ne s'étaient pas providentiellement manifestées en pleine période creuse de vacances, à une époque où se fait rare la pâture quotidienne indispensable aux Etranges Lucarnes.

Mais que, au sein du « peuple de gauche » (ou de droite), s'élève un débat sur le sens et la portée du mot Socialisme (ou Libéralisme), et voilà que pleuvent les accusations de trahison de la doctrine, les anathèmes, les fracassantes excommunications et, aux vitrines des libraires, les exégèses contradictoires sur les grands textes fondamentaux (Marx ou Tocqueville).

Or, en un temps où l'idéologie dominante est rigoureusement et exclusivement celle de l'orthodoxie chrétienne, alors que les clivages de partis politiques n'existent pas, chacun se sent concerné par les conséquences de ces controverses religieuses : et peu importe que l'on ne distingue pas bien clairement ce qui sépare la « tendance » janséniste de la « tendance » quiétiste ou moliniste.

Mais le Pouvoir, lui, se doit de rester vigilant en face de la multiplicité de ces « sensibilités » hétérodoxes. Jansénistes, Protestants, Quiétistes féneloniens, Jésuites, Gallicans, autant de batteurs d'estrade dont les propos sont à surveiller au plus près si l'on ne veut pas que les esprits s'égarent en des sentiers aventureux.

Ce que fut, dans sa réalité profonde, la vie intérieure de Nicolas, il n'en a jamais fait confidence. Il y a d'ailleurs tout à parier que ses sympathies, ou ses préférences, ont sans cesse varié, au gré des fréquentations du libertin de *la Croix Blanche*, du rigoureux Arnauld ou du très orthodoxe Aigle de Meaux. Ce que, par contre, il n'est pas malaisé de reconstituer, ce sont ses agacements et ses aversions.

Il est trop bourgeois pour donner dans le mysticisme et les extases. Et trop attaché à la Raison pour apprécier et partager les fumeuses divagations sur les différentes voies que peut emprunter la Grâce divine pour venir au secours du pécheur. Il est fort probable que ses convictions se fondent d'abord sur la détestation des tarabiscotages dogmatiques qui font perdre de vue le principal et des molles interprétations qui tirent la religion vers les compromis et les concessions. Etre simple, être vrai, telles sont sans doute les modalités de sa croyance. Et si son *Epître* XII conserve un mérite, au-delà des ratiocinations sur le dogme, c'est à coup sûr celui de la mise au net et du retour aux vérités premières : la Religion n'est pas affaire de scolastique abstraite, elle doit avant tout définir un code de vie ; ensuite il n'est plus qu'à s'y tenir avec rigueur, autant que faire se peut.

Le vieux Nicolas a conscience (et il n'a pas tort) d'être là au cœur de la question. Et, le goût de la polémique aidant, il n'hésite jamais à rompre des lances dans les conversations pri-vées, les dîners, les salons, en particulier avec ceux des bons pères Jésuites qui sont, depuis longtemps, de sa fréquentation.

En 1690 déjà (janvier), il est la vedette d'une discussion qui s'élève au cours d'un repas chez le cher Lamoignon, en compagnie du Père Bourdaloue, le célèbre prédicateur, et des évêques de Toulon et de Troyes. La conversation s'engage, bien entendu, autour des mérites respectifs des Anciens et des Modernes. Sans surprise, Nicolas reprend ses thèses bien connues sur l'inégalable supériorité des grands précurseurs ; pourtant voici qu'il concède qu'il existe un Moderne, un seul, dont le génie surpasse celui des Anciens. On imagine avec quelle vivacité les convives pressent le terrible champion des Grecs et des Latins de désigner par son nom cet exceptionnel Moderne qui, par miracle, trouve grâce à ses yeux : Racine ? Molière ? Descartes ? Bon joueur, sûr de ses effets, Nicolas fait durer le plaisir et refuse d'en dire davantage. Jusqu'au moment où le Jésuite qui accompagne Bourdaloue le presse à son tour et insiste tant et tant que Nicolas finit par lâcher le paquet : ce Moderne si merveilleux, c'est Pascal, le Pascal des *Provinciales*. Autant dire à Georges Marchais que le seul véritable marxiste, c'est Roger Garaudy.

La Sévigné se hâte de rapporter la scène à sa fille adorée (15 janvier 1690). L'horrifique nom ayant été prononcé, le Révérend Père s'étouffe : Pascal « est beau autant que le faux peut l'être » !

— Le faux, dit Despréaux, le faux ! sachez qu'il est aussi vrai qu'inimitable ; on vient de le traduire en trois langues.

Le Père répond :

— Il n'en est pas plus vrai.

Despréaux s'échauffe, et *criant comme un fou :*

— Quoi, mon père, direz-vous qu'un des vôtres n'ait pas fait imprimer dans un de ses livres qu'*un chrétien n'est pas obligé d'aimer Dieu ?* Osez-vous dire que cela est faux ?

— Monsieur, dit le Père en fureur, il faut distinguer.

— Distinguer, dit Despréaux, distinguer, morbleu ! distinguer si nous sommes obligés d'aimer Dieu !

Et Despréaux s'enfuit au fond de la salle ; il revient, il court « comme un forcené » et pour finir refuse obstinément de se rapprocher du Père.

On a là, dans cette scène, tout Nicolas théologien : sur un point de la plus haute importance, qui lui paraît de la plus aveuglante évidence, qui est du niveau de la catéchèse de cours élémentaire, l'horreur du distinguo, de la subtilité qui fausse tout et finit par égarer les esprits. Et la sincérité de la conviction tient lieu d'argumentation.

Un peu plus tard (1709), Nicolas le rappellera à Brossette : bien avant la rédaction de l'*Epître*, « j'étais fameux pour les fréquentes disputes que j'avais soutenues en plusieurs endroits pour la défense du **vrai amour de Dieu** contre beaucoup de mauvais théologiens ».

Donc, Nicolas janséniste ? La réalité est très certainement moins catégorique : admirateur d'Arnauld, à n'en pas douter. Mais admirateur de la simplicité de son mode de vie, de sa rigueur morale, de la solidité de sa croyance, ainsi qu'il l'exprime dans l'épitaphe qu'il a composée en 1694, à la mort du grand homme : Arnauld est d'abord celui qui ne badine pas avec la doctrine, le pourfendeur des « faux docteurs » à la douteuse sophistique. Quant aux disputes à perte de vue autour de certains points de dogme, mieux vaut les abandonner aux coupeurs de cheveux en quatre. Lorsqu'il se débattait avec les incommodités dues au lait d'ânesse, il avait déjà renvoyé dos à dos la « vertu moliniste » et la « grâce la plus efficace » (A Racine, 19 mai 1687) ; c'est que, si l'on est malade, vraiment malade, et que l'on craint le pire, va-t-on chercher réconfort dans les arguments avancés par les tenants de la « contrition » ou ceux de l'« attrition » ? « Pour ce qui regarde le démêlé sur la grâce, c'est sur quoi je n'ai point pris parti, étant tantôt d'un sentiment, tantôt d'un autre » (7 décembre 1703). Si bien que la grande querelle entre Jansénistes et Jésuites finit par lui apparaître comme « vraie dispute de mots » (27 mars 1704). Autrement dit : quand il s'agit de vivre chaque jour, « au quotidien », et non pas de ratiociner, il importe peu de déterminer où s'arrête l'action de la grâce efficace et de la grâce nécessaire : il faut aller à ce qui est solide, indiscutable et en tirer les conséquences, sans fléchir ni biaiser.

Il est ainsi bien vrai que la théologie de Nicolas est parfaitement rudimentaire. Et il se préoccupe peu de savoir en quel sens le Concile de Trente a pris parti dans la querelle qui, selon Leibniz, est au fond de l'antagonisme opposant les Jésuites aux Jansénistes : le pécheur peut-il être justifié s'il se contente de l'« attrition » — c'est-à-dire d'un repentir fondé sur la seule crainte de l'Enfer ? doit-il aussi, pour être pardonné, éprouver

« l'amour de Dieu », prendre conscience de l'offense faite à la divinité par le péché même ? Nicolas n'est pas Leibniz. Et il ne veut rien entendre des arguties accumulées par les théologiens de tout bord : les uns postulant que cette « attrition » doit être accompagnée d'un acte d'amour de Dieu ; d'autres qu'elle doit au moins se compléter d'un « amour commencé ».

Voilà qui a de quoi exaspérer un esprit qui entend voir clair sur l'essentiel.

Quand l'abbé Pierre ramasse sous les ponts de la Seine les « nouveaux pauvres » agonisant de froid et de faim, va-t-il s'interroger sur la valeur de son acte ? se demander si la charité qu'il exerce est bien d'inspiration chrétienne ou s'il cède à un simple mouvement de pitié humaine ? Sollicité sur d'aussi subtils distinguos, la réaction première, et instantanée, de Nicolas est de crier au fou. Il n'est pas besoin de s'appesantir sur les volumes accumulés par les RR. PP. Sirmond, Cheminais et autres pour savoir que la vérité s'exprime en un seul vers, qui résume toute la leçon de l'Evangile : « Dieu ne fait jamais grâce à qui ne l'aime point. » Ce principe,

Dieu, dans son livre saint, sans chercher d'autre ouvrage,
Ne l'a-t-il pas écrit lui-même à chaque page ?

En d'autres termes, pour décider qu'un chrétien « est obligé d'aimer Dieu », « Faut-il avoir reçu le bonnet doctoral » ?

Sinon on devrait admettre que sera sauvé le pécheur invétéré qui, mû par la seule peur de rôtir en enfer, se précipite aux pieds d'un prêtre pour « décharger sa mémoire », alors qu'il est toujours « le vil esclave » de ses fautes ? Il faudrait absolument concéder que le chrétien

Qui jamais, servant Dieu, n'eut d'objet que le diable,
Pourra, marchant toujours dans ses sentiers maudits,
Par des formalités gagner le paradis !

En vérité, « Peut-on se figurer de si folles chimères » ? La théologie serait-elle seule à pouvoir se passer du simple bon sens ?

Doit-on préciser ? Nicolas s'y applique au cours d'un entretien avec Mathieu Marais (octobre 1697) en prenant l'exemple de feu Vivonne, le joyeux compagnon d'antan dont la vie (naguère partagée par Nicolas) n'a été rien d'autre que continuelle débauche. Or, parce qu'il ne tenait pas à finir au grill-room de Satan, celui-là se faisait toujours accompagner d'un confesseur qui devait être prêt à lui donner l'absolution à tout moment :

> — Voilà donc M. de Vivonne sauvé, lui qui avait la
> vérole et qui couchait chaque jour avec trois putains,
> quoique marié. Et que peuvent donc espérer les honnêtes
> gens ?

La parabole est verte. Elle est, au moins, parlante à souhait.

A qui doit-on la diffusion de telles thèses, aussi absurdes que scandaleuses ? Non point à Luther, le « fougueux moine auteur des troubles germaniques » — comme on le croirait sans doute. Mais à d'authentiques dépositaires de la Sainte Parole, têtes tonsurées ou mitrées, « confesseurs insensés, ignorants séducteurs » : toujours les mêmes, les mous, les insinuants, qui se font obligeants aux dévergondages du siècle, éternels excuseurs des faiblesses et des vices ; non pas tous les Jésuites, mais les trop subtils *casuistes*, ceux qui ont indigné et l'immense Pascal et le sublime vieillard.

Il n'est pas d'expression assez véhémente pour fustiger ces nouveaux empoisonneurs d'âmes qui, comme d'autres ont été des empoisonneurs de goût littéraire, « s'en vont pieusement/De toute piété saper le fondement », dont le cœur est « infecté d'erreurs si criminelles » : des « aveugles dangereux » prêchant « un si bas, si honteux, si faux christianisme » que mieux vaudrait encore se rallier à l'« éclairé paganisme » d'un Platon.

S'il s'en tenait à ces déclarations fracassantes qui traduisent l'exaspération d'une âme simple, Nicolas resterait dans son rôle. Mais entraîné par sa flamme et appelant à la rescousse comme « conseillers techniques » le chanoine-frère Jacques et l'abbé Renaudot (le fils de l'ancêtre de nos gazetiers), « un des plus grands Jansénistes qu'il y eût » (M. Marais), Nicolas en vient à s'ébattre en pleine théologie spéculative. Et, téméraire, il argumente : quelle est la nature du véritable Amour de Dieu ? quelle est la valeur de l'utilité des Sacrements ? que penser des mystiques ? « quand nous sommes absous », le Saint-Esprit « est-il

ou n'est-il pas en nous » ? Et là, on commence à patauger, parce
que l'on sort du domaine du solide pour tomber à son tour dans
les distinguos : « tel craint de n'aimer pas qui sincèrement
aime », tel autre « croit posséder Dieu dans les bras du démon »
(ces derniers sont les délirants du quiétisme fénelonien). Voilà
qui est bien vite décrété. C'est que Nicolas n'est pas le maître
Pascal, ni même le cher Racine, pour s'aventurer sans risque
à sonder les abîmes des cœurs.

Au passage tout de même une autre notion claire, et clairement énoncée : l'amour vrai de Dieu se prouve avant tout par
les *actions :*

> Pardonnez-vous sans peine à tous vos ennemis ?

(un précepte que l'on a fort peu suivi soi-même, en vérité :
pardonner ? et pardonner *sans peine ?*).

> Combattez-vous vos sens, domptez-vous vos faiblesses ?

A être codifiés en alexandrins, ces préceptes du **catéchisme ne**
se parent que d'un lustre très modeste.

Si catégorique qu'elle soit, la tartine est là, tout au long,
languissante et délayée. Si bien que l'*Epître* ne se relève qu'en
sa dernière partie lorsque, débarrassé des ambiguïtés dogmatiques, Nicolas se retrouve en terrain sûr, par le maniement du
sarcasme et du comique par l'absurde. En une très rhétorique
prosopopée, il imagine en effet le langage que, lors du Jugement
dernier, tiendra Dieu (le Dieu des casuistes) aux bons et aux
mauvais confesseurs de la Foi.

> Selon vous, donc, à moi, réprouvé, bouc infâme,
> — Va brûler, dira-t-il, en l'éternelle flamme.
> Malheureux qui soutins que l'homme dût m'aimer...

Ainsi Nicolas sera voué à la flamme éternelle pour avoir osé
proclamer qu'il fallait, pour fléchir la justice divine,

> Que le pécheur, touché de l'horreur de son vice,
> De quelque ardeur pour (Dieu) sentît les mouvements,
> Et gardât le premier de (ses) commandements.

Au propagateur de la thèse de l'attrition, Dieu tiendra au
contraire ce langage de miel :

> — Venez, vous dira-t-il, venez, mon bien-aimé :

> Vous qui, dans les détours de vos raisons subtiles,
> Embarrassant les mots d'un des plus saints conciles,
> Avez délivré l'homme, ô l'utile docteur !
> De l'importun fardeau d'aimer son Créateur ;
> Entrez au ciel, venez, comblé de mes louanges,
> Du besoin d'aimer Dieu désabuser les anges.

L'argumentation est sans doute ici d'une « simplicité ingénue »
(A. Adam). Mais le bourgeois moyen qui se trouve perdu dans le
tintamarre des docteurs à bonnets n'est pas fâché, lui, d'entendre
une voix qui, par l'absurde, remet les choses au net.

En tout cas Nicolas est très content de cette *Epître* où il
estime avoir « employé tout le peu que je puis avoir d'esprit et
de lumières ». Et il se hâte de solliciter le *nihil obstat* auprès des
plus hautes autorités ecclésiastiques.

Enfin revenu des égarements qui l'ont amené à condamner la
Satire sur les femmes, l'Aigle de Meaux se déclare enchanté. Il
va même jusqu'à déplorer que l'abbé Renaudot n'ait pu accomplir
« le pèlerinage d'Auteuil » pour entendre « de la bouche inspirée
de M. Despréaux l'hymne céleste de l'amour divin » ; « pèlerinage »,
« bouche inspirée », « hymne céleste » — peut-être M. de Meaux
dissimule-t-il un léger sourire en haussant ainsi Nicolas au rang
des plus authentiques Pères de l'Eglise. M. de Noailles, archevêque de Paris (ce qui est tout dire), s'extasie lui aussi. Mais
avec celui-là Nicolas joue sur le velours : chacun sait que
Monseigneur tient en abomination toutes les variétés de casuistes.

Reste à se couvrir du côté des RR. PP. de Loyola et la partie
est là beaucoup plus hasardeuse. Certes Nicolas compte, dans la
redoutable compagnie, quelques bons compères de toujours.
Mais, dans son ensemble, la corporation considère d'un œil
soupçonneux ce rimeur qui n'hésite jamais à chanter les éminents
mérites de l'illustre M. Arnauld, leur vieil adversaire.

Comme toujours en délicate conjoncture, le cher Racine est
sollicité de prodiguer ses conseils. Et celui-ci, qui estime que
mieux vaut s'adresser directement à Dieu qu'à ses saints, propose
de viser au plus haut et de circonvenir, non pas quelque bon Père

sans notoriété autre que théologique, mais le R.P. de la Chaise lui-même, confesseur de LOUIS.

Le 26 septembre 1696, dans une succulente lettre à l'utile conseiller, Nicolas narre longuement l'épisode. Il s'est donc rendu auprès du Révérend Père accompagné du frère Jacques. Le Révérend est le plus urbain des hommes — ces Jésuites sont experts en bons usages. Avec beaucoup d'agrément, « il s'enquiert de la chère santé » de son visiteur ; il pousse même la délicatesse jusqu'à s'installer tout près « afin que je le puisse mieux entendre » (c'est une misère que de devoir ainsi étaler l'incommodité de l'oreille).

Le redoutable juge ouvre le débat. Il fait d'abord observer (on croirait y être) que le sujet abordé est « une matière fort délicate et qui demandait beaucoup de savoir » (en d'autres termes : chasse gardée, réservée aux experts ; or quels sont les titres de Nicolas en matière de patristique ?). Il insiste sur la « grande différence de l'amour *affectif* d'avec l'amour *effectif* » (les « distinguos » toujours ; il est si simple de répondre que l'amour d'un fils pour son père — et Dieu n'est-il pas notre père à tous ? — ne s'embarrasse point de telles subtilités). Bref, « il nous a débité tout ce que beaucoup d'habiles scolastiques ont écrit sur ce sujet » — décevant. En docile chanoine de la vénérable Sainte-Chapelle, le frère Jacques applaudit « à chaque mot » et se déclare « enchanté ». Nicolas, lui, garde le silence. Mais il n'en pense pas moins que c'est encore une chance que le Révérend Père n'ait pas été jusqu'à affirmer que « l'amour de Dieu, absolument parlant, n'est point nécessaire pour la justification du pécheur ».

Sonne donc l'heure de la contre-attaque. Elle est menée tambour battant. Nicolas s'élève tout d'abord avec véhémence contre l'interprétation qui veut que son *Epître* ait été écrite « contre les Jésuites » : ne serait-ce pas « chose bien étrange si soutenir qu'on doit aimer Dieu s'appelait écrire contre les Jésuites » ? D'autre part, le frère Jacques ici présent tient à la disposition du Révérend Père « vingt passages de dix ou douze » des plus fameux Jésuites qui soutiennent la même thèse que Nicolas. D'ailleurs, c'est à « six Jésuites des plus célèbres » qu'a d'abord été soumise l'*Epître*, et ces six-là n'ont élevé nulle objection ; Mgr l'Archevêque de Paris, l'Aigle de Meaux eux-mêmes ont été « transportés » par sa lecture.

Après cette manœuvre de *captatio benevolentiae*, seconde phase de l'opération : Nicolas lit son texte. Il fait appel à tout son talent de lecteur, si souvent éprouvé ; il lit avec « toute la force et tout l'agrément que j'ai pu », et certains passages « avec toute l'énergie dont je suis capable ».

Et voici que l'Esprit Saint épand toutes ses lumières sur le Révérend Père qui, comme Tobie, voit les écailles lui tomber des yeux. Tout sourdaud qu'il soit, Nicolas entend fort bien que le Révérend Père ne cesse de s'écrier :

— *Pulchre ! bene ! recte !* Cela est vrai, cela est indubitable ; voilà qui est merveilleux ; il faut lire cela au Roi ; répétez-moi cet endroit...

Et Nicolas doit même reprendre jusqu'à « trois fois » certain passage.

La lecture se termine en feu d'artifice avec le développement de l'absurde discours adressé par le Bon Dieu des casuistes aux boucs et aux brebis :

Je ne saurais vous exprimer avec quelle joie, quels éclats de rire il a entendu la prosopopée de la fin.

L'austère Révérend Père ayant ri, la cause est gagnée. Au point que, si un importun n'était venu troubler le festival, il aurait fallu lire aussi « les deux autres nouvelles épîtres de ma façon que vous avez lues au Roi » (*A mes vers, A mon jardinier*). Mais rendez-vous a été pris pour très bientôt en la maison de campagne du Révérend Père, maison sise sur la colline qui porte maintenant un nom célèbre, celui du cher Jésuite : le Père-Lachaise — qui veille ainsi *in aeternum* sur le repos de nos défunts.

Et l'on ne peut même pas ici soupçonner Nicolas de complaisance à soi-même et d'exagération puisque, le 28 septembre 1696, Mme de Maintenant évoque une conversation qu'elle vient d'avoir avec le Révérend Père sur l'amour de Dieu ; le Révérend Père est tout à fait catégorique : il « veut que la satire de Despréaux

soit donnée au public ». Quant à Mgr l'Archevêque, il a été tellement approbateur qu'il a, lui aussi, invité Nicolas à « faire
imprimer » son homélie (Vuillart à Préfontaine, 17 novembre).
Le R.P. Gaillard, Recteur des Jésuites de Paris, donne à son
tour l'*imprimatur* et cet autre expert y va de ses superlatifs les
plus flatteurs, « louanges excessives » :

> Il m'a traité d'homme inspiré de Dieu, et il m'a dit
> qu'il n'y avait que des coquins qui puissent contredire
> mon opinion.

« Homme inspiré de Dieu »... quand on a passé la soixantaine
et que l'on n'a pas toujours mené vie d'anachorète, peut-on
concevoir garantie plus réconfortante sur le sort qui vous sera
réservé dans l'Au-Delà ?

En attendant, ces « louanges excessives » sont pain béni. Car
ces Messieurs de la Compagnie sont de dangereux renards. En
décembre 1697, ne revient-il pas aux oreilles de Nicolas qu'ils ont
dessein « de se déclarer contre moi et qu'on a même déjà défendu
de lire mes ouvrages dans votre collège » ? (Au Père Bouhours).
Nicolas a été très officiellement rassuré par son correspondant :
« Tous les Jésuites qui ont de l'esprit vous estiment infiniment
et les supérieurs sont trop sages pour défendre de vous lire »
(lettre du Père Bouhours). Sans doute, mais le Jésuite est volontiers prodigue en bonnes paroles ; et puis il y a aussi les Jésuites
qui n'ont pas d'esprit...

Imagine-t-on le scandale que susciterait cette proscription des
ouvrages d'un auteur qui vient d'avoir l'insigne honneur de voir
traduit « en vers *portugais* » son *Art Poétique* par Son Excellence
le comte d'Ericeyra, « un seigneur des plus qualifiés du Portu-
gal » ?(A Brossette, 10 juillet 1701).

L'encyclique sur *l'Amour de Dieu* est donc publiée dès janvier 1698, en même temps que les deux *Epîtres* qui ont eu
l'insigne honneur d'être lues devant LOUIS.

Simple coïncidence ? ou utilisation de l'occasion propice ? Toujours est-il que c'est le moment même où les Bons Pères se
sont attirés une fort mauvaise affaire du côté de Reims. Le
8 octobre 1697, observateur au regard perçant, le cher Racine a
écrit que, à la suite de ce « rude coup », « il y a bien des gens

qui commencent à croire que leur crédit est fort baissé ». Les Bons Pères sont donc, pour l'instant, mal placés pour lever trop haut la tête. Et, de fait, lorsque *l'Amour de Dieu* paraît en librairie, ceux des Jésuites qui n'ont pas d'esprit se tiennent cois.

C'est à la même époque que survient le très fâcheux épisode qui a été évoqué au début de cette étude et au cours duquel, LOUIS ayant prescrit (septembre 1696) une révision générale des titres de noblesse, est très officiellement contestée l'authenticité de la gentilhommerie dont se pare Nicolas. Ce qui met en cause non seulement la manne de privilèges dont bénéficie tout homme bien né, mais aussi *l'honneur* même de la Dynasty.

La louche affaire est menée par un certain Lacour de Beauval, un intendant des Finances, un « traitant », c'est-à-dire un de ces douteux personnages qui mettent à profit la dureté des temps pour pressurer le pauvre peuple jusqu'à le faire râler et qui, bien entendu, n'ont que le mot « honneur » à la bouche. Un comble.

Aussi Nicolas se gendarme-t-il incontinent. Et, en septembre 1698, il affûte une nouvelle *Satire* dans laquelle le sinistre individu et ses congénères vont être peints sous de « terribles couleurs » (Brossette). Quelques mois plus tard en effet des copies commencent à circuler sous le manteau.

Mais de même que, deux ans plus tôt, l'Esprit Saint a au bon moment illuminé le R.P. de La Chaise sur la nécessité de l'Amour de Dieu, de même en la personne des sieurs Caumartin, Bignon, Daguesseau (de ces champions de l'équité, on se souviendra à l'occasion), la Justice de LOUIS étend sa main redoutable sur le vil calomniateur. Affaire classée ; non-lieu.

Dès lors, à quoi bon revenir à la toujours dangereuse satire ? à quoi bon se lancer dans de nouveaux combats ? Sans doute parce que, pendant la chaude alerte, la bile s'est accumulée, la veine caustique a rejailli ; et qu'il serait dommage de ne pas mettre à profit ce regain de verve. « Honneur », vous avez dit « Honneur » ? C'est donc d'honneur que l'on va maintenant parler, élargissant le projet initial bien au-delà des dénonciateurs qui ont prétendu ternir le blason de la Dynasty.

Car, même vu de l'ermitage d'Auteuil, le spectacle de cette fin de siècle, qui aurait dû être Grand, est nauséabond, on ne peut que s'en persuader chaque jour. Déjà Nicolas a dit leur fait à ces dames du beau sexe. Mais en réalité, c'est la société tout entière qui se gangrène peu à peu. Les profiteurs, les fournisseurs aux armées (la guerre, toujours la guerre) étalent un luxe effréné, véritable insulte aux gens de bien. Les Grands n'hésitent même pas à s'afficher avec des filles d'opéra ; la frénésie du jeu est partout ; la fidélité conjugale n'est plus qu'une vieille lune. On se fait fanfaron de vices et d'incrédulité ; on se gausse grassement des exigences de Notre Sainte-Mère l'Eglise ; on achète ouvertement le steak en plein Carême (n'a-t-on pas, soi-même, naguère, participé à certaines ripailles qui ne se déroulaient pas sous le signe de la macération ?). En 1699, précisément, la propre belle-sœur de LOUIS, princesse Palatine, observe, elle aussi, avec effarement qu'il n'est plus « un seul jeune homme qui ne veuille être athée ». Tout cela au nom du Progrès, n'est-ce pas ? de la douceur des mœurs, du droit au Plaisir, et sous le couvert de l'« Honneur » ? Tout cela encouragé par des soutanes qui chuchotent que le Diable n'existe pas, qu'aller à confesse est une pratique archaïque et se faire avorter simple peccadille.

Quand on a cru voir vous frôler la Camarde, quand on a trente ans durant soutenu le bon combat sous le signe de *Damon* — et quand on a oublié que l'on ne fut pas toujours un petit saint à auréole —, il y a là de quoi et bouillir et exploser. Nicolas s'adresse donc à M. de Valincour, Secrétaire Général de la Marine et des Commandements de Mgr le duc de Toulouse.

Oui, l'Honneur, Valincour, est chéri dans le monde :
Chacun pour l'exalter en paroles abonde ;
A s'en voir revêtu chacun met son bonheur.
Jusque chez les forçats qui tirent sur la rame des royales galères, on se réclame de l'Honneur.

Ces imprécations, on les a entendues déjà résonner dans les *Satires* antérieures sur la Noblesse et sur l'Homme (V et VIII). L'immense Pascal et le majestueux Aigle de Meaux ont, eux aussi, tonné contre le faux honneur du siècle et il y a bien peu, semble-t-il, à ajouter à leurs fulminations.

Aussi il n'est que trop vrai que Nicolas n'échappe pas aux lieux communs rhétoriques sur la société qui « est comme un grand théâtre » où chacun joue son rôle, masqué ; sur le monde qui n'est que « ridicule orgueil de soi-même idolâtre ». Faux « honneur » que celui de l'ambitieux qui cherche à « tout brûler », de l'avare, du faux brave, du libertin... Le catalogue pourrait s'allonger aux dimensions des mille et trois de Dom Juan et l'on n'en serait pas pour autant plus avancé. Une mention particulière cependant pour le roi conquérant qui met son « honneur » à « tout ravager » et qui n'est rien d'autre qu'un « plus grand voleur », un brigand de grand chemin (par bonheur, LOUIS vient de signer la paix de Ryswick, et nul ne peut s'abandonner à de fâcheuses applications).

Qu'est-ce donc enfin que l'honneur selon l'Evangile de Saint Nicolas ? La réponse tient en un seul vers : que M. le Secrétaire Général de la Marine en soit bien persuadé, « Dans le monde il n'est rien de beau que l'équité ». C'est en effet sur cet alexandrin du prosaïsme le plus plat et de l'inspiration la plus sommaire que s'ouvre un long développement sur l'universelle exigence d'équité — ce qui permet, au passage, de tirer un coup de chapeau aux Caumartin, Bignon, Daguesseau, ces magistrats qui, eux au moins, font de cette vertu leur « flambeau » (un rayon d'azur, enfin : le monde n'est pas complètement pourri).

C'est vers la fin de la satire seulement que le ton s'élève et que le souffle cesse d'être anémique : lorsque Nicolas en vient à la dénonciation des mauvais bergers qui abusent le public, et particulièrement les puissants, en prêchant une morale molle, abâtardie, et en entérinant la conception d'un « honneur » qui n'est que trompeuse façade. Ce type de « chrétien » ne fait appel à l'Evangile que « pour disculper le vice », lui

Qui toujours près des Grands, qu'il prend soin d'abuser,
Sur leurs faibles honteux sait les autoriser...

Et croit pouvoir au ciel, par de folles maximes,
Avec le sacrement faire entrer tous les crimes...

Appendice, en somme, à l'*Epître* sur l'*Amour de Dieu*. Du coup,
Nicolas va se voir reprocher de radoter.

Est-ce si certain pourtant ? Pourquoi ne pas déceler plutôt ici
la montée de l'exaspération devant le spectacle de pasteurs qui,
au nom de l'aggiornamento et pour rameuter les « jeunes »,
substituent le jazz-hot au vieil harmonium de la Sainte Messe,
désormais transformée en show monté par Eddie Barclay ? Avec
sa rude orthodoxie, ses imbéciles préceptes de l'indissolubilité du
mariage, ses condamnations de l'I.V.G. et de l'amour libre, son
entêtement obtus à rappeler aux clercs l'exigence de chasteté et
aux chrétiens les vertus du jeûne et de l'abstinence, Carol Woytila
eût été, à coup sûr, l'homme de Nicolas : autant dire un ringard,
du conservatisme le plus primaire.

La satire s'achève, péniblement, sur l'opposition entre l'Age
d'Or de Saturne — heureux temps — et l'Age de Fer de Jupiter :
vieux cliché au service duquel sont mobilisées les plus insipides
allégories (en face de l'Equité, le Dédain, l'Audace, le Luxe, l'Orgueil). On voudrait pouvoir penser que ce regrettable retour aux
plus fades procédés de l'école constitue l'indispensable paravent
pour glisser une allusion à ceux qui, eux, ne trahissent pas
« l'honneur » : à la bienheureuse époque de Saturne,

La vertu n'était point sujette à l'ostracisme,
Ni ne s'appelait point alors un *jansénisme*.

Encore le Jansénisme. On est ici fortement tenté de hausser
les épaules quand on voit Nicolas (et le cher Racine) prendre
parti avec tant de flamme dans ces histoires de chapelles :
quelle que soit la hargneuse pugnacité de M. Bouchareissas et
de ses séides du Comité National d'Action Laïque, nul n'a la
sensation, s'il assiste à l'office de Saint Nicolas du Chardonnet,
qu'il risque d'en ressortir entre deux gendarmes.

Mais c'est, encore une fois, refuser là de voir avec les yeux
des contemporains de Nicolas. L'auteur de la *Satire* XI est
peut-être devenu un cagot de bénitier. Il n'empêche que, en
affichant son attachement inconditionnel à l'honorable vieillard,

il se rallie aux thèses d'un homme dont le R.P. de la Chaise, si urbain pourtant, a écrit, sans même respecter l'habituelle trêve qui suit la disparition de l'adversaire, que cet **Arnauld** « est mort dans toutes les obstinations de toutes les erreurs condamnées par l'Eglise » (A Santeuil, 18 décembre 1695). En mars 1698, quand le cher Racine commence à redouter que son jansénisme un peu trop voyant ne lui fasse courir des risques, il ne cherche pas à se dissimuler le sérieux de la situation : « Je sais que, dans l'idée du Roi, un janséniste est tout ensemble un homme de cabale et un homme rebelle à l'Eglise » (brouillon d'une lettre à Mme de Maintenon, 4 mars 1698). Et « homme de cabale » signifie : factieux et ennemi de l'Etat, gibier de goulag. Et encore LOUIS ne sait-il pas ce que son historiographe préféré concocte dans le secret de son cabinet en rédigeant son *Abrégé de l'Histoire de Port-Royal !*

La *Satire* sur l'Honneur est sans doute d'une poésie bien terne. On doit pourtant concéder qu'elle n'est pas d'un pleutre.

Il est bien vrai qu'un bonheur n'est jamais complet. A peine Nicolas a-t-il pu se réjouir de l'heureuse issue de son procès que, du côté du cher Racine, les choses sont au plus mal.

Très doux est le souvenir de cette journée, encore toute proche, d'octobre 1698 où toute la petite famille est venue « prendre l'air à Auteuil ». Très grand-père Dourakine, Nicolas a régalé la société « le mieux du monde ». Ensuite, il a emmené les enfants ... dans le bois de Boulogne, badinant avec eux, et disant qu'il les voulait mener perdre. Il n'entendait pas un mot de tout ce que ces pauvres enfants disaient. Enfin la compagnie l'alla rejoindre... (Racine à son fils Jean-Baptiste, 31 octobre 1698).

Délicieuse atmosphère. Pourtant déjà le cher Racine n'allait pas très fort : un abcès au foie qui le faisait âprement souffrir et qu'il a fallu, depuis, inciser à plusieurs reprises. Quelques mois plus tard, le 7 mars, il a dû s'aliter, après qu'il eût assisté une fois encore à la séance de la Petite Académie. On ne devait plus l'y revoir ; le 10, les membres de l'Académie inscrivent à leur procès-verbal : « La Compagnie a appris que M. Racine était fort mal et dans un grand danger de sa vie. »

Le 15, Dangeau observe : « Le Roi même paraît affligé de l'état où il est, et s'en informe avec beaucoup de bonté. » Et la Palatine, le même jour, note que cette « mort sera une bien grande perte ». Réunie à Marly, toute la Cour ne s'occupe que de la sinistre perspective.

Les derniers mots que Nicolas entend tomber de la bouche du malade sont ceux-ci, prononcés en se soulevant « autant que pouvait lui permettre le peu de forces qu'il avait et (...) en l'embrassant : — Je regarde comme un bonheur pour moi de mourir avant vous... » Et Nicolas ne tardera pas à apprendre que, à la veille de sa mort, le vieil ami a prié un de ses fils de lui transmettre cet ultime message : « Faites connaître à Boileau que j'ai été son ami jusqu'à ma mort » (Louis Racine).

Le 21 avril, c'en est fini, pour jamais.

Pour Nicolas, les temps sont ainsi irrémédiablement venus où, année après année, on commence à guetter les notices nécro-logiques pour s'interroger : à qui bientôt le tour ? Quatre ans plus tôt, c'était déjà celui du bon La Fontaine. En faisant la toilette du cadavre, on a découvert sur lui haire et cilice — incroyable : « jamais rien à mon avis ne fut plus éloigné de son caractère que ces mortifications. Mais quoi ! la Grâce de Dieu ne se borne pas aux simples changements, et c'est quelquefois de véritables métamorphoses qu'elle fait » (A Maucroix, 29 avril). Puis, en 1696, un cadet de dix ans, La Bruyère, le solide champion des Anciens ; et aussi la Sévigné. Et même Pradon, le vieil adversaire... A quelque clan que l'on appartienne, Ancien ou Moderne, disciple de Loyola ou de l'honorable vieillard, les rangs se font de plus en plus clairsemés, et cela a déjà donné à réféchir. Mais ce dernier coup est le plus dur de tous.

A M. de Pontchartrain : « Quelque affligé que je sois, la douleur, Monseigneur, ne m'a pas encore rendu si stupide que je ne sente comme je dois l'extrême honneur que vous m'avez fait en m'écrivant d'une manière si obli-

geante sur la mort de mon illustre ami » (22 avril).
A M. de La Chapelle : « Je suis si suffoqué, mon cher
neveu, de douleur... » (23 avril).

A Brossette : « Vous vous figurez bien, Monsieur,
que dans l'affliction et dans l'accablement d'affaires où
je suis... » (9 mai).

Tout podagre que l'on soit, il ne reste plus maintenant qu'à
s'occuper encore des enfants du disparu, de Louis surtout, qui
poursuit ses études au collège de Beauvais.

Car — qui le sait mieux que Nicolas ? — la jeunesse est si
folle, souvent ! Au moins... au moins que le garçon n'oublie jamais
qu'il est « le fils d'un homme qui a été le plus grand poète de
son siècle... ».

Il faut bien continuer. Et Nicolas continue.

Les pourfendeurs de légendes n'ont pas manqué d'en appeler
ici encore à leur viscéral scepticisme : l'indéfectible amitié ? la
si profonde affliction ? voire...

N'est-il pas surprenant, par exemple, que, au lendemain même
de la mort, dans sa lettre à Pontchartrain, ce Nicolas, qui se dit
si profondément bouleversé, « garde toute la présence d'esprit
qu'il faut » pour recommander Valincour comme étant « le candidat de son choix pour la place devenue vacante » à l'Académie
(R. Picard) ? De toute évidence il ne peut y avoir là qu'insensi-
bilité de vieillard rongé par l'égoïsme, ou encore souci de placer
un poulain. Pourquoi ne vient-il à l'idée de personne que, plus
simplement, Nicolas ne tient peut-être pas à voir installé au
fauteuil de son ami un de ceux qui ont été — et ils sont légion —
de ses plus hargneux détracteurs ? R. Picard eût-il tellement
apprécié de lui voir succéder en sa chaire de Sorbonne un de
ces tenants de la Nouvelle Critique pour qui il n'était qu'un
perroquet lansonien ?

Au début de mai, Nicolas se rend à la Cour, où l'on ne l'a
pas vu depuis longtemps, « pour recevoir les ordres de Sa
Majesté » relativement à sa tâche d'historiographe. Et Sa Majesté
parle de « M. Racine d'une manière à donner envie aux courtisans de mourir s'ils croyaient qu'Elle parlât d'eux de la sorte

après leur mort » (A Brossette, 9 mai). Selon Vuillard (lettre
à M. de Préfontaine, 6 mai), Nicolas évoque devant LOUIS
« l'audace toute chrétienne » avec laquelle son ami « a affronté
la mort » ; et il ajoute : « quoiqu'... une égratignure lui fît peur ».
LOUIS approuve, et commente : « Je me souviens que pendant
une des campagnes où vous étiez ensemble, c'est vous qui étiez
le brave. » Que Nicolas n'a-t-il pas dit en faisant allusion à la
crainte des égratignures ! Le vigilant exégète n'en saurait douter :
Nicolas n'a mentionné ce recul devant la souffrance chez le cher
Racine que pour « provoquer » la réplique de LOUIS, si flatteuse
pour son petit amour-propre : « étrange manière de remercier
l'ami disparu » (R. Picard). On a tout de même bien le droit de
se demander si, de même que Nicolas s'est étonné d'apprendre
que le bon La Fontaine portait haire et cilice, ce qui était contraire
à sa nature, il ne se contente pas ici de mettre en valeur ce
qu'une religion vraiment vécue peut, au moment de la mort,
apporter à quiconque l'a redoutée. On concédera que Nicolas
manque de modestie en rapportant à un correspondant le propos
de LOUIS sur sa propre « bravoure ». Mais l'avoir, sciemment,
si subtilement provoqué ?

Ce n'est pas tout encore. En venant à ce qui est la raison
même de l'entretien, le travail d'historiographe, LOUIS fait connaître sa volonté de voir Nicolas « seul chargé de tout désormais.
Je ne veux que votre style ». Et Nicolas de conclure qu'il se
retrouve « plus historiographe que jamais », la Majesté ayant
aussi précisé « à son historien qu'il voulait avoir assez souvent
avec lui des conversations de deux heures dans son cabinet ». Une
fois de plus, Nicolas a grand tort de faire confidence de tels
propos : car à coup sûr, s'il rapporte avec tant de précision les
termes de l'entretien, ce ne peut être que par vaine gloriole et
désir « qu'on sache combien Louis XIV apprécie son génie »
(R. Picard). On ne va tout de même pas imaginer que, avide
de tranquillité, le vieux Monsieur n'exprime là que sa crainte
d'avoir désormais *seul*, en effet, à s'acquitter du pensum et à
user son temps en tête à tête avec le royal et redoutable
interlocuteur.

Bref, à en croire ces sondeurs d'âmes, on assiste là, en fait d'« affliction » et d'« accablement », aux manifestations d'une « vanité sénile » (R. Picard) qui l'emporte très largement sur la fidélité au souvenir de l'« ami ». Nicolas poussera même l'indécence, dans ses conversations avec Brossette, jusqu'à s'octroyer la plus grande part des mérites dramatiques du cher disparu ; il l'a conseillé, il l'a mis en garde contre sa facilité naturelle : Racine n'aurait jamais été Racine sans les judicieux conseils de Nicolas, lequel n'hésite donc même pas à se parer des plumes du paon, les morts n'ayant plus droit à la parole.

En fait, on ne sait rien de ce que furent les conversations entre eux, leur correspondance trop aseptisée ne permettant guère de reconstituer la réalité de leurs échanges de vues. S'il est assurément douteux que, en 1664, Nicolas ait encouragé son ami à écrire, pour *la Thébaïde,* un récit qui est « le plus bel endroit » de la tragédie (des souvenirs vieux de trente-cinq ans...), si rien ne prouve que ce soit lui qui ait suggéré le sujet d'*Alexandre* (ce qui, d'ailleurs, n'aurait pas été de la meilleure inspiration), ce qui est sûr, c'est que, à tort ou à raison, Racine écoutait Nicolas : c'est bien sur ses observations que *Britannicus* est amputé d'une scène entière, celle de l'entretien entre Narcisse et Burrhus, entretien que Nicolas jugeait propre à indisposer le spectateur : « Ces réflexions parurent justes, et la scène fut supprimée. »

> Les deux amis avaient un égal empressement à se communiquer leurs ouvrages avant que de les montrer au public, égale sévérité de critique l'un pour l'autre, et égale docilité (Louis Racine).

On peut certes récuser ce trop pieux témoignage de trop bon fils. Car on en est venu là : des individus aussi douteux que Nicolas n'ont même pas droit au bénéfice du doute.

Quant au conseil donné à Racine de ne pas faire représenter sa *Phèdre* « dans le même temps que Pradon devait faire jouer la sienne, et de la réserver pour un autre temps », peut-être l'avis n'a-t-il pas été effectivement donné ; en tout cas, si conseil il y a eu, il était bon.

Décidément, les grands maîtres de notre Université n'en finissent toujours pas d'éponger leur honte d'avoir été, deux siècles durant, abusés par un faux génie qui n'aurait été, de surcroît, qu'un faux frère.

Ce qui paraît beaucoup plus vrai, c'est que, pour être amis, ils n'en partageaient pas pour autant les mêmes goûts ; que, sur le théâtre de Racine, Nicolas faisait des réserves expresses : il appréciait peu *Bajazet* — il n'était pas le seul, et il n'y a pas si longtemps encore que les professeurs titulaires de nos Facultés des Lettres reprenaient en chœur un jugement mitigé sur la tragédie pseudo-turque. Sans doute Nicolas disait-il encore qu'à ses yeux Racine était inférieur à Sophocle « en plusieurs de ses pièces » (A Losme de Monchesnay) — et il pensait à celles où trop belle est la place faite à l'amour. Mais sera-t-on autorisé à rappeler que, longtemps, la Sorbonne a, elle aussi, fait la très petite bouche devant *Mithridate* ou *Iphigénie* ?

Voudrait-on vraiment que le seul critère de l'« amitié » véritable soit le nivellement total des goûts et des préférences ?

Et que le seul critère de la lucidité soit le parti pris de ne découvrir dans les êtres que ce qui peut les diminuer ? Un siècle plus tard, le neveu de Rameau le dira d'excellente façon : un grand homme ? « je n'en ai jamais entendu louer un seul que son éloge ne m'ait fait secrètement enrager (...). Lorsque j'apprends de leur vie privée quelque trait qui les dégrade, je l'écoute avec plaisir (...). J'en supporte plus aisément ma médiocrité ».

X

LES HEROS SONT FATIGUES
(1700-1711)

Et il ne suffit point encore d'avoir eu la douleur de perdre le cher Racine, d'être de plus en plus « sourdaud » et, par-dessus le marché, hydropique — « incommodités » sur « incommodités » —, de devoir faire face, seul, à la corvée d'historiographie. Il faut encore, vieux célibataire ami de ses petites habitudes, il faut encore déménager. L'obligeant chanoine Dreux a, lui aussi, quitté la Vallée de Larmes en septembre 1698 et il est indispensable de trouver un autre toit car il ne saurait être question de reprendre campement chez les Dongois, au milieu des Dorines fortes en gueule et de l'assourdissante marmaille.

L'opération dure des semaines ; et elle prend des proportions de transhumance de western. Le nouveau refuge n'est pourtant pas tellement éloigné puisqu'il se situe aussi dans l'une des trente-trois maisons canoniales du cloître Notre-Dame. Mais la distance ne fait rien à l'affaire et Nicolas n'en finit pas de pester contre « l'embarras » qui assaille « l'homme de lettres » quand il doit émigrer avec tout son bagage, et cela « au milieu d'une foule de maçons, de menuisiers et de crocheteurs qu'il faut sans cesse gronder, réprimander, instruire ».

Ces artisans d'aujourd'hui sont des ignorants et des incapables (on souhaite bien du plaisir aux arrière-petits-neveux quand ces Messieurs seront autorisés à se syndiquer) : encore un signe des

temps, hélas ! : « Il y a tantôt trois semaines que je fais cet
importun métier et je n'en suis pas encore dehors » (A Brossette,
15 août 1699).

Voilà bien encore les nouveaux « embarras » de Paris, auprès
desquels ceux des années 1660 n'étaient que simples contrariétés.

En cette désolante adversité, la Providence concède pourtant
quelques consolations au malheureux affligé. Un peu avant la
disparition du cher Racine, Nicolas a eu l'heureuse surprise de
faire la connaissance du jeune Claude Brossette, seigneur de
Varenne-Rappetour, « avocat en la Cour des Monnaies, le siège
présidial et la sénéchaussée de Lyon », qui brûle d'entrer dans la
précieuse intimité du Régent du Parnasse (on voit bien là le
provincial fasciné par la prétendue Ville-Lumière). Et dame, il est
toujours rassurant de constater que l'on peut encore, à soixante-
trois ans, susciter enthousiasme et vénération chez un débutant
qui en a vingt-sept et qui devrait donc logiquement n'en tenir
que pour les muscadineries du Nouveau Roman ou de l'Anti-
Théâtre. Avec quel empressement, après que le pape de l'existentialisme ait voué ses romans au ridicule universel, François
Mauriac n'ouvre-t-il pas les portes de Malagar à la jeune étudiante
venue des States afin de recueillir religieusement, pour son
mémoire de Maîtrise, les confidences du Maître sur les origines
profondes de *Thérèse Desqueyroux* !

Ce fan lyonnais a donc été reçu pour la première fois en
l'ermitage d'Auteuil le 3 octobre 1698. On a fort sympathisé,
d'autant plus que le néophyte brûle du désir de réaliser une
édition des œuvres de Nicolas, qu'il accompagnerait de commentaires inspirés par l'auteur lui-même. Devant tant de dévotion,
le cher Maître s'empresse d'accorder l'autorisation sollicitée et
de promettre qu'il fournira toutes les précisions, tous les éclaircissements souhaitables : belle occasion de procéder à d'utiles
mises au point pour démentir les calomnies que les envieux ont
accumulées afin d'« occulter » le vrai visage de Nicolas.

Ainsi possède-t-on, étalées du 26 mars 1699 au 11 décembre 1710, 75 lettres adressées au jeune provincial, qui constituent le document le plus riche et le plus vivant sur les dernières années du vieux Monsieur, sa vie quotidienne, ses préoccupations, ses petites manies et ses grandes fureurs. Et sans doute faut-il se garder de prendre pour argent comptant toutes les confidences de l'épistolier ; d'abord parce que les souvenirs évoqués sont souvent très, très lointains ; mais surtout parce que, comme de juste, il se dépeint moins tel qu'il est que tel qu'il se voit ou qu'il souhaite que le voie son correspondant. Mais le fait est que, dans ces lettres, se découvre un Nicolas infiniment moins contrôlé que celui qui s'adressait au cher Racine, plus familier dans l'expression, plus naturel : quand on trône au sommet du Parnasse, on ne va tout de même pas se guinder pour le compte d'un modeste avocat des rives du Rhône, si admiratif qu'il s'affiche. Au surplus, on soupçonne bien que le fan s'arrangera pour tirer un large profit personnel de ce privilège de l'intimité avec le Grand Homme. Le ton des échanges est bien souvent celui même de la conversation à bâtons rompus.

Il est important — indispensable même — que le disciple respecte certaines règles : que, par exemple, il se montre dans l'attitude de la révérence inconditionnelle : jamais, tombant de sa plume juvénile, le superlatif le plus absolu ne paraîtra excessif (on a, au fond, tellement besoin, quand on se sent à bout de course, d'être rassuré sur soi-même et sur ce que l'on va laisser derrière soi). Moyennant quoi Nicolas peut renvoyer l'ascenseur et protester qu'il ne « mérite pas les louanges que vous me donnez » (8 avril 1703) ; ou reconnaître que les lettres reçues sont « très jolies et très réjouissantes » (15 novembre 1709), que les vers rimés en l'« honneur » de l'idole sont « très obligeants et très spirituels » (6 octobre 1709).

Nicolas apprécie d'autre part hautement que les balancements d'encensoir se concrétisent de façon très matérielle par l'envoi de fromages qui semblent au dégustateur « faits du lait de la chèvre céleste ou de celui de la vache Io » (25 janvier 1703), par l'expédition de tel jambon « qui s'est trouvé admirable » (28 mai 1705). Le généreux donateur peut en être assuré : pendant le repas auquel sera convié un bon ami pour la dégustation,

« votre santé » sera largement « célébrée » (7 janvier 1709).

Pourtant, afin que soient nettement marquées les distances, il est parfois opportun de rappeler le jeune homme à certains de ses devoirs : ainsi, « laisser passer tout le mois de janvier sans me souhaiter du moins par un billet la bonne année, cela se peut-il souffrir ? » (25 janvier 1704). Mais surtout est-il concevable que, piqué par Dieu sait quelle mouche, le correspondant se permette, « depuis quelque temps », de passer certaines œuvres de Nicolas au crible d'une critique qui va « jusqu'à l'excès du raffinement » ? Comment supporter qu'il s'avise, soi-disant pour les améliorer, de « rectifier » quelques vers ? et, pire encore, de les remplacer par d'autres qu'il s'en va chercher — suprême humiliation — chez le « gros Charpentier », c'est-à-dire « dans les étables d'Augias » ? (2 août 1703).

Les choses étant ainsi fermement mises au point, on peut bavarder en pleine liberté, de tout et de rien, mais de l'actualité littéraire surtout, bien entendu : exalter Homère l'aveugle sublime ; commenter le Lutrin, les Satires et en expliquer à cet ignorant les différentes allusions ; porter jugement sur les Aventures de Télémaque de M. de Cambrai que l'on trouve « beaucoup meilleur poète que théologien », — encore que son Mentor apparaisse un peu trop « prédicateur » : « Homère est plus instructif que lui ; mais ses instructions (...) résultent de l'action du roman, plutôt que des discours qu'on y étale » (10 novembre 1699). Ce qui est d'une juste vue.

Il est encore loisible de déverser une bile toujours effervescente contre les vieux adversaires, et particulièrement contre MM. les Académiciens, plus « Topinambous » que jamais : ainsi Nicolas se félicite-t-il hautement d'apprendre que la bonne ville de Lyon vient de se doter à son tour d'une Académie : « Elle n'aura pas grand-peine à surpasser en mérite celle de Paris qui n'est maintenant composée à deux ou trois hommes près que de gens du plus vulgaire mérite et qui ne sont grands que dans leur propre imagination » (2 juin 1700). Opinion favorable, que justifient amplement toutes les « bontés » que témoi-

gnent à l'augure de *l'Art Poétique* ces Messieurs de Lyon : il
faudra les assurer que

> bien qu'il n'y ait pas peut-être d'homme en France si
> parisien que moi, je me regarde néanmoins comme un
> habitant de Lyon, et par la pension que j'y touche et
> par les honnêtetés que j'en reçois (8 septembre 1700).

Soucieux de ne pas mettre tous ses œufs dans le même panier,
Nicolas a en effet pris la précaution de placer une partie de son
petit magot de retraité en rentes viagères sur l'Hôtel de Ville de
Lyon (4 000 écus qui rapportent 1 500 livres par an).

Mais, à propos de finances, le jeune Brossette doit savoir qu'il
s'est lancé dans une initiative bien saugrenue en faisant parti-
ciper Nicolas à une loterie organisée par les Messieurs de
l'Hôpital de Lyon. Nicolas n'est pas de ceux qui se laissent piper
par de tels attrape-nigauds. Il a naguère cédé à la tentation de
s'en remettre ainsi au hasard ; et il s'en est âprement mordu
les doigts : il n'a jamais vu sortir aucun de ses billets : « Je
ne suis plus d'humeur à acheter des petits morceaux de papier
blanc un louis d'or la pièce » (3 juillet 1700). A la rigueur, à
l'extrême rigueur et pour répondre aux bonnes façons qui lui
viennent de la capitale des Gaules, consentira-t-il à jouer « 4 ou
5 pistoles » (12 juillet 1700) — plutôt 4 que 5 d'ailleurs.

C'est que les temps sont de plus en plus durs.

Quoique largement sexagénaire, LOUIS n'a pas pu résister
à la très légitime tentation de s'en aller guerroyer une fois
encore contre les Anglais, les Autrichiens, les Hollandais, qui ont
eu le mauvais goût de s'offusquer en voyant un autre Bourbon
monter sur le trône d'Espagne. Il est assurément très glorieux
de pouvoir proclamer à la face de l'univers qu'il n'existe plus de
Pyrénées, mais ce genre de mots historiques coûte horriblement
cher. Et voici revenu le temps de la rigueur, de l'austérité, du
rognage des rentes et des compressions de postes : c'est ainsi
que le gouvernement vient de procéder à la « suppression subite »
d'emplois parmi le corps des greffiers de la Grande Chambre.
Initiative indispensable sans doute, au nom de la « solidarité » ;
mais décision qui jette Nicolas dans la « consternation » : elle

« va mettre une de mes nièces à l'hôpital avec son mari et ses trois enfants ». Il n'est naturellement pas question, pour un historiographe officiel, de porter le moindre jugement sur la haute politique menée par LOUIS (qu'on ne saurait en aucun cas assimiler à ces rois-pillards de grands chemins qu'on a fustigés à plusieurs reprises dans les *Satires*), mais enfin : « les prospérités de la France coûtent cher au Greffe et, si cela continue, j'ai bien peur que les trois quarts du royaume ne s'en aillent à l'hôpital couronnés de lauriers » (15 juin 1704). Alors, est-ce vraiment le moment de prendre le moindre risque dans un jeu de loterie, fût-ce au profit d'une bonne œuvre ?

Mieux vaut enfin ne pas trop se lamenter sur des petits ennuis domestiques, qui empoisonnent tout de même bien la vie. Au moment où il est perdu dans la « multitude infinie de (ses) paperasses » (13 septembre 1701), ne voilà-t-il pas que Nicolas doit se séparer de son valet, un valet qui l'a servi pendant quinze ans, qui a été naguère « assez bon homme » et auquel il comptait bien octroyer le triste privilège de lui « fermer les yeux ». Mais le drôle s'est avisé d'épouser, « sans rien m'en dire », une « malheureuse femme » qui a « corrompu en lui toutes ses bonnes qualités ».

Devant ce déplorable exemple, ira-t-on encore chicaner Nicolas sur le réquisitoire qu'il a récemment dressé contre le sexe ? La réalité est que, de nos jours, on ne peut plus se faire servir : comme le déménageur, la valetaille n'est plus ce qu'elle était. Pauvre France, en vérité.

Dans un premier temps, la grande affaire est la mise au point, en un superbe in-4° et en deux tomes, d'une grande édition des *Œuvres diverses du sieur Boileau-Despréaux*, à paraître chez le libraire Thierry. A soixante-cinq ans, il est plus que temps de veiller personnellement à ce que la postérité ait en main une version définitive qui constituera, aux yeux de l'auteur, l'« édition favorite », et qui (pourquoi jouer à l'autruche ?) sera « vraisemblablement la dernière édition de mes ouvrages ».

Bien que chacun déblatère sur l'égoïsme des vieillards, Nicolas est assez altruiste pour songer à faire bénéficier ses contemporains et les générations futures de sa si riche expérience. Aussi s'abandonne-t-il, dans sa préface, à quelques réflexions familières sur l'art d'écrire et celui de plaire au public. Rien de très neuf en fait ; mais les esprits, en ce début du siècle nouveau, sont si détraqués qu'il n'est pas inutile de rappeler quelques vérités premières. Fermement énoncé, le précepte fondamental demeure : « ne jamais présenter au lecteur que des pensées vraies et des expressions justes ». Fond et forme, vieille distinction traditionnelle, mais que Nicolas illustre de commentaires qu'il ne serait sans doute pas superflu de soumettre à la réflexion des pédagogues d'un autre nouveau siècle.

> Qu'est-ce qu'une pensée neuve, brillante, extraordinaire ? Ce n'est point, comme se le persuadent les ignorants, une pensée que personne n'a jamais eue (...) : c'est au contraire une pensée qui a dû venir à tout le monde, et que quelqu'un s'avise le premier d'exprimer.

Exemple : la réponse de Louis XII aux aigris qui lui conseillent de prendre sa revanche sur ceux qui l'ont desservi alors qu'il n'était que le Dauphin : « Un roi de France ne venge point les injures d'un duc d'Orléans. » « Vérité » toute simple que tout Président de la République fraîchement élu devrait mettre en pratique plutôt que de s'adonner au « spoil-system » : « ne plus agir par des mouvements particuliers ». Vérité qui, en une phrase, dit « mieux que tous les plus beaux discours de morale ».

« Veut-on voir, au contraire, combien une pensée est froide et puérile ? » Il suffit de se reporter aux vers de Théophile de Viau dans *Pyrame et Thisbé*, lorsque la malheureuse amante s'adresse au poignard ensanglanté dont s'est frappé son bien-aimé :

> Ah ! voici le poignard qui du sang de son maître
> S'est souillé lâchement. Il en rougit, le traître !
> Quelle extravagance, bon Dieu ! de vouloir que la rougeur du sang dont est teint le poignard d'un homme qui vient de s'en tuer lui-même soit un effet de la honte qu'a ce poignard de l'avoir tué !

On peut encore aussi relire avec fruit le développement qui détermine qu'« il y a bien de la différence entre des vers faciles et des vers facilement faits ». Mais, à coup sûr, le lecteur aura plaisir à découvrir enfin que la grande empoignade engagée quelques années plus tôt avec l'âne Perrault n'a été, en réalité, qu'un simple « démêlé poétique, presque aussitôt éteint qu'allumé » (!) au cours duquel on s'est contenté de « badiner » : le pardon des injures dont on a fustigé les autres, en somme.

Dès le 8 août (1701), le petit Brossette en est informé : l'édition « favorite » a été épuisée « en trois mois de temps ». Avec ce commentaire — on garde les pieds sur terre :

> Je vous conseille donc, Monsieur, de garder soigneusement le volume que vous avez parce que vraisemblablement il deviendra dans peu fort rare, et par conséquent fort cher.

La publication de ces *Œuvres diverses* suscite en effet la plus vive curiosité et plus d'un admirateur s'adresse à Nicolas pour solliciter, à l'instar du jeune Lyonnais, des précisions, des éclaircissements, des confidences sur le grand-œuvre : l'abbé Guéton, le conseiller Coustard, le financier Le Verrier.

Des gens de goût, ces solliciteurs, des gens de bonne foi, de discernement. Après tout, peut-être ne faut-il pas complètement désespérer du siècle. Nicolas peut en tout cas se rendre cette justice qu'il n'a pas peu contribué à ce sauvetage des saines doctrines.

Au total, le bilan de l'année 1701 est ainsi plutôt favorable. D'autant plus que Nicolas reçoit un témoignage officiel qui est bien doux au cœur d'un vieil homme « accablé de beaucoup d'infirmités ». A l'occasion de l'établissement des statuts définitifs de l'Académie des Médailles, dont il est membre depuis 1685, il se voit choisi comme Directeur de cette si respectable société. Nicolas s'empresse de rapporter l'événement à M. de Pontchartrain, Secrétaire d'Etat pour la Marine et la Maison du Roi : « J'y ai été reçu avec un applaudissement général et (...) l'on m'y a accablé d'honneurs, de caresses et de bonnes paroles. »

Mais le siècle, hélas, reste peuplé de bien des vipéreaux.

Le 4 septembre 1703, le petit Brossette, qui se repaît avec avidité de tout ce qui touche à l'actualité littéraire, alerte son Grand Homme. On a cru tout d'abord que les Révérends Pères de Loyola, qui n'ont pas bougé au moment de *l'Amour de Dieu*, étaient définitivement muselés. C'était là mal connaître les funestes Messieurs de la Compagnie. Voici que, dans la plus récente livraison de leur *Journal de Trévoux*, les plumitifs de service, « nouveaux Aristarques », viennent de se permettre de parler avec la plus grande irrévérence et d'un « certain air de plaisanterie » de la fameuse édition « favorite » : « Ils font bien voir que votre *Epître* sur l'Amour de Dieu n'est pas de leur goût. »

La chronique est en effet perfide à souhait. Pour commencer, des brassées de fleurs : M. Despréaux est « le premier satirique de notre temps », M. Despréaux est un « grand poète », « cette édition fait honneur à M. Despréaux ». Sépulcres blanchis. Car, selon le bon Père rédacteur, l'intérêt majeur de cette édition est que l'on y apprend surtout la bonne manière de devenir plagiaire, l'art d'imiter « les beaux endroits des Anciens et (d')en profiter pour se faire à soi-même du mérite et de la réputation ». Ainsi la *Satire* sur la Noblesse :

> où l'on voit une longue suite des vers de Juvénal traduits presque mot à mot, et néanmoins si heureusement et avec tant de génie qu'il n'y a pas assurément de plus beaux endroits dans le reste des ouvrages de M. Despréaux.

Le petit Brossette se déclare, à juste titre, « indigné ».

Et les Révérends Pères ne s'en tiennent pas là. Leur langue baveuse s'étend à la Dynasty tout entière : ainsi le chanoine Jacques a-t-il toutes les peines du monde à faire publier son *Histoire des Flagellants* pour laquelle il ne parvient pas à décrocher le privilège. Inutile de chercher bien loin d'où vient le coup :

c'est de connivence avec la jésuitière qu'un certain J.B. Thiers obtient, lui, l'autorisation de lancer dans le public une incendiaire *Critique de l'Histoire des Flagellants*. Le doute n'est pas possible, et le procédé est bien dans le style de ces Messieurs. Comme le maître Pascal voyait juste !

Il va donc falloir, à nouveau, à soixante-sept ans, se résigner à entrer une fois encore dans la lice. Et prendre la défense de « mon frère le docteur de Sorbonne » à travers un douzain épigrammatique (à la vérité d'accent plutôt maigrichon) dans lequel il est rétorqué que le livre sur les Flagellants ne fait que combattre « vivement la fausse piété » : « Lisez-le bien, mes Pères ! »

Et puis, et surtout, engager le fer pour son propre compte ; en avertir solennellement les Révérends Pères :

> N'allez point de nouveau faire courir aux armes
> Un athlète tout prêt à prendre son congé,
> Qui par vos traits malins au combat rengagé
> Peut encore aux rieurs faire verser des larmes.

En d'autres termes : ne pas réveiller le tigre assoupi.

Mais le plus fort, le plus indécent est encore que, reprenant le vieux grief éculé de plagiat, ces cafards ont osé prétendre que, si l'*Epître* sur l'*Amour de Dieu* est « mal réussie », c'est parce que, cette fois, Nicolas n'a « rien trouvé dans Horace, dans Perse ni dans Juvénal sur ce sujet » qu'il puisse « dérober ».

L'insulte est tellement insane qu'elle appelle une immédiate réplique. « Mal réussi », l'*Amour de Dieu* ? une épître qui a fait crouler de rire le R.P. de La Chaise ? qui a reçu la bénédiction de l'Aigle de Meaux ? Tel Don Diègue faisant appel à son fils, Nicolas mobilise aussitôt son Rodrigue personnel : que le petit Brossette se démène du côté de Lyon ; qu'il s'évertue auprès des « écrivains de l'école d'Ignace » pour les persuader qu'avoir été l'ami de M. Arnauld ne signifie pas que l'on adhère aux cinq propositions de Jansénius :

> C'est ce que je vous prie de bien faire entendre à vos
> illustres amis les Jésuites de Lyon que je ne confondrai
> jamais avec ceux de Trévoux, quoiqu'on me veuille faire
> entendre que tous les Jésuites sont un corps homogène

et que ce qui remue une des parties de ce corps remue tous les autres (4 novembre 1703).

Brossette-Rodrigue fait merveille et, courrier tournant, il apporte à son Grand Homme si bassement calomnié tous les apaisements souhaitables : « Les Jésuites eux-mêmes ont blâmé ici leurs confrères de Paris qui travaillent au *Journal de Trévoux* (...). Ils ne participent point aux sentiments déraisonnables dont vous vous plaignez. »

On a même affirmé au jeune champion du vieil « athlète » qu'il n'était pas de livre français « à la lecture desquels ils s'appliquassent plus ordinairement qu'à la lecture du vôtre et que c'était parmi eux une espèce d'usage d'apprendre par cœur la plupart de vos ouvrages plutôt que ceux d'Horace ou de Juvénal » (20 novembre). Nicolas placé au-dessus des chers Anciens. Peut-on imaginer plus rayonnante apothéose ? De quoi le rallier au parti des Modernes.

Il n'empêche que cette affaire va rester en travers de la gorge de Nicolas. Et lorsque paraîtra, en 1706, un ouvrage intitulé *Boileau aux prises avec les Jésuites*, où on l'engage à ranimer sa « satirique audace » contre la Compagnie, il explosera : ce livre est « bien le plus sot, le plus impertinent et le plus ridicule ouvrage qui ait été fait », un ouvrage qui « ne saurait sortir que de la main de quelque misérable cuistre de collège » (12 mars 1707). La preuve ? La preuve est que ce cuistre désigne Nicolas comme l'auteur d'« une satire où il me fait rimer *épargner* avec *dernier* » ! Comment peut-on avoir l'indécence d'attribuer cette grossière erreur de prosodie à un poète qui toujours se préoccupa de scrupuleusement respecter les égards dus à la Rime ?

Finalement les Messieurs de la Compagnie consentent à jeter du lest et l'on en vient à un « accommodement ». La Jésuitière parisienne délègue auprès de Nicolas le R.P. Gaillard qui assure que l'on a « fort lavé la tête à ces Aristarques indiscrets qui assurément ne diraient plus rien contre lui (Jacques) ni contre moi » (25 janvier 1704).

On s'accommode, soit, parce qu'il le faut bien et parce que tout indique que la Compagnie a de plus en plus le vent en poupe.

Beaucoup pensent même que ces Messieurs sont en passe de devenir les vrais maîtres de l'Etat. Mais, accommodement ou pas, on garde tout de même bien le droit, dans la discrétion du cabinet, de méditer sur les modalités d'une fulgurante mise au point. En attendant, prudence et bouche cousue.

D'autant plus que la vieille carcasse continue de se détériorer. En novembre 1700, « une fièvre continue des plus ardentes qui m'a conduit en huit jours aux portes de la mort pourvu de tous mes sacrements » (4 novembre), et ce n'est pas là fantasme de vieillard trop douillet : « en une nuit on lui donna trois fois l'émétique qui l'arracha des mains de la mort » (Vuillart à Préfontaine, 9 octobre). En décembre, une « petite toux qui ne me promet rien de bon » (on n'a pas oublié la funeste alerte de 1687). En décembre 1702, une « néphrétique ». En juin 1704, « un mal de poitrine, qui non seulement ne me permettait pas d'écrire, mais ne me laissait pas même l'usage de la respiration » (15 juin). Et, pour couronner le tout, à la fin de 1706, une chute dans l'escalier qui l'a laissé « sur le grabat plus de six semaines à cause d'une très douloureuse entorse » (20 janvier 1707). Le temps n'est plus très loin où cette lente décrépitude va arracher à Nicolas ce cri : « O la sotte chose que la vieillesse ! » (9 octobre 1708).

Quand on se retrouve dans cet état de délabrement, on est fort peu enclin à voir le monde en rose.

Et il est à coup sûr grand temps (on n'est plus très loin des soixante-dix ans) de procéder au baisser de rideau et de tirer la conclusion définitive qui permettra de révéler aux yeux de tous la raison pour laquelle, en ce bas monde, tout va de mal en pis. A supposer que la folie humaine consente un jour à ne pas s'aveugler sur elle-même.

Cette hydre universelle et maléfique, Nicolas l'a — si on l'en croit — débusquée par hasard. Il raconte : se promenant en son jardin d'Auteuil et rêvant à un poème qu'il écrivait « contre les mauvais critiques de notre siècle », il a découvert, dans les vers qu'il vient de crayonner, « une équivoque » grammaticale dont, malgré tous ses efforts, il ne peut « venir à bout ». Exaspéré contre lui-même, Nicolas s'engage donc dans un poème où il entend dénoncer les méfaits de cette Equivoque afin de se venger « de tous les chagrins qu'elle m'a causés depuis que je me mêle d'écrire ». On tient là grasse matière à développements : 346 vers.

L'Equivoque : le thème assurément a peu pour affrioler. Aussi bien cette *Satire* XII est-elle la plus méconnue de toutes : elle passe généralement pour être le désastreux délayage d'un poète en plein déclin qui se perd dans l'abstraction la plus confuse. On ne serait donc pas trop tenté d'aller y voir de plus près si — considérable exception — A. Adam ne portait sur elle le plus catégorique des jugements : loin d'être inférieure au reste de l'œuvre de Nicolas, « *l'Equivoque* en marque le sommet ». Tant de flamme, et si inattendue, mérite au moins un effort.

Nicolas précise : ce terme d'Equivoque, il le prend non pas « dans toute l'étroite rigueur de sa signification grammaticale », ambiguïté de paroles mais dans son acception la plus large : ambiguïtés « de sens, de pensées, d'expressions, et enfin tous ces abus et méprises de l'esprit humain qui font qu'il prend souvent une chose pour une autre ». La « littérature » se trouve ainsi réduite à la portion la plus congrue — le temps de vider son sac une ultime fois et de régler définitivement leur compte aux médiocres poètes qui ont, un temps, trompé « les yeux du peuple et de la Cour » avec leurs faux brillants et leurs « bluettes folles ».

Simple entrée en matière. Sur ce thème-là, Nicolas a tout dit déjà ; et le réquisitoire est d'ambition beaucoup plus haute puisqu'il s'agit de l'universelle tromperie qui a, de toute éternité, égaré l'humanité par le mensonge de ses flatteuses apparences.

De toute éternité puisque la redoutable Equivoque s'est manifestée dès les premiers jours de la Création, au sein de l'Eden même sous la forme de la « funeste pomme ». Et là, le lecteur, même s'il est animé par la meilleure volonté, fronce le sourcil : il se demande si, remontant au Paradis terrestre, Nicolas ne va

pas lui faire le coup du discours du Petit Jean des *Plaideurs* :
« Quand je vois le soleil et quand je vois la lune... » Impression
confirmée lorsque l'on passe à Noé, puis à un développement sur
l'idolâtrie chez les peuples primitifs — avec sans doute quelques
bons vers bien sentis :

> On vit le peuple fou, qui du Nil boit les eaux,
> Adorer les serpents, les poissons, les oiseaux,
> Aux chiens, aux chats, aux boucs, offrir des sacrifices,
> Conjurer l'ail, l'oignon, d'être à ses yeux propices
> Et croire follement maîtres de ses destins
> Ces dieux nés du fumier porté dans ses jardins.

Mais enfin, pour l'efficacité de la démonstration, il n'apparaît
pas immédiatement indispensable d'évoquer encore les néfastes
effets de l'Arianisme qui « fit de sang chrétien couler tant de
rivières ». Et la période consacrée à la Justice sur laquelle
l'Equivoque répand « son adroite et fine obscurité » au point que
« Le vrai (passe) pour faux et le bon sens (a) tort » n'est pas
non plus d'une nouveauté bien frappante : on croirait relire
certains passages des *Satires* I et VIII. On en dira tout autant
de la référence aux rois qui ne sont que « voleurs revêtus du
nom de conquérants ».

La sincérité de Nicolas n'est sans doute pas à mettre ici en
doute. On peut tout au moins s'interroger sur l'utilité de cette
histoire versifiée des hérésies ; et reconnaître que, dans toute
cette partie de la *Satire*, le tout nouveau Père de l'Eglise n'est
que fort peu visité par l'Esprit Saint. A tout prendre, sur ce
sujet mieux vaut s'en rapporter à l'*Histoire Universelle* de l'Aigle
de Meaux.

Au milieu de ces laborieux développements, se révèle pourtant
un passage qui, tout à coup, tire l'œil. Dans la *Satire* sur l'Honneur, antérieure de quelques années seulement, la dénonciation de
l'universelle vilenie comportait un hommage appuyé rendu à un
cher Ancien, le vieux Socrate — un païen pourtant — qui,
« bourgeois d'Athènes », « sut pour tous exploits vers la Justice
aller d'un pas égal ». Regrettable indulgence. L'humeur de Nicolas
s'est désormais tellement assombrie, son pessimisme est devenu
si noir que celui-là même n'échappe plus à l'ostracisme généralisé.

On lit : Socrate fut peut-être « l'honneur de la profane Grèce » ;
il reste que, « de près examiné », ce juste ne fut

> Qu'un mortel comme un autre au mal déterminé,
> Et malgré la vertu dont il faisait parade,
> Très équivoque ami du jeune Alcibiade.

« Au mal *déterminé* », « *parade* », la familiarité avec le trop
séduisant Alcibiade : fausse vertu, donc hypocrite sagesse, puisque
Socrate ne connaissait pas la divine Révélation, puisque Socrate
ne pouvait être touché par la Grâce. Du coup, on se croit renvoyé aux *Maximes* de La Rochefoucauld, aux débats, vieux de
trente ans, sur les prétendues vertus des païens. On comprend
que, prenant connaissance de ce couplet, S.E. le Cardinal de
Noailles, si favorable pourtant à *l'Amour de Dieu*, ait éprouvé des
frissons devant l'étalage d'une position aussi hétérodoxe. Nicolas
hausse les épaules, supprime le *déterminé* — « au mal *déterminé* » !, n'est-ce point là le langage même de Calvin ? —, qui,
tout de même, sent par trop le fagot ; et il rectifie : « un mortel
par lui-même au seul mal entraîné ».

Mais on ne perd rien pour attendre. Car cette fois, Nicolas
tient enfin la forme et, annonçant qu'il se dispense d'évoquer
plus longuement les vieux hérétiques, Ariens et autres Pélagiens,
il se décide enfin à prendre à bras le corps les scandales de
l'Equivoque contemporaine.

En voici d'abord pour la R.P.R. (que l'on ne se méprenne pas
sur le sigle : *R*eligion *P*rétendue *R*éformée), les Luther et les
Calvin qui, « soi-disant choisis pour réformer l'Eglise »,

> Vinrent du célibat affranchir la prêtrise,
> Et des vœux les plus saints blâmant l'austérité,
> Aux moines las du joug rendre la liberté.

Moyennant quoi, grâce à la fallacieuse argumentation de ces
maîtres d'imposture, « tout protestant fut Pape une Bible à la
main » — le vers ne manque pas de ton.

> Ce ne fut plus partout que fous Anabaptistes,
> Qu'orgueilleux puritains, qu'exécrables déistes,
> Le plus vil artisan eut ses dogmes à soi,
> Et chaque chrétien fut de différente loi.

Mais passe pour ces hérésiarques avoués, dont les hauts

exploits sont ceux des « Eglises brûlées » et dont la fureur partisane a fini par gangrener les chrétiens eux-mêmes qui s'en sont allés, certaine nuit de la Saint-Barthélémy, « dans tout sein hérétique,/Pleins de joie, enfoncer un poignard catholique » (excellent, ce « poignard catholique »).

C'est qu'il y a plus effrayant encore, et plus insidieux. Car Notre Sainte-Mère l'Eglise elle-même, jusqu'ici épargnée, a fini par se laisser prendre aux pièges de l'Equivoque. Et là, on croirait entendre les anathèmes lancés par quelque pontife du Séminaire d'Ecône devant le spectacle d'une Eglise romaine cédant aux modes du siècle, aux très progressistes théologies des Révérends Pères de Saint-Dominique, aux divagations de *Témoignage Chrétien* flirtant avec l'Eglise de Saint Marx et de Saint Engels : ces maîtres de l'Equivoque, on les a reconnus, ce sont bien entendu les « probabilistes » (désignés nommément) qui ont été dénoncés dans la Ve *Provinciale,* ces tenants d'une détestable morale laxiste :

> On entendit prêcher dans l'Ecole chrétienne
> Que sous le joug du vice un pécheur abattu
> Pouvait, sans aimer Dieu ni même la vertu,
> Par la seule frayeur au Sacrement unie,
> Admis au ciel jouir de la gloire infinie ;
> Et que les clefs en main, sur ce seul passeport,
> Saint Pierre à tout venant devait ouvrir d'abord.

Un bon point pour ces deux derniers vers, frappants à souhait.

Et sur la lancée tout y passe : cette mollesse, cet universel avachissement autorisant toutes les complaisances : « se parjurer cessa d'être parjure » ; absoutes l'usure, la restriction mentale, la simonie (« ... on put contre un bien temporel/Hardiment échanger un bien spirituel ») ; superflue l'aumône ; prostituée la Sainte Messe :

> C'est alors qu'on apprit qu'avec un peu d'adresse
> Sans crime un prêtre peut vendre trois fois sa Messe,
> Pourvu que, laissant là son salut à l'écart,
> Lui-même en la disant n'y prenne aucune part.

Il y a là quelque chose de la virulence du Bernanos des

bons jours, ceux de *la Grande peur des bien-pensants* ou des *Grands Cimetières sous la lune.*

Ces perfides sectateurs de l'Equivoque en sont même venus, devant la montée de la délinquance, à justifier la pratique de l'autodéfense (de la part de Nicolas, Maître Badinter n'eût certes pas attendu un tel coup de chapeau !) :

C'est alors que l'on sut qu'on peut pour une pomme,
Sans blesser la justice, assassiner un homme :
Assassiner ! Ah non, je parle improprement ;
Mais que, prêt à la perdre, on peut innocemment,
(...) Massacrer le voleur qui fuit et qui l'emporte.

Et, pour finir, les yeux bien ouverts sur ce qui l'attend, lui, le vieux Nicolas, de la part de tous ces « prêtres, pharisiens, rois, pontifes, docteurs » (on ne fait pas le détail, vraiment) qui ont naguère crucifié le Christ en un temps où, champion du terrorisme intellectuel, le Casuiste gouverne LOUIS, où l'esprit de rigueur et d'équité est systématiquement persécuté :

J'entends déjà d'ici tes docteurs frénétiques
Hautement me compter au rang des hérétiques ;
M'appeler scélérat, traître, fourbe, imposteur,
Froid plaisant, faux bouffon, vrai calomniateur,
(...) Et, pour tout dire enfin, janséniste exécrable.

Ces docteurs frénétiques, ces séides de l'Equivoque, ce « Sénat monacal » des « nouveaux Midas » aux oreilles d'âne, c'est, que chacun le sache bien, à Trévoux qu'ils ont élu repaire.

Ces furieuses imprécations ne sont peut-être pas exemptes de quelque rhétorique. Mais il serait tout de même injuste de ne pas relever qu'elles constituent aussi une prise de position à haut risque. Car en ces années 1704-1705, la bienfaisante Paix de l'Eglise est fort loin et les menaces d'une noire tempête s'accumulent sur ce qui reste de Port-Royal. Il y a quelques années déjà (1695), LOUIS, apprenant qu'une Dame de sa Cour (la comtesse de Gramont) a été faire une retraite à Port-Royal des Champs, la raye rageusement de la liste de ceux qui sont autorisés à l'approcher : on ne doit point « aller à Marly quand on va à Port-Royal ». C'est le moment où le doux, le bénin Fénelon se fait le vigilant défenseur d'une politique de rigueur à l'égard de la secte : la consigne donnée est d'abattre à tout prix les chefs du parti : « La mode alors ne sera plus pour les jeunes gens de se jeter dans les principes de cette cabale abattue. » Et le R.P. de La Chaise, qui n'est pourtant pas un dévoreur d'Augustiniens, s'exclame en prenant connaissance des papiers personnels du Père Quesnel — qui, devenu chef des Jansénistes après la mort d'Arnauld, a été arrêté en 1703 : « il est étonnant combien il s'y trouve de choses contre le Roi et l'Etat ». A la suite de quoi on emprisonne à tour de bras : des bénédictins, des laïques, des amis de ce Quesnel. Et quelques-uns de ceux-là finissent par mourir à Vincennes. Pendant que LOUIS s'impatiente : son archevêque est un mou, un pleutre, et il le fait tancer par son neveu, le duc de Noailles.

Bref on se retrouve aux plus belles heures du Mac Carthysme dénonciateur de la vérole rouge et l'Archevêque de Paris a toutes les peines du monde à se justifier aux yeux d'un monarque excédé : « Il faut que je sois janséniste pour de certaines gens, et quoi que je fasse, je le serai toujours. »

C'est dans ce contexte de chasse aux sorcières que le vieux Monsieur septuagénaire s'apprête à lancer dans le public son incendiaire *Equivoque*. Il croit peut-être réussir à s'en tirer en rappelant, *in fine*, qu'il a personnellement toujours dénoncé les « cinq dogmes fameux » de Jansénius. Mais on connaît la manœuvre et l'alibi ne tient pas debout. Il faut à Nicolas bien de l'inconscience pour s'imaginer qu'il s'en sortira en jurant ses grands dieux qu'il n'a jamais pris la carte du Parti.

Désormais, le « candide » va traîner cette *Satire* sur l'*Equivoque* comme un boulet au pied, bien décidé à la publier et n'osant tout de même pas en donner une édition clandestine. Il se contente de la réciter « dans quelques compagnies » (A Brossette, 12 mars 1706). Mais il rêve, vraiment, quand il s'étonne de constater qu'elle a « fait un bruit auquel je ne m'attendais point ». Il est vrai que — petite vanité oblige — il n'a d'abord été sensible qu'à l'enthousiasme d'auditeurs qui ont clamé très haut que c'était là son « chef-d'œuvre ». Quant au fond, répète Nicolas, la *Satire* est de la plus parfaite orthodoxie puisque, en fin de compte, elle ne fait que dénoncer « cinq ou six des méchantes maximes que le Pape Innocent III a condamnées » (peut-on imaginer garantie plus sécurisante ?). Une fois de plus les instigateurs de ce grand tintamarre, ce sont MM. les Jésuites qui

> ont pris cela pour eux et ont fait concevoir que d'attaquer l'Equivoque, c'était les attaquer dans la plus sensible partie de leur doctrine.

> La vérité est qu'à la fin de ma *Satire*, j'attaque directement MM. les journalistes de Trévoux qui, depuis notre accommodement, m'ont encore insulté dans trois ou quatre endroits de leur journal, mais ce que je leur dis ne regarde ni les propositions (de Jansénius) ni la religion.

Et Nicolas de rappeler que S.E. le Cardinal de Noailles, que Mgr le Chancelier Pontchartrain n'ont pas ménagé « leur approbation ». Rien n'y a fait : « Ces Messieurs (...) m'ont menacé de me perdre, moi, ma famille et tous mes amis. »

Et quand il s'agit de Messieurs qui, tout comme de vulgaires francs-maçons sous la IIIe République, manipulent en sous-main le Pouvoir, ce n'est pas là menace négligeable. Aussi bien, et quoi qu'il en coûte, convient il de ne point se hâter « d'imprimer » : *wait and see.*

Nicolas fait ici la bête, avec son désaveu des « propositions ». Comme s'il ne savait pas que, depuis bien longtemps, les thèses de Jansénius ne sont plus en cause. Comme s'il ignorait que le parti, la « secte » augustinienne représente, pour Sa Majesté, le point de ralliement de tous les mécontents : ceux qui jamais (et cela remonte aux temps lointains du Cardinal de Luçon) ne se sont résignés à voir le pouvoir royal avancer partout ses tentacules ; ceux qui en tiennent pour les vieux et austères principes moraux de la tradition ; ceux encore qui se nourrissent de vagues utopies républicaines. Comme s'il ne percevait pas que LOUIS, qui a toute l'Europe sur les bras, enrage de voir qu'après tant d'années il n'est pas venu à bout de l'entêtement de ces factieux qu'il croit retrouver partout en travers de sa route. Et Nicolas est toujours très officiellement historiographe de Sa Majesté.

Les Révérends Pères, eux, ne s'y trompent pas : celui-là qui a été si longtemps le « singe de Juvénal » est devenu « le singe de Pascal » (P. du Cerceau).

En mai, puis en août 1707, Nicolas reprend, remanie son texte, dans l'espoir de recevoir enfin l'indispensable *nihil obstat*. Mais les Messieurs de Loyola montent bonne garde ; et ce n'est pas contre eux, mais contre Nicolas, que joue le temps qui passe.

Et s'ouvre la fatale année 1709. Nicolas a soixante-treize ans maintenant et il éprouve le sentiment que tout s'effondre autour de lui. Cinq ans plus tôt, après avoir tant et tant guerroyé contre la R.P.R., contre les Gallicans, les Ultramontains, les Quiétistes, l'ami Bossuet est mort, persuadé lui aussi que son œuvre est en voie de désagrégation : le nouveau siècle ne respecte plus rien et roule dans l'erreur.

Et d'abord, la vieille carcasse se délabre, définitivement cette fois : « L'ouïe me manque, ma vue s'éteint. Je n'ai plus de jambes et je ne saurais plus monter ni descendre qu'appuyé sur les bras d'autrui » (7 janvier). « Ma mémoire finit, mon esprit m'abandonne » (5 mai). Il tombe malade « d'une fluxion de poitrine et d'une fièvre continue qui (l')a tenu au lit tout le mois de juillet » (2 août). « En me promenant d'un bout de ma chambre à l'autre je suis au hasard de tomber et de me casser la tête » (3 janvier 1710). Et encore : « une grosse fièvre et une très cruelle dysenterie qui m'ont tenu au lit durant trois semaines » (12 février 1710). La décrépitude complète, qui vous fait traiter de vieux grincheux et de geignard par tous ceux qui sont en bonne santé, par tous ceux qui ne savent pas. Où est le temps où l'on se gaussait avec tant d'allégresse du malodorant vieillard ?

Le pire peut-être : il faut renoncer au cher petit ermitage d'Auteuil : Auteuil est désormais à l'autre bout du monde et Nicolas est maintenant bien incapable de faire le voyage. Au début de 1709, il faut donc se résigner à vendre : au financier Le Verrier, lequel, bien entendu, l'assure aussitôt qu'il doit se considérer comme étant toujours là chez lui. On a de ces gentillesses, pour les très vieux Messieurs.

> Quinze jours après la vente, il (Nicolas) y retourne, entre dans le jardin, et n'y trouvant plus un berceau sous lequel il avait coutume d'aller rêver, appelle Antoine et lui demande ce qu'est devenu son berceau. Antoine lui répond qu'il a été détruit par ordre de M. Le Verrier. Boileau, après avoir rêvé un instant, remonte dans son carrosse, en disant : « Puisque je ne suis pas le maître ici, qu'est-ce que j'y viens faire ? » Il n'y revint plus (Louis Racine).

On a beau pencher du côté du jansénisme, on n'en est pas encore parvenu pour autant à la pratique de la vertu de détachement total.

Et puis... et puis il y a ce règne de LOUIS qui s'enfonce peu à peu dans la détresse et les humiliations. Les cavalcades d'antan étaient éreintantes, peut-être ; elles étaient au moins glorieuses. Le cher Racine est bien heureux de n'être plus là pour assister au spectacle des désastres et des débâcles.

Depuis cinq ans, ce n'est plus du côté du Rhin à la barbe limoneuse mais sur le sol national que voltigent les troupes de LOUIS : les victoires ont cédé la place à ce qu'il est désormais convenu d'appeler « les belles retraites » — l'Equivoque là aussi. Au lendemain de la « belle retraite » de Ramillies qui consacre la perte de la Flandre, Sa Majesté n'a eu que ce mot désabusé en accueillant le vaincu, le vieux Villeroy : « Monsieur le Maréchal, on n'est plus heureux à notre âge. »

Les bannières qui flottent joyeusement au vent, ce sont désormais celles de Malborough et de ses Anglois au Nord, du prince Eugène avec ses Teutons à l'Est, du duc de Savoie en Dauphiné. Lille est prise — Lille, la perle du règne, l'une des premières

et plus brillantes conquêtes, du temps où l'on était « heureux ».
Et les Teutons s'offrent même le luxe d'envoyer un commando
de reîtres en direction de Versailles, dans l'espoir d'y cueillir
et d'y faire prisonniers quelques-uns de ces beaux Messieurs qui
étaient si farauds, naguère, d'appartenir à la Grande Nation.

L'hiver 1708-1709 est atroce. Le gel a ruiné la récolte de blé ;
le scorbut règne à l'Hôtel-Dieu et aux Invalides. Noirs de faim,
les pauvres tombent comme des mouches et, dans le carrosse
même de Mme de Maintenon, on jette des enfants moribonds.
En août, c'est l'émeute à Paris, le pillage et la troupe qui doit
marcher sur les pauvres gens. Il faut aussi entendre chansonner
dans les rues la dynastie royale :

<blockquote>
Le grand-père est un fanfaron,
Le petit-fils un grand poltron.
Oh ! la belle famille !
Que je vous plains, pauvres Français,
Soumis à cet empire !
Faites comme ont fait les Anglais.
C'est assez vous en dire.
</blockquote>

Car on en est là : à l'appel au régicide pur et simple.

Nicolas, qui vit en plein cœur de Paris, fait confidence au
petit Brossette de tous ces « malheurs » qui consacrent « les
funérailles de la félicité publique, morte en France depuis plus
de quatre ans » (5 mai 1709) : « Nous nous sentons de la famine
aussi bien que vous, et il n'y a point de jour de marché où la
cherté du pain n'y excite quelque sédition. »

Sans doute LOUIS est-il, dans l'épreuve, admirable de dignité
et de force d'âme. Mais il est clair qu'il nourrit d'autres soucis
que celui de se pencher avec compréhension sur les états d'âme
des compagnons de route du Jansénisme. La religion ? « Je n'en
veux qu'une dans mon royaume et si les libertés servent de
prétextes pour en introduire d'autres, je commencerai par
détruire les libertés. » Et au Premier Président du Parlement
(on ne sait que trop de quel côté penchent MM. les Parlementaires) : « Si le Parlement bronchait, il lui marcherait sur le
ventre ; il n'y avait pas loin de son cabinet à la Bastille. »

Aors, au milieu du déferlement des « malheurs publics », la
satire sur *l'Equivoque*...

D'autant plus que le confesseur de LOUIS n'est plus désormais
le Père La Chaise qui faisait figure de *colombe* : lui succède,
en 1709 toujours, le Père Michel le Tellier, un jésuite de choc qui
ne risquerait pas, lui, de s'étouffer de rire à la lecture de *l'Amour
de Dieu*, qui en tient pour la manière musclée et non pour la
concertation perpétuelle. Aussi quand se répand dans le public
un nouveau pamphlet contre les Messieurs de la Compagnie
— aussitôt attribué à l'auteur de *l'Equivoque* — le *faucon* somme-
t-il Nicolas de désavouer publiquement l'odieux libelle. Il donne
ses instructions au Père Thoulier : c'en est assez des discrets
démentis qui sont tenus « en particulier ». Ces désavœux chucho-
tés n'empêchent pas que « le public » continue à attribuer à
Nicolas des écrits qui sont scandaleux : « Ce n'est point nous
qu'il est besoin de détromper (...), c'est le public et le Roi même
qu'il a intérêt à détromper » (12 août).

Devant ce langage sans périphrases, Nicolas accuse rudement
le coup et il répond dès le lendemain. Mais le moins que l'on
puisse dire est que cette réponse révèle la plus candide inconscience (on voit trop bien que le cher Racine n'est plus là pour
prodiguer ses toujours judicieux conseils). Les problèmes de
toutes sortes auxquels est confronté LOUIS, en ce funeste mois
d'août 1709, ne sont pas de ceux qui appellent la légèreté et le
badinage. Or si Nicolas se déclare bien « fort scandalisé » d'apprendre qu'on le considère comme l'auteur de l'épître incriminée,
il s'en va, plus homme de lettres, plus intellocrate que jamais,
bâtir son argumentation sur le plus inattendu des raisonnements :
à l'en croire, il est tout à fait impossible que « le public » puisse
penser que, lui, Nicolas, grand prêtre des Muses, ait pu commettre une aussi « fade » épître, « grossière boutade de quelque
cuistre de l'Université » :

> Si je l'avais faite, je me mettrais au-dessous des Coras,
> des Pelletiers et des Cotins. J'ajouterai à cette déclaration
> que je n'aurai jamais aucune estime pour ceux qui, ayant

lu mes ouvrages, ont pu me soupçonner d'avoir fait cette puérile pièce, fussent-ils jésuites.

On s'en doute, uniquement fondée sur l'étalage de son éminente valeur poétique et sur le rappel de ses vieilles querelles littéraires, cette dialectique n'est pas de nature à convaincre le disciple de Loyola, qui se soucie fort peu de feu l'abbé Cotin ou du gros Charpentier. Et qui n'en démord pas : un démenti public, et catégorique, et immédiat. Avec la même ingénuité, Nicolas avance une contre-proposition : puisque c'est le « public » qu'il importe de convaincre, l'heure ne serait-elle pas venue de publier enfin *l'Equivoque* ? En prenant connaissance de *l'Equivoque*, le « public » ne distinguerait-il pas la « différence qu'il y a de (mes) vers à ceux de ce maudit rimeur » ? Cette éclatante démonstration ne vaudrait-elle pas tous les démentis du monde ? Comme si le Père, qui vient justement d'arracher à LOUIS la décision de chasser de Port-Royal les dernières religieuses (octobre 1709), allait se laisser piper au point d'autoriser la diffusion d'un texte qui est tout à la gloire de ces ennemis de l'Etat... Ces gens de plume sont décidément impayables.

Il ne reste donc plus à Nicolas qu'à enfouir de nouveau la satire au fond du « coffre-fort » ; et à se demander s'il ne sera pas privé de la joie de voir imprimé avant sa mort ce testament qui couronnerait sa carrière de poète et de dénonciateur des malfaisances du siècle.

En dépit de toutes ces misères, il faut bien supporter de vivre.

Rares sont les satisfactions en cette funeste décade. Mais c'est tout de même une « joie » que d'apprendre que la vieille Université donne de son admiration pour Nicolas un témoignage qui ne se discute pas : elle traduit *en latin* les grandes œuvres du moderne Horace : « Ainsi, Monsieur, me voilà poète latin confirmé dans toute l'Université » (A Brossette, 6 décembre 1707).

La correspondance avec le petit Brossette constitue aussi en elle-même une source de consolations. Sans doute ce correspondant mérite-t-il qu'on lui tire parfois quelque peu les oreilles : ainsi juger Horace « négligé » en ses *Satires* et ses *Epîtres* est d'un parfait ignorant. Mais voici plus grave : comment est-il possible que le Lyonnais ne fasse, en matière de prosodie, aucune différence entre « *de* Styx et *d*'Achéron » et « *du* Styx et *de* l'Achéron » ? :

> Permettez-moi de vous dire que vous avez en cela l'oreille un peu prosaïque et qu'un homme vraiment poète ne me fera jamais cette difficulté (...). Mais ces agréments sont des mystères qu'Apollon n'enseigne qu'à ceux qui sont vraiment initiés à son art (7 janvier 1709).

On n'est pas plus aimable.

Mais enfin il faut être indulgent à un jeune provincial qui ne peut savoir ni l'air ni les choses de la capitale : à telle remarque sur un vers de la *Satire* I, il suffit de lui répondre : « On rirait à Paris d'un homme qui me ferait votre objection » (5 mai 1709).

Il reste qu'avec celui-là il est toujours rafraîchissant de revenir sur les poèmes d'antan, de faire l'historique des satires, du *Lutrin*. Encore que cette exégèse rétrospective n'aille pas sans une profonde nostalgie : « Je ne suis plus rien de ce que j'étais et, pour comble de misère, il me reste un malheureux souvenir de ce que j'ai été. Aujourd'hui pourtant il faut que je fasse encore le jeune » (7 janvier 1709). Et la dernière lettre que Nicolas lui adressera se résume en ces simples mots, qui valent bien des alexandrins : « Aimez-moi toujours » (12 février 1710).

Nicolas suit encore pourtant, de loin, l'évolution de la vie littéraire. Mais, dans ce domaine, le spectacle de l'actualité est, comme dans les affaires publiques, navrant : il est bien obligé de le reconnaître aujourd'hui : « Les Pradon dont nous nous sommes moqués dans notre jeunesse étaient des soleils » auprès des dramaturges de la nouvelle vague (Louis Racine).

Pour ce qui est des réunions de l'Académie, elles sont vraiment de plus en plus écœurantes. Ainsi celle, grotesque, au cours de laquelle les Topinambous ont été invités à trouver un successeur à feu l'abbé Testu, auteur de *Stances chrétiennes* et traducteur des plus beaux passages de la Bible — opiomane invétéré au surplus. Nicolas, lui, en tient pour la candidature de Jacques-

Louis Valon, marquis de Mimeure, qui a eu le bon goût, au milieu de ses nombreuses occupations militaires, de traduire en vers une ode du cher Horace. Nicolas n'est pas le seul à lui donner la préférence : le Marquis, qui a au surplus le mérite d'avoir renoncé à toute « brigue », peut compter pour lui, au départ, 18 voix sûres : une élection assurée donc. Or, le moment venu, à l'ouverture de la séance, cette confortable majorité s'est pour ainsi dire volatilisée : on ne parle plus que de la candidature de François-Joseph de Beaupoil, marquis de Saint-Aulaire, qui a commis quelques vers légers du type : « Où fuyez-vous, plaisirs ? Où fuyez-vous, amour ? » On voit le genre et le sublime de l'inspiration.

Nicolas n'en croit pas ses oreilles et témoigne son « étonnement avec assez d'amertume ». Et les chers collègues de laisser « entendre, d'un air assez pitoyable, qu'ils étaient liés ». Liés ? vous avez dit : liés ? Ce sera donc, encore et toujours, la combine, la magouille ? Alors, tout perclus qu'il soit, Nicolas entre « dans une vraie colère » et, pour édifier MM. les Topinambous, il donne lecture d'un spécimen de la poésie de ce M. de Beaupoil : un rimeur auprès duquel « les Chapelains, les Cotins, les Pelletiers » étaient des « héros » (Le Verrier au duc de Noailles). Hélas, rien n'y fait et Nicolas tonne en vain. On passe au vote et le seul suffrage de Nicolas se porte sur M. de Mimeure. Après tout, mieux vaut en ricaner : ce Beaupoil-là ne déparera pas la compagnie.

La leçon de tout cela ? Les bonnes femmes, les funestes bonnes femmes, bien entendu : une Mme de Ferriol, une Mme de Croissy, une Mme de Lambert (celle-là promise à un bel avenir dans le siècle pourri avec son salon où elle accueillera les Fontenelle, les Montesquieu, et autres beaux esprits). Nicolas cède la place, écœuré :

> Il a représenté avec beaucoup de chaleur que tout était perdu, puisqu'il n'y avait plus que la brigue des femmes qui mît des académiciens à la place de ceux qui mouraient (Le Verrier).

Et certains ont encore le front de prétendre que la *Satire* sur les Femmes est excessive, injuste ?

*
**

Ecrire encore ? Alors que *l'Equivoque* dort dans le coffre-fort comme l'inédit du plus pâle débutant ?

Des petites choses, à la rigueur. C'est ainsi que, au cours de l'année 1710, Nicolas complète la série des neuf *Réflexions sur Longin* déjà parues par trois autres qui, sans doute, ajoutent très peu à sa gloire et à son mérite. Mais contre vents et marées il entend bien, sans craindre de se répéter, s'en tenir fermement aux principes qu'il a solennellement énoncés. Et cela moins par entêtement de vieillard buté ou par aveuglement imbécile devant l'évolution du goût que parce qu'il est animé par la conviction profonde — à la Bossuet — que les esprits s'égarent sur la voie de la décadence et de la perversion.

Il revient donc (*Réflexion* X) sur sa vieille définition du Sublime qui ne doit pas être confondu avec le « style sublime », trop vite emphatique et enflé. Le Sublime, c'est ce « qui fait qu'un ouvrage enlève, ravit, transporte » : il est simple, il est dépouillé, contrairement à ce que clament les beaux esprits qui, comme l'insupportable Fontenelle, s'en vont prônant que le Sublime manque par trop de « naturel ». Et de citer le « Qu'il mourût » du vieil Horace, ou la réponse de Médée abandonnée à la confidente qui lui demande : « Que vous reste-t-il ? — Moi. Moi, dis-je, et c'est assez. »

> Voilà des termes fort simples. Cependant il n'y a personne qui ne sente ce qu'il y a dans ces trois syllabes, « Qu'il mourût » (...). La chose aurait perdu de sa force si, au lieu de dire « Qu'il mourût », il avait dit : « Qu'il suivît l'exemple de ses deux frères », ou : « Qu'il sacrifiât sa vie à l'intérêt et à la gloire de son pays ».

En fait de « commentaire littéraire », voilà qui n'est pas si mal tourné.

L'autre exemple sur lequel s'étend Nicolas est assurément d'une inspiration moins heureuse. C'est en effet à longueur de pages qu'il discute sur le « Fiat Lux » de la Bible, un « Fiat Lux » dont, il y a bien longtemps (trente ans plus tôt !), l'évêque d'Avranches Huet a osé mettre en doute la « sublimité ». Tels sont en effet les Nouveaux Temps : non seulement les admirables Anciens ne sont plus qu'objets de sarcasmes, mais il faut encore qu'un homme d'Eglise en vienne à mettre en doute la transcendance de la Parole divine.

Ce n'est pourtant pas sur le prélat que tombent les nouvelles foudres de Nicolas, mais sur son correspondant, Jean Le Clerc, « fameux protestant de Genève réfugié en Hollande », qui a cru bon de mettre son grain de sel de parpaillot dans la querelle élevée autour du *Fiat Lux*. Et dans la *Réflexion*, le calviniste prend tout naturellement la succession de feu Perrault : âne après âne. Et comme Nicolas est plongé jusqu'au cou dans l'aventure de *l'Equivoque,* il y en aura autant pour l'hérétique que pour le casuiste. La voix du grand Bossuet s'est éteinte ; alors s'élève, sonore à souhait, celle du Docteur laïc :

> Lisez l'Ecriture Sainte avec un peu moins de confiance en vos propres lumières, et défaites-vous de cette hauteur calviniste et socinienne...

> Ne vous opiniâtrez pas davantage à défendre contre Moïse, contre Longin, et contre toute la terre, une cause aussi odieuse que la vôtre et qui ne saurait se soutenir que par des *équivoques* et par de fausses subtilités.

On s'est déjà hissé jusqu'au sommet du Parnasse. C'est désormais sur la plus haute cime du Sinaï que l'on commente les Tables de la Loi. S.E. le Cardinal de Noailles ne s'y trompe pas : après avoir pris connaissance de la nouvelle *Réflexion,* il n'hésite pas à porter Nicolas sur les autels : celui-là parle de « Dieu comme un Père de l'Eglise ».

Quand il lira la *Réflexion* X (publiée seulement en 1713), l'évêque Huet sera, lui, beaucoup moins empressé à tresser l'auréole sacrée autour du front du nouveau saint : « prince des poètes médisants », riche en « venin », habile à dresser contre l'adversaire la clique de ses admirateurs, dispensateurs d'« outrages » et d'« ordures », animés par « toute la bile, toute la méchanceté, toutes les noirceurs » de leur idole. Entre Pères de l'Eglise, la leçon des Béatitudes n'inspire pas toujours et, en rencontrant au Paradis son contradicteur, le prélat a dû s'empresser de détourner le regard.

Beaucoup plus brèves, les *Réflexions* XI et XII sont animées d'une moindre vivacité. Mais elles constituent, elles aussi, par un hommage au cher Racine, un retour sur le passé : à nos âges, que peut-on faire d'autre que de revenir sur les belles années ? Et l'occasion est propice puisqu'il se trouve qu'un malotru, le sieur Houdard de la Motte, un autre Topinambou, a osé critiquer un vers de *Phèdre*. Que ne peut-on attendre d'un sot qui s'emploiera bientôt à rimer en vers français une *Iliade* amputée de la moitié du texte original ? Vaine entreprise que celle de « dessiller les yeux » de qui ne veut pas voir.

Et puisque l'on est en plein dans les querelles de bénitier, pourquoi ne pas donner encore comme exemple du véritable Sublime la tirade de Joad dans *Athalie* : « Celui qui met un frein à la fureur des flots... » (*Réflexion* XII) ?

Vers le milieu de 1710, pressentant que, cette fois, l'échéance définitive n'est plus très lointaine, Nicolas tente un ultime effort en faveur de son *Equivoque.* Il est décidé à l'insérer dans la nouvelle édition de ses œuvres qu'il prépare, précédée d'un *Discours de l'auteur*, afin d'en mettre en valeur la rigoureuse orthodoxie. S.E. de Noailles a approuvé le projet ; le ministre Pontchartrain a promis d'accorder l'autorisation. Tout n'est donc pas perdu et le public pourra enfin prendre connaissance du message suprême du vieux Monsieur : une dernière joie. Mais il faut faire très vite : le 11 décembre, Nicolas l'avoue au petit Brossette : « pour mon corps, il diminue tous les jours visiblement et je puis déjà dire de lui : *fuit* ».

Et puis, quelques jours plus tard, c'est le naufrage, l'effondrement, le « désastre » : « M. le Chancelier· a retiré sa parole et ne veut point qu'on imprime cette satire » (Le Verrier à

Noailles, 30 janvier 1711). Le ministre n'y est pour rien : l'oukaze vient « directement du Roi que le Père le Tellier avait prévenu là-dessus » (id., 6 février).

Désavoué par LOUIS lui-même, ce LOUIS qu'il a tant chanté et sincèrement admiré, le vieux Monsieur n'a plus qu'à baisser les bras. Sans mot dire, il fait « cesser son édition qui était commencée » et se résout à « ne plus rien faire imprimer de son vivant » (id.). Et il rassemble dans un portefeuille les écrits encore inédits qui devaient paraître dans le nouveau recueil.

Un autre le dira éloquemment, beaucoup plus tard :

Fais énergiquement ta longue et lourde tâche
Dans la voie où le sort a voulu t'appeler,
Puis après, comme moi, souffre et meurs sans parler.

(A. de Vigny.)

Le 2 mars, il rédige son testament. Le document précise que Nicolas est « dans sa robe de chambre, couché sur son lit, dans l'alcôve d'une chambre au premier étage, ayant vue par une croisée sur une terrasse donnant sur l'eau, infirme de corps, sain d'esprit, mémoire et jugement... ».

La boucle est désormais bouclée ; et l'on revient aux sources :

Il ordonne son corps être enterré sans pompe et sans faste dans la basse Sainte-Chapelle du Palais, avec Monsieur son père et Messieurs ses autres parents décédés.

Il partage ses biens (qui ne sont pas minces) entre ses proches, sans oublier le valet de chambre « en reconnaissance de ses bons et assidus services », le « petit laquais pour aider à lui faire apprendre un métier et l'établir », le jardinier passé au service du nouveau propriétaire d'Auteuil. Le reste ira aux pauvres des six paroisses de la Cité.

Il donne des instructions pour l'impression de ses inédits, « même celui contre *l'Equivoque* » (l'espoir demeure tenace), rassemblés dans le « portefeuille ».

Puis, couché sur le lit de l'alcôve, il attend.

Il reçoit Valincour, l'historiographe qui a succédé au cher

Racine, et le charge d'un message pour LOUIS : « il était très
fâché de ce que lui et M. Racine avaient été chargés d'un travail
si contraire à leur génie, qui n'était que pour les vers (...) ; il
voyait bien que tout ce qu'ils avaient fait n'était pas bon ».
L'aveu sort sans peine, maintenant.

Il a encore assez de tonus pour envoyer au diable Le Verrier
qui, pour le distraire, propose de lui lire le récent *Rhadamiste*
de Crébillon : « Emportez vite ce livre, de peur que, si on le
trouvait chez moi, on ne crût que j'en ai souffert la lecture ! »
(Brossette).

Il est assisté par le chanoine Le Noir, son logeur, qui est aussi
son confesseur. Il reçoit le conseiller Coustard, un ami des
dernières années, et lui serre la main : « Bonjour et adieu :
l'adieu sera bien long » (Louis Racine).

Et, le 27 mars, le frère Jacques écrit au petit Brossette qui
s'est inquiété de la santé du vieux Monsieur :

> Je ne suis nullement en état, Monsieur, de faire une
> réponse aussi ample que je devrais à l'obligeante lettre
> qui vient de m'être rendue de votre part (...). L'affliction
> que j'ai dans le cœur de la perte que j'ai faite de mon
> frère (...) ne me laisse pas la tête assez libre pour satis-
> faire, comme je voudrais, à ce devoir.
>
> Permettez-moi, Monsieur, de vous dire seulement que
> sa mort a été très chrétienne et qu'il a donné la plus
> grande partie de ses biens aux pauvres.
>
> Il est passé en l'autre vie à 11 heures du soir, le
> 11 de ce mois, à l'âge de soixante-quatorze ans et quatre
> mois...

Nicolas n'aura pas eu la dernière satisfaction de lire ces lignes
de Mathieu Marais (mars 1711) :

J'ai lu l'*Equivoque* manuscrite, c'est un chef-d'œuvre, non seulement de la poésie, mais de l'esprit humain. Je l'ai lu avec transport...

CONCLUSION

La tradition veut que l'essayiste qui se penche sur le « cas Boileau » termine son étude en s'appliquant à donner, en guise de synthèse et sous le signe du *Est-il bon ? est-il méchant ?* de Diderot, un portait d'ensemble du personnage — l'homme et le poète.

L'entreprise est d'autant plus hasardeuse qu'elle ne peut être menée qu'à partir de témoignages et de jugements qui sont rigoureusement contradictoires. Autant dire qu'elle équivaut à tenter de concilier les inconciliables.

Au fil des années, au gré des situations, et de sa propre situation, en fonction de ses sympathies et de ses détestations, Boileau a été à la fois bon *et* méchant, lucide et aveugle, détestable rimeur et créateur authentique : et, en cela, il est tout pareil à quiconque a la difficile honnêteté de se mettre en face de lui-même.

Mieux vaut donc, en fin de compte, laisser le lecteur libre de se faire sa propre opinion, une fois le dossier refermé.

En espérant que ce lecteur a pris quelque plaisir à connaître les différentes pièces justificatives du procès. Et que, au terme de l'analyse, avec ses foucades, ses partis pris, ses indignations et ses enthousiasmes, ses petitesses et ses générosités, Boileau se révèle parfaitement « aimable ».

TABLE DES MATIERES

ACHEVÉ D'IMPRIMER
SUR LES PRESSES
DE L'IMPRIMERIE S.E.G.
33, RUE BÉRANGER
CHATILLON-SOUS-BAGNEUX

Dépôt légal : juillet 1986
Numéro d'impression : 3419